法学文库 主编 何勤华

夏商西周法制史

胡留元 冯卓慧 著

商务印书馆

2009年·北京

图书在版编目(CIP)数据

夏商西周法制史/胡留元,冯卓慧著.—北京:商务印书馆,2006
(法学文库)
ISBN 7-100-04742-0

Ⅰ.夏… Ⅱ.①胡…②冯… Ⅲ.①法制史—中国—夏代②法制史—中国—商代③法制史—中国—西周时代 Ⅳ.D929.2

中国版本图书馆 CIP 数据核字(2005)第 120346 号

所有权利保留。
未经许可,不得以任何方式使用。

本书得到西北政法学院科研经费资助

法 学 文 库

XIÀ SHĀNG XĪ ZHŌU FǍ ZHÌ SHǏ

夏商西周法制史

胡留元 冯卓慧 著

商务印书馆出版
(北京王府井大街36号 邮政编码100710)
商务印书馆发行
北京瑞古冠中印刷厂印刷
ISBN 7-100-04742-0/D·382

2006年7月第1版　　开本 880×1230 1/32
2009年11月北京第2次印刷　印张 19⅝
定价:29.00元

总　序

商务印书馆与法律著作的出版有着非常深的渊源,学界对此尽人皆知。民国时期的法律著作和教材,除少量为上海法学编译社、上海大东书局等出版之外,绝大多数是由商务印书馆出版的。尤其是一些经典法律作品,如《法律进化论》、《英宪精义》、《公法与私法》、《法律发达史》、《宪法学原理》、《欧陆法律发达史》、《民法与社会主义》等,几乎无一例外地皆由商务印书馆出版。

目下,商务印书馆领导高瞻远瞩,加强法律图书出版的力度和规模,期望以更好、更多的法律学术著作,为法学的繁荣和法治的推进做出更大的贡献。其举措之一,就是策划出版一套"法学文库"。

在当前国内已出版多种法学"文库"的情况下,如何体现商务版"法学文库"的特色？我不禁想起程树德在《九朝律考》中所引明末清初大儒顾炎武(1613—1682)的一句名言。顾氏曾将著书之价值界定在:"古人所未及就,后世所不可无者"。并以此为宗旨,终于创作了一代名著《日知录》。

顾氏此言,实际上包含了两层意思:一是研究成果必须具有填补学术空白之价值;二是研究对象必须是后人所无法绕开的社会或学术上之重大问题,即使我们现在不去触碰,后人也必须要去研究。这两层意思总的表达了学术研究的根本追求——原创性,这也是我们编辑这套"法学文库"的立意和目标。

具体落实到选题上,我的理解是:一、本"文库"的各个选题,应是国内学术界还没有涉及的课题,具有填补法学研究空白的特点;二、各个选题,是国内外法学界都很感兴趣,但还没有比较系统、集中的成果;三、各选题中的子课题,或阶段性成果已在国内外高质量的刊物上发表,在学术界产生了重要的影响;四、具有比较高的文献史料价值,能为学术界的进一步研究提供基础性材料。

法律是人类之心灵的透视,意志的体现,智慧的结晶,行为的准则。在西方,因法治传统的长期浸染,法律,作为调整人们生活的首要规范,其位亦尊,其学亦盛。而在中国,由于两千年法律虚无主义的肆虐,法律之位亦卑,其学亦微。至目前,法律的春天才可以算是刚刚来临。但正因为是春天,所以也是一个播种的季节,希望的季节。

春天的嫩芽,总会结出累累的果实;涓涓之细流,必将汇成浩瀚之大海。希望"法学文库"能够以"原创性"之特色为中国法学领域的学术积累做贡献;也真切地期盼"法学文库"的编辑和出版能够得到各位法学界同仁的参与和关爱,使之成为展示理论法学研究前沿成果的一个窗口。

我们虽然还不够成熟,
但我们一直在努力探索……

何勤华
于上海·华东政法学院
法律史研究中心
2004 年 5 月 1 日

General Preface

It's well known in the academic community that the Commercial Press has a long tradition of publishing books on legal science. During the period of Republic of China (1912—1949), most of the works and text books on legal science were published by the Commercial Press, only a few of them were published by Shanghai Edition and Translation Agency of Legal Science or Shanghai Dadong Publishing House. Especially the publishing of some classical works, such as on *Evolution of Laws*, *Introduction to the Study of the Law of the Constitution*, *Public Laws and Private Laws*, *the History of Laws*, *Theory of Constitution*, *History of the Laws in European Continents*, *Civil Law and Socialism* were all undertaken by the Commercial Press.

Now, the executors of Commercial Press, with great foresight, are seeking to strengthen the publishing of the works on the study of laws, and trying to devote more to the prosperity of legal science and the progress of the career of ruling of law by more and better academic works. One of their measures is to publish a set of books named "Jurisprudential Library".

Actually, several sets of "library" on legal science have been published in our country, what should be unique to this set of "Jurisprudential Library"? It reminded me of Gu Yanwu's (1613—1682) famous saying which has been quoted by Cheng Shude (1876—1944) in *Jiu Chao Lv Cao* (*Collection and Complication of the Laws in the Nine Dynasties*). Gu Yanwu was the great scholar of Confucianism in late Ming and early Qing Dynasties. He defined the value of a book like this: "the subject covered by the book has not been studied by our predecessors, and it is necessary to our descendents". According to this principal, he created the famous work *Ri Zhi Lu* (*Notes on Knowledge Accumulated Day by Day*).

Mr. Gu's words includes the following two points: the fruit of study must have the value of fulfilling the academic blanks; the object of research must be the significant question that our descendants cannot detour or omit, that means even if we didn't touch them, the descendants have to face them sooner or later. The two levels of the meaning expressed the fundamental pursuit of academy: originality, and this is the conception and purpose of our compiling this set of "Jurisprudential Library".

As for the requirement of choosing subjects, my opinion can be articulated like this: Ⅰ. All the subjects in this library have not been touched in our country, so they have the value of fulfilling the academic blanks; Ⅱ. The scholars, no matter at home and or abroad are interested in these subjects, but they have not published systematic and concentrated results; Ⅲ All the sub-subjects included in the subjects chosen or the initial results have been published in the publication which is of high quality at home or abroad; Ⅳ. The subjects chosen should have comparatively high value of historical data, they can provide basic materials for the further research.

The law is the perspective of human hearts, reflection of their will, crystallization of their wisdom and the norms of their action. In western countries, because of the long tradition of ruling of law, law, the primary standard regulating people's conducts, is in a high position, and the study of law is also prosperous. But, in China, the rampancy of legal nihilism had been lasting for 2000 years, consequently, law is in a low position, and the study of law is also weak. Until now, the spring of legal science has just arrived. However, spring is a sowing season, and a season full of hopes and wishes.

The fresh bud in spring will surely be thickly hung with fruits; the little creeks will coverage into endless sea. I hope "Jurisprudential Library" can make great contribution to the academic accumulation of the area of Chinese legal science by it's originality; I also heartily hope the colleagues in the area of legal study can award their participation and love to the complication and publication of "Jurisprudential Library" and make it a wonderful window showing the theoretical frontier results in the area of legal research.

We are not mature enough
We are keeping on exploring and seeking

He Qinhua

In the Research Center of Legal History
East China University of Politics and Law, Shanghai, P.R.C.
May 1st, 2004

目　　录

总序 ··· 何勤华
序言 ···　1

第一编　夏商法律制度

第一章　立法思想和立法活动 ··························　2
第一节　夏国家的形成和法的产生 ··················　2
　　一、夏朝是我国第一个奴隶制国家 ··················　2
　　二、法的产生 ····································　9
　　三、象刑——法处于胚胎时期的公布形式 ············ 15
第二节　立法思想 ································ 28
　　一、"天罚" ······································ 29
　　二、神判 ·· 39
　　三、王德伐 ······································ 45
第三节　立法概况 ································ 47
　　一、禹刑 ·· 47
　　二、汤刑 ·· 49
　　三、汤令和官刑 ·································· 54

第二章　犯罪、刑罚和监狱 ·························· 56
第一节　犯罪 ···································· 56

　　　　一、夏朝有关犯罪的规定 …………………………… 56
　　　　二、商朝有关犯罪的规定 …………………………… 64
　　第二节　刑罚 …………………………………………… 72
　　　　一、甲骨文中的五刑 ………………………………… 72
　　　　二、古文献中的殷代酷刑 …………………………… 96
　　　　三、甲骨文中的酷刑 ………………………………… 99
　　　　四、甲骨文中的其它刑罚 ……………………………107
　　第三节　狱政 ……………………………………………110
　　　　一、甲骨文中的刑具 …………………………………110
　　　　二、甲骨文中的拘捕 …………………………………116
　　　　三、甲骨文中的监狱 …………………………………121

第三章　夏商的民事法律关系 …………………………………133
　　第一节　夏代的民事法律关系 …………………………133
　　　　一、夏人的身分法 ……………………………………133
　　　　二、夏人的婚姻关系 …………………………………152
　　　　三、夏代的继承 ………………………………………157
　　　　四、夏人的物权法 ……………………………………161
　　　　五、夏人的债的关系 …………………………………168
　　第二节　商代的民事法律关系 …………………………178
　　　　一、商代的身分法 ……………………………………178
　　　　二、商代的婚姻家庭法 ………………………………214
　　　　三、商代的继承法 ……………………………………244
　　　　四、商代的物权法 ……………………………………248
　　　　五、商代的债法 ………………………………………256

第四章　行政军事立法 …………………………………………259

第一节　行政管理体制 …………………………………… 259
　一、王权 ……………………………………………………… 259
　二、贵族议事会和国人大会 ………………………………… 260
　三、中央行政管理机构 ……………………………………… 262
　四、地方行政管理机构 ……………………………………… 275
第二节　职官管理制度 …………………………………… 282
　一、官学养士制度 …………………………………………… 282
　二、职官选任考绩制度 ……………………………………… 286
第三节　军事立法 ………………………………………… 289
　一、军事法律形式 …………………………………………… 289
　二、军事统帅指挥系统 ……………………………………… 293
　三、军队组织编制 …………………………………………… 297
　四、兵役制度 ………………………………………………… 302
　五、军事刑罚制度 …………………………………………… 303

第二编　西周法律制度

第一章　立法思想 ………………………………………… 306
第一节　"天罚"、"神判"法律思想的动摇 ……………… 306
　一、"天罚"思想在周初的动摇 …………………………… 306
　二、"神判"思想在周初的动摇 …………………………… 310
第二节　"明德慎罚"立法思想 …………………………… 312
　一、"明德慎罚"思想的产生 ……………………………… 312
　二、"明德慎罚"的原则和内容 …………………………… 318
　三、"明德慎罚"思想在西周的三次兴起 ………………… 321
第二章　立法活动 ………………………………………… 328

第一节　立法 ································ 328
　一、文王的"有亡荒阅"和"罪人不孥" ············ 328
　二、《九刑》的制定和重修 ······················ 330
　三、周公的土地立法 ·························· 335
　四、《吕刑》的制定和内容 ······················ 337
　五、西周中晚期立法活动的发展和变化 ············ 344
　六、西周立法特点 ···························· 346

第二节　制礼 ································ 350
　一、礼的产生和发展 ·························· 350
　二、周公制礼 ································ 352
　三、礼的内容和作用 ·························· 354

第三节　礼法关系 ···························· 357
　一、德与礼 ·································· 357
　二、礼与法 ·································· 358
　三、礼与刑 ·································· 360

第三章　刑事法规 ································ 364
第一节　犯罪 ································ 364
　一、反对王权和奴隶制国家的犯罪 ················ 364
　二、侵害奴隶主贵族人身安全的犯罪 ·············· 366
　三、侵犯奴隶主贵族财产安全的犯罪 ·············· 368
　四、破坏家庭婚姻的犯罪 ······················ 370
　五、妨害社会秩序的犯罪 ······················ 372
　六、违反祭祀礼制的犯罪 ······················ 374
　七、官吏在履行职责上的违法犯罪 ················ 375
　八、破坏国家经济政策的犯罪 ·················· 377

九、军事上的犯罪 …………………………………………… 378
　第二节　刑罚 …………………………………………………… 379
　　　一、死刑 ……………………………………………………… 380
　　　二、肉刑 ……………………………………………………… 384
　　　三、赎刑、罚金 ……………………………………………… 389
　　　四、其它刑种 ………………………………………………… 390
　第三节　科刑制度 ……………………………………………… 399
　　　一、刑事附带民事判例——《㝬匜》 …………………… 400
　　　二、刑罚等级 ………………………………………………… 401
　　　三、刑之加减 ………………………………………………… 403
　第四节　刑罚原则 ……………………………………………… 404
　　　一、定罪量刑区分故意与过失、一贯与偶犯 …………… 405
　　　二、刑事责任年龄 …………………………………………… 405
　　　三、依法定罪、罪刑相当、因时而异、世轻世重 ……… 406
　　　四、罪疑从轻、众疑则赦 …………………………………… 407
　　　五、数罪俱发、以重者论 …………………………………… 407
　　　六、罚不连坐、罪不相及 …………………………………… 408
　　　七、重视犯罪意识和犯罪后果的一致性 ………………… 408
　　　八、上下比罪、类推定罪 …………………………………… 408
　　　九、同罪不同罚 ……………………………………………… 409
　　　十、正当防卫不为罪 ………………………………………… 409
第四章　民事法规 ………………………………………………… 411
　第一节　社会各阶层的法律地位 ……………………………… 411
　　　一、社会各阶层的法律地位 ………………………………… 411
　　　二、社会各阶层的民事权利能力和行为能力 …………… 421

第二节 物法 …………………………………………… 424
　一、物的概念 ………………………………………… 425
　二、物的分类 ………………………………………… 425
第三节 所有权 ………………………………………… 429
　一、所有权的种类 …………………………………… 429
　二、所有权的取得 …………………………………… 437
　三、所有权的消灭 …………………………………… 441
　四、所有权的保护 …………………………………… 444
第四节 债 ……………………………………………… 446
　一、因侵权行为所发生的债 ………………………… 447
　二、契约的种类和内容 ……………………………… 448
　三、契约形式和成立的要件 ………………………… 461

第五章 婚姻法规 ……………………………………… 464
第一节 婚姻 …………………………………………… 464
　一、同姓不婚的婚姻原则 …………………………… 464
　二、婚姻种类 ………………………………………… 467
　三、婚姻成立的条件 ………………………………… 475
　四、禁止婚约成立的要件 …………………………… 479
　五、婚姻仪式 ………………………………………… 481
　六、婚姻关系中止 …………………………………… 483
　七、一夫一妻制与一夫多妻制 ……………………… 487
　八、夫妻关系地位 …………………………………… 488
第二节 家庭与继承 …………………………………… 491
　一、宗法制度 ………………………………………… 491
　二、家庭制度 ………………………………………… 494

三、继承制度 …………………………………………… 500
第六章　经济法规 ………………………………………… 503
　第一节　商业、税收和借贷法律制度 ………………… 503
　　一、西周商业概述 ……………………………………… 503
　　二、市场管理的法律规定 ……………………………… 505
　　三、税法 ………………………………………………… 509
　　四、对边关贸易的管理 ………………………………… 510
　　五、借贷的法律规定 …………………………………… 512
　第二节　田赋、力役和山林保护的法律规定 ………… 514
　　一、田赋及农业管理的法律规定 ……………………… 514
　　二、力役的法律规定 …………………………………… 517
　　三、山林管理的法律规定 ……………………………… 518
　　四、手工业和矿业管理的法律规定 …………………… 519
第七章　行政法规 ………………………………………… 521
　第一节　行政管理体制 ………………………………… 521
　　一、中央政府机构的设置和权限 ……………………… 521
　　二、地方行政组织 ……………………………………… 526
　　三、西周行政管理体制的特点 ………………………… 527
　第二节　职官管理制度 ………………………………… 529
　　一、选士制度 …………………………………………… 529
　　二、任官制度 …………………………………………… 535
　　三、考绩制度 …………………………………………… 536
　　四、官吏监督 …………………………………………… 537
　　五、致仕制度 …………………………………………… 538
　　六、文书制度 …………………………………………… 539

第八章 司法机构 …… 542
第一节 中央司法机构 …… 542
一、司寇的建置 …… 542
二、司寇的职责 …… 545
三、司寇的官司组织 …… 549
第二节 地方司法机构 …… 555
一、侯国司寇 …… 555
二、西周司法组织的特点 …… 556

第九章 诉讼法规 …… 558
第一节 刑事诉讼 …… 558
一、司法审级 …… 559
二、起诉制度 …… 560
三、审判制度 …… 561
四、上诉与直诉 …… 567
五、执行制度 …… 568
第二节 民事诉讼 …… 572
一、《曶鼎》、《珊生簋》和《鬲攸从鼎》 …… 572
二、代理制度 …… 574
三、调解制度 …… 575
四、诉讼程序 …… 576
五、上诉制度 …… 579
六、巡行审判 …… 579
第三节 誓审 …… 582
一、西周誓审的范围、种类、程序和程式 …… 582
二、西周誓审的特点 …… 585

三、如何看待《周礼·司盟》有关誓审的记载 …………… 587
　第四节　军事审判 ……………………………………………… 590
　第五节　监狱 …………………………………………………… 595
　　一、周人关于狱的概念 …………………………………… 596
　　二、监狱名称及其职能 …………………………………… 596
　　三、狱具 …………………………………………………… 600

后记——西周法制史补记 ……………………………………… 602

Contents

General Preface ··· Qinhua He

Preface ··· 1

Part One The legal system of Xia and Shang Dynasty

Chapter 1   Legislative ideas and activities ················ 2

Chapter 2   Crime, punishment and prison ················ 56

Chapter 3   Civil legal relation in Xia and Shang ·········· 133

Chapter 4   Administrative and military legislation ········ 259

Part Two The legal system of Western Zhou Dynasty

Chapter 1   Legislative ideas ···························· 306

Chapter 2   Legislative activities ························· 328

Chapter 3   Legal provisions relating to criminal law ······ 364

Chapter 4   Civil law provisions ·························· 411

Chapter 5   Marriage law provisions ······················ 464

Chapter 6   Economic law provisions ····················· 503

Chapter 7   Administrative law provisions ················ 521

Chapter 8   Judicature institutions ······················· 542

Chapter 9   Procedural law provisions ···················· 558

Postscript ·· 602

序　言

　　一本近四十万字的夏、商、西周法制史终于付梓了,搁笔之时,万千话语竟无提起之势。1981年2月,我和先夫胡留元同志调西北政法学院法制史教研室任教,时教研室让每位教师确定一个科研方向,胡留元确定了中国古代法制史方向,我则确定了中外法制史比较方向,因为根据教研室的分配,我主要担任外国法制史的授课。此后教学与科研中,我们又将研究重点放在出土文物中中国古代法制的研究上。这样,一批关于西周金文中法制研究的系列论文发表了,也在同行中引起了不小反响。在论文的基础上,1988年12月与1989年5月,我们的两本专著《西周法制史》和《长安文物与古代法制》先后由陕西人民出版社与法律出版社出版了。此时,我们唯一想表述自己出此二本专著之目的,真可借程树德先生在《九朝律考》序中所言:"昔顾氏亭林论著书之难,以为必古人所未及就,后世所不可无者,而后庶几其传。……三十以还,遭逢世变,每伏案静思,以为古人处此,必有以自见,而决不汶汶以没"。我们五十年代末毕业于陕西师大历史系,而后任教中学二十一年,三十以还,遭逢文革,当科学的春天到来,我们调至西北政法学院,已经四十岁出头,两人多么珍惜这难得的科学的春天,常恨生命无法倒转,其时的拼搏昼夜不息,其心可对天。

　　二书出版后,蒙中外同行的厚爱,在中外法制史界引起了极大的反响与注意,因为是补白之作,故同行多为关注。其后1993年日本东京大学出版会出版的滋贺秀三先生编的《中国法制史基本资料の研究》和1994年中国政法大学出版社出版的高道蕴、高鸿钧、贺卫方君编的《美国学者论中国法律传统》中均将之列为主要参考书目。还记得1989年春,我赴广东中山大学开外法史年会,一位毕业于兰州大学的老师专来拜访,此前他读过我们的文章,但未谋面,见面后他说:"你怎么会是冯卓慧呢?你怎么会是位女同志?"我笑问:"我为何不是冯卓慧?为何不是女同志?我的名字本身就很女性化的呀?"他说:"我未料到,一位女同志能写出那样的文章。"我想他是指从出土文物资料中研究中国古代法制,带有考据性质的。他一再鼓励我别向钱看,要坚持写有用的书。他说:"三十年后,你们的书还会有人看。"我谢谢他的真诚的鼓励,至今不忘。程树德先生说:"夫名者造物之所吝,古人著述,大抵以毕生之力赴之,用力愈久,则其传愈远,书之佚者,必其无可传之具。"①

因为前二书均为有用之书,故胡留元同志更坚定要写出一部《夏商西周法制史》,将中华法系的源头补足。此后,他结合教学更注重了对甲骨文法制资料的收集与研究。因为夏、商法制资料较金文法制资料更为欠缺,故不少的情况还得借助于其它地下遗存,如夏商遗址中的墓葬、墓穴、宫殿遗址等。在立足于出土文物又印证先秦古籍基础上,我们开始了现在出版的本书的准备,又得到了司法部的立项资助,我们更无后顾之忧了。1999年初,即在前二书出版10年之后,胡留元同志完成本书中他所承担部分的初稿。我们合作著述,民法、婚姻法和中外比较部分由我承担,其余全由他承担。我因当时授课

---

① 程树德:《九朝律考》序。

过多，又忙于与汪世荣、许晓瑛君合著《罗马私法》一书，故自己承担本书的部分尚未完成。不料，天不遂愿，胡留元罹病近十月而去。我无以言传此痛苦。时时事事他莹立于我眼前，整整两年，我无法动笔，我甚至可以写别的论文，而唯独无法动笔写此书。我的读者们，请原谅我！冯友兰先生在悼念他的先逝的爱子、飞机工程专家时的挽联可借换以表我心："是好党员，是好教师，壮志未酬，泪洒岂只为家痛！能娴艺文，能娴科研，全才难得，追梦也难再归来！"最近的一年我终于坐了下来，在默默的哀寂、在无声的泪水中完成了我的那一部分。这便是此书迟延出版了三年的原因。如果他在，此书的装帧会更好、资料和图片的提供也会更好，但已是无奈了，我毕竟是补裘人而非制裘人。

古人云："长歌当哭！"我只能"长书当哭！"以此书作为对他的纪念，我仍希望这将是一本有用的书！

本书的出版和前二书的出版，均得到司法部立项的资助，在此感谢司法部。否则，即使我们耐得二十年坐冷板凳，谁来支持我们呢？治学者不仅需要资金的资助，也更需要精神的资助！同时，我也要感谢西北政法学院科研处，尤其是具体负责本书录入工作的李永兴老师，感谢他对我本人及本书的关心与协助！最后，感谢商务印书馆对本书的认可与出版！

本书在写作过程中参考、吸收了不少有关论著、文章的研究成果，并得到了不少同志的帮助、支持，在此一并致谢。

冯卓慧

2005年7月于西安

第一编 夏商法律制度

第一章 立法思想和立法活动

第一节 夏国家的形成和法的产生

一、夏朝是我国第一个奴隶制国家

法律作为一种社会历史现象,不是从来就有的,而是社会历史发展到一定阶段的产物。法律是统治阶级意志的集中表现,是取得胜利并掌握政权的阶级进行阶级统治、巩固政权、建设国家的强有力的工具。法律靠国家的强制力保证其实施,同样,没有法律的国家,也是不可能存在的。法律和国家同时产生、同步发展,密不可分。因此,要弄清中国法的起源,首先要弄清楚中国国家的产生。

我国的国家究竟是何时产生的?我国第一个奴隶制国家应是哪个朝代?对于这一重大研究课题,法学界、史学界和考古学界历来争论不休,各执己见,莫衷一是。仅以近些年为例,不少人主张龙山文化时期是中国国家形成时期,更有人把中国国家的形成追溯到距今六千多年的大汶口文化甚至东北、内蒙地区的红山文化[①]。相反,有

[①] 唐兰:《从大汶口文化的陶器文字看我国最早文化的年代》,《光明日报》1977年7月4日;《再论大汶口文化的社会性质和大汶口陶器文字》,《光明日报》1978年2月23日。

的同志却认为,中国的奴隶社会是从殷、周开始的,夏朝只是个过渡时期①。

我们认为,中国国家的形成即第一个奴隶制国家的建立还应该定在夏代,这点从大量的历史文献和地下遗存都可以得到证明。

夏,作为一个古老的部落,早在四千多年前就生活在我国黄河流域一带,据说它是黄帝族的一个分支,是黄帝儿子昌意的后代。那时,正是我国从原始公社向阶级社会过渡的时期,夏部落的首领禹,正好充当了这一过渡时期推动社会前进的英雄人物。舜继尧担任部落联盟领袖之后,经四方部落首领推荐,派禹去治理洪水。禹不仅采用正确的疏导方法根治了水患,还带领人民开凿沟渠,引水灌溉,化水害为水利,在黄河两岸开出了许多良田和桑土,促进了农业生产的发展,农业的发展又带动了手工业和交换的发展,从而加速了原始公社制度的瓦解,为向奴隶制的过渡创造了物质条件。由于禹平治水土、发展生产有功,被人们尊称为"大禹",虞舜去世后,经部落首领民主推举当了部落联盟的领袖。历史上把这种民主推举部落联盟领袖的制度叫做"禅让"。禹是原始社会末期民主推举产生的最后一个部落联盟领袖,因此,在他身上,既保留着原始社会部落联盟首领的色彩,而同时,又显现出阶级社会中专制君主专横跋扈的狰狞面孔。他权力很大,为了加强自己的权威,到处巡行盟会。他在会稽大会诸侯的时候,由于防风氏的首领迟到,一怒之下将其处死。

这时,私有制和阶级也逐渐出现,战争性质也起了变化。禹首先对三苗发动大举进攻。他在出兵前的誓师大会上杀气腾腾地说:"济济有众,咸听朕言,非唯小子,敢行称乱,蠢兹有苗,用天之罚。若予

---

① 金景芳:《中国奴隶社会史》,上海人民出版社,1983年7月。

既率尔群对(封)诸群(君),以征有苗。"① 征伐三苗的理由是:"苗民弗用灵,制以刑,惟作五虐之刑曰法"②。就是说,由于三苗不信鬼神,并制定了刑法和五刑,才要大家都讨伐。真乃一派胡言,无稽之谈! 大败三苗之后,将其全部战俘,变成奴隶任己役使。这种掠夺战争,进一步加强了禹的地位,大大促进了奴隶制的产生。

按照传统的"禅让"制度,禹推荐东夷首领皋陶作为自己的继承人,因皋陶不久死去,又推荐东夷的伯益为继承人。但是,禹在推荐伯益为继承人的同时,实际上却千方百计地把大权交给了启和启的亲信,这样,启便轻而易举地继承了禹位,成为中国历史上第一个国王。大禹传子,宣告原始社会部落联盟首领"禅让"制度的结束和阶级社会王位世袭制的开始,从此,公天下变成了私天下。

王位世袭制代替"禅让"制,是社会生产力和私有制发展的必然结果,是社会历史的一次巨大进步,从此,部落联盟首领转化为国王,部落联盟转化成为阶级统治的工具——国家。夏朝,是我国第一个奴隶制国家,启,成为夏朝的开国之君。国家和氏族的区别主要有两条,一是按地域而不是血缘划分居民;二是各种公共权力,即国家机关的建立。从这两方面看,夏朝已具备了国家的特征。

首先,夏统治者"画为九州,经启九道"③,就是把它统治的地区划分成"九州"进行统治。同时还派遣"九牧"作为地方长官,治理人民。这说明夏朝已有一套治理国民的行政管理系统。夏朝冲破血缘关系桎梏,实行地域关系统治的最明显的标志,是实行以国为姓。夏人本是姒姓氏族,随人口的增多和氏族的迁徙,产生了很多不同分

---

① 《墨子·兼爱下》引《禹誓》。
② 《尚书·吕刑》。
③ 《左传·襄公四年》。

支。这些分支,逐渐地都以所在地作为分支名称。据《史记·夏本纪》记载,从姒姓中分出的有夏后氏、有扈氏、斟氏等13个氏。

其次,所谓公共权力,是指军队、监狱以及其它强力机关的建立。这一特征,夏朝也已具备。军队是国家赖以存在的重要支柱,夏朝已有一支强大的武装队伍。夏启在讨伐有扈氏誓辞中,颁布了一条军令,要求"六事之人"必须服从他的命令,讨罚有扈氏。所谓"六事之人"就是军事长官,其权力很大,既管军事,又管政事。在甘泽大战中,已用兵车作战,并有一定阵法。到了夏朝中期,军事力量又有新的发展。传说"帝杼作甲",即甲是夏王帝杼发明的。他以甲武装兵士,先后打败了寒浞和以善射著称、有强弓硬弩的东夷。夏王朝的军队,主要用以维护其统治并对外掠夺。据《古本竹书纪年》记载,夏王经过多次对东夷的战争,"获大鱼","获狐九尾"并迫使"九夷来御"。刑法,是奴隶主贵族用以维护其统治的重要工具。"夏有乱政,而作禹刑"①,说明夏王朝已有了刑法。所谓"乱政",实质上是指奴隶和平民的反抗斗争。所谓"禹刑",则是夏王朝法律的总称。这句话,一语道破了夏朝刑法产生的社会根据及其属性。夏朝不仅有刑法,还有拘禁罪犯的监狱。夏桀囚禁商汤的"夏台"或"均台"②,是一座王室直辖的监狱。帝芬时,还修建过称为"圜土"的监狱。为维护夏王室的统治和获取财政收入,夏朝已有税收制度。"虞夏时,贡赋备矣"③,"夏后氏五十而贡"④ 就是夏朝税收制度的记载。

从以上古文献记载可以看出,夏朝已具备了国家的基本特征。

---

① 《左传·昭公六年》。
② 《史记·夏本纪》。
③ 同上书。
④ 《孟子·滕文公上》。

如果考察一下考古发掘的地下资料,我国第一个奴隶制国家,只能在与夏朝同期的二里头文化时期,不可能在更早一些的龙山文化时期,更不可能在距今六千多年的早期大汶口文化时期。

从1959年开始经过20多年的努力,考古工作者在河南西部和晋西南地区开发"夏墟"调查,发现了一种介于原始社会末期的龙山文化与早商文化之间的二里头文化,从而使夏文化的轮廓开始展现在我们面前。龙山文化属于父系氏族公社时期的文化,其在河南一带的类型,称之谓"河南龙山文化"。经碳14测定,它的绝对年代在距今4300年到4500年之间,比夏朝早几百年。典型的商文化,则是解放后在郑州发现的二里岗文化。而反映夏文化的二里头文化,正好处于河南龙山文化与二里岗文化之间。在地理位置上,二里头文化中心地区——豫西、晋南,正是传说中夏人活动的中心地区。其年代正好与夏朝年代相符合。依据碳14测定,二里头一期为公元前1900±130年和公元前1920±115年,相当于夏代中期稍早一些。二里头四期为公元前1625±130年,相当于夏代末年。在郑州商城、登封告成、巩县稍柴和山西夏县东下冯等遗址里,普遍发现二里头文化叠压在早商二里岗文化之下,说明二里头文化早于早商文化,并与其有着一定的承袭关系。从二里头所反映出的文明进程,如城邑、宫殿和宗庙的出现,经济部门——农业、手工业尤其是青铜铸造业的规模和水平,反映文明的最重要的标志文字的出现,以及所反映的国家机构、阶级关系,均与文献记载的夏代史实相符合。

传说时代的城郭,在我国最早出现于夏代。《世本·作篇》:"鲧作城郭"。《淮南子·原道训》也说:"鲧筑城以卫君,造郭以居人,此城郭之始也。"在二里头文化中,夏代确已有了这作为"卫君"和"居人"的统治据点城邑。在河南登封县的王城岗上,考古工作者发现了一座夏代城郭遗址。据碳14测定,这座城邑的绝对年代为距今4340—3870年之间。夏代开国年代距今4100年,可见这座城郭正是夏代初期的建筑物,很可能就是夏初的都城阳城(今河南登封)遗址。在偃师二里头遗址中部,还发现了一座大型宫殿建筑遗址。从整体来看,这是由堂、庑、庭、门等单体建筑组成的一座大型建筑群,布局严整,主次分明,颇为壮观。这座建筑群,已基本具备了宫殿建筑的特点和规模。有人根据宫殿内发现的若干埋有人骨架和兽骨的祭祀坑推断,这座宫殿很可能就是宗庙建筑遗存。宗庙是古代国家政权的象征,是统治者祭祀祖先,商议军国大事,举行册命典礼的重要场所。二里头遗址的宗庙建筑,证明它就是王都所在地。这座宫殿的绝对年代距今有3500—3600年之间,很可能就是夏桀的都城——斟寻(今河南巩县西南)。

二里头文化已进入青铜时代。不少二里头文化遗址中都发现了青铜器,有兵器如戈、钺、镞等;有礼乐器如爵、斝、铃等;也有小工具如刀、锛、凿、锥、钻和鱼钩等等。此外,还发现了炼铜遗址,铜渣、坩锅和陶范残片。经对其中部分铜器进行检验,其成分平均含铜量为91.85%,锡5.55%,铅1.19%。尽管其铅、锡含量显得偏低,但它已属于青铜的范畴是无疑的。青铜时代的到来,标志着原始社会生产力已发展到一个新的阶段。青铜,作为一种新的强大的生产力,必将推动社会的进步。青铜冶炼需要专门的技术,它的兴起,表明农业和手工业有了更大的分工。不过,夏代的青铜技术还处于青铜发展史的初期阶段,无力完全排斥石、骨、蚌和木器等主要生产工具。

二里头遗址还发现了标志文明时代到来的最重要的标志——文字。二里头文化的文字资料比较少,目前在陶器上只发现20多种刻画,其中如井、ㄣ、卄、勿、朿、丯、兑等。很明显,这些陶文和新石器时代仰韶文化及其后陶器上常见的刻画符号是不同的,现在虽然尚未确考为何字,但从形体结构来看,与甲骨文非常接近,很可能就是当时的文字。19世纪美国著名人类学家摩尔根在其《古代社会》一书中认为,文明社会"始于标音字母的发明和文字的使用"。恩格斯把人类文明史称为"有文字记载的历史"①。我们虽然不能把文字的发明和使用作为衡量人类进入文明的唯一标准,因为在人类文明史上确有例外,如匈奴在建立国家之后还没有文字,印加人没有文字却有高度发达的文化艺术和组织严密的管理机构,但是,文字确确实实应是检验人类是否进入文明社会的最重要的标准。

最后,从墓葬制度上考察,二里头文化在一定程度上已反映出当时阶级对立的事实。二里头的墓葬有三种类型。一种是长方形竖穴大墓,有棺有椁,朱砂铺底,随葬成批玉、铜礼器、兵器,奢侈非常。这说明墓主人生前属于有产者的特权阶级——奴隶主。另一种墓葬规模小,随葬品不仅数量少,最多的21件,最少的只有1件,而且主要是陶器,玉器等贵重物品很少见到。这种人,生前应是有一定财产的平民。第三种墓则根本没有一定的墓圹,而是散见于灰坑或灰层中的骨架,有的甚至和兽骨埋在一起。这种人没有随葬品,有的还身首异处,有的只有头骨或肢骨。这种死亡绝非正常死亡,此类现象在二里头墓葬中相当普遍。很显然,这是些丧失人身自由,或受到刑戮,或充当牺牲品的人,其中不少人肯定是奴隶。

从以上考古资料可以清楚地看出,和二里头文化同期的夏朝应是我国文明时代的源头。文明是人类经济生活、社会生活、精神生活发展到一定阶段的产物,是人类文化演进进入高级阶段才产生的。

---

① 恩格斯:《家庭、私有制和国家的起源》,人民出版社,1955年版,第25页。

文明的诞生和国家的形成是同步的,国家的形成即意味着文明时代的开始。由此可见,夏朝既是我国文明时代的开始,也是我国第一个奴隶制国家。

既然如此,我国国家的形成能否提前到龙山文化或更早的大汶口文化呢?答案是否定的。这点只要把二里头文化和龙山文化略加比较就一目了然了。目前,学术界已经公认,二里头文化是从龙山文化特别是从豫西的龙山文化中已经萌生。但是,二里头文化和龙山文化相比较,已经有了质的变化。如前所述,二里头文化中都城的出现,成组宏伟的宫殿群建筑,青铜器中礼乐兵器的产生和文字的发明等,在龙山文化中尚未发现,这说明,龙山文化时期,我国还未跨入文明社会的门槛。相反,这些反映国家特征的文化在商周时期却得到极大的发展,说明夏商周属于同一文明时代——奴隶制时代。

二、法的产生

法律随国家的产生而产生,但是,它和国家一样,也不是一朝一夕就能产生的,还得有个萌生、发展到形成的渐进过程。考察尽管是零散的但还不是一鳞半爪的文献记载,并印证地下遗存,可以看出,早在黄帝时代,法的胚胎已经孕育于其母体之内,中经尧、舜、禹达数百年之久的发展壮大,至启建立夏朝,才进化成为国家统治的工具——法律。因此,要研究法的起源,首先要搞清楚从原始社会到阶级社会整个过渡时期处于胚胎形态下法的表现形式和内容。纵观比较丰富但又庞杂的能反映这一时期有关法的胚胎形态的文献资料,其最为典型者,莫过于黄帝时代的《黄帝李法》和虞舜时代的《皋陶制刑》。

1.《**黄帝李法**》。《汉书·胡建传》载：

"《黄帝李法》曰：'壁垒已定，穿窬不由路，是谓奸人。奸人者杀。'"

这条记载夹杂后人的附会是毫无疑问的。我国夏商周的法均称刑而不称法，法之称谓是从战国《法经》时起始的。李，法官名。颜师古注说："李者，法官之号也，总主征伐刑戮之事，故称其书曰李法"。顾名思义，所谓《黄帝李法》，即黄帝部落联盟时期任命法官李制定的一部刑书。黄帝时代，人类社会刚刚步入父系氏族阶段，那时候，法的胚胎不仅不称法，而要制定一部成文法典——《李法》则更是不可能的。但是，当人类社会步入父系氏族阶段时，出现了私有制，出现了阶级，那时，部落联盟首领制定一些与这种社会大变动相适应，维护私有制，维护氏族首领权威的处于萌芽状态的刑事法律规范，也不是不可能的。据《汉书·胡建传》的点滴记载和各家注释考察，所谓《黄帝李法》，确确实实具备孕育时期法的胚胎性质。

从《汉书·胡建传》记载看，所谓《李法》，实际上是关于惩罚盗窃行为的规定。穿，穿壁。窬，通逾，越墙的意思。穿窬，指穿越他人墙壁的行窃行为。行窃者，处死刑。很显然，这是维护刚刚出现的财产私有权。如果联系一下其它史籍记载，原始社会末期，作为胚胎形态的法，在维护土地财产私有权，解决土地争夺纠纷方面的作用，就更加明显了。《韩非子·难一》说：

"历山之农者侵畔，舜往耕焉，期年，畎亩为正。"

类似记载亦见于《墨子·尚贤中》和《孟子·公孙丑上》。这说明，到舜时私有制有了进一步的发展，于是在部落和部落之间发生了土地争夺纠纷。"历山之农"侵占他人田界，是争纷之源。由于舜亲自带人去耕种，过了一年，这场纠纷才得以解决，"畎亩正"了。有了纠纷,人们便要寻找解决纠纷的办法,《孟子·万章上》记载"讼狱者不之尧之子而之舜",就是原始社会末期与法的胚胎相适应而产生的原始诉讼请求。时代的发展,社会经济生活的变化,迫使部落联盟首领舜不得不为"定分止争"而任命"皋陶作刑"了。所以,"定分止争",确认土地财产所有权,是我国法产生的重要途径之一。

《黄帝李法》所反映的"刑起于兵"的理论则为我们研究法的起源提供了重要依据。前引颜师古注"李者,法官之号也,总主征伐刑戮之事,故称其书曰李法"告诉我们,李,既是法官称号,按其职责却是"总主征伐刑戮之事"的军官,因此,这部所谓的《李法》实际上是一部兵法。正如孟康为其作注时所说:"(李法),兵书之法也"。王先谦补注也引沈钦韩曰:"《黄帝李法》十六篇,下军法"。

在我国历来就有"刑起于兵"的说法。第一位把法律的起源归之为"刑起于兵"理论的是元代的脱脱。他在《辽史·刑法志》中说:"刑也者,始于兵而终于礼者也。鸿荒之代,生民有兵,如蜂如蠆,自卫而已"。《隋书·刑法志》也说:"刑者,甲兵焉,"这就一语道破了刑罚作为一种暴力和虐杀手段,起源于战争。

刑罚起源于战争是有其社会根源的。原始社会末期,随私有制的出现,战争成了掠夺异族财富的重要手段。对异族采取军事行动,用甲兵去征讨,用刑罚去镇压,因之,兵器变成了刑具,军官则兼任司法官,一身二任,兵刑则一体了。《黄帝李法》的李,既是法官称号,又兼任军官,主"征伐刑戮之事",道理就在这里。刑罚起源于战争,还有另一个方面的原因,那就是战争需要氏族内部所有成员在军事行动上的一致性,因而,为保证战争的胜利,必须以刑法为手段,约束每个参战的氏族成员。《韩非·饰邪》所载"禹会诸侯之君于会稽",防风氏后至被斩,和《尚书·甘誓》中启给三军将领颁布的一条法令:"用命赏于祖,弗用命戮于社,予则即戮汝",都是在战争中形成的以氏族内部成员为对象的法令。这就是所谓的"师出于律"①。颜师古给《黄帝李法》作注时把"征伐"和"刑戮"合在一起作为法官的职能,正好说明,在战争中产生的原始刑罚,对外,是征伐,对内则是刑戮,两者均离不开战争,都是战争的产物。正因为如此,《国语·鲁语》在讲五刑时才说:"大刑用甲兵,其次用斧钺;中刑用刀锯,其次用钻笮;薄刑用鞭扑,以威民也"。在这儿,把对外征讨的"甲兵"、"斧钺"称为"大刑",其它对内的刑罚则是小刑了。无论"大刑"、"小刑"都是刑罚,均源于战争。

2.皋陶作刑。原始社会发展到舜的时代,社会有了更大的进步。舜继位后,通过部落联盟议事会,进行了一系列社会改革,其中最突出者,为设九官,分工管理部落联盟内部事务。如让"八元"管理土地,"八恺"管教化,契管人民,伯益管山林川泽,伯夷管祭祀,皋陶作刑并负责司法。这些改革使得阶级分化和阶级对立更加明显,部落联盟议事会已经开始蜕变为贵族的议事机关了。皋陶作刑就是在这种历史环境中产生的,皋陶作刑标志着法的胚胎的进一步发育、成形,临近分娩。

皋陶,据说是偃姓,生于曲阜②。据《史记·五帝本纪》记载,他和夏的祖先禹、商的祖先契同属尧舜部落联盟,是同时代人物,在舜进行社会改革时被任命为法官,负责司法并取得了突出成绩:

"舜曰:'皋陶,蛮夷猾夏,寇贼奸轨(宄),汝作士,五刑有服,

---

① 《易·师卦》。
② 《史记·夏本纪》正义引《帝王世纪》:"皋陶生于曲阜。曲阜,偃地,故帝因之而以赐姓曰偃。"

五服三就;五流有度,五度三居:维明能信①";"皋陶为大理,平,民各伏得其实"。

"蛮夷猾夏",是指部落与部落之间的战争,"寇贼奸宄"指部落内部的不轨行为。士,狱官之长,又称大理。"维明能信",斐骃《集解》注:"当明其罪,能使信服之"。以上第一段话的意思是,舜对皋陶说,现在蛮夷侵犯中国,奸宄亦乘机作乱,我任命你为司法官士,运用五刑,对蛮夷进行大刑征讨,对奸宄不法之徒予以刑事惩罚。不过在使用刑罚时,要用刑适当,使其诚信。第二段话的意思是,皋陶担任大理即士时,由于能够"正平天下罪恶"②,因而得到了人民的信任。关于皋陶充任司法官的事,《史记·夏本纪》也有记载:"皋陶作士以理民"。

鉴于皋陶司法有方,成绩卓著,加之,当时争田之风骤起,"讼狱者"屡屡发生,于是,"帝舜三年,命皋陶作刑"③便是顺理成章的事了。皋陶刑法的详细内容已无法考证,但从其它史籍中,仔细查找,也能知其一斑的。有关史籍所载"皋陶之刑"的内容,有两点是值得注意的:

第一,皋陶刑法已有罪名规定。《左传·昭公十四年》引《夏书》说:

"昏、墨、贼,杀。皋陶之刑也"。

昏、墨、贼是罪名,昏是"恶而掠美"即行贿买直胜诉;墨是"贪以败官"指受贿败坏官纪;贼是"杀人不忌"指肆意贼杀人命,犯此三种罪行的人,都要处以死刑。

---

① 这一记载亦见于《尚书·尧典》。
② 《史记·五帝本纪》正义注。
③ 《竹书纪年》。

第二,皋陶刑法确认部落联盟首领权力的不可侵犯性。《史记·夏本纪》说:

"皋陶于是敬禹之德,令民皆则禹。不如言,刑从之"。

司马贞《索隐》对"刑从之"的注释是:"谓不用命之人,则亦以刑罚而从之"。这段话是舜、禹和皋陶在一次讨论如何继承尧的光荣传统,治理好政务的会议之后,皋陶向全体公社成员发布的一条法令。这时,正逢禹即将继舜担任部落联盟首领的前夜,因此,必须树立禹在部落联盟中的绝对权威。"不如言,刑从之"。就是对不服从禹的领导的人,则以刑罚严惩不贷。真乃一派杀气腾腾的景象。夏商周时期唯王命是从,违者酷刑处死的刑事法规即渊源于此。当然,在其它古籍中,"刑从之"的"刑"还有别的记载。如《尚书·皋陶谟》就将"全民皆则禹。不如言,刑从之"改为"皋陶方祗厥叙,方施象刑惟明"。意思是,皋陶发布法令说:全体臣民,必须听从禹的领导,对不服从禹的领导的人,要公允得当地处以象刑。象刑,是原始社会末期普遍使用的一种用区别犯罪者衣服冠饰色质的办法,使犯罪者"易服受辱"[①]的象征性刑罚。从这一记载看,皋陶之刑还带有氏族公社原始习俗的遗风。

综上所述,所谓我国的古代法,早在黄帝时期就已见端倪,《黄帝李法》作为法的胚胎已孕育于原始社会末期的母体之中。舜禹时代,私有制进一步发展,阶级分野更为明显,以"皋陶作刑"为标志,法的胚胎逐步发育成形,已近瓜熟蒂落的地步。启继帝位,公天下变为私天下,国家形成,阶级矛盾空前激烈,于是,作为阶级镇压的暴力工具——法便正式诞生了。这就是《左传·昭公六年》所说的"夏有乱

---

① 《汉书·司马迁传》。

政,而作禹刑"。

以上记载还告诉我们,我国的法,在其胚胎时期,就独具华夏文化所特有的风格:

"刑始于兵","兵狱同制",战争是法赖以产生的重要途径,这就决定了我国古代法在其刑罚制度上的残酷性;

"定分止争"是法产生的经济基础和另一途径,它使得我国古代法在其法典编纂上尽管以刑为主,但民事法律规范同样占有较大比重;

法从孕育时期就以保护部落联盟首领的权威为己任,这就决定了我国古代法具有浓厚的独断性、专制性。"朕即国家","朕即法",皇帝的言论就是金科玉律。

最后,源于原始社会作为祭祀活动,后来又扩大到社会生活各个领域用以规范血缘集团内部亲疏尊卑的礼,也是我国古代法的重要内容之一,并对我国后世的古代法产生了尤为重要的影响。我国的古代法,之所以国法、族法、家法融为一体,其根源就在于此。

总之,作为孕育时期法的胚胎所具有的以上四大特征,直接影响着夏商法律制度的走向,并充当夏商法制的渊源。

三、象刑——法处于胚胎时期的公布形式

关于象刑的讨论,直接关系着法的起源、法与刑的界定以及法处于胚胎时期刑罚适用等一系列重大问题。但是,这一重大课题整整争论两千多年,至今未见明显效果。究其原因,最重要的一条是,讨论各方均无得力论据,争来争去,还是在仅有的那点古文献中打圈圈。本文试图依据地下出土的第一手资料,对我国历史上有无象刑?象刑产生于何时?象刑是否是象征性刑罚以及如何适用等问题作一

探讨,以求同行们抛砖引玉,使象刑悬案早日能画个句号。

1. 象刑之争的简单回顾

象刑之争,发端于《尚书》记载:

《尧典》:"象以典刑,流宥五刑,鞭作官刑,扑作教刑,金作赎刑";

《皋陶谟》:"皋陶方祗厥叙,方施象刑惟明"。

究竟什么是"象以典刑",什么是"方施象刑",《尧典》和《皋陶谟》未作进一步说明,其它篇章也未留下点滴痕迹,这就给后世解经者制造了一道很难逾越的鸿沟,众说纷纭,各持一端,莫衷一是。最早解释象刑的是先秦诸子慎到、墨翟和荀况。如《慎子》说:

"有虞氏之诛,以幪巾当墨,以草履当劓,以菲屦当刖,以艾韠当宫,布衣无领当大辟,此有虞氏之诛也。斩人肢体、凿其肌肤谓之刑;画衣冠、异章服谓之戮,上世用戮而民不犯也,中世用刑而民不从"①。

按慎到说法,"象以典刑"和"方施象刑"中的象刑,是一种"画衣冠、异章服"即用不同服饰代替五种刑罚的象征性刑罚。其具体作法是,用幪巾(黑巾)蒙面的办法代替墨刑,用脚穿草履(草鞋)的办法代替劓刑,用脚穿菲屦(麻或葛质单底鞋)的办法代替刖刑,用在人下身遮挡艾韠(白色蔽膝)代替宫刑,给有罪者穿无领布衣代替死刑。墨翟观点,基本同此②。

慎到的说法,基本上为后世所承袭,成为历代文人解释象刑的传统观点。与慎到相反,荀子却持完全相反态度。他认为,上古无象

---

① 《太平御览·刑法部》引。
② 《文选·永明九年策秀才文》注引《墨子》:"画衣冠,异章服而民不犯"。

刑,而有肉刑;如果"杀人者不死,伤人者不刑",那不就"庸人不知恶矣,乱莫大焉!"① 很显然,这是荀况法家法律思想在"象刑论"上的具体反映。那么,慎到也是法家人物,为什么要肯定象刑即象征性刑罚呢?原来慎到虽属法家派别,但其早年是"学黄老道家之术"②的,是从道家分化出来的法家人物,其"君道无为"③ 主张依然是其法律思想的重要内容之一。因此,他的象刑即象征性刑罚理论便自然而然地和其"无为"主张一拍即合了。总之,先秦诸子论象刑,无论哪个学派、何种主张、结论如何,都是诸子们在"百家争鸣"中进行针砭时弊、托古改制的一种争鸣议题。

汉初,统治者奉行"无为而治"的黄老思想,并以此为出发点,通过"约法省刑","轻徭薄赋",以促进社会经济的复苏和发展。汉武帝时,国家实力极大发展,政治局面空前统一,于是在立法指导思想上实现了由"无为而治"到"德主刑辅"的重大转变,以儒家为中心,杂糅法家、五行和道家等学说的新儒学成了国家的统治思想。与这种指导思想相适应,象刑之争再度兴起。查汉代文人典籍,大凡知名学者,诸如伏生、扬雄、司马迁、刘向、班固、应劭、王充等等,在其论著中,几乎无一例外地都要谈及象刑。例如:

《尚书大传》:"唐虞象刑而民不也犯,苗民用刑而民兴相渐。唐虞之象刑,上刑赭衣不纯,中刑杂屦,下刑墨幪,以居州里,而民耻之,而反于礼";

《法言》:"唐虞象刑惟明,夏后肉刑三千";

《史记·孝文本纪》:"盖闻有虞氏之时,画衣冠、异章服以为

---

① 《荀子·正论》。
② 《史记·老子韩非子列传》。
③ 《慎子·民杂》。

僇(戮)而民不犯。何则？至治也。今有肉刑三而奸不止"；

《新序·节士篇》："《书》曰：象刑惟明而禹不能"；

《初学记》引《白虎通》："五帝画象者，其衣服象五刑也。犯墨者幪巾，犯劓者赭其衣，犯髌者以墨幪其髌处而画之，犯宫者履杂菲，犯大辟者布衣无领"；

《风俗通》："五帝画象，三王肉刑"；

《孝经纬》："三皇无文，五帝画象，三王肉刑。画象者，上罪墨象、赭衣、杂屦，中罪赭衣、杂屦，下罪杂屦而已"[①]。

查以上引文，可以清楚看出，汉代文人论象刑，基本上是慎到学说的翻版和沿用，其区别仅两条：一是《风俗通》、《孝经纬》补充了象刑产生的时代："五帝画象，三王肉刑"。就是说象刑产生于舜禹时代，而肉刑出现在夏商周三朝；二是《大传》、《初学记》和《孝经纬》讲代替五刑的服饰与《慎子》不相符合，这点不能苛求古人。这是因为自秦始皇焚书坑儒之后，先秦典籍大都失传，加之，他们很难得到地下出土的一手资料，相互抵牾，在所难免。汉代也有否定象刑的学者，如班固在《汉书·刑法志》中，全文引用《荀子·正论》"论象刑"，以否定象刑在上古时期的存在。不过，在儒家思想大一统的年代，班固主张得不到支持，也无多大影响。

唐宋时期，解经之风骤起，官修史书层出不穷，象虞世南的《北堂书钞》、白居易的《白孙六帖》和李昉的《太平御览》等大部头书籍，均列《象刑》一目。不过，这时的论象刑，或则照抄先秦诸子、汉代儒家的象刑理论，或则在文字考释上转圈子，以空对空，没有实质性的突破。如孔颖达给《舜典》"象以典刑"作疏时说："象，法也。法用常刑，

---

① 《周礼·秋官·司圜》疏引。

用不越法"。以此而论,"象以典刑",就是"法用常刑",而《皋陶谟》的"方施象刑",则是"大施法刑"了。转来转去,还是在慎到、班固的"象刑论"中打圈子:象刑即法刑,法刑即常刑,常刑即肉刑。结论依旧:上古无象刑而有肉刑。

明清文人也分两派,有否定象刑者,如王夫之考释《吕刑》时说:"刑罚之称,连类并举,言必刑罚,有闻自古,来自或易也"。又如王鸣盛也信为"画衣冠、异章服"之说,纯系后人的虚构和编造,在我国历史上是从来没有过的。但孙星衍作《唐虞象刑论》一文,肯定上古确有象刑之制①。解放后尤其近十多年来,法史学界发表不少有关象刑的论著,亦未见突破性成果,象刑之争,悬案依旧。

总之,从战国,到明清,直至今天,法学家、史学家以至文学家、诗人都投入到象刑的讨论行列,这说明人们已认识到这一课题对法制史学科建设的重要性,是值得庆幸的。但是,为什么那么地重视,投入那么多的人力而又花了那么大的精力却收效甚微呢?恐怕要从研究的思路和途径上找原因。

2.考古发掘中见到的"象刑"残迹及其适用方式

象刑之争困扰人们几千年,除《尚书》记载太略外,最为要害的一条,是史料来源没有解决。由于人们得不到可靠得力的原始资料,因而,几乎篇篇论著,大都论据缺乏,论证无力,最后导致错误的结论,或者是从理论到理论的以空对空的缺乏说服力的结论。值得庆幸的是,1975年陕西岐山县董家村出土一件震动中外的西周晚期青铜器——朕匜,总算为我们解开象刑之谜找到了一把迄今看来是最为有效的钥匙。

---

① 《孙渊如先生全集·平津馆文稿》卷上。

该器铭文长达157字,是所有金文中记载西周诉讼制度最为完备的一篇铭文。铭文是一则判决书,称作"𠭰"(劾),讲小贵族牧牛和其上司㒺为争夺五名奴隶所有权而进行的一次诉讼活动。判决书一开头,司法官伯扬父在列举牧牛犯罪事实基础上,宣布其两大罪状:诬告罪和违约罪。接着,依据所犯罪行宣布了对牧牛适用的两种刑罚:鞭打一千下,再处黥䮕刑。由于牧牛认罪态度好,并能亲自到㒺的住地去赔礼道歉,亲手将五名奴隶交还给㒺,因而,又对牧牛做了减刑判决:鞭打一千不变,而黥䮕改为减等刑黜䮕。

铭文的黥、䮕二字,唐兰释为黥和䮕①,至为确当。黥䮕,刑罚种类,墨刑最重刑。黥字从黑殸声。殸与蔑,一从殳,一从戈,当是同一字的不同写法。䮕字从黑屋声,《说文》屋字,古文写作㞇,上面所从之丯,就是这里的屋,此又从殳,与从刀的剭通,所以定为䮕字。黥和䮕二字都从黑,当为墨刑之别称。墨刑又称黥刑。《说文》:"黥刑,墨刑在面也,"或作剠,从刀从黑。可见剠字应是墨刑的原始字,像用刀刻人面的形状。黑字《郘伯尹簋》作𠂹,似正面人形(大字)而面部受过墨刑的人,而《铸子叔黑臣簠》又写作𠂹,似在两臂上下受墨刑。正因为黑字原是受过墨刑的人,所以凡属墨刑的字都从黑。此铭之黥、䮕、黜三字,以及后世的黥字、黵字都是。墨刑行刑部位从前引其它西周铭文看,应在人的面部。《易·鼎卦》九四说:"其刑渥",别本又作"其刑剭"。晁说之《易诂训传》引京房说:"刑在頄为剭。"頄是面部的颧骨。所以,金文中的墨刑,行刑部位在人的面部的颧骨上。而古书中的黥刑,行刑部位在额部,称为凿额,与金文颧骨执行墨刑略有不同。

---

① 唐兰:《陕西省岐山县董家村新出西周重要铜器铭辞的释文和注释》,《文物》1976年第5期。

总之，从《𠈇匜》看，西周不但有墨刑，而且墨刑已有刑等之分。䵎黥，墨刑最重刑，黜黥，则是它的减等刑。

至于䵎，古书未见其字，应与幦通。《说文》："幦，盖幭也"。幦字与幎字声近相通，《方言》曰："幦，巾也"；《说文》："幭，盖衣也"。可见，䵎就是《尚书大传》"下刑墨幭"的幭。墨幭，就是头部蒙墨巾。由此可知，䵎黥，即先处黥刑（墨刑）再在头部加盖幦（墨巾蒙面）的一种刑罚。亦即先用刀刻割颧骨处，再涂之以墨，而后又墨巾蒙面。《𠈇匜》的出土和䵎黥刑罚的再现，解开象刑之谜的钥匙总算找到了。慎到等古人所说的"幭巾当墨"、"下刑墨幭"，很可能就是《𠈇匜》中的䵎黥刑。慎到所说的代替墨刑的"幭巾"找到了，那么代替劓、刖、宫、大辟的"草履"、"菲屦"、"艾韠"和"布衣无领"记载，随考古工作的发展，也许有一天也能再现在人们面前。面对地下出土的未经他人篡改的第一手资料《𠈇匜》，我们完全可以断定，慎到等古人所说代替五刑的象刑，其史料来源，就是《𠈇匜》所载䵎黥刑罚。我们这么说，也只能说明古人论象刑，是言而有据的，不是瞎说，但这决不能证明他们套用西周制度于虞舜的象刑，同样言而有据，可以成立。

很显然，䵎黥，是刑罚种类，而不是什么象征性刑罚。这一刑罚由主刑——黥和从刑——䵎结合起来同时适用。主刑是在颧骨部位刻凿涂墨，肉刑；从刑是墨巾蒙面，耻辱刑。在西周，自周公制礼之后，"明德慎罚"一直被周王室奉为立法、司法指导思想，因此，荣辱观念被深深地渗透到国家的各项制度和人们的心目之中。给牧牛的原判是处䵎黥刑，减刑之后改为黜黥。黜是罢官。如果在与今人看来，罢官比之于黑巾蒙面要严厉得多，但在周人眼里却恰恰相反。尽管如此，黑巾蒙面不仅是一种羞耻罪犯的实实在在的刑罚，而且这种刑罚还不能独立使用，只能当作主刑——肉刑的附加刑来适用。

从《朕匜》看,古人的"象刑说"只能上溯到西周。那么,还能不能提前到夏商呢?为解决这一问题,我们有必要再对先秦的耻辱刑作一概括性的考察。

夏代耻辱刑,因古文献没有记载,地下又无出土遗存,已无法考证。商代耻辱刑,甲骨文则记载的清清楚楚,逼真形象。于省吾先生在《甲骨文字释林序》中作过生动地描述和精心考证。

甲骨文无尼字,而从尼的字却经常见到。武丁卜辞有伲、秜二字,其所从之尼字,作⺈或⺈形,正像一人坐在另一人的脊背上。这便是甲骨文所载属于人身蹂躏性质的耻辱刑。这种坐他人之背,耻他人之心,蹂躏他人之身的耻辱刑,已被汉代画像和其他史籍所证实。汉武帝祠堂画像,画的是夏桀骑在两个妇人的背上,也就是《后汉书·井丹传》所说的"桀驾人车"。又《汉书叙传》说,成帝屏风上"画纣醉踞妲己。"踞,是两腿盘踞的意思。"纣醉踞妲己",是说商纣王两腿盘坐在妇人身上。艺术品有渲染色彩,但从卜辞、画像和史籍的综合考察看,商代以坐或骑他人之背,进行身心的侮辱和摧残,应是没有疑问的。

除坐他人之背外,甲骨文中还能见到其它形式的诸如践踏他人之背、骑他人头的耻辱刑罚。甲骨文有一𣎵字,从林从𠂆。𠂆,卜辞写作⺈或⺈,像人侧面俯伏之状,当为伏字之初文。过去,按许慎《说文》的说法,"勹,裹也,像人曲形,有所包裹",看来是错了。𠂆,卜辞写作⺈,像人践踏在俯伏于地的另一人的脊背上。其字从林,当指耻辱刑的执行是在野外树林中。甲骨文还有一𣎵①,像一人骑在另一人的头上。

---

① 《乙 3843》。

卜辞中的耻辱刑,对我们澄清象刑之争,起码有两条启示:第一,任何事物、制度都有一个发展、承袭过程,刑罚制度也不例外。如果虞舜时代确乎实行过"画冠衣、异章服"的象征性刑罚,为什么卜辞中却没有留下点滴痕迹呢?甲骨文卜辞有关刑罚的记载极多,种类不少,唯独没有象征性刑罚。第二,刑罚,作为惩罚犯罪的强制手段,其本身就不可能是象征性的,卜辞中的坐人背、踩人肩、骑人头,已作了充分佐证。

从西周开始,在"明德慎罚"思想指导下,耻辱刑不再像商代那样惨无人道而趋于松弛,但同时,西周耻辱刑也不和商代那样成为独立刑种,而只有作为残酷肉刑的附加刑才能适用。前述黜罢刑如此,春秋、战国直至秦汉的耻辱刑大都也一样。《礼记·玉藻》载:

"缟冠素纰,既祥之冠也,垂绥五寸,惰游之士也;玄冠缟武,不齿之服也。"

缟素,白色衣服,指丧服。纰,衣冠上的镶边。绥,冠带结在下巴下面的下垂部分。"惰游"郑注:"罢民也,亦缟冠素纰凶服之丧也"。罢民,即轻罪犯者。玄冠缟武,黑色帽子。不齿,即《周礼》、《大司寇》和《司圜》所说的褫夺公权。这段话的意思是,缟素白色之冠,为丧服之冠;加长垂绥,便成轻罪犯者罢民之冠了;墨色帽子,只适用于褫夺公权的刑满释放犯。这是战国时期的耻辱刑,虽和黜罢刑罚有差异,但应视其为黜罢之刑的变异和残迹。这种耻辱刑的适用,据《周礼》、《司圜》和《大司寇》记载,也是其它刑罚的附加刑。《大司寇》载:

"以圜土聚教罢民。凡害人者,置之圜土而施职事焉,以明刑耻之。其能改者,反于中国,不齿三年。"

明刑,附加刑,郑注:"出其罪恶于大方版,著其背",以示耻辱。施职事,劳役刑,主刑。这儿的"明刑"即《礼记·玉藻》的"垂绥五寸"、

"玄冠缟武",都是耻辱刑,它们只有和劳役刑结合在一起,组成新的刑种,才能起惩罚犯罪的作用。对罢民,罚有苦役并附之以明刑;刑满释放后,还要"不齿三年"即褫夺公权三年,这时便戴墨帽子以示耻辱。

至战国末期,源于西周的黜黶,残留于春秋战国的"玄冠缟武"才得以绝迹,代之而起的耻辱刑,是髡、耐、完和谇。这点,云梦秦简有详细记载。仅《云梦秦简·法律答问》有关髡、耐、完、谇记载的简文就达34处之多。兹举例于后:

"甲盗牛,盗牛时高六尺,系一岁,复丈,高六尺七寸,问甲可(何)论?当完城旦";

"司寇盗百一十钱,先自告,可(何)论?当耐为隶臣,或曰赀二甲";

"子盗父母,父母擅杀、刑、髡子及奴妾,不为公室告";

"当赀盾,没钱五千而失之,可(何)论;当谇";

"内(纳)奸,赎耐";

"妻悍,夫殴治之,夬(决)其耳,若折支(肢)指、肤膿(体),问夫可(何)论?当耐";

"……或黥颜頯为隶妾,或曰完,完之当殹(也)"。

髡,剃除受刑者头发的一种刑罚。耐,剃除受刑者鬓须的一种刑罚,因保存完好其发,故耐刑又称完刑。从云梦秦简看,耐、完又似两种不同的刑罚。谇,训斥责骂。这些均属于耻辱刑。在秦汉,这些耻辱刑大都和劳役刑结合并用,如前引"完城旦"、"耐隶臣",其它还有"耐为鬼薪"、"耐为司寇"、"髡钳城旦春"等等。也有独立使用的,也有可赎的。髡、完耻辱刑至北周、西晋才被最后废除。

综上所述,以慎到为代表的先秦诸子和汉儒等古代文人所说的以不同服饰代替五刑的所谓象刑,其源头是西周的黜黵之刑,而决非虞舜时期的象征性刑罚,卜辞中无任何"画衣冠、异章服"的痕迹,这说明古人的"象刑说"不能上溯到商代。西周的耻辱刑虽趋缓和,但其使用须和残害肌体的肉刑结合起来,战国亦然;从战国末期开始,髡、耐等耻辱刑骤起,它和西周的墨巾蒙面风马牛而不相及,说明黜黵之刑只在西周适用过一段时间,春秋战国时虽有残迹,不久便自行消亡了。总之,慎到等古代文人所说的虞舜象刑,实际上是借用西周制度,为实现自己的政治主张,宣扬儒家的仁治政治,而附会虞舜之制的一种托古改制的伪说。

3."象以典刑"非象征性刑罚

那么,《尧典》和《皋陶谟》所说的"象以典刑"、"方施象刑"应如何解释呢?

首先,从语言学角度对其字义予以诠释。《尚书》语言,佶屈聱牙,古奥难懂,且习用古义,不但秦汉以后不再应用,就是在《国语》、《左传》中也很少见到,因此,要了解其文,首先必须诠释其义。对"象以典刑"句历来有两种解释:一是认为古时无肉刑,只有象刑,指在犯人衣服上画不同图形,以示惩罚;二是谓象刑是把五种刑罚的形状画在器物上,使人有所儆戒。后一说法近于事实。此说来于《尚书正义》:

"象,刻画也。盖刻画墨、劓、剕、宫、大辟之刑于器物,使民知所惩戒,如九鼎象物之比"。

象,刻画的意思。以,介词"把"。典,《尔雅·释诂》:"常也"。《尚书·舜典》"五典"注:"五常也"。典刑,常刑即五刑。在语法上,该句之"以典刑"为介宾词组做状语,状语后置。刑,既是常刑(五刑)的刑,又与形(图形)相通。据此,则"象以典刑",反映把刑罚及刑人之状刻画在器物上,予以公布,以儆戒民众。由此可见,"象以典刑"从句式结构上讲,不能简化成为"象刑",更无象征性刑罚之意。

那么,"方施象刑",就可通释为"正示以刑杀的图像警戒他们"了。"他们"指的是谁?通读该段全文就明白了。《皋陶谟》全文分作三个段落,其中第三段开首是舜讲述惩罚丹朱事,接着禹陈述自己治水的功绩:结婚第四天便去治水,儿子启生下来呱呱地啼哭,也顾不上去爱抚,一心忙于治理水土事宜。禹最后对舜说,在治水过程中,从九州到四海边境,每个诸侯国都能根据要求,建功立业,勤于治水,只有"苗顽弗即工",即三苗负隅顽抗,不肯服役去根治水患,应该怎么办?正是在这种情况下,舜才讲出了"皋陶方祗厥叙,方施象刑惟明"的告诫辞。意思是说,皋陶正敬重那些顺从的方国诸侯,而对顽抗的三苗则示以刑杀的图像以警戒他们。在这里,方,作正讲。厥,代词。其,指努力顺从于治水的诸侯。叙,敬,敬重。惟,宜。明,《释诂》:"成也"。可见,"方施象刑惟明"是通过刻画刑罚形象并公布出来的办法,用以镇摄三苗"顽弗即工"的一项刑事政策,也是刻画刑罚形象与公众的一项立法程序,将其释成象征性刑罚,是对《皋陶谟》原文的严重曲解。如果将其解释成象征性刑罚,哪将如何去惩戒"苗顽"呢?

其次,从考古资料看,虞舜时把刑罚刻画出来予以公布是符合当时社会现实的。皋陶"方施象刑"的对象是三苗,而三苗是距今四千年前活动于江汉地区的一支部族,可能与考古发掘中的屈家岭文化有联系。屈家岭文化中已有贫富分化,出现了阶级压迫和剥削,因此,三苗社会已有了很大进步,他们"弗用灵,制以刑,惟作五虐之刑曰法"[①]。所谓"五虐之刑",即劓、刵(刖)、椓、黥等,已接近后来的五

---

① 《尚书·吕刑》。

刑。"五虐之刑"可能有后人的附会,但其记载不止见于一种古籍,不能认为完全是捕风捉影。至于"皋陶作刑"更不可能是毫无根据的了。皋陶。偃姓,偃、奄二字相通,大概就是商代奄国(今山东曲阜)的祖先。商代灭亡后因受到周人的征伐而迁往淮南。这一带的考古发掘证明,在距今五千年前的大汶口文化晚期已有明显的贫富分化,至距今四千多年前的龙山文化,阶级压迫现象更为突出,因此,与这种社会现实相适应而产生"皋陶之刑"完全符合社会发展规律。这一带的考古发掘还证明,当时虽无成熟的文字体系,但已有描绘实物形象的图像文字,那么,把刑罚用图像形式刻画出来公诸于众是完全可能的。"皋陶之刑"可以用图像形式公布,三苗的"五虐之刑"也应一样。

再次,从先秦古籍所载公布刑法图像的残迹,也可反转窥视虞舜"象刑"的原貌。《左传·哀公三年》"御公立于象魏之外,命藏象魏"杜预注:

"周礼,正月县(悬)教令之法于象魏,使万民观之,故谓其书为象魏"。

象,指象形、图画。魏,又称"阙"或"观",是天子、诸侯宫殿外台门两侧的高耸的建筑物,故也称其为"魏阙"或"魏观"。每年正月,天子、诸侯将法令悬挂在魏阙上,令官民观看,因此把悬挂法令的魏阙又称为"象魏"。公布的法令,有刑事法规——刑象,另外还有刑事之外的其它法令,如治象、教象、政象等等。法令一旦公布,人人必须遵守,否则,以国法常刑予以严惩。如《周礼》载:

"《大宰》:'正月之吉,始和,布治于邦、国、都、鄙,乃悬刑象之法于象魏,使万民观刑象,挟日而敛之';"

"《小宰》:'(小宰)率治官之属而观治象之法,徇以本铎(木牍),曰:不用法者,国有常刑'"。

公布法令的具体程序如何?《管子·立政·首宪》对齐国颁布法令程序有如下描述:

"正月之朔,百吏在朝,君乃出令,布宪于国。五乡之师,五属大夫,皆受宪于太史。大朝之日,五乡之师,五属大夫,皆身习宪于君前。五乡之师出朝,遂于乡官。致乡属,及于游宗,皆受宪。……宪既布,有不行宪者,谓之不从令,罪死不赦"。

这是春秋时期公布法令的程序,春秋之后,公布法令便不再以刻画图像为形式而转为文字了。

总之,虞舜"象刑",从字义诠释、考古资料和先秦古籍记载作综合考察可知,它决非象征性刑罚,而是法(刑)处于胚胎时期将其刻画出来公诸于众的一项原始立法活动。

第二节 立法思想

我国奴隶社会(夏、商、西周、春秋)立法思想的发展,大致经历了三个阶段:第一阶段为夏商神权立法时期,以"天罚"、"神判"为制定刑事政策的依据;第二阶段为西周时期,以周公为代表,提出"明德慎罚",奴隶主阶级立法思想发展到一个新阶段;第三阶段为春秋时期,孔子对夏商、西周的立法思想、立法原则进行全面总结,提出并建立起一套"宽猛相济"、"一张一弛"的完整立法理论,至此,奴隶主阶级立法思想才日臻完备和成熟。纵观中国奴隶制社会的立法思想和立法理论,从夏商的神权立法到西周的"明德慎罚"是一次大的飞跃,在奴隶制以至整个古代立法思想发展史上起举足轻重的作用。它不仅使夏商的"天罚"、"神判"思想基本上退出法律领域,又为孔子的"宽猛相济"理论奠定了基础,就是贯穿于我国封建社会两千年间的"德主刑辅"思想,其源也是西周的"明德慎罚"。纵然如此,而盛行于夏商的"天罚"、"神判"却是我国步入文明社会之后首次建立起的与夏商文明相适应的立法思想和立法理论,没有它,就不可能有西周的"明德慎罚",更不可能有延续两千年之久的"德主刑辅"法律思想。

一、"天罚"

1. 夏代"天罚"

夏代奴隶主贵族,竭力宣扬以"天罚"为形式的宗教神学,作为其指导立法、实行暴力统治的精神支柱。

在原始社会里,生产力极其低下,人们征服自然的能力很低,对自然的许多现象,诸如雷、电、灾异等等无法理解,于是便产生了宗教迷信思想。人们认为,冥冥之中必有神(天),正是这个神(天)——一种超自然的力量,统治着大地,主宰着一切。不过在原始社会里,这种宗教迷信不带有阶级压迫性质。自从人类进入阶级社会之后,宗教迷信才和阶级压迫连结在一起,成为统治者进行军事征讨和司法镇压的暴力工具。早在夏代,奴隶主贵族就开始利用宗教迷信强化自己的统治。《尚书·召诰》说:"有夏服天命"。服,职务,引申为接受职务。这句话的意思是说,夏从上天那里接受了大命,王权是神授的。因此,只有国王才能知道天意,"面稽天若",接受、传达上帝命令,并代表天(神)对人民施行刑罚,对不服统治的进行征讨。

夏代"天罚",《尚书·甘誓》作过详细记载:

"有扈氏威侮五行,怠弃三正,天用剿绝其命。今予惟恭行天之罚。……用命,赏于祖;弗用命,戮于社,予则孥戮汝"。

《甘誓》是大家公认的一篇比较可靠的研究夏代法律制度的宝贵

文献。其文大约形成于周初或再晚一些,但材料则来自夏启时代。《甘誓》是我国法制史上的第一部军法。讲的是夏启世袭父位建立国家之后,死抱住原始"禅让"制不放的守旧派有扈氏起兵反抗,于是启在甘地召集"六事之人",发布军令,对有扈氏进行征讨的历史事件。在这一军令中,首先,夏启罗列了有扈氏的两大罪状:"威侮五行,怠弃三正"。"威侮五行",指的是"天道","怠弃三正",指的是"政事"。意思是说有扈氏上则背叛天道,下则怠弃其政,倒行逆施,一意孤行,不服夏的统治,轻蔑地对待一切,结果,天怒人怨,构成犯罪,天要废弃他的大命。其次,军令申明,夏启对有扈氏的征讨,决非个人恩怨,而是奉行天的意志,"恭行天之罚"。最后,夏启对三军将士发布了一条军法:凡努力作战的将士,在祖先神位面前进行赏赐;对不努力杀敌的,要在社神面前,严厉惩罚,或罚作奴隶,或予以刑杀,并连及妻、子而戮之。

另外,《墨子·兼爱下》引《禹誓》记禹征伐三苗的誓辞中也有"天罚"记载:

"济济有众,咸听朕言,非惟小子,敢行称乱,蠢兹有苗,用天之罚。若予既率尔群对诸群,以征有苗"。

这一记载说明,"天罚"法律思想,早在夏启建国之前的禹时就已产生。我国古代,兵刑不分。天罚的对象,既适用于异族,也适用于族内成员。对异族,如夏启对有扈氏和夏禹对三苗的战争,则兴兵讨伐,称作"大刑"。"大刑用甲兵"。对族内成员,像夏启在战地对将士所立的军法:"用命赏于祖,弗用命戮于社",史书上称作"小刑",小刑不用甲兵而处以常刑甚至酷刑"孥戮汝"。无论"大刑"或"小刑",其立法指导思想都是"天罚";顺天理者赏,逆天意者罚。在夏代,天,主宰一切,"天罚"是奴隶主贵族立法、司法的精神支柱。夏代以启为首的奴隶主贵族,正是借助这一精神支柱,把自己扮演成天的化身,把自己的意志解释成天的意志,从而给夏代法律涂上一层浓厚的神秘色彩,用野蛮的刑罚或"孥戮汝"之类的酷刑,随心所欲地残害人民或发动对异族的掠夺战争,并使人民群众和被征服方国异族,在神权恐怖气氛中,恭恭敬敬地顺从他们的统治,任其剥削和压迫。这就是夏代"天罚"的阶级本质。

2. 商代"天罚"

到了商代,商统治者又编造了一个有人格、有意志,既能发号施令,又能赏善罚恶的"上帝"。他们宣称,"上帝"是殷王的祖先,而殷王则是"上帝"的嫡系子孙,能代表"上帝"赏善罚恶,行使权力,从而使"受命于天"的"王权神授"说更加神秘、合法,更具有欺骗性和震慑力。《诗经·商颂·玄鸟》:"天命玄鸟,降而生商"。又《长发》:"有娀方将,立帝子生商"。《史记·殷本纪》也说:"殷契,母曰简狄,有娀氏之女,为帝喾次妃。三人行浴,见玄鸟堕其卵,简狄取而吞之,因孕生契"。这些图腾崇拜的奇异传说,使商王从血缘关系上找到了作为"上帝"合法代理人的法律依据。图腾崇拜本是原始社会一种最早的宗教信仰,但从甲骨金文中仍可看到它的遗迹,说明进入奴隶社会的商代仍有图腾崇拜的残存。商代晚期铜器《玄鸟妇壶》的壶口上有"玄鸟妇"三字,说明商人确以玄鸟为图腾的。胡厚宣在甲骨文中先后找到 8 片甲骨上共有 10 条祭祀高祖王亥的卜辞。亥字写作夒,带有鸟图腾的标记符号[①]。

玄鸟生商传说告诉我们,在商代,不仅上帝、祖先合二而一,而且

[①] 胡厚宣:《甲骨文商族鸟图腾的遗迹》,《历史论丛》第 1 辑,中华书局,1964 年版;《甲骨文所见商族鸟图腾的新证据》,《文物》1977 年第 2 期。

上帝——祖先——商王也三位一体了。商王"以常旧服,正法度"①,就是用祖先即上帝的"旧服"(先王的法度),来整顿当时的法纪。执行王命,就是执行祖先法令,合天(帝)意;反之,倘若违抗王命,上帝就要"罚及尔身",到那时,后悔就来不及了②。

帝祖合一并产生"天罚"的观念,已在甲骨卜辞中得到印证③。

甲骨卜辞中已有至上天神之观念。武丁卜辞称至上天神为帝:

"帝令雨足"④;

"帝令雨弗其足年"⑤;

由于帝高居于天,故又称"上"或"上子":

"□酉卜,王正舌方,下上若受我又"⑥;

"己巳卜,㱿,贞勿圄帚好乎从沚㦰□□,下上若,受我又"⑦;

"贞上子受我又"⑧;

"贞上子不我其受囚"⑨。

前两条卜辞中"下上若"之"上"即天(帝)。后两条中的"上子"也是天(帝)。廪辛、康丁之后,帝又称"上帝"直至殷末未改。如:

"叀五鼓,上帝若王又又"⑩。

---

① 《尚书·盘庚上》。
② 同上书。
③ 参阅胡厚宣:《殷代之天神崇拜》,《甲骨学商史论丛》初集,第二册,1944年。
④ 《虚1382》。
⑤ 《前1·50·1》。
⑥ 《铁244·2》。
⑦ 《前4·38·1》。
⑧ 《后上8·8》。
⑨ 同上。
⑩ 《甲1164》。

这是廪辛时的一条卜辞,在这里,帝已称"上帝"了。帝(或称上、上子、上帝)权力很大,根据卜辞,胡厚宣总结了 8 条权能:冷雨、授年、降旱、保王、授佑、降若不降若、降祸、降灾①。陈梦家归纳为 16 条,并将这 16 条权能并为 4 大类:①年成,②战争,③作邑,④王之行动②。无论 8 条也罢,或则 16 条也罢,其核心权能是保王和授佑。卜辞"保王",即《大盂鼎》中之"天临异子,法保先王"。"授佑"乃该鼎之"丕显文王,受天有大命"。王命天(帝)授,帝保先王,那么,商王就可以代天(帝)行事,替天(帝)行罚了。据史籍载,商族大规模对外征伐是从上甲微假师河伯以伐有易开始的,但那时还未说是受上帝之命而征伐。真正借"天罚"之威,吓唬族众,兴兵征讨的是奴隶制国家建立之后的开国君主商汤。

"天罚"是帝祖结合的产物,是奴隶制国家对外征讨,对内镇压的暴力工具,而它的产生又反过来促进了帝祖的进一步结合并加深其神秘色彩。从商汤之后,他的一代代继承者都把自己扮演成代天行事,替天行罚的化身,于是便把其祖先神升华一级,提到与上帝并列的地位。

在祭祀先王的卜辞中,常有称某先王"宾于帝"的记载。如"成宾于帝"、"太甲宾于帝"③。成是大乙,即成汤。太甲即大甲是大乙之孙。宾即嫔,也是妃。妃即配④,二字同音同义。卜辞中之某王"宾于帝",是说某王能配于帝(天),与文献所载"先王维时懋敬厥德,克

---

① 胡厚宣:《殷代之天神崇拜》,《甲骨学商史论丛》初集,第二册,1944 年。
② 陈梦家:《殷虚卜辞综述》,科学出版社,1956 年 7 月。
③ 《丙 36》。
④ 《尔雅·释诂》。

配上帝"① 句法相同,都是时王或先王能与帝(天)相配的观念。从甲骨文看,商代第一代君主成汤是第一个与帝相配的君主。最初是配帝,之后便是直呼先王为帝。如武丁称其父小乙为"父乙帝"②;祖庚祖甲称其父武丁为"帝丁"③;廪辛康丁称其父祖甲为"帝甲"④;帝乙称其父文丁为"文武帝"⑤ 等等。人间最高统治者商王和天上的至上神帝一样也称帝,必将使商统治者代天行罚的"天罚"法律思想更具震慑力,更具欺骗性和绝对的服从性。

商代"天罚"最具代表性的法学文献是《尚书》中的《汤誓》和《盘庚》。《汤誓》被《史记·殷本纪》基本上全文引用,成书不会太晚。据王国维考证,其文成于周初⑥,能反映商代社会现实,这一观点已被大多数学者所认可。《盘庚》则是无可怀疑的商代遗文,其史料价值无可怀疑,更是研究商代"天罚"的可贵资料。《尚书·汤誓》文字较为平易简洁,且行文不长,特全文照录于后:

"王曰:格尔众庶,悉听朕言。非台小子敢行称乱。有夏多罪,天命殛之。

"今尔有众,汝曰:'我后不恤我众,舍我穑事而割正夏?'予惟闻汝众言,夏氏有罪。予畏上帝,不敢不正。

"今汝其曰:'夏罪其如台?'夏王率遏众力,率割夏邑,有众率怠弗协,曰:'时日曷丧,予及汝皆亡!'夏德若兹,今朕必往。

"尔尚辅予一人,致天之罚,予其大赉汝。尔无不信,朕不食

---

① 《古文尚书·太甲》。
② 《乙956》。
③ 《粹376》。
④ 《粹259》。
⑤ 《簠室143》。
⑥ 王国维:《古史新证》第一章《总论》,1925年。

言。尔不从誓言,予则孥戮汝,罔有攸赦。"

和夏启的《甘誓》一样,这是商汤伐桀时颁布的一部军法。该军法大意是:

"来吧!诸位,你们都要听我军令。不是我小子胆敢发动战争。是因为夏王犯有许多大罪,上天(帝)命令我前往讨伐的。

"现在你们大家都说:'我们的国王太不体贴我们了,把我们种庄稼的事都舍弃了,他犯这样的大罪,怎么可能纠正别人的偏差呢?'我听了你们的这些话,更加坚信夏桀是犯有大罪的。我怕上帝发怒,不敢不讨伐夏桀。

"现在你们一定会问我:'夏桀究竟犯了哪些大罪呢?'我可以答复你们,夏桀竭尽民力,要人民负担沉重的徭役,还要残酷地压迫剥削人民,人民痛恨极了,于是便怠工反抗,很不友好,并说:'你这个太阳啊,什么时候才能毁灭呢?我愿意与你一块死去!'夏桀如此败坏,现在我决心要讨伐他。

"你们只要辅助我,奉行天的命令讨伐他,我将大大地奖赏你们。你们不要不相信,我是决不会失信的。假若你们不听我的命令,我就要惩罚你们,或罚作奴隶,或加以杀戮,并株连你们的妻子儿女,叫你们断子绝孙,决不赦免。"

很显然,和夏代一样,这是《甘誓》所载"天罚"法律思想的继承和沿用:对异族,动用"天罚",兴兵征讨;在族内,对不服军令者,则处以"孥戮"之罚,"罔有攸赦"。仔细推敲,商汤的"天罚"法律思想和夏启的"天罚"已有很大区别:

第一,在刑罚执行上,《甘誓》中执行"天罚"的主体是"天"。由于"有扈氏威侮五行,怠弃三正",对"天"犯下了大罪,于是夏启便"恭行天之罚"。在这里,夏启只不过是以"天"(帝)的代言人出现的,是替天行罚的。十分清楚,这是原始社会"天罚"遗风在阶级社会之初的表现形式,是帝、祖结合观念的产物。而在《汤誓》中尽管也屡用"致天之罚"、"天命殛之"和"予畏上帝,不敢不正(征)"等"天罚"术语,但是,《汤誓》中执行"天罚"的已不是天,而是把自己摆在"上帝"的位置上的王。军令篇首就说"格尔众庶,悉听朕言",这哪是代天行罚的语气! 军令在列举夏桀罪状之后讲他征代夏桀的原因时说:"夏德若兹,今朕必往"。就是说,他之所以征伐夏桀,是因为夏桀丧德,政治腐败,并不像《甘誓》那样启征伐有扈氏,是因为有扈氏"威侮王行,怠弃三正",违背了天意,触犯了天条,因此,"天用剿绝其命",启只不过是个代替征伐的角色。《汤誓》则是假"天罚"之名,行推翻夏政,建立商汤政权之实,并把自己摆在执法主体的位子上,很清楚,这是帝、祖结合观念深化之后帝祖相配思想的产物,是先祖"宾于帝"之后祖帝更加合一的表现。

第二,在犯罪界定上,两者截然相反。《甘誓》给有扈氏罗列的罪状是:"威侮五行,怠弃三正"。所谓"威侮五行",即蔑视天道罪。"怠弃三政"为怠慢、放弃政事罪。在这两大罪状中,最重要的处于头条的罪状是"威侮五行"即蔑视天道。因此,惩罚征讨有扈氏的主体只能是维护天道的上帝。而《汤誓》则不同,它给夏桀也罗列了两大罪状,一是"我后不恤我众,舍我穑事而割正夏";二是"夏王率遏众力,率割夏邑"。这两大罪名,和《甘誓》所载蔑视天道、背离天意相反,是对人民的犯罪。其犯罪构成,一是不体恤民众并破坏农事,二是残酷地压榨剥削人民。在这里,商汤完全摆出一付"吊民伐罪"的姿态。尽管这是一种托辞,而从这种托辞中可以看出,在长期尖锐的阶级斗争中,人民群众已显示出了自己的力量,从而使头脑比较清醒的统治者深深懂得,要想夺取政权,就必须争取民心,得到人民的支持和拥护。因此，商汤虽然口口声声一而再、再而三地高喊"致天之罚"、"予畏上帝，不敢不正(征)"，实际上，他是以"配帝"的身分，直呼其罪，亲行其罚的。在《汤誓》中，"天罚"是幌子，人罚——王罚才是实在内容。这点，从《汤誓》中首次使用"予一人"也可得到佐证。

《甘誓》称启为"予"，而《汤誓》则称汤为"予一人"。胡厚宣运用甲骨卜辞资料对"予一人"作过详细考证①。据胡厚宣考证，商王自称"余一人"，即视天下为一人之天下，国家为一人之国家，在盘庚、武丁之后最为突出。如武丁卜辞：

"贞其于一人囚(祸)"②。

此卜辞中之"其于一人囚"即"其于余一人囚"。"一人"即"余一人"，为殷王武丁自称，或贞人对武丁的专称。祖庚祖甲时卜辞"余一人"的如：

"癸丑卜，王曰，贞翌甲寅三酉(酒)肜，自上甲衣至后，余一人亡囚(祸)。兹一品祀。在九月，葺示癸贵麕"③。

"……余一人亡囚(祸)"④。

帝乙帝辛时称"余一人"的卜辞如：

"余一人从多田舌正。又自上下于若"⑤。

这种视天下为一人之天下的专制政治制度，其伦理依据是帝祖合一升华之后的"配帝"观念，其物质社会基础为农业型的经济结构和血缘家族型的社会结构。正因为如此，这种政治制度才得以在中

---

① 胡厚宣：《释"余一人"》，《历史研究》1957年第1期；《重论"余一人"问题》，《古文字研究》第6辑，中华书局，1981年。
② 《甲2123》。
③ 《金124》。
④ 《宁94》。
⑤ 陈保之先生藏甲骨文。

国延续几千年。

《商书·盘庚》三篇中有关"天罚"的记载颇多,兹摘录三段如下:

"汝万民乃不生生,暨予一人猷同心。先后丕降与汝罪疾,……自上其罚汝,汝罔能迪。

"兹予有乱政同位,具乃贝玉。乃祖乃父丕乃告我高后曰:'作丕刑于朕孙!'迪高后丕乃崇降弗祥。

"呜呼!今予告汝不易,永敬大恤,无胥绝远。汝分猷念以相从,各设中于乃心。乃有不吉不迪,颠越不恭,暂遇奸宄,我乃劓殄灭之,无遗育,无俾易种于兹新邑!"

《盘庚》由上、中、下三篇组成,都是有关迁都的,是盘庚对"众"和"民"发布的迁都命令。上篇的对象是执政者,因而口吻和缓,进行劝说,要求他们支持迁都。中篇对象是"民",因而盘庚谈话的口气则声色俱厉,严刑威吓。下篇和上篇一样是对执政者的谈话,希望他们恭谨地办理政务,率领臣民建设家园。以上所引三段均选自《盘庚中》。前引第一段是警告"万民"必须顺从迁都命令,否则就会招致"上其罚汝"。上,上帝;"上其罚汝"是说谁要不服从迁都命令,谁就会受到上帝的惩罚。第二段说的是祖先的惩罚。"乃祖乃父"就是先祖先父。第三段是《盘庚中》的结尾,盘庚索性置上帝、祖先而不顾,赤裸裸地告诫臣民,我的迁都计划不会改变了,你们应当体谅我的忧虑,不要互相疏远。你们应当同心同德,按照我的命令行事,把正道放在心里。假如你们行为不善,不按正道办事,猖狂放肆,违反法纪,曲巧诈伪,胡作非为,我将处你们以割鼻劓刑,或把你们杀掉,甚至还要处以宫刑,让你们断子绝孙,不使你们的后代在新邑里蕃衍。《盘庚中》的记载,不仅反映出殷代"天罚"自其中期起其范围的扩大,而且可以看出,所谓"天罚",无论帝罚、祖罚,归根到底,都是人罚——殷王之罚。

天(帝)、祖,只不过是统治者——殷王手中用以强化司法镇压的一种工具而已。

商代帝、祖、王三位一体观念的形成,把"天罚"法律思想推向了极峰。商人的这种天道观,尽管可以盗用天(帝)的力量欺骗、恐吓人民群众,但是,这种欺骗和恐吓,决不可能消除奴隶和奴隶主两大阶级之间的对抗。事实上,正是由于商统治者制造了这种三位一体的"天罚"理论,才使得他们敢于肆无忌惮,为所欲为,"好酒淫乐,嬖于妇人","以酒为池,悬肉为林,使男女倮相逐其间,为长夜之饮"①;也正是由于这种神权理论,又导致殷纣王推行"重刑辟"的刑事高压政策,脯鄂侯,醢九侯,剖比干,观其心,迫害无辜,暴虐百姓。终于,阶级矛盾愈演愈烈,殷王朝被推翻了。殷纣王在临终之日,虽然还在喋喋不休地说什么"我生不有命在天乎",也没有逃脱"自焚而死"的命运。

二、神判

1.神兽断案

和"天罚"一样,所谓"神判",也是借助神力进行审判的一种鬼神定罪法。夏商"神判",据古籍和甲骨卜辞记载,主要有两种形式,一是神兽定罪,二是卜筮决狱。神兽断案,相传在原始社会就已出现。王充《论衡·是应篇》说:

"獬豸者,一角之羊,性识有罪,皋陶治狱,有罪者令羊触之"。

獬豸,神兽,形似一角之羊,因能辨别罪和非罪,故皋陶治狱,则

---

① 《史记·殷本纪》。

对"有罪者令羊触之",以定曲直。这是神兽定罪的最早启始记载。中国古文献所载"触不直者"的神兽,除"一角之羊"外,其形状各说不一:

  一角之鹿——《汉书·司马相如传》"弄解廌"句下注引张揖曰:"解廌(即獬豸)似鹿而一角,人君刑罚得中,则生于朝廷,主触不直者";

  一角之牛——《说文》廌部:"廌,解廌兽也,似山羊一角,古者决讼,令触不直;象形。从豸省;"

  东北荒中之兽——《神异经》:"东北荒中有兽,见人斗则触不直,闻人论则咋不正,名曰獬豸"。

如此等等,不一而足。无论神羊、神鹿、神牛还是东北荒中之兽,最初都是普普通通的羊、牛、鹿,时间长了,再加上神化的渲染,便成了神兽——原始人所信仰的图腾。图腾,是一个氏族以某一动物作为自己名称的标志,图腾信仰的不断发展便出现了图腾崇拜,图腾成了外部自然界不可思议的、超越人类的神秘力量的化身。在原始社会,氏族成员之间的冲突、争执最初由氏族长老去调解,之后,便是由大家推举的氏族酋长充当争讼仲裁人。如果遇到超越氏族成员之间的争执,或氏族长老无力调解的事件,则将其转移给图腾去裁决。

神兽裁判亦即神明裁判,不独中国乃至整个亚、非、欧三洲人类社会处于原始阶段时共同使用过的一种审判方式。古印度《摩奴法典》公开承认神明裁判的合法性,《那罗陀法典》则进一步具体规定38种神明裁判的方式:

  秤审:用秤计量被审判者体重两次,假如第二次所秤体重等于或重于第一次,则判此人有罪;

  火审:置罪人手于火中,依有无烧伤而定有罪或无罪;

水审：将被告投入水中如其沉没则为有罪；

毒审：给被告吞食有毒食品，以是否中毒定罪之有无；

圣水审：被告饮圣水三口，两周后无事则无罪，若两周内生病或遇到什么灾害为有罪；

圣米审：吞食圣米一昼夜，吐出后有血为有罪；

热油审：被告从热油中取出货币，手指若有烧伤现象则定有罪；

签审：用抽签办法定罪。

我国的神兽断案，至夏商时极为盛行。这种断案方式的下限大约可定在春秋晚间。神兽断案的出发点，在于谋求公平、正直。《说文》灋部：

"法，刑也。平之如水，从水。廌，所以触不直者去之，从廌去"。

段玉裁在"刑"字下注说："刑者，罚罪也"。《易》曰："利用刑人以正法也"。可见，法字在这儿不是现代意义上的法字，作动词讲，是处罚犯罪的意思。法，写作灋。古字，从字源上看，由廌、水、去三部分构成，其中廌（獬豸）为主干，故灋字归之于廌部。这个由三部分构成的全体字，其内容，至少包括"公平"、"正直"两层含义。所谓"公平"，即《说文》所说，廌（獬豸）决狱，"平之如水"。"正直"，是指獬豸能够"触不直者去之"。

我们知道，在氏族制社会里，所有成员都是平等的，人们所做的一切都必须完全满足原始人们的平等需求。这就是为什么在中国古代乃至中世纪的欧洲，法字当初都含有公平之义的真正原因。

夏商神兽裁判的具体程序如何，现已无法考证。不过《墨子·明鬼下》有段记叙齐庄公用神判法断决三年疑案的记载，这是现在所能见到的先秦文献中记载神判全过程的唯一记载，也许对我们了解夏商神判的细节有所帮助。兹录该文于下：

"昔者齐庄君之臣,有所谓王里国、中里徼者。此二子者讼三年而狱不断,齐君由(欲)谦(兼)杀之,恐不辜;犹(欲)谦(兼)释之,恐失其罪,乃使二人共一羊,盟齐之神社,二子许诺,于是㓰血,㩒羊而漉其血,读王里国之辞既已终矣,读中里徼之辞未半也,羊起而触之,折其脚祧神之而橐之,殪之盟所。当是时,齐人从者莫不见,远者莫不闻,著在齐之春秋"。

此故事出自齐《春秋》,既能载入史册,则非一般野史所能比,足以为信,说明神羊断案是有事实根据的。

2. 卜筮决狱

"殷人尊神","先鬼而后礼"①,说明殷人是绝对迷信鬼神的。所谓卜筮决狱,是指通过向鬼神请命的办法,判决狱案,决定刑罚。早在原始社会人们就开始卜筮决疑了。龙山文化遗址中已发现了占卜用过的胛骨。卜和筮是两种不同的决疑方法。卜用龟甲,筮用蓍草。商代,卜、筮并用。那么为什么我们今天见到的只有龟甲而看不到蓍草呢？这是因为按当时的习惯,"夏殷欲卜者,乃取蓍龟,已则弃去之"②,"龟筮敝则埋之"③。时间长了,埋于地下的蓍草必将腐朽成泥,故只有龟甲才能留存于今。原始人的卜筮,不仅对象很广,而且人人都可向神灵卜问吉凶。到了阶级社会,商统治者虽也崇拜自然神,但他们卜问的对象,主要是被认为能够主管天地、降祸人间的至上神"上帝"和与帝相配的祖先神。从现有甲骨卜辞看,商人占卜,不分事之巨细,大到国家的政治、经济、军事刑罚,小到个人的生活小

---

① 《礼记·表记》。
② 《史记·龟策列传》。
③ 《礼记·曲礼》。

事,无不占卜,无不请命,知其吉凶。在时间上,一年到头,从早到晚,差不多任何时候都有占卜。占卜时,有时一事一占,有时一事多占,一而再,再而三,不厌其烦地卜问。由于商代占卜之风盛行,于是,逐渐地形成了一个庞大的贞人集团。这个贞人集团除卜官之外,连商王也参与其内。贞人集团牢牢地掌握着国家的政治、军事和司法大权,决定着国家的前途和命运。

在司法领域,从定罪到处刑,贞人顽固地控制着审判权、刑罚决定权和执行权。大量的卜辞表明,对犯罪者定什么罪,处什么刑,处刑之后会引起什么后果,贞人都要在神面前卜问一番,然后,按照卜兆,立即行刑。此类卜辞,屡见不鲜。如:

"贞,王闻不惟辟。贞,王闻惟辟"[1];

"兹人刑不"[2];

"丁巳卜,亘,贞刖若?"[3];

"戊午卜,辰,贞刖不丼"[4];

"□□卜,□,贞其刖百人丼"[5]。

前引第1、2例为卜问对某某人是否用刑。第3例是丁巳那一天占卜,贞人亘问卦,问对某某人施以刖刑顺利吗?第4例是说戊午那天占卜,贞人辰问卦,问对某某人处以刖刑不会引起死亡吗?第5例为某霜之日占卜,某贞人问卦,问对那一百个人处以刖刑会引起死亡吗?

国家对外发动战争,也要事先卜问:

---

[1] 《乙 4604》。
[2] 《佚 850》。
[3] 《人 50334》。
[4] 《读 1560》。
[5] 《京 9》。

"丁酉卜,㱿,贞今载王共人五千正(征)土方,受虫(有)又(佑)？三月"①；

"己酉卜,贞：王正(征)舌方,下上若,受我又(佑)？二月"；

"贞：勿正(征)舌方,下上弗若,不我其受又(佑)"②。

前引第1例卜辞意为,丁酉日占卜,贞人㱿问卦,问今载时王聚合五千军队征伐土方,上帝祖先神能赐给福佑吧？占卜时间是三月。第2、3例卜辞意为,已酉日占卜,贞问：时王征伐舌方,天地皆顺,授予我福佑吗？占卜时间是二月。又贞问：不要征伐舌方,天地不顺,大概不允许我接受福佑吧？十分清楚,商王对外发动战争,或不发动战争,都要向上帝祖先卜问,以求护佑。前已叙述,在古代,战争是兴兵征讨的大刑,剕刑之类的小刑,用刑前要卜问上帝,大刑甲兵更是不能不卜了。

必须指出,当商王占卜和贞人占卜发生矛盾,结果不同时,贞人必须服从商王,最终判决当是"王占曰",商王享有最高判决权。武丁时期此类卜辞甚多。这说明,在商代王权已远远大于神权,当神权不利于王权统治时,王权就会残酷地打击神权,实际上,王权已统治了神权,神职人员贞人不过是商王的臣属,是商王借以欺骗人民的工具。这点,太甲杀伊尹,武乙射天等事件已得到充分证明。不独司法,就是整个法律领域,"神判"也不过是麻醉人民,残酷迫害人民的一种手段。《礼记·曲礼上》说："敬鬼神畏法令",一语道破了"神判"的实际用意。"神判"只不过是给奴隶主贵族的法令,蒙上一层神秘外衣,借鬼神之名,"以教民事君"③才是"神判"的目的。

---

① 《合集6409》。
② 《合集6322》。
③ 《国语·周语上》。

三、王德伐

武丁时期,商王朝在对周边方国的战争中,经常出现有"德伐"、"王德伐"或"王德"、"朕德"之类的卜辞。如:

"庚申卜,㱿,贞今载王德伐土方"①;"王德伐土方,受㞢囚"②;

"癸巳卜,㱿,贞今载王德土方受㞢囚"③;

"壬辰卜,㱿,贞今载王德土方受㞢囚"④;

"庚申卜,㱿,贞今载王德土方受㞢囚"⑤;

"庚申卜,㱿,贞今载王德囚囚受囚"⑥;"庚辰卜,王,贞朕德土方?六月"⑦;

"贞,亡(无)德?"⑧

"贞,㞢(有)德?"⑨

通观甲骨文德字原形有三种写法:𢛳⑩、𢛳⑪、𢛳⑫。此字孙诒让释为德。甲骨文德字,从彳直声,直与德古音同,当为德之初文,至西周金文,才加义素心作德。甲骨文德字的意义,有的同志将其概括为

---

① 《合集》6399、6400、6398。
② 同上。
③ 同上。
④ 同上。
⑤ 《合集》6399、6400、6389。
⑥ 《合集》6399、6400、6398。
⑦ 《甲 2304》。
⑧ 《乙 375》。
⑨ 《乙 90》。
⑩ 《甲 2304》。
⑪ 《粹 246》。
⑫ 《戬 39·7》。

一个动宾短语,犹言施德①,是很有见地的。

从甲骨文德字原形分析,󰀀,似目,上竖一直线,即"直"字。󰀁、彳似四通道路,"行"字。直,《说文》解释为"正见(视)也"。德字合"直"与"行"于一体,取正视前方行走而有所求之意。故罗振玉在《殷虚书契前编》中说:"卜辞中德字皆借为得失字"。德与得形异而义相近,音也相通。德和行相配,郑玄的解释是:"德、行,内外之称。在心为德,施之为行"②。"施之为行",即施德于人。据此,将甲骨文德字按动宾短语解释成施德是言而有据的。确定了甲骨文德字的含义,则前引9条卜辞便可直译了:

第1条意为:庚申日占卜,贞人㱿问卦,问今年时王通过征伐施德于土方国吧?

第2条意为:殷王通过征伐施德于土方国,将得到福佑吧?

第3、4、5、6条是癸巳日、壬辰日、庚申日由贞人㱿分别就伐土方一事占卜问卦,问今年时王(通过征伐)向土方施德,将得到福佑吧?其中第5、6条为同一日对同一事的两次占卜。

第7条意为:庚辰日占卜,殷王亲自卜问,问我通过征伐对土方施德可以吗? 占卜时间是六月。第8、9条是贞问(征伐某某方国)能否施德(而得到福佑)?

尽管甲骨卜辞中"直"、"行"合一的德字还不完全具备西周金文中"直"、"行"合一再加一"心"符德字的深刻含义,卜辞德义只是金文德义的初期的原始形式,但是,武丁卜辞德字的出现,并将德和伐(罚)联系在一起,说明殷代晚期,神权观念有所松动,而以德教为内

---

① 李圃:《甲骨文选注》。
② 《周礼·地官·师氏》"敏德以行本"郑注。

容的法律思想在统治者心目中已占有一定比重了。武丁卜辞中之"王德"或"王德伐",即殷王通过大刑征伐施德于被征伐者,固然带有一定欺骗性,但将德化和征伐(刑罚)结合在一起思想,无疑为西周的"明德慎罚"奠定了基础。

联系文献记载,殷统治者的德化法律思想,早在盘庚时代已经产生。如《尚书·盘庚》说:

"作福作灾,予亦不敢动用非德";

"天有远迩,用罪伐其死,用德彰厥善";

"故有爽德,自上其罚汝,汝罔能迪"。

这三条记载的大意是,对待善恶,我(盘庚)也不敢自作主张,非分动用刑罚和奖赏;无论亲疏,都要一样对待,以刑罚惩其罪行,以爵禄赏赐、表彰善行;如果不听教化,上帝就会重罚你们,你们是无法逃脱其惩罚的。十分清楚,这是殷统治者"典厥义"、"正厥德"[①] 法律思想的具体表现。把"义"、"德"提到显著地位,我们还不能说殷统治者已有"敬民"思想,但对一些头脑比较清醒的统治者来说,他们已注意到了人民的力量,意识到恰当地使用刑罚和巧妙地重视德教在维护奴隶主统治秩序中的重要作用。

第三节 立法概况

一、禹刑

有关《禹刑》记载,仅《左传·昭公六年传》有"夏有乱政,而作禹

---

① 《尚书·高宗肜日》。

刑"八个字。因此,要弄清其立法背景、经过和内容,难度颇大。但是,只要对《昭公六年传》进行全面考查,同时印证其它相关文献记载,《禹刑》的大概情况还是能够略知一二的。《左传·昭公六年传》是这样记载"夏有乱政,而作禹刑"的:

"郑人铸刑书,叔向使诒子产书。曰:'始吾有虞于子,今则已矣。昔先王议事以制,不为刑辟,惧民之有争心也。……民知有辟,则不忌于上,并有争心,以征以书,而侥幸以成之,弗可为矣。夏有乱政,而作禹刑,商有乱政,而作汤刑,周有乱政,而作九刑。三辟之典,皆叔世也。'今吾子相郑国,……制参辟,铸刑书,将以靖民,不亦难乎?……国将亡,必多制,其此之谓乎!"

这是郑子产铸刑书之后,保守派叔向为反对成文法的公布而致子产的一封信之节文。该信主要论点是:先王治世,用德不用刑,制定并公布成文法,必将导致社会动乱;《禹刑》、《汤刑》、《九刑》都是"叔世"(乱世)的产物;铸刑书是国家即将灭亡的标志。很显然,叔向的言论是有鲜明的政治倾向的,而且自相矛盾,难圆其说。不过,叔向的这封信告诉我们,在子产铸刑书的公元前536年,春秋时人确信在夏商周三代是有这三部刑书的,而这三部刑书都是所谓"叔世"时代阶级矛盾激化的产物,这点为我们了解《禹刑》的制定很有帮助。

《禹刑》是否是一部成文刑书,目前尚无其它史料尤其是地下遗存的佐证,还不能作出定论。而其后的商代,已有成文刑典很有可能,西周就更不用说了。叔向在这里以"夏有乱政,而作禹刑"作论据,抨击子产公布成文法,说明在叔向眼里,《禹刑》已是一部成文法了。

《禹刑》有哪些规定,所有文献只字未提,我们只好以《禹刑》名称顺藤摸瓜了。沈家本在《历代刑法考》中说:"《禹刑》虽起于叔世,然是取禹之法著于书,故仍以禹名也"。我们认为,沈说至确。前节已经论及,夏代之前的传说时代,我国社会已经出现法的胚胎,这些萌芽状态法的胚胎,随时间的推移,承前启后,不断壮大,至夏代便成了法律。如《左传·昭公十四年》载:"叔向曰:'已恶而掠美为昏,贪以败官为墨,杀人不忌为贼'。《夏书》曰:'昏、墨、贼,杀'皋陶之刑也"。此皋陶之刑乃虞舜时事,而《左传》却放在《夏书》之中,可见,夏禹时期继承了虞舜时期的有关规定。由此而论,《禹刑》肯定继承和吸收了禹时所制定的其它有关刑罚条目。关于夏禹时期的刑罚,史书尚有一些记载,兹摘录于后:

《隋书·刑法志》:"夏后氏正刑有五科,条三千";

《唐律疏议》:《尚书大传》:"夏刑三千条";

《周礼司刑》郑注:"夏刑大辟二百,膑辟三百,宫辟五百,劓墨各千";

扬子《法言·先知篇》:"夏后肉辟三千"。

可见《禹刑》主要是关于五刑的规定。此外,从《尚书·吕刑》"穆王训夏赎刑"郑注:"穆王训畅夏禹赎刑之法"看,《禹刑》还似有赎刑之制。这点,《尚书大传》也有记载:"夏后氏不杀不刑,死罪罚二千馔"。所谓"罚",实为赎。

二、汤刑

商汤在灭夏过程中,向四方征伐,大大扩展了奴隶制王朝统治区域,影响及于黄河上游。商王朝建立后,不仅牢牢控制了黄河中下游广大地区,连远处西方的氐羌部落,都向商臣服了。正如《诗经·商颂·殷武》所说:"昔有成汤,自彼氐羌,莫敢不来享,莫敢不来王"。为了继续巩固政权,汤在发展经济的同时,便制定了《汤刑》。前述《左传》

所载叔向所谓"商有乱政,而作汤刑","三辟之典,皆叔世(乱世)也"之言论,是不客观的,是有其政治目的的。汤制定《汤刑》是其建商后巩固政权的有力措施之一。这点,从商王朝的发展史及其《汤刑》的几次增删重修可以看出。

商朝是由汤建立,经太甲而巩固起来的。成汤在位2年而死。成汤死时,其长子太丁已经死去,于是便立太丁的弟弟外丙继位。外丙在位只3年便死去,又由他的弟弟仲壬继位。仲壬在位也仅4年而卒。这时商王朝的大权实际上掌握在最高执政伊尹手中。伊尹便立太丁之子、成汤的嫡长孙太甲继位。太甲元年,伊尹作《伊训》,作《肆命》,作《徂后》①,以师、保身分,辅佐太甲。伊尹常对太甲"陈教所当为",并反复"言汤之法度",教导治国安邦大政方针。这里所说的"汤之法度",就是《汤刑》。从成汤死去至太甲元年仅8年时间,商政权已基本巩固,不言而喻,商汤的《汤刑》大典是起了举足轻重作用的。

这里需要指出的是,长期以来,法学界有一种习惯用语,就是"《汤刑》是商代法律的总称",或者说"由于怀念、崇敬商汤,故称商代法律为《汤刑》"。这是一种模糊语言,不适用于史学学科。可以肯定,《汤刑》是汤时制定而适用于整个商朝的一部刑律大典。只不过这部刑律大典随商王室的不断更替,其命运大起大落,不太畅通罢了。

太甲即位3年,商政局急剧恶化起来。如《史记·殷本纪》所说:"帝太甲既立三年,不明,暴虐,不遵汤法,乱德",于是,伊尹便把太甲放逐于桐宫(今山西万荣县境),自己摄政当国,代行天子职务。太甲

---

① 《史记·殷本纪》。

"不遵汤法"的具体表现,是"颠复汤之典刑"。《孟子·万章上》:

"伊尹相汤以王于天下,汤崩,太丁未立,外丙二年,仲壬四年,太甲颠复汤之典刑,伊尹放之于桐,三年,太甲悔过,自怨自艾,于桐处仁迁义,三年以听伊尹之训已也,复归于亳"。

这儿所说的"典刑",当为《汤刑》。由此看来,商汤不仅制定了《汤刑》,而且有一套严密的司法、监察制度,就是商汤的嫡孙太甲不执行,或"颠复"破坏《汤刑》也要受到放逐的惩罚。诚然,太甲的不遵汤法,暴虐不明,胡作非为,不遵守甚至颠复破坏《汤刑》,使《汤刑》自制定以来第一次横遭厄运。尽管,太甲经三年放逐,逐渐"悔过自责,反善"① 起来,伊尹便还政于他,至此,政局又复稳定,《汤刑》再次正常运转,其职能又发挥起来。可是,好景不长,从仲丁开始,商王朝便开始进入中衰阶段,《汤刑》也就名存实亡、不起作用了。直至盘庚当政,商朝历史才出现了一个大的转折,动荡岁月结束,"殷道复兴"的"中兴"局面开始形成,并向鼎盛阶段过渡。由于盘庚执行"行汤之政"② 大政方针,商汤的《汤刑》也就随之而再度复苏并正常发挥其职能了。据《尚书·盘庚》记载,盘庚的"行汤之政"在刑事政策方面主要采取以下三条措施:

第一,"以常旧服,正法度"。即以先王商汤的法度,来整顿当时的法纪"旧服"就是《汤刑》。

第二,恰当地使用刑罚和奖赏。盘庚以自己为榜样,谆谆告诫贵族们在执法时,不"敢动用非罚","亦不敢动用非德"。

第三,"无有远迩,用罪伐厥死,用德彰厥善"。就是说,在执法

---

① 《史记·殷本纪》。
② 同上书。

中,要作到不分亲疏远近,一样地罚罪赏善。

不难看出,盘庚时期不仅恢复了商汤的《汤刑》,而且通过这三条措施,给《汤刑》注入了新的活力,使《汤刑》在商王朝在走向"中兴"道路中发挥了积极作用。司马迁在《史记·殷本纪》中说,经过"行汤之政",出现了"百姓由宁,殷道复兴"的政治局面,这个评价是有其事实根据也相当中肯的。从盘庚到祖甲,与政局的兴盛相适应,《汤刑》在执行过程中再未出现过大的反复。大约从祖甲二十四年开始,政局衰败,《汤刑》重修,至此,这部刑典的本来面目便逐步改变最后全非了。

祖甲是个十分荒淫的国君,史称"帝甲淫乱,殷复衰"①。这时商王朝的颓势已经形成,而他不顾商朝国力的衰败,亲征西戎,发动大规模的掠夺战争,国库空虚,阶级矛盾急剧尖锐起来。为了加强对人民的镇压,祖甲于其统治的第二十四年便"重作《汤刑》"②,对《汤刑》进行大规模的增删重定。这次"重作《汤刑》",据《今本竹纪年》祖甲三十三年注,其结果是"繁刑以携远,殷道复衰"。即重作之后的《汤刑》,其刑罚比之商汤的《汤刑》既繁且酷了。祖甲"重作《汤刑》",不但没有缓和日益激化的阶级矛盾,反而加剧了统治者内部的离心离德,分崩瓦解。此后,殷纣王步其后尘,更置《汤刑》于不顾,滥施酷刑,杀戮无辜,炮烙之法,醢脯剖心,恣意妄为,商王朝很快就灭亡了。

从以上《汤刑》的沧桑历程可以看出,《汤刑》制定于商汤当政时期是毫无疑问的。这点《尚书·微子》所载"我祖底遂陈于上,我用沉酗于酒,用乱败厥德于下"也是有力的佐证。我祖,指成汤。底,定;

---

① 《史记·殷本纪》。
② 《今本竹书纪年》。

遂,法,即《汤刑》。底遂,指制定大法《汤刑》。整句意为,我们的先祖成汤制定常法《汤刑》在先,而今天,我们的纣王却沉湎于酒色之中,败坏了高祖的优良传统。那么,《汤刑》为什么要以汤命名呢?以怀念、崇敬商汤为由的说法是绝对不能成立的。《汤刑》制定于商汤在世之时,有何怀念之意呢?以汤之名定《汤刑》称谓的真正缘由,应该是唯王至尊的专制独裁政治体制。商朝,专制政体进一步加强,其在法律领域的表现是"朕即法律",商王是国家最高的立法者、司法官。这点在卜辞中是有据可查的:

"叀(惟)王又(有)作辟(刑法)。其古,王受又"①。

"王又作辟"就是商王制定刑法。商王不就成为最高的立法者了?至于商王是最高的司法官之事例,卜辞中更不鲜见,这点下章还要详述。在商王垄断立法、司法的时代,以其名定法典之名,顺理成章,不足为奇。

最后还须指出的是,《汤刑》是一部成文法呢?还是不成文的习惯法?这是法史学界最感头痛迄今未有定论的老课题。我们认为,从最可信的地下出土的第一手资料中去找答案,也许会有助于问题的解决。

大家知道,在商代,除甲骨文字之外,还有金文、陶文、简册和帛书。在殷墟考古中已经发现墨书和朱书的陶文、甲骨文和石文。从这些文字的锋芒可以断定,商代的书写工具应是毛笔。甲骨文"聿"字写作ᾫ②、ᾫ③、ᾫ④,像右手握笔之形。聿、笔两字相通,聿即笔字。

---

① 《粹 487》。
② 《京 1566》。
③ 《乙 8407》。
④ 《京 3459》。

周公对殷人发布文告时说:"惟殷先人,有典有册"①。典、册就是商王室的档案文书和历史文献。甲骨文册字写作⊞②、⊞③、⊞④,像编简之形。甲骨文典字写作⊞⑤、⊞⑥、⊞⑦,像双手奉册之形。在古代,一般简册称册,大型简册称典。商代也有专事"乍(作)册"的史官,负责书写、保管王室的典册。现存《尚书》中的《盘庚》三篇,是公认的保留下来的商王朝档案中典册。其文一千二百多字,洋洋大观,非龟甲卜辞所能包容,定是毛笔书写的简册或帛书。由此而论,《汤刑》极有可能也是书写成册的成文刑典。可惜的是,竹木简册和帛书保存不易,目前还无出土实物可供佐证。

三、汤令和官刑

商代法律形式,主要有典、誓、令三种。典有《汤刑》,誓有《汤誓》,令有《汤令》。此外,还有由国家统一颁行并具法律效力的单行法规,如《官刑》等。在这些法律形式中,典是大法,是主要的法律形式,誓、令和其它单行法规则是其补充形式。典和誓前已论述,兹就《汤令》和《汤官刑》分述于后。《玉海》引《帝王纪》说:

"汤令:未命之为士者,车不得朱轩及有飞軨,不得乘饰车骈马、衣文绣,命然后得,以顺有德"。

这是一则商汤制定的关于行政方面的商令,和《汤刑》一样,也以

---

① 《尚书·多士》。
② 《甲237》。
③ 《存1·375》。
④ 《前7·12·4》。
⑤ 《前7·6·1》。
⑥ 《明209》。
⑦ 《遗495》。

汤名命名,谓之《汤令》。另外,《逸周书·王会篇》还载有汤时制定的四方献令,也是有关行政方面的法律规范。《今本竹书纪年》汤二十五年有"初巡狩,定献令"的记载,可印证。《汤官刑》见于《尚书·伊训》:

"(商汤)制官刑儆于有位,曰:敢有恒舞于宫、酣歌于室,时谓巫风;敢有殉于货色,恒于游畋,时谓淫风;敢有侮圣言、逆忠直、远耆德、比顽童,时谓乱风。惟兹三风十愆,卿士有一于身,家必丧,邦君有一于身,国必亡。臣下不匡,其刑墨,具训于蒙士"。

据孔注,这是汤时制定的"儆戒百官"的"治官刑法"。唐代陆德明释义时也说:"邦君卿士则以争臣自匡正,臣不正君,服墨刑,凿其额,涅其墨。蒙士例谓下士,以争友仆隶自匡正"。就是说,像蒙士这样的小司法官,也必须对上司官员谏争,不可置身于三风十愆匡正之外。正因为如此,国王太甲不遵守汤法,伊尹才敢于给予放逐处罚。可见,官刑在稳定商代社会秩序,提高国家运行机制的效率,是起过积极作用的。

总之,商代立法活动主要集中于商汤时期,且部门比较齐全,内容涉及面广,无论形式、内容,均颇具规模,这对后世尤其是西周的立法将产生较大影响。

第二章 犯罪、刑罚和监狱

第一节 犯罪

早在原始社会末期的尧舜禹时代,就有了"罪"、"刑"和"法"的记载。不过那时的所谓罪、刑、法,只是些约束社会成员的习惯、公约,或称作习惯"法"。这些习惯到了奴隶社会才上升成为阶级统治的法。中国奴隶制时代的刑法,同刑罚尚无严格的科学划分。"夏刑则大辟二百,髌辟三百,宫辟五百,劓、墨各千"①,说明奴隶时代至少是夏朝的刑法,主要是规定刑,很少规定罪。尽管如此,犯罪,作为阶级社会的一种社会现象,在刚刚步入阶级社会门槛的夏朝,已经存在,商朝,有了发展,到西周,犯罪概念已相当严密。夏商时期有关犯罪的规定,只要对《史记》、《尚书》及其它先秦古籍仔细钩沉,同时印证甲骨卜辞记载,还是能够略知一斑的。

一、夏朝有关犯罪的规定

《禹刑》主要是关于刑的规定,这并不是说夏朝的法律就没有犯罪的规定了。我们既然把《禹刑》视为我国古代第一部刑书,或称为

---

① 《魏书·刑法志》。

刑典,那么,《禹刑》就必然有犯罪和刑罚两方面的规定。《禹刑》失传,无法考证,兹就古文献所载夏朝刑典规定的罪名,择其主要者列述于后。

1.**威侮五行罪**。这是夏启讨伐有扈氏时给其宣布的第一大罪状。何谓威侮?王引之《经义述闻》说:"威为暴虐,侮为轻慢,不得合言虐慢也。且人于天地之五行,何暴虐之有乎!威,疑当作威,灭者,蔑之假借也。蔑,轻也。蔑侮五行,言轻慢五行也"。何谓五行?各家解说极为分歧。其实,《甘誓》所说五行,就是《尚书·洪范》的五行。《洪范》讲的是周初箕子向武王进献治国的九项大法即所谓九畴。其中第一项大法就是五行:"一曰水,二曰火,三曰木,四曰金,五曰土。水曰润下,火曰炎上,木曰曲直,金曰从革,土爰稼穑。润下作咸,炎上作苦,曲直作酸,从革作辛,稼穑作甘"。这段话的意思是,水、火、木、金、土五种物质,各有各的性能和特点,水可以向下润湿,火能向上燃烧,木能弯曲或伸直,金可熔化并视需要制作各种东西,土能生长庄稼。这是自然运行规律,人只能顺其自然,加以利用,使其为自己服务。相反,如果悖乱五行规律,那就是极大的犯罪。有扈氏威侮五行,就是不按五行规律办事,轻漫地对待了五行,已构成违背天道罪,必行"天罚",大刑殛之。

2.**怠弃三正罪**。这是夏启给有扈氏宣布的第二大罪状。怠弃,即怠惰废弃。"三正",古来说法亦很纷纭。马融在《经典释文》中说:"三正,建子建丑建寅之三正也"。此说明显不对。《史记·夏本纪》集解引郑玄说:"三正,天地人之正道"。此说不合本意。《说文》对"正"字的解释是:"正,是也。从止,一以止"。此说亦不合本意。还有人将"三正"说成是两三个大臣,更是与当时的历史不相符合的。因为有扈氏尚处于部落联盟时期,何有大臣之设呢?其实,《甘誓》中的

"三正"之"正",乃政事之"政"的通假字。"三正"即"三政"。《尚书·无逸》:"文王不敢盘于游田,以庶邦惟正之供"。王引之《经义述闻》曰:"正,当读为政,共奉也。言耽乐是从,则怠于政事,文王不敢盘于游田,惟与庶邦奉行政事。《传》解正为正道,为正身,殆不识古人假借之例"。《左传·文公六年》:"宣子于是乎始为国政。制事典,正法罪"。可见,正乃政事的意思。据此,有扈氏"怠弃三正"就是有扈氏怠惰废弃政事。这点从《史记·周本纪》中还可得到佐证。司马迁在《周本纪》中说,武王伐纣,兵渡孟津,作《太誓》以告众庶:"今殷纣王,乃用其妇人之言,自绝于天,毁坏其三正,离遏其王父母弟,……故今予发,维共行天罚"。司马迁所指,是殷纣王无道,"毁坏其三正"而"自绝于天",与启伐有扈氏是两码事。但是,作为犯罪,两者是一致的:一个是"怠弃三正(政)",一个是"毁坏其三正(政)"都是指犯有废弃、毁坏政事的罪行,应予"天罚",大刑征讨。

3. 弗用命罪。"弗用命"为《尚书·甘誓》之称谓。《史记·夏本纪》作"不用命"。弗可训不,但弗与不二字在程度上有所差别。《公羊传·桓公十年》"其言弗遇何"何休注:"弗者,不之深也"。《说文》:"弗,矫也"段注:"凡经传言不者,其文曲"。由此可知,在文意上弗比不之义为重。"弗用命"罪亦称"不恭命"罪。恭,《墨子·明鬼下》和《史记·夏本纪》均作"共"。古恭、共相通。《尔雅·释诂》:"恭,敬也";《广雅》:"恭,肃也"。由此可知,"不恭命"或"不共命"即不能钦敬诚挚和严肃认真地执行命令,这就构成违抗君命罪。对违抗君命罪的处罚,《尚书·甘誓》的记载是"孥戮汝"。

"弗用命"罪属军事犯罪:"左不攻于左,汝不恭命;右不攻于右,汝不恭命;御非其马之正,汝不恭命。用命赏于祖,弗用命戮于社,予则孥戮汝"①。是就战车上的三个士兵必须各尽其责,倘若车左的兵士不能做好车左的事情(主射),就是不能认真地执行君(指夏启)命;车右不做好车右的事(主击刺),是车右不执行君命;处于中间驾驭车马的御夫不做好驾车事宜,使马车的速度方向适中恰当,御者便不执行君命了。执行命令者,在祖庙面前奖赏,不执行命令的,将在社神面前处死,并连及妻儿。按其它记载,在夏朝,违抗君命罪,死刑。而此处,不仅本人处死,还要株连妻儿。显然,军事犯罪比一般犯罪,处罚要重。

4.**淫溢康乐,野于饮食罪**。《墨子·非乐上》引佚书《武观》说:

"启乃淫溢康乐,野于饮食,将交铭见磬以力。湛浊于酒,渝食于野,万舞翼翼,章闻于天,天用弗式。故上者天鬼弗戒,下者万民弗利,……将不可不禁而止也"。

这是讲夏启晚年淫溢酒色、歌舞乱政、馈食于野、游田无度的事实,应视为是一种犯罪行为,于法"不可不禁而止也"。有人依据屈原《天问》"启代益作后,卒然离(罹)孽,何启惟(罹)忧,而能拘是达?皆归射鞠,而无害厥躬,何后益作革,而禹播降?"的记载,对《墨子》所载提出质疑,并得出相反结论:"启颇有创业主的气象,历尽艰险,终于揭开了中国奴隶社会历史新的一页"②。毋庸置言,此说确有道理。启建立中国历史上第一个奴隶制国家,确是功不可灭。但是,开国明君,何能保住晚节不会蜕变呢?我们姑且不去纠缠《墨子》所载是否符合历史事实,而《墨子》所载"淫溢康乐,野于饮食"当为夏朝刑法所禁止的一种犯罪,是没有疑问的。

---

① 《尚书·甘誓》。
② 龚维英:《夏启"荒淫无度"质疑》,《中国史研究》1979 年第 2 期。

5. 废时乱日罪。《史记·夏本纪》载：

"帝中康时，羲、和湎淫，废时乱日。胤往征之，作《胤征》"。

羲、和，掌管天地四时的官吏。中(仲)康时，羲、和沉湎酒色，"废天时，乱甲乙"①，玩忽职守，于是，胤侯受命征讨羲和，大刑殛之。关于《胤征》其文，《史记》未作征引，《古文尚书》却有该篇。此文虽不可据为信史，但载羲、和失职之事与《史记》记载基本符合，可以证引。兹摘录于下：

"羲和湎淫，废时乱日。胤往征之，作《胤征》。惟仲康肇位四海，胤侯命掌六师。羲和废厥职，酒荒于厥邑。胤后承王命徂征。

"告于众曰：每岁孟春，道人以木铎徇于路，官师相规，工执艺事以谏，其或不恭，邦有常刑。"

"惟时羲和颠复厥德，沉乱于酒，畔官离次，俶扰天纪，遐弃厥司。……羲和尸厥官，罔闻知，昏迷于天象，以干先王之诛。"

"今予以尔有众奉将天罚。尔众士同力王室，尚弼予钦承天子威命！"

这四段话的开首与《史记》全符，下文大意是：夏帝仲康开始治理四海，胤侯受命掌管夏王的六师。羲和废弃他的职守，在其私邑里嗜酒荒乱。胤侯接受王命去征讨羲和。胤侯告诫将士说："每年孟春之日，宣令官员用木铎在路上宣布法令，官员互相规劝，百工依据他们从事的技艺进行谏说，他们有违背法令的，国家将有常刑惩处。这个羲和倒行逆施，沉醉于酒，背离职守，扰乱天时，远远背弃他所管辖的政事。羲和主管四时天象，却对天象昏迷无知，因而触犯了先王的诛

---

① 《史记·夏本纪》。

罚。现在我率领你们众将士,奉行天罚。你等要和王室同心协力,辅助我认真地奉行夏王的庄严命令,诛杀羲和。

在古代,人们认为,一旦日月星辰发生诸如日蚀、月蚀等异常现象,将是不祥征兆,政治就要昏暗,国家即临丧乱。因此,主管天象的官吏,必须尽职尽责,严于职守,准确无误地计算出日月四时的变化情况,否则,则以渎职罪论处。而羲氏和氏却玩忽职守,对四时天象变化昏迷无知,因而触犯了先王的诛罚,构成废时乱日罪,应以殛刑严惩不贷。

6. 先时、不及时罪。《胤政》载:

"《政典》曰:先时者杀无赦,不及时者杀无赦"。

何谓《政典》?何谓"先时者杀无赦,不及时者杀无赦"?各家解释不一。《孔传》:"《政典》,夏后为政之典籍,若周官六卿之治典。先时,谓历象之法,四时节气,弦、望、晦、朔,先天时则罪死无赦。不及,谓历象后天时,虽治其官,苟有先后之差则无赦,况废官乎?"

林之奇认为:"自《政典》以下,乃是胤侯誓师敕戒吏士之辞,当属于下文,不当复谓指羲和而言也。"

又陈栎说:"《政典》,司马所掌,胤侯为大司马,故引《政典》之语以敕戒吏士。'先时'、'不及时',先后失师期时也,以属下文者是"。

沈家本在《历代刑法考》中对上述各家注疏作了如下按语:"如孔传所言,乃明律之失占天象也,其罪仅科以杖,不应夏时重至死,自以林、陈二说为是。《政典》盖亦夏后之军法也"。沈说至确。从《胤征》所引《政典》语全段看,《孔传》解释似乎不无道理。因为"先时"、"不及时"前文讲的是羲和失职事宜。但从《胤政》全文分析,林之奇、陈栎注释应当为是。因为该文和《甘誓》、《汤誓》一样,是胤征奉夏王之命征伐羲和时对将士们发表的一篇宣战动员令。"先时者杀无赦,不及时者杀无赦",是数说"羲和湎淫,废时乱日"罪状之后对将士们立下的军令:在讨伐羲和时,不按军令行动,无论先于时,或不及时,都要以犯罪论处,杀无赦。不过,沈家本所说"失占天象,其罪仅科以杖,不应夏时重至死",这是以后世之制套用夏法,其说有失偏颇。

7.**不孝罪**。章太炎在《孝经本夏法说》中认为,《孝经·五刑章》"五刑之属三千,而罪莫大于不孝",是夏朝法律的规定。章氏把《孝经·五刑章》的全部内容归之于夏法,似有过实之嫌,但夏代出现不孝罪,却不无道理。夏朝是建立在以血缘为纽带的家族统治基础上的奴隶制国家,为巩固新生的奴隶制政权,充分发挥忠、孝礼仪规范的精神支柱作用,并运用法律手段,把不孝作为最严重的犯罪之一,予以严惩,这对增强家族凝聚力,维护以王权为核心的宗法体制,是不无裨益的。

8.**昏、墨、贼罪**。前已叙述,《左传·昭十四年》叔向曰"恶而掠美为昏,贪以败官为墨,杀人不忌为贼"之后引《夏书》说:"'昏、墨、贼、杀',皋陶之刑也"。既为《夏书》内容,可见"恶而掠美"、"贪以败官"、"杀人不忌"的昏、墨、贼三种犯罪,始创唐虞,夏朝还在沿用。

9.**《尚书大传》所载夏朝的罪名**。《尚书大传》是一部解释《尚书》的书,相传汉代伏生撰,实为其弟子张生、欧阳生或更后的博士们杂录所闻而成。因此,该书必不可免地夹杂着汉儒的不少附会。但是,《大传》所载夏朝罪名及其适用的刑罚,大都与西周相似或相同。《论语·为政》:"殷因于夏礼,所损益可知也;周因于殷礼,所损益可知也"。可见夏、商、周三代的礼是相承相因的,刑自不能例外,也有相互间的继承关系。因此,《大传》所载夏朝罪名,是有参考价值的。《大传》说:

"夏刑三千条,决关梁,逾城郭,而略盗者,其刑膑;男女不以义交者,其刑宫;触易君命、革舆服制度、奸宄寇攘、伤人者,其刑劓;非事而事之,出入不以道义而诵不祥之辞者,其刑墨;降、畔、寇、贼、劫略、夺攘、挢虔者,其刑死"。

这段话载有夏朝略盗、男女不以义交、触易君命、革舆服制度、奸宄寇攘、伤人、非事而事、诵不祥之辞以及降、畔、寇、贼、劫略、夺攘、挢虔等15种罪名。这15种罪名,可归纳为以下6种犯罪:

第一,国事罪:包括触易君命、革舆服制度、降、畔4种罪名。触易君命,指违抗、变易君命的行为。革舆服制度,指侵害君主车马服饰、改变御用制度的行为。降,投降敌军。畔,通"叛",背叛朝廷。

第二,侵害人身安全罪:包括寇、贼、伤人等3种罪名。

第三,侵犯财产安全罪:包括略盗、劫略、夺攘等3种罪名。略,侵夺、强取。略盗,盗窃犯罪。劫,通掠,掠夺、抢劫的意思。劫略,以威力胁制,抢劫他人财物。夺,强取。攘,窃取。夺攘,强盗行为。

第四,妨害社会秩序罪:包括非事而事、诵不祥之辞和奸宄寇攘3种罪名。非事而事、诵不详之辞,指做违法犯罪之事,陈违法犯罪之辞之行为。《说文》:"在外曰奸,在内曰宄"。寇,劫取。奸宄寇攘,泛指邪恶诈伪,犯法作乱,扰乱社会秩序的行为。

第五,官吏违法犯罪:挢虔。挢,通矫,假托、诈称的意思。虔,也是强取的意思。挢虔,指官吏假托上命,攘夺百姓财物。

第六,违礼犯罪:男女不以义交属违礼行为,被视为犯罪。

尽管《禹刑》主要是有关刑罚的规定,但从《大传》所载以上15种罪名及其适用的膑、宫、劓、墨、死5种刑罚来看,夏代刑法,犯什么罪,处什么刑,罪刑相称,量刑适中,已初步形成一套比较严密的刑罚体系,这对商周刑法进一步完善,必将产生较大影响。

二、商朝有关犯罪的规定

商朝关于犯罪的规定，除承袭夏朝部分罪名之外，又有所发展，罪名更加繁多，类别划分更为清晰，概括起来主要有以下六大类型：

1.亵渎神灵祀典的犯罪

亵渎神灵祀典是所有剥削阶级国家规定的罪名之一。亵渎神灵，指所谓侮辱神道，或不尊敬祭祀、礼拜、仪式的行为。殷人迷信鬼神，故把亵渎祀典作为犯罪，加以处罚。

矫诬天命罪。《尚书·仲虺之诰》：

"夏王有罪，矫诬上天，以布命于下，帝用不臧"。矫，假托。诬，欺骗。臧，善。整句意为，夏桀有罪，他假托上天的意旨，在下欺瞒大众，施行他的教令，因此，上帝认为他不善有罪。这是商汤伐夏桀时给桀宣布的一大罪状。据《史记·殷本纪》记载："成汤居天子位，平定海内，归至于泰卷，仲虺作诰"。仲虺，成汤的左相。这篇诰是成汤伐桀并放桀于南巢之后，由仲虺根据汤的思想加以解释写成的，取名《仲虺之诰》。《史记》有载，可以征引。

不祀不敬罪。《史记·殷本纪》：

"'葛伯不祀，汤始伐之'。……汤曰：'汝不能敬命，予大罚殛之，无有攸赦'。作《汤征》"。

葛伯，汤居亳时的邻邦。汤迁都亳后，开始征伐方伯诸侯，以壮大自己的力量。由于葛伯轻漫地废弃祭祀，于是汤准备大刑征讨。汤发表《汤征》誓辞说："你（葛伯）不能敬命，我将大刑殛之，决不赦免"。不祀，即不能诚敬地祭祀祖先神灵，因此，又称不敬命。不祀不敬，死刑。《汤征》，《史记》未载其文。古文《尚书》亦无此篇，却有《说命中》可以印证:"黩于祭祀,时谓弗钦。礼烦则乱,事神则难"。就是说,轻漫地对待祭祀,这叫不敬。礼神烦琐就会乱,这样,奉鬼神就难了。钦,敬。弗钦,不敬。不祭祀神灵,便构成不敬罪,即司马迁所说的不敬命罪。不祀不敬,大刑严惩,无有赦免。

攘窃神祇之牺牷牲罪。《尚书·微子》:

"今殷民乃攘窃神祇之牺牷牲,用以容,将食无灾"。

攘,顺手拿取。窃,偷盗。马融说:"因来而取曰攘,往盗曰窃"。神,天神。祇,地神。牺,毛色纯一的牲畜。牷,纯色全牲。牲,牛羊猪。用,这里指用刑,宾语省略,论处的意思。容,宽容。用以容,倒装句型,意思是从宽论处。整句意为:现在我们殷国的民众,竟然偷盗祭祀天地神灵的贡物,这是由于他们衣食无着,虽则有罪,还是可以从轻论处的。他们把这些贡物吃掉,不会有什么灾害的。微子,据《史记·宋微子世家》记载,是纣王的哥哥,因封于微而位列子爵而称微子。《尚书·微子》记载微子和师父两人的对话,中心议题是讨论在国家行将灭亡的情况下,各自应抱的态度和对时局的看法。从师父的话里,可以看到当时人民生活的痛苦处境。他们饥饿万分,迫于无奈,竟去偷吃贡物。殷人最为迷信,居然盗窃神灵,可见人民生活穷困到了何种地步。《尚书·微子》是研究商朝犯罪,透视奴隶制社会犯罪内涵的宝贵文献。

2. 侵犯王权的犯罪

不从誓言罪。《尚书·汤誓》:

"尔尚辅予一人,致天之罚,予其大赉汝。尔无不信,朕不食言。尔不从誓言,予则孥戮汝,罔有攸赦"。

此为商汤伐桀时发布的军令。予一人,指商汤。违抗军令,即违抗王令,构成不从誓言罪,刑罚是孥戮汝。整段意为,你们只要辅助我,奉行上天命令讨罚夏桀,我就要大大地赏赐你们。你们不要不相信,我是不会言而无信的。假若你们不听从我的命令,我将对你们处以"孥戮汝"的刑罚,决不宽恕。

协比谗言罪。《尚书·盘庚下》:

"盘庚既迁,奠厥攸居,乃正厥位,绥爰有众,曰:'无戏怠,懋建大命。今予其敷心腹肾肠,历告尔百姓于朕志。罔罪尔众,尔无共怒,胁比谗言予一人'"。

这是盘庚迁民于新邑,安定大家的住地,辨正宗庙朝廷方位之后,给官吏们发布的一道命令。命令说,你们不要贪图玩乐、怠惰,要努力重建家园。现在我要披肝沥胆,把我的想法都告诉你们。我不想归罪惩罚你们,你们也不必心怀戒意和不满,更不许你们相互勾结诽谤我。协,合。比,勾结。胁比,胁同一致,引申为勾结成奸。逸言,坏话,诽谤。胁比谗言予一人,指讲盘庚的坏话,即后世的诽谤罪。

颠越不恭罪。《尚书·盘庚中》:

"乃有不吉不迪,颠越不恭,暂遇奸宄,我乃劓殄灭之,无遗育,无俾易种于兹新邑"。

颠,狂。越,逾,指不法越轨行为。恭,敬;不恭,即后世不敬罪。整句意为,假如你们行为不善,不走正道,猖狂放肆,违法乱纪,不尊敬国君,欺诈奸邪,胡作非为,我将不仅处死你们,还要灭绝你们的后代,不使你们的后代在新邑里蕃衍。

反侧罪。《尚书·洪范》:

"无偏无陂,遵王之义;无有好作,遵王之道,无有作恶,遵王之路;无偏无党,王道荡荡;无党无偏,王道平平;无反无侧,王道正直。"

陂,颇,不平的意思。义,法,行为规范。好,马融说:"私好也"。荡荡,宽广。平平,平坦。反,违反,指违反王道。侧,倾侧,指违犯法度。整段意为,不要不平不正,要遵守王令;不要只凭私好,要遵守王道;不要作威作恶,要遵行正道;不要行偏结党,王道就会坦荡;不要结党行偏,王道就会平平;不要违反王道,不要违犯法度,王道才能正直。在这里,偏陂、好作、作恶、偏党、反侧,均为同义词或近义词,指违反王令、王道等方面的违法犯罪行为。

《洪范》是三千多年来各王朝共同奉行的治国大法之一。从字义上讲,洪即大,范即法,洪范就是大法。因《洪范》包括九大内容,故名为"洪范九畴"。《汉书·五行志》称作"大法九章",也有称"大法九类"或"大法九等"① 的。《洪范》成书年代,各家意见极不一致。传统的看法,认为产生于西周初年,近人否定了这个看法,大都认为成书于战国时代。刘节《洪范疏证》指出,《洪范》不仅不是箕子所作,也不是西周之作,而是秦统一中国前战国末期的作品。此后学术界似乎默认了这一看法。1980年《中国社会科学》第3期刘起釪发表《洪范成书时代考》,从《洪范》本文结构、《洪范》中心思想等方面,列举大量史实,断定《洪范》原本出于商末,从西周到春秋战国,不断有人给它增加新内容。刘文认为,现存《尚书》把《洪范》列在《周书》,但古代经常将其说成是《商书》。《左传·文五年》正义说:"箕子商人所说,故《传》谓之《商书》,箕子所作。"此说可从。所以《洪范》是研究殷商法制的重要史料之一。

3. 官吏在履行职务方面的犯罪

我国自古就有重视官制建设,惩治贪官污吏的优良传统和立法

---

① 《史记·宋世家》及其《集解》。

实践。早在原始社会末期虞舜时代,已有"鞭作官刑"① 的说法。夏代立法,如前所述,给官吏渎职规定了诸如废时乱日、先时不及时、淫溢康乐、野于饮食以及昏、墨等种种罪名。商朝立法,更加重视官吏犯罪的规定。加重对官吏犯罪的惩罚。

三风十愆罪。三风,即巫风、淫风、乱风。十愆,指三风所含各种罪名。所谓巫风,指恒舞于宫、酣歌于室的官吏犯罪。在商人眼里,常舞则荒淫,纵酒淫歌则德废,常此以往,政治必将腐败。所谓淫风,指殉于货色、恒于游畋的官吏犯罪。殉,求的意思。殉于货色,指贪求财货美色的淫乱行为。畋,田猎。恒于游畋,指整日游戏打猎,不问政事。此两种犯罪,时称淫风,是治官之重心,刑事惩处之重点。所谓乱风,指侮圣言、逆忠直、远耆德、比顽童等官吏的违法犯罪行为。殷《官刑》规定,狎侮圣人之言而不行,拒逆忠直之规而不纳,耆年有德疏远之,童秩顽嚚亲比之,此为荒乱之风俗,为官者必须禁忌,违犯者,以乱风严惩之。在商朝,把三风十愆作为官吏的最为严重的犯罪规定于官刑之中。下至卿士小官吏,上至邦国之君,人人都须引以为戒,不可违犯。

臣下不匡罪。《尚书·伊训》:

"惟兹三风十愆,卿士有一于身,家必丧,邦君有一于身,国必亡。臣下不匡,其刑墨,具训于蒙士"。

匡,正。墨,墨刑,凿额涂墨的刑罚,五刑之最轻等。具,详细。蒙士,下士。孔疏:"蒙谓蒙稚,卑小之称,故蒙士例谓下士也"。整段意为,这些三风十过,卿士身上有一种,他的家一定会丧失,国君身上有一种,他的国一定会灭亡。臣下不匡正君主,其刑罚就是墨刑。这

---

① 《尚书·尧典》。

些要详细教导到下士。正因为三风十愆有丧家失国之危险,成汤才制定官刑,以儆戒百官。倘若国主有染,臣下不欲犯颜直谏,便以臣不正君罪处以墨刑。

不有功于民罪。《史记·殷本纪》：

"汤既绌夏命,还亳,作《汤诰》：'维三月,王自至于东郊。告诸侯群后：毋不有功于民,勤力乃事。予乃大罚殛女,毋予怨'"。

成汤战胜夏桀,回到都城亳邑,诸侯都来朝见。成汤告诫诸侯,阐明伐桀意义。勉励诸侯各守常法,以承天休。史官记录成汤讲话,定名《汤诰》。《史记·殷本纪》载有《汤诰》全文。梅氏伪古文尚书也有《汤诰》一篇,与《史记》全异,足证明梅氏《汤诰》是伪作。按《史记》记载,成汤作诰告诫诸侯百官,必须勤于职守、为民办事,否则就要"大罚殛女(汝)",严惩不贷,到那时,就别埋怨我了。

不恤众舍穑事罪。这是成汤伐桀时给桀宣布的第一条罪状："我后不恤我众,舍我穑事而割正夏"①。不恤众,不体贴民情。舍穑事,放弃农事。由于夏桀不体贴人民疾苦,放弃农业大事,因此,上帝便认定夏桀有罪,予以征讨。不恤众,舍穑事既是商汤给夏桀定的罪状,此罪名商朝亦可适用。

遏众力割夏邑罪。这是成汤伐桀时给桀宣布的第二大罪状："夏王率遏众力,率割夏邑"②。率,相率。遏,绝。众力,民力。割,割剥,指残酷地剥削。整句意为,夏桀要人民负担沉重的劳役,人民的力量都用完了,还在国内残酷地剥削压迫人民。"夏德若兹,今朕必往"。夏桀坏到这种地步,我必须下决心讨伐之。

---

① 《尚书·汤誓》。
② 同上书。

淫朋阿比罪。《尚书·洪范》：

"凡厥庶民,无有淫朋,人无有比德,惟皇作极"。

淫,游。朋,小集团。淫朋,是说通过交游,结党营私。人,指百官。比,勾结。比德,私相比附的行为。惟,只。皇,君主。极,准则,原则。整句意为,凡臣民,都不准结党营私,为非作歹,只有这样,君主制定的法令,就能成为人们遵守的行为准则。商法把淫朋阿比视为严重的官吏犯罪,予以严惩。

草窃奸宄罪。《尚书·微子》：

"殷罔不小大,好草窃奸宄,卿士师师非度。"

这是微子在数说纣王沉酗于酒、乱败厥德罪行之后,尖锐揭露各级官吏,上行下效,草窃奸宄,师师非度的犯罪行为。殷罔不小大,倒装句,应作大小罔不。大小,指群臣。大小罔不,意为大小官吏无不。草,读为抄,掠取。奸宄,犯法作乱。师师,众长官。前"师"即"众",后"师"指官吏。度,法度。整句意为,殷国的大小官吏,无不抢夺偷窃,为非作歹,卿士百官都不遵守法度、违法犯罪。

未命而士罪。这是《玉海》引《帝王征》所载《汤令》规定的一种犯罪。意为未得诰命而以非法手段进入仕途者,以未命而士论处:"车不得朱轩及有飞軨,不得乘饰车骈马、衣文绣"。

4. 扰乱社会秩序的犯罪

戕则乃心罪。《尚书·盘庚中》：

"汝有戕则在乃心,我先后绥乃祖乃父。乃祖乃父断弃汝,不救乃死"。

这是思想犯罪,后世演变成为腹诽罪。戕(qiáng,抢),贼害,此处指邪恶的念头。则,通贼,害。绥,曾运乾说:"绥,安也。引申之安人以言亦曰绥。下文'绥爰有众'即告于有众也。本文'绥乃祖乃父'

即告乃祖乃父也"。这段话的意思是,如果你们心藏恶毒念头企图违法作乱,先王就会告知你们的先祖先父。你们的先祖先父就会抛弃你们,不把你们从死罪中拯救出来。

起信险肤罪。《尚书·盘庚上》:

"王用丕钦,罔有逸言,民用丕变。今汝聒聒,起信险肤,予弗知乃所讼"。

这是盘庚迁都前向臣民们发布的一则不准散布流言蜚语,蛊惑人心的禁令。用,因此。丕,大。钦,敬重。逸,过错。聒聒(guo,郭),大嚷大叫,拒绝好意而自以为是。起,编造流言蜚语。信,读为伸,伸说的意思。险,邪恶言论。肤,虚浮,引申为浮夸之言。讼,争辩。整段意为,先王对臣民们非常敬重,臣民们也就不敢说错误的话,百姓们也就顺从国王而行为大有改变。现在你们大嚷大叫编造胡言乱语,蛊惑人心,扰乱社会秩序,我真不知道你们要争辩什么!

不吉不迪罪。这是《尚书·盘庚中》所载的一则罪名。吉,善。迪,道,正道。不吉不迪,指不做善事,不走正道,危害社会安定的行为。不吉不迪,死刑,并株连后代子孙。

暂遇奸宄罪。也是《尚书·盘庚中》所载罪名。暂,王引之说:"读为渐,诈欺也"。遇,王引之说:"读为隅,……曲巧诈伪皆奸邪之称也"。暂遇奸宄,指欺诈奸邪,胡作非为的行为,也是危害社会秩序的犯罪。其刑罚同于不吉不迪,死刑,连及子孙。

弃灰于道罪。《韩非子·内储说上》:"殷之法,刑弃灰于街者"。又说:"殷之法,弃灰于公道者,断其手"。可见,殷商法律,很重视社会环境的保护和社会秩序的安宁和稳定。殷代刑罚,和所有其它国家奴隶制法一样,有其残酷性的一面。

5.违礼乱德方面的犯罪

不孝罪。《吕氏春秋》引《商书》说:"刑三百,罪莫大于不孝"。不孝罪始于夏,商沿用,均作为最严重的犯罪予以惩处。

乱德罪。《史记·殷本纪》所载"帝太甲既立三年,不明,暴虐,不遵汤法,乱德,于是伊尹放之于桐宫"即是。在这里,乱德罪之构成,一是为政暴虐,二是破坏法制,其刑罚是流放刑。类似记载,史籍屡见不鲜。《尚书·盘庚中》所载"故有爽德,自上其罚汝",《尚书·高宗肜日》的"不若德,不听罚",以及《孟子·万章上》所说的"颠复汤刑"均属违乱德犯罪行为。

第二节 刑罚

一、甲骨文中的五刑

据史籍记载,自远古至商周所适用的刑罚,主要为五刑。而什么是五刑?五刑中的五种刑罚是哪五种?史籍记载却大相径庭。《尚书·尧典》:"流宥五刑"。此五刑据《史记·五帝本纪》"五刑有服"马融注,当为墨、劓、剕、宫、大辟。这是传说时代五刑的第一种说法。又据《汉书·刑法志》引《国语·鲁语》臧文仲给僖公讲五刑所说的五刑,则是"大刑用甲兵,其次用斧钺,中刑用刀锯,其次用钻凿,薄刑用鞭扑",似乎传说时代还存在着第二种五刑。夏五刑,史籍记载基本一致,即大辟、膑辟、宫辟、劓辟、墨辟。其具体条目之数为大辟二百,膑辟三百,宫辟五百,劓墨各千,共三千条。夏五刑商代沿用。到西周,五刑名称及其排列次序又发生了变化。据《周礼·秋官·司刑》记载,五刑名称及其排列位次为:墨、劓、宫、刖、杀;而《尚书·吕刑》则是墨、劓、荆、宫、大辟。至于五刑的条目之数,两书记载亦不大一致,前者为墨、劓、宫、刖、杀各五百,共二千五百条,后者是"五刑之属三千"。

以上记载至少给我们提出了四个亟待解决的问题:第一,传说时代至商的五刑之称谓,究竟是墨、劓、刖、宫、大辟,还是甲兵、斧钺、刀锯、钻凿和鞭扑? 第二,荆、宫、刖哪个称谓正确? 第三,五刑的排列次序应当先重后轻还是先轻后重? 第四,刖、宫两刑究竟哪个应排在死刑之下? 诸如此类的问题,单一地依据古籍记载及其各家注释是无法弄清的,解决疑点的最好途径,应该是从地下资料中寻找答案。夏代五刑目前尚无地下资料佐证,商周五刑,甲骨文、金文记载甚为详密。本节仅就甲骨文所载五刑,并印证先秦古籍,对商代刑罚制度作一论考。

1.**墨刑**。又称黥刑。《周礼·司刑》"墨罪五百"郑注:"墨,黥也,先刻其面,以墨窒之"。卜辞中无墨、黥二字。墨刑又称天刑。《易·睽六三》:"其人天且劓"。《释文》"天,黥也。马云:'黥凿其额曰天'"。《集解》引虞翻语也说:"黥额曰天"。卜辞中有天字,写作哭、冭、夭。罗振玉、王国维等皆据《说文》释其为天字。谓夭像人形,二即上字,□像人之巅顶,人之上即人之巅顶,意为天。而卜辞天字表巅顶之义的仅个别辞例,大都当读为大,也有释方国名和人名的。即使是表巅顶之义的天,在甲骨文中也看不出有"黥凿其额"之义。那么,商代有无黥刑? 卜辞中能否找到黥刑的痕迹,这点,郭沫若在《甲骨文字研究·释干支》一文中作过尝试。卜辞有辛字,写作产或辛。产、辛同字而异音,象形字,由其形象判断,当为古之剞、劂二字。《说文》:"剞劂,曲刀也",一作剞厥。剞劂、剞厥,古之复音字,古代的一种刻镂刀。而应邵注《甘泉赋》时又称剞、劂为两种不同的刻镂工具:"剞,曲刀;厥(劂),曲凿"。实际上,剞、劂同是刻镂之器,可引申为刻凿其额的黥刑刑具。产，《说文》读为愆，古音在元部，此为剞之音转。剞在歌部，歌元阴阳对转，故剞可变为愆音。据此，则甲骨文产、辛之为剞剧或剞劂，对转而有愆罪之义。古时对异族俘虏或同族中之犯罪较轻者，便黥其额而奴使之。黥刑很难用象形办法表现于简单字形中，故卜辞便借黥刑刑具剞、剧以表示之，此乃甲骨文中有黥刑之佐证。

类似情况，卜辞中多见。如仆字卜辞作𦥑像人形，头上负辛，辛下之▱形为有尾人形之头部。辛即黥刑刑具剞剧，在头部，用以表示额部受过黥刑之义。整个字形意为人形，头上有黥，臀下有尾，手捧尘垢废弃之物，正在仆服贱役。

其实，甲骨文中之凿字，当为黥刑之别称。《国语·鲁语》："中刑用刀锯，其次用钻笮"韦昭注："笮，黥刑也"。笮，通凿，马融《长笛赋》"刻镂钻笮"。《汉书·刑法志》笮写作凿。可见，笮即凿，是黥刑的另一称谓。

凿，卜辞写作𠆢①或𠚎②或𠚎③。此字唐兰释为璞④，高明《古文字类编》归入凿之古体字，后说为是。卜辞凿字，一词两义。⌒、⌒⌒⌒、⌒，像高山之状，取巅顶之义。𐰀、𐰀，辛字，即前述刻镂之器剞剧。𐰀，又，手字。后两字，动词，意为用一手或两手握剞剧，刻镂甾中之玉；而前一凿字，名词，即黥刑。整个字形，像一手或双手握辛（剞剧）黥凿人的巅顶（额部）。左上方刀旁两点，会黥额之后所流之血迹。由此可见，卜辞凿字，即凿刑，也就是史籍所称的墨刑、黥刑。

---

① 《箠34》。
② 《前5·7·7》。
③ 《前7·31·4》。
④ 唐兰：《殷虚文字记》。

正因为如此,《易·睽六三》才把黥刑称作天刑。所谓"黥凿其额曰天"、"黥额为天"之说便由此而生了。

如果卜辞的凿刑即墨刑、黥刑的结论能够成立的话,那么前引《国语·鲁语》的五刑和其它史籍所载的五刑为什么差别那么大,道理就很容易说清了。在我国,从上古至夏商,总是兵刑不分,且以兵为主的。兵,本指干戈、兵器,泛指军队,引申为征伐、战争、甲兵。因此,《国语·鲁语》才称甲兵为刑,叫大刑,位居五刑之首,其它刑罚斧钺(斩刑)、刀锯(刖刑)、钻凿(膑刑和黥刑)和鞭扑(笞杖刑)为小刑,列于大刑甲兵之后,以体现兵刑之不分离。兵刑不分是法制不健全的表现,是国家产生之前战争年代的产物。甲兵(战争)只能用于征伐,当统治者取得政权之后,大刑甲兵是无法取代巩固胜利成果的法定刑罚的。在历史进程中,统治者总要通过他们自己硬性制定的法律,来赋予他们凭暴力得到的原始权利以某种社会稳定性。正因为如此,《国语·鲁语》所说的五刑,才逐步被夏商周法定的常刑——墨、劓、刖、宫、大辟五刑所代替,大刑甲兵从法定常刑中分离出去,宫刑取代鞭扑,钻凿也分别演变成为独立刑罚种类刖刑和墨刑。

2. 劓刑。卜辞中劓字多见,写作 ⃰①、 ⃰②或 ⃰③,从自从刀,当为劓之古体字。自,鼻之象形初字,一旁从刀,取以刀割鼻之意。卜辞中,劓字之刀,可在自(鼻)之左,也可在右。劓,金文写作 ⃰④,《说文》沿用作劓。劓,"刖鼻也,从刀,臬声",段注:"臬,法也,形声包会

---

① 《前4·32·8》。
② 《铁250·1》。
③ 《乙3299》。
④ 见《辛鼎》。

意"。可见，劓、劓同字同义，劓是劓的初字①。劓，也可写作臲。臲，乃劓之异体字。

卜辞中的劓字，并非全属割鼻之劓刑，也有用作动词的，是宰、杀的意思。如《铁云藏龟250·1》有一条卜辞是：

"丁巳卜，亘，贞劓牛禽"

很显然，这是一条丁巳日贞人亘卜问宰牛的卜辞，似为用牲之法。

3. 刖刑。刖刑是一种极其残酷、野蛮而又经常广泛使用的刑罚，但古籍对其记载却相当杂乱，因此，刖刑概念、制度，众说纷纭，彼此牴牾，至今还是人们研究古代刑罚的一个相当棘手的问题。中国科学院考古研究所安阳发掘队于1971年在安阳后冈一座殷代长方形土坑竖穴M16中，发现我国首具殷代缺少一下肢骨的刖刑骨架，为研究殷代刖刑提供了线索②。之后，河北藁城台西村考古发掘中又发现一具双脚被锯掉的刖刑骨架，再次为研究殷代刖刑提供了实物例证。人们从这些线索入手，对甲骨文有关刖刑的记载进行比较系统的研究，殷代刖刑的秘密才算被揭开了。

为全面了解甲骨文刖刑的含义，首先须对古籍在刖刑名称记载上的杂乱现象作一简要澄清。如果对史籍所载刖刑名称作一粗略统计，刖刑称谓最少有兀、跀、踂、刖、腓、跸、剕、髌、膑、止、趾等11种之多。对于这些不同称谓，古今学者说法很多。有的说，膑和剕是两种完全不同的刑罚种类，而剕与刖则名异而实同③。有的说，膑，脱其髌（膝盖骨）也；剕，断其趾（脚趾）也；刖者，断其足也，膑、剕、刖三者

---

① 《广韵》、《集韵》劓同劓。
② 《1971年安阳后冈发掘简报》，《考古》1973年第2期。
③ 杨鸿烈：《中国法律发达史》，商务印书馆，1933年版。

全异①。有人还对各种不同名称从处刑轻重上进行比较,诸如刖是断趾刑,髌是剔膝盖骨刑,前者穿踊尚可走路,后者则足废而不能行,故髌重于踊(刖)②。其实,以上11种不同名称,都是刖刑的别称。

《庄子·德充符》:"申徒嘉,兀者也"。李颐《集解》:"刖足曰兀"③成玄英疏:"刖一足曰兀"。可见,兀即刖。由于兀是刖足之刑,故加足旁以示其意,便成跀字了。跀,也是断足的意思④,是兀的通假字⑤。而跀、䠯又是刖的通假字或本源字。王念孙说:"《说文》䠯,是断足也,或作跀,䠯、跀并与刖通"⑥。孙诒让说:"䠯,正字;刖,假借字"⑦。《说文》:"刖,绝也,本作䠯"。兀、跀、䠯既与刖通假,也是刖的本字,刖则由兀、跀、䠯通变而来,是后起字。

腓、踂、剕和刖也是彼此通假,或音、义相同。《说文》剕字下说:"腓与剕通"。《吕刑》"剕辟疑赦"传云:"刖足曰剕"。《尔雅·释言》:"踂,刖也"。郭注:"断足也"。疏:"腓、剕,音义同"。

至于膑(髌)。由于有"孙子膑脚"⑧的传说故事,说法就更多了,大都取去膝盖骨之意。《说文》:"髌,䏖耑也"。段注:"䏖,胫头节也"。《尔雅·释骨》、《大戴礼记》同。其实,膑(髌)和刖其义亦同。《说文》无膑,作髌,髌同膑,和刖一样是断足刖刑。所谓"孙子膑脚",也绝非去膝盖骨,而是"以法刑断其两足"⑨。董说《七国考》引《法

---

① 黄以周:《礼书通故》。
② 沈家本:《刑法分考》六。
③ 陆德明:《经典释文》引李颐《庄子集解》。
④ 陆德明:《经典释文》引崔譔《庄子注》:"兀,又作跀,断足也"。
⑤ 奚侗:《庄子补注准充符》说:"兀,借为跀"。
⑥ 王念孙:《广雅疏证》刖字下。
⑦ 孙诒让:《周礼正义·司刑》。
⑧ 司马迁:《报任少卿书》。
⑨ 司马迁:《史记·孙子列传》。

经》"窥宫者膑"下引应劭注,还是"膑,断足也"。止、趾二字,自《庄子·德充符》"鲁有兀者叔山无趾,踵见仲尼"崔譔注:"无趾故踵行"之后,止(趾)是断脚指的说法更是盛极一时,以至"履贱踊贵"① 成了家喻户晓的成语典故。趾,又称作止,取受刖刑断一足后走路时一足进一足静止不能动之意。《尔雅·释言》、《玉篇》均说:"趾,足也"。称足为止或趾的习惯,直至秦汉唐还在沿用。《秦简·法律答问》:"五人盗,臧(赃)一钱以上,斩左止,有(又)黥以为城旦"。《汉书·刑法志》:"当斩左止者笞五百"。新旧《唐书·刑法志》有太宗推行"断趾法"的记载。

从以上音、形、义上考察,11种刖刑名称有的是刖的字源,如兀、跀、踂;有的与刖通假,如跸、腓、剕;有的和刖字义全同,如膑、髌以及止、趾等。或各个朝代对刖刑的称呼有所差异,如夏叫膑,周叫刖,《吕刑》作剕②,到了春秋时期,又有止(趾)的说法。或同一古籍,因版本不同而写法不同,如古文《尚书》叫剕,今文《尚书》叫做髌,儒家经传多称踂。因此,讨论各个朝代的刖刑,不应受古籍所载不同名称的限制。

甲骨文卜辞中有 ③、 ④ 等字样,象形字。(或写作 、、)像锯形;(或写作 、)所从之(又)通手,似以手持锯;(或写作 、、)像锯形而属刀类。另一边大(或写作大)形,大字,正面人形,其一足长,一足短,有的长足还带有(或)字样。当为刑具脚镣桎,短足靠锯。整个字形,像用锯或以手持锯截断人的一足之形。

---

① 《左传·昭公三年》。
② 《周礼·司刑》、《尚书大传》注。
③ 《前6·55·5》。
④ 《前7·10·1》。

这个字最早罗振玉释为陵①,之后,唐兰释为𠇑②,丁山释为趴③赵佩馨释为刖④,张政烺释俄⑤。在这些考释中,罗振玉释陵显然是不对的,因为将此字释为陵,其所含此字之卜辞句子全都讲不通了。其他各家所释各有所长。胡厚宣先生在安阳后冈刖刑骨架启发下,进行文字的详细诠释,不仅纠正了罗振玉将此字释陵之误,并很有见地地说,这个字形正是刖刑字的象形,其刑具是金属锯⑥,此字形考释之争至此基本上画了句号。商簋铭文有𠇑字⑦,像以手持锯形,也可参证。

甲骨文卜辞中关于刖刑的记载较多,现根据前人的研究成果和本人多年来在教学中积累的资料,举其部分列述于后并分别予以简介。

(1) 乙酉卜,㱿,贞𠇑…⑧。

(2) 辛卯卜,㱿,贞𠇑…⑨。

(3) …寅卜,㱿,贞其出𠇑…⑩。

(4) 丁巳卜,亘,贞𠇑若⑪。

(5) ……卜,亘,贞……𠇑其囚…⑫。

---

① 《殷虚书契考释》。
② 《殷虚文字研究》上编。
③ 《中国古代宗教与神话考》。
④ 《甲骨文中所见的商代五刑》,《考古》1961年第2期。
⑤ 《释甲骨文俄、隶、蕴三字》,《中国语文》1965年第4期。
⑥ 胡厚宣:《殷代刖刑》,《考古》1973年第2期。
⑦ 《粹257》。
⑧ 同上。
⑨ 《前7·10·1》。
⑩ 《续存1194》。
⑪ 《人S334》。
⑫ 《续补6898》。

(6)戊午卜,辰,贞刖不囚①。

(7)…卜,争,…刖尘不〔丼〕②。

(8)…卜,…贞其刖百人丼③。

(9)…其出刖百人其出丼④。

(10)…贞刖百…⑤。

(11)贞其刖…⑥。

(12)刖十仆⑦。

(13)贞刖仆不丼⑧。

(14)贞刖仆八十人不丼⑨。

(15)…其…刖…丼⑩。

(16)…刖…⑪。

(17)…午…刖…⑫。

兹就以上 17 条刖刑卜辞注释于后:

(1)乙酉,占卜时间。㱿,武丁时期贞人名。整句意为,乙酉那一天占卜,贞人㱿问卦,问对某人处以刖刑可以吗?

(2)大意为,辛卯日占卜,贞人㱿问卦,问对某人处以刖刑可以

---

① 《续补 1560》。
② 《前 6·20·1》。
③ 《京图版四,9》。
④ 《续存上 1178》。
⑤ 《续补 6899》。
⑥ 《续补 172》。
⑦ 《前 6·30·6》。
⑧ 《前 6·55·5》。
⑨ 《续补 335》。
⑩ 《甲骨文合集 6004》。
⑪ 《甲骨文全集 6006》。
⑫ 《甲骨文合集 6008》。

吗?此两辞之刖字,前辞仅有锯形彐,后辞锯形下加"又"即手,表示以手持锯,作攴形。前刖字应是后刖字之省字。

(3)其字甲骨文写作㐅。甲骨文弃字作𠔇,会双手持箕抛弃逆生子之义。弃字中之㐅即畚箕,后世加声素丌,成了从甘丌声之形声字其。此辞其字作语助词,表揣度语气。㞢,读为有,也是语助词。王引之《经传释词》:"有,语助也。一字不成词,则加有字以配之"。整句意为□寅日占卜,贞人㱿问卦,问对某人处以刖刑可以吗?

(4)亘,武丁时期贞人名。若,《尔雅·释言》:"若,顺也"。此处为顺利的意思。整句意为,丁巳日占卜,贞人亘问卦,问对某人施行刖刑顺利吗?

(5)囚,甲骨文字作🏚,丁山、胡厚宣均释为死字。字形像一人在棺椁之中,或写作🏚,多加几点,以示泥土,使其象形更加逼真。死,在此辞中作动词用,死亡的意思。整句意为,某某日占卜,贞人亘问卦,问对某某人处以刖刑会发生死亡吗?

(6)辰、武丁时期贞人名。该辞大意为,戊午日占卜,贞人辰问卦,问对某人施行刖刑不会发生死亡吗?

(7)争,武丁时期贞人名,𡉉,胡厚宣释为亡字。该字在甲骨文中有两义,一是逃亡,一是追捕,此处作逃亡用。不字后所残疑为🏚,即死字。从该辞看,商朝法律,对追捕回来的逃奴要处以刖刑刑罚。辞意为,某某日占卜,贞人争问卦,问对某某逃奴处以刖刑不会引起死亡吗?

(8)大意为,某某日占卜,问要对一百个人处以刖刑会发生死亡吗?该辞占卜日期、贞人名均已残缺。其,犹"殆",表拟议或揣测。《易·系辞下》:"《易》之兴也,其于中古乎?"

(9)该辞占卜时间、贞人名亦残,存留句意为,对一百个人处以刖刑会发生死亡吗？该辞中前"其"表示将、将要。《诗·蟋蟀》："我今不乐,日月其除。"后"其"表示揣测之意。

（10）该辞贞问前之占卜时间和贞人名残缺,刖字后亦残,其意不详,而从仅存三字能够看出也是一则施行刖刑的卜辞,大意为,某某日占卜,要对一百个人处以刖刑可以吗？

（11）残缺程度如前辞,其大意为,要对某某人处以刖刑可以吗？

（12）仆,甲骨文写法较多,如𠂆、𠂆、𠂆、𠂆、𠂆①,其基本构形都像有人在屋下持杖劳作。学界对此字有过多种释读,商承祚释浴②,叶玉森释寇③,郭沫若释宰④,张政烺释奈⑤,一般多依郭说。胡厚宣则释为仆⑥。他认为此字从宀从丮从卜,像人以手持卜,在室内操作,∴为操作时所产生之物屑。从卜得声,卜音仆,当即仆之本字。宀,《说文》谓"交复深屋也",像屋室之形。丮,《说文》谓"持也"。叶德辉说,此即执之本字⑦。所持之卜,以形看为丨,似杖形；以声论,则为卜,卜即扑,也即仆,奴仆的意思。整句意为,对十名奴仆处以刖刑可以吗？

（13）大意为,贞问对某一奴仆处以刖刑不会产生死亡吗？

（14）大意为,对八十个奴仆处以刖刑不会产生死亡吗？

（15）－（17）残缺严重,无法成句,但此三辞均为卜问施行刖刑的记录,当无疑问。

---

① 孙海波：《甲骨文编》附录上七十,第 4174 号。
② 《殷虚文字类编》11 卷。
③ 《殷虚书契前编集释》卷四。
④ 《甲骨文字研究,释臣宰》。
⑤ 《释甲骨文俄、奈、蕴三字》,《中国语文》1965 年第 4 期。
⑥ 《甲骨学商史论丛》。
⑦ 《说文读若考》丮字下。

从以上甲骨文辞看,殷代刖刑已初步形成刑罚制度:刖刑刑具是金属锯;行刑前,受刑者要加戴刑具桎;殷代刖刑只有锯足一种,而无后世所谓的去膑骨等假托之词;不分刑等,受刑者仅断其一足。但从安阳后冈和藁城台西村刖刑骨架有去一足,也有去两足来看,殷代刖刑似有刑等之分。卜辞刖字,有的人形(大)左足短,有的右足短,按古代尚右之制,似乎也有刑等之制,断右足要重于断左足。究竟殷代刖刑有无刑等之分,卜辞表意不太明显,尚待于甲骨卜辞的进一步发掘和研究。尤为重要的是从前引(7)例看,对奴隶,只有在其逃亡并被捕获之后才处以刖刑,以示惩罚,并非一般人所说的在殷代,奴隶主可以任意屠杀奴隶。前(12)中的仆,即奴仆,原为家内奴隶,即所谓在屋下执事者,也从事农业生产,或在兵源不足之际,要从军从战。不难设想,如前引第(13)、(14)辞例中之 10 个、80 个奴仆,如果这些奴仆在没有触犯奴隶主的刑律或做违背主人意志的事,而随意地、轻而易举地被锯去一足沦为残废,那主人的财富由谁去创造呢? 庞大的兵源如何补充呢? 由此可知,对奴隶,只有在犯有逃亡罪或相当于逃亡罪的情况下,才适用刖刑。

4.宫刑。仅次于死刑的一种破坏人的生殖机能的极其惨无人道的刑罚。在古籍中,宫刑别名很多,有椓刑、劓刑、淫刑、阴刑、腐刑、蚕室刑等等。最早记载宫刑的是《尚书·吕刑》作椓,《诗·大雅·召旻》同。《尚书·尧典正义》引《吕刑》郑古本文又作劓,《说文》引《吕刑》却作斀。《吕刑》是西周之后的作品,因此,其所载椓字及其或体或借字劓、斀诸字均为西周之后古籍中所载宫刑的不同称谓。至于淫、阴、腐、蚕室刑等名称,出现的时期就晚了。

马端临《文献通考·刑一》在"宫辟疑赦其罚六百锾"下自注说:"宫,淫刑也。男子割势,妇人幽闭,次死之刑"。又卷二五九《帝系十·

皇族》"公族无宫刑"附注谓:"宫,割,淫刑"。宫刑称淫刑,大概始于《荀子·天论》"男女淫乱",即所谓"男女不以义交者",谓之淫。

宫刑称阴刑,见于《汉书·爰盎晁错传》"除去阴刑,害民者诛"。张宴注:"阴刑,宫刑也"。

宫刑称腐刑,见于《汉书·景帝纪》:"中元四年秋,……欲腐者,许之"。如淳注:"腐,宫刑也。丈夫割势,不能复生子,如腐木不生实"。宫刑之所以称为腐刑者,如《汉书·景帝纪》苏林注所说:"腐刑,其创腐臭,故曰腐也"。

宫刑称下蚕室,见于《汉书·张汤传》:"太子败,宾客皆诛,安世为贺上书,得下蚕室"师古注:"下蚕室,谓腐刑也"。"凡养蚕者,欲其温而早成,故为密室蓄火以置之。而新腐刑亦有中风之患,须入密室乃得以全,因呼为蚕室耳"。

宫刑称谓,始于《尚书·吕刑》"宫辟疑赦"。传:"宫,淫刑也"。《周礼·秋官·司刑》称宫辟(刑)为"宫罪"。郑注:"宫者,丈夫则割其势,女子闭于宫中"。

以上不同名称,都是西周之后各个历史时期史籍对宫刑的不同称谓,称椓、称劓、称斀以及称淫、阴、腐、下蚕室,其义如一:"男子割其势,女子闭于宫(或幽闭)"。那么,西周之前的宫刑是如何定名的呢?这还得在甲骨文中寻找答案。

卜辞中有宫字,但卜辞中的宫字不是宫刑之宫,写作㊀①、㊁②、㊂③ 等。如:

---

① 《前6·13·2》。
② 《前6·23·5》。
③ 《林2·26·3》。

"壬戌卜,贞在酓大邑商公宫衣兹夕亡祸宁①";

"戊午卜,贞王田宫往来亡灾②"。

前一辞例是商王所居之处,后一辞例为地名,均非刑罚宫刑。有关宫刑的字形和辞例,卜辞中已发现多处:

(1)"…寅…贞…🈳③";

(2)"庚辰卜,王,朕🈳羌不丼④";

(3)"…🈳⑤";

(4)"…🈳⑥";

(5)"…🈳⑦"。

以上宫刑字形可写作🈳、🈳或🈳,从🈳从刀。一旁为男子生殖器之象形,另一旁为刀,刀可在左,也可在右。整个字形,像以刀去势即割掉人之生殖器状,即宫刑。此字形足以证明殷代有宫刑。前两辞例,虽有损失,但其辞意明析可见。第(1)例意为□寅日占卜,贞人□问卦,问对某人处以宫刑可以吗?辞中占卜日期和贞人名残缺不详。第(2)例意为,庚辰日占卜,商王问卦,问要对羌奴处以宫刑不会引起死亡吗?王,指商王。商朝晚期,商王直接控制占卜权,往往充当贞人,亲自占卜,本辞例是为例证。朕,第一人称代词,古人自称之词,自秦以后,才专用作皇帝的自称。羌,古族名,此辞例中指战争中所获之有罪羌隶。

---

① 《缀182》。
② 《前2·43·7》。
③ 《合集》5996。
④ 《前4·38·7》。
⑤ 《合集》5997。
⑥ 《合集》5998。
⑦ 《合集》5999。

◊∧,训为去阴宫刑自无疑义,但其当释何字,至今尚无定论。闻一多在其《古典新义·释豕》篇中说,甲骨文有才字,腹下一笔与腹相连,当为豧字;又有才字,腹下一笔不连,像去势之豕,为豖字:"豖,去阴之称,通之于人,故男子宫刑亦谓豖①"。闻一多先生虽无将卜辞◊∧释为豖,但他将豖字解为男子去势宫刑,无疑与◊∧义相合了。◊∧,释为豖字,无论字形字义均不相符。唐兰将刭字训为去阴宫刑,并称其为椓之本字②,故赵佩馨认为,"豖字像去势之豕,当如闻释;但去阴之刑的本字,……应从唐兰先生之说,以刭字当之";"甲骨文的这个字本是去人势的专字,与义为去猪势的刭字是有区别的。入周代,刭字的意义扩大到了人身上,而◊∧字遂废;◊∧字的意义被包扩在刭字之内了"③。鉴此,赵佩馨将甲骨文◊∧字迳释作径,如果仅从辞义上讲还是可以的。

宫刑的行刑方法,史籍载是男子"去势",女子"幽闭"。至于如何"去势",如何"幽闭",却是说法不一,莫衷一是。所谓"去势",孔安国称作"割势",即割掉男子的生殖器。而生殖器管所含部分较多,是割掉生殖系统的外露部分呢,还是去掉人的睾丸? 这点各家说法亦不一致。有人还引用《清宫太监回忆录》马德清口述说明男子宫刑是其外露部分和睾丸一并去掉。马德清是这样口述的:

"那年头,没有麻药,没有什么注射针、止血药那一类东西,……硬是把一个活蹦乱跳的孩子按在那儿,把他的要命的器官从他的身上割下去,那个孩子该多么疼啊! 一根根脉通着心,心疼得简直要从嘴里跳出来了。从那一天起,我的整个生殖器官

---

① 《闻一多全集·古典新义》,第540页。
② 《天壤阁甲骨文存》考释。
③ 《甲骨文中所见的商代五刑》。

便同我分家了。动完这种手术后,要在尿道上安上一个管子,不然,肉芽长死了,尿就撒不出来,还得动第二次手术"①。

《中国宦宫秘史·阉的方法》也说,阉的方法是,"用镰刀状的小刀,将阳具及阴囊一起切掉"。

马德清口述和《中国宦宫秘史》所载阉的方法,只能引为参考,不能作为我们研究古代宫刑的可靠论据。因为这种方法只适用于明清宫廷生活,只能叫阉,不可称宫,更不能视为是古代的一种独立刑种——宫刑。宫刑至西魏和北齐时已被废除,之后,再未作为法定刑出现于法典之中。印证甲骨文资料,可以断定,宫刑,起码是殷代宫刑,男子"去势",专指割去其生殖系统的外露部分——阴茎。在宫刑发展史上有无只去睾丸而保留阴茎或两者一齐去掉,目前尚无可靠佐证。

据史籍载,女子宫刑方法大致有三种:第一,将女子幽禁于宫中,隔绝其与外界的联系。班固《白虎通·五刑》:"宫者,女子淫,执置宫中不得出也"。郑玄注《周礼·秋官·司刑》:"宫者,女子闭于宫中,若今宦男女也";第二,捣毁妇女阴部,使其丧失生育能力。《诗·大雅·召旻》"昏、椓靡共"郑注:"椓,毁阴者也"。孔颖达疏:"此椓毁其阴",即"人身隐蔽之处,男子之势、女子之巴皆是";第三,用棍棒击女子腹部,迫使子宫向下移位,以至子宫脱垂,从而达到破坏其生殖能力的目的。《说文》:"椓,击也"。明代王兆云《碣石剩谈》:"椓窍之法,用木槌击妇人胸腹,即有一物坠而掩闭其牝户,只能便溺,而人道永废矣"②。殷代女子宫刑,甲骨文尚未发现其字形,因此,女子宫刑及其

---

① 《文史资料选辑》第47辑。
② 褚人获:《坚瓠续集》卷四《妇人幽闭》条引。

行刑方法无法考证。以上三种行刑方法,第一种很难说通。男子宫刑那么残忍,而女子宫刑则仅仅是幽禁于宫中隔绝其与外界的联系?不可能。第二种捣毁阴部,实为判处死刑,亦不可能。从解剖学观点看,第三种方法比较合乎情理。如用槌击之法使其子宫下垂以至脱垂的说法能够成立的话,那么这种字形,用象形文字是很易表达出来的。甲骨文中没有女子宫刑之象形字,并非这一字形在甲骨文中就不存在,只能说明这一字形目前还未发现。既然男子宫刑已普遍使用,女子宫刑亦当如此。赵佩馨在《甲骨文中所见的商代五刑》一文中,借传说故事有娀氏二佚女被置在高台之上推断,置于高台可以说就是对淫佚女子所施的宫刑。此说似有启发作用。

5.**大辟**。死刑。殷代死刑种类繁多,行刑手段极其残酷,兹就常刑戝、伐、途等三种主要死刑介绍如下(酷刑后述)。

戝。用斧钺砍断人头的一种常用死刑,即后世斩刑。戝,从奚从戈,甲骨文写作𢼊、𢽎、𢽏。一旁为一直立(或卷曲)头上有编发之人形,此象形当为奚之初字。奚,《正韵》:"隶役也",此处引申为罪隶。甲骨文奚字人形,大都双臂向后弯曲,以示双手反缚之状。仅靠人形头部,竖置一长柄大钺。长柄大钺可在人左,也可在右。奚字头部编发之上,有的加一"爪"字,表示其编发被手牵抓,有的无"爪"字,当为奚之简体字。整个字形,似用斧钺砍杀人头之形。显而易见,此为殷代斩刑之象形。与戝字相印证,甲骨文还有冥① 字,似以斧钺破人头之形。此字商代金文常见,如《父乙鼎》作𢼊②,《𢼊鼎》作𢽏③。这些字形取以斧钺破人头之义,而戝是砍人头,两者似有区别,实则是

---

① 《京津 3112》。
② 《三代 2·19》。
③ 《三代 2·4》。

一致的,均为去首之斩刑,这些字形当为馘之原始字。

卜辞中有关馘刑的辞例颇多,兹选其部分如下:

(1)庚申卜,宁,贞馘[1];

(2)…卜,…贞馘[2];

(3)…贞馘[3];

(4)…勿馘[4];

(5)乙丑卜,争,贞王其馘[5];

(6)…贞勿馘[6];

(7)…𡇯,贞馘若[7];

(8)…戍…馘…[8];

(9)…永…馘[9];

(10)…馘…雀…[10];

(11)…馘[11];

以上辞例意为:(1)庚申日占卜,贞人宁问卦,问对某某人处于斩刑可以吗?(2)某某日占卜,问对某人处于斩刑可以吗?(3)某某日占卜,问对某人处以斩刑可以吗?(4)某某日占卜,问对某人不处斩

---

① 《合集6011》。
② 《合集6012》。
③ 《合集6014》。
④ 《合集6015》。
⑤ 《合集6016正》。
⑥ 同上。
⑦ 《合集6017正》。
⑧ 《合集6023》。
⑨ 《合集6024》。
⑩ 《合集6021》。
⑪ 《合集6022》。

刑可以吗？(5)乙丑日占卜,贞人争问卦,问商王要对某人处以斩刑可以吗？(6)问对某人不处斩刑可以吗？(7)贞人㞷问卦,问对某人处以斩刑顺利吗？(8)□戌日占卜,问要对某人处以斩刑行吗？(9)贞人永问卦,问要对某人处以斩刑可以吗？(10)此辞例之"雀"似地名,若是,则辞义为贞问对某人处斩刑于雀地之事。(11)辞义不详。

伐。甲骨文伐字异形颇多,�、𢒥、𢒤等均象以戈击杀人头之形,或省戈作𢎪、𢎫、𢎭等,则像以钺或斤(斧)杀人之形,皆会杀伐之意。𢆉或𢆊,斤字。《说文》:"斤,斫木也",像曲柄斧形。商代金文伐字作𢒧①,亦像以戈断人之颈。甲骨文有关杀伐的辞例甚多,如:

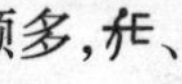

(1)甲辰贞又祖乙伐十羌;②

(2)奠上甲三牛又伐十羌;③

(3)八日辛亥,允戈伐二千六百五十六人,才𢒤④。

前引(1)辞例意为,甲辰日占卜,祖乙要斩杀10个羌人罪隶可以吗？又通有,祖乙,商王,成汤第六代孙,仲丁之子,居于庇,甲骨文称中宗祖乙,并以大乙、大甲、祖乙合称"三示"。(2)例意为对上甲进行奠祭用三头牛并杀10个羌隶。上甲,据王国维考证,为殷人祖先。卜辞中对上甲的祭祀是一种常祭,并非独指对上甲的祭祀⑤。(3)辞例为一则验辞。此辞原在甲辰日占卜预测要有某事发生,八日之后的辛亥日果有其事故追记之。允,《说文》"信也"。甲骨文允字作𠆢或𠆣,像人诚敬之形。甲骨文凡言"允某某"者,大抵为所卜事件之实

---

① 商器《虞戈》。
② 《粹246》。
③ 《合集162》。
④ 《后下4·3·9》。
⑤ 王国维:《观堂集林》卷八。

际结果。允字相当于信然、确然、果然之意。甲骨文中凡斩杀人数不多时用伐,斩杀人数多时便戈伐连称。才通"在"。朴,似地名。整句意为,占卜之后的第八天即辛亥日,果然在朴地斩杀了二千六百五十六人。

途。死刑之一种。于省吾《殷契骈枝》谓途借为屠,杀的意思。甲骨文中载途刑的辞例颇多,兹录部分于后。

(1) 贞勿乎途①;
(2) 贞王途首勿②;
(3) 丁卯卜,□,□途若③;
(4) 贞王勿往途众人④;
(5) 贞王途众人⑤;
(6) ……王……途首⑥;
(7) 甲戌卜,殻,贞翌乙亥王途首无卟⑦;
(8) 贞翌庚辰王往途首⑧;
(9) 翌庚辰王往途首⑨;
(10) 庚子贞,王(令)□途子妻⑩。

---

① 《陈 115》。
② 《合集 6031》。
③ 《合集 6038 正》。
④ 《读 3·37·1》。
⑤ 《前 6·25·2》。
⑥ 《全集 6033 正》。
⑦ 《合集 6032 正》。
⑧ 《合集 6033 反》。
⑨ 同上。
⑩ 《宁沪 1·494》。

(11)贞,叀吴令途子①;

(12)乙未卜,㱿,贞令永途子央于南②;

(13)勿乎㱿途子姞来;乎㱿途子姞来③;

(14)…卜,㱿,…令贮…途孚五月④;

(15)癸酉卜,㱿,贞令□途孚。八月⑤。

以上辞例(1)意为,问,对某某人不处以死刑可以吗?勿,甲骨文正书作㐬,与不、弗、亡等字略同,均有否定及禁止之义。此处作否定副词。乎,语气词,引处表疑问语气。

(2)问商王要对某人处以死刑不可以吗?此条卜辞左上方似为首之残字。首即头,途首,杀头也。卜辞中途(杀)的对象大都为首(头)或众人,或某某人。

(3)丁卯日占卜,贞人□问卦,问要对某人处以死刑顺利吗?

(4)问商王不去斩杀众人可以吗?甲骨文往字,从之从王,王为声符,为往来之往的本字,之、去的意思。

(5)问商王要斩杀众可以吗?

(6)意为商王要对某人处以死刑可能吗?

(7)甲戌日占卜,贞人㱿问卦,问明天乙亥日商王要对某人处以死刑不会引起死亡吗?翌,此字异构较多,前期多作甲,后期多作昱,卜辞假为翌。翌,一为纪时之名,多指第二日,或指第三日第四日不等;一为祭名。此处之翌,为纪时之名,指自占卜之日甲戌日起的第

---

① 《契 16》。
② 《合集 6051》。
③ 《前 6·25·6》。
④ 《合集 6048》。
⑤ 《合集 6050》。

二天,为乙亥日。无,否定副词。㞢,死。

(8)问再过几天的庚辰日商王要对某人处以死刑可以吗?此辞例占卜时间残缺,故无法确定翌是指几天之后。如庚辰日是占卜时间的第二天,占卜时间当为己卯日。

(9)此辞例与前(8)辞例同。

(10)意为庚子日贞问,商王责令囗要对子妻处以死刑可以吗?囗,似鹵字,人名。子妻,人名,胡厚宣在《殷代婚姻家族宗法生育制度考》①中认为,此人应是武丁之子。

(11)问吴责令处于子妻以死刑可以吗?令(命),甲骨文作亽或𠆢,古文令、命为一字一义。令,后世加义素口即成命字,故命令便成二字二义了。此处令相当于命令、责令。叀,语气词,读与惟同。

(12)意为乙未日占卜,贞人㱿问卦,问责令永在南方处子央以死刑可以吗?永,人名,武丁时期贞人。子央,人名。关,董作宾释央。于,《尔雅》:"於也"。於为于之假借字。卜辞于字多用作介词,或介时间,或介处所,或介人与事物。此处用作介词,介处所。南,借为方位名词南方之南。

(13)意为不要炕斩杀子姘来贡纳可以吗?要让炕斩杀子姘来贡纳可以吗?炕,人名。子姘,人名。来,贡纳或馈遗方法之称谓,亦称见(献)、氏(致)、入、至等。

(14)意为某某日占卜,贞人㱿问卦,责令貯将某人处以死刑可以吗?时间是在五月。貯、䍙,人名。五月,署辞,注明时间。李学勤将甲骨卜辞分为署辞、兆辞、前辞、贞辞、占辞、验辞六种类型,较前人分为前辞、命辞、占辞、验辞四种类型更为合理、恰当。署辞指卜人史官

---

① 胡厚宣:《甲骨学商史论丛初集》。

等签署的文字,在文辞中一般作为正文看待。

(15)意为祭酉日占卜,贞人宁问卦,问责令某某人对㠯处以死刑可以吗?时间在八月。□,似人名。

上述戬、伐、途是甲骨文中死刑执行的三种主要方式,另外,卯、用、岁等三种杀牲通称,也是了解殷代死刑的重要参考文献。

卯。卜辞卯字作㐰,王国维说,卯为刘之假借字①。《尔雅·释诂》:"刘,杀也"。卯(杀)羌奴的卜辞较多见,如:

(1)卯五羌②;

(2)其卯羌伊窒;王其用羌于大乙,卯蚰牛,王受又③。

以上辞例(1)是杀5名羌奴的卜问记录;(2)为"卯羌"、"用羌"祭祀太乙和伊尹的卜问记录。大乙即太乙,殷代先王第一世成汤之庙号;伊即伊尹;用即杀。

用。前辞例(2)中之"用羌"即杀羌。用,卜辞杀牲通称。古文献称杀牲为用。《周礼·庖丁》贾疏:"杀牲谓之用"。《左传·昭公十年》"用人于亳社"。杜注:"以人祭殷社"。甲骨文中有"用羌"、"羌用"、"其用羌"之类的卜辞常见。

(1)用羌④;

(2)三百羌用于丁⑤;

(3)□亥卜,羌二方白其用于祖丁父甲⑥;

---

① 王国维:《戬寿堂所藏殷墟文字考释》。
② 《粹 591》。
③ 《粹 151》。
④ 《乙 1941》。
⑤ 《续 2·16·3》。
⑥ 《京津 4034》。

(4)羌方白其用,王受又①;

(5)羌方囟其用,王受㞢又②。

以上辞例(1)为杀羌奴的贞辞。(2)意为,卜问杀三百羌奴以祭祀祖丁可以吗?(3)意为,□亥日占卜,卜问杀死两个羌族首领来祭祀祖丁父甲神灵可以吗?白,读为伯;伯,训为长。"羌二方折"即羌方两个首领。(4)意为杀死羌方首领祭祀,殷王就可以得到上帝祖先的福佑。王,指殷王。受,《说文》:"相付也"。卜辞受兼有受、授二义。授,给予;受,接纳。此处指上帝祖先授予的福佑。又,甲骨文作彐,像右手四指并拢侧视形,左右之右的初文。卜辞又用法较多,可用作左右的右,可用作福佑的佑,可用作祭名祐,也可用于十进位整数之后,此处之又用为福佑字。(5)意为,卜问砍掉羌方首领的头颅祭祀神灵,殷代时王就可得到上帝祖先神赐予的福佑吗?受、通授;㞢,有;又通佑。受㞢(有)又(佑),卜辞成语,意为接纳上帝祖先神的福佑。囟,陈梦家说:"卜辞之囟象头壳之形,其义或为首脑,或为脑壳"③。殷人常把俘获的罪囚敌方首领杀掉,用以祭祀,并在其头骨上刻下"方白用"三字,甲骨学称其为"人头骨刻辞"。

岁。甲骨毵字作毵、拈、针、毛、卄等形。孙诒让释戉,叶玉森释戚,容庚释岁。容说为是。毵字上下二点,于省吾认为是表示斧刃上下尾端回曲中之透空处,其无点者,当为毵字之省文④。近年来出土之商器斧钺,其阔刃处作弧形,有类似于近世武术家所用之月牙斧,其上下刃卷曲回抱。岁同"刿",杀的意思。甲骨中有"岁羌"即"杀

---

① 《甲 507》。
② 陈梦家:《殷墟卜辞综述》。
③ 同上书。
④ 《甲骨文字释林》。

羌"以祭以卜辞多见,如:

(1)岁羌三十,卯三宰,俞一牛①;

(2)岁羌三十,卯十牛②。

上述二辞均为杀掉30个羌奴用予祭祀的卜问记录。

二、古文献中的殷代酷刑

自《史记·殷本纪》谓"纣乃重刑辟,有炮格之法"之后,历代史家言暴君必数殷纣,讲酷刑,殷纣无二。近些年来出版的法制史教材,大都将《殷本纪》所说的殷纣酷刑说成是整个殷代以至上起夏代,下至春秋近两千年来古代刑法的特点。但是,也有一些学者持相反意见,他们认为,殷纣为暴君之说,是无本之末,很难成立,《史记》等古籍所载殷纣酷刑,疑窦很多,真伪难辨,不足为信。究竟应当如何看待殷纣时使用过的酷刑?如何区分殷纣酷刑与殷代刑法的界限?我们认为,只凭史籍记载即下结论是不足为凭的,容易产生片面性的结论,正确的做法,应该是立足于一手资料——甲骨文,同时印证文献记载,这才是还历史本来面目的唯一途径。鉴此,首先须对史载殷纣酷刑作一简单回顾。

《墨子·明鬼下》:"纣播弃黎老,贼诛孩子,楚毒无罪,刳剔孕妇";

《荀子·议兵》:"纣刳比干、囚箕子,为炮烙刑";又《尧问》:"桀纣杀贤良,比干剖心";

《战国策·赵策三》:"(鲁仲连曰:)昔者鬼侯、鄂侯、文王,纣

---

① 《林2·3·11》。
② 《前6·16·1》。

之三公也。鬼侯有子而好,故入之于纣,纣以为恶,醢鬼侯;鄂侯争之急,辨之疾,故脯鄂侯";

《吕氏春秋·过理篇》:"纣刑鬼侯之女而取其环,截涉者胫而视其髓;杀梅伯而遗文王其醢,不适也";又《行论篇》:"昔者纣为无道,杀鬼侯而脯之以礼诸侯于庙"。高注:"肉酱为醢,肉熟为脯。梅伯、鬼侯,皆纣之诸侯也。梅伯说鬼侯之女美,令纣取之,纣听妲己之谮,曰以为不好,故醢梅伯,脯鬼侯,以其脯燕诸侯于庙中"。

《贾谊新书·君道》:"纣作梏数千,睨诸侯之不谄己者,仗而梏之。文王梐梏囚于羑里,七年而后得免";

《韩诗外传》:"纣杀比干而囚箕子,为炮格之刑,杀戮无时,群下悉怨";"昔殷王纣残贼百姓,绝逆天道,至斫朝涉、刳孕妇、脯鬼侯、醢梅伯";

《淮南子·俶真》:"逮至夏桀殷纣,燔生人,辜谏者,为炮烙铸金柱;剖贤人之心,析才士之胫,醢鬼侯之女,菹梅伯之骸";

《礼记·明堂位》:"昔殷纣乱天下,脯鬼侯以飨诸侯"郑注:"以人肉为荐羞,恶之甚也"。

《史记·殷本纪》:"百姓怨望而诸侯有叛者,于是纣乃重刑辟,有炮格之法。九侯有好女,入之纣。九侯女不喜淫,纣怒,杀之,而醢九侯。鄂侯争之疆,辨之疾,并脯鄂侯。西伯昌闻之,窃叹。崇侯虎知之,以告纣,纣囚西伯羑里。……西伯出而献洛西之地,以请除炮格之刑,纣乃许之";

《太平御览》引《帝王世纪》:"纣斫涉之胫而视其髓,刳孕妇之腹而观其胎,又杀人以食虎。诸侯或叛,妲己以罚轻,纣欲重刑,乃先为大熨斗。以火爇之,使人举,辄烂手不能胜。纣怒,乃

更为铜柱,以膏涂之,加于蒸炭之上,使有罪者缘焉,足滑跌坠火中,纣与妲己笑为乐,名曰炮烙之刑";

《水经·淇水注》:"水有二源,一水出朝歌城西北、东南。老人晨将渡水而沈吟难济,纣问其故,左右曰'老者髓不实,故畏寒也';纣乃于此斫胫而视髓也。"

《伪古文尚书·泰誓下》谓纣"自绝于天,结怨于民,斫朝涉之胫,剖贤人之心,作威杀戮,毒痛四海"《伪孔传》:"冬月见朝涉水者,谓其胫而寒,斩而视之;比干忠谏,谓其心异于人,剖而视之,酷虐之甚"。

上引《墨子》、《荀子》、《战国策》和《吕氏春秋》为战国时作品。其中《墨子》最早,但记载简略,仅列刳剔、炮烙两大酷刑。之后,《荀子》、《战国策》、《吕氏春秋》等书,相互辗转增益,殷纣酷刑基本罗列无遗,除刳剔、炮烙刑外,又加剖心、醢、脯、截(斩)胫等酷刑。《贾谊新书》、《韩诗外传》、《淮南子》、《礼记》和《史记》为汉代作品,其基本保留战国时期所列殷纣酷刑之原型,唯战国史料所载殷纣三公之一的"鬼侯",司马迁《史记》作"九侯",是因鬼,九声近相通之故。另外,《淮南子》另加"菹梅伯之骸"的菹骸刑罚。据《汉书·刑法志》"菹其骨肉于市"师古注:"菹,谓醢也"。菹,即醢刑。《太平御览》、《伪古文尚书》乃魏晋南北朝时作品,其载殷纣酷刑亦未增加。但,以上史籍所载殷纣酷刑,其相互牴牾之处,显而易见。如《吕氏春秋》所载"截涉者胫视髓"酷刑,《韩诗外传》及《春秋繁露》等书改为"斫朝涉",将"涉者"误抄为"朝涉",这么一来,"朝涉"便成斫、截的对象,似为人名了,和"涉者"即渡水之人迥然两义。另外,《水经》称"老者髓不实,故畏寒也",而《伪孔传》却说"冬月见朝涉水者,谓其胫耐寒,斩而视之",两书记载完全相反。又如"炮烙(格)之刑",各家解释也大不一样。

刘向《列女传》:"为膏铜柱,下加之炭,令有罪者行焉,辄坠炭中,妲己笑,名曰炮格之刑"。前引《帝王世纪》基本同。而《史记·殷本纪》索隐引邹诞生云:"见蚁布铜斗、足废而死,于是为铜格,炊炭其下,使罪人步其上"。正因为如此,有学者认为,史载殷纣酷刑,前矛后盾,可疑之处太多,不足为信。

诚然,史籍记载确乎疑点不少,牴牾之处随时可见,加之野史演义,世俗之说丛生,更是玄乎其玄了。但是,司马迁是人们公认的治学严谨且具卓识灼见的一代史学大家,他在《殷本纪》中所说的"醢九侯"、"脯鄂侯"总不至于全无所凭,加之,殷纣酷刑,在甲骨文字形中,有的已经发现,有的见到残迹,有的得到旁证。不仅如此,甲骨文中见到的殷代酷刑,比之于史籍记载,则是更多更惨了。

三、甲骨文中的酷刑

甲骨文中的酷刑,据不完全统计,有醢刑、火刑、陷刑、攸刑、凸刑、束刑、胬刑和笱刑等8种之多。

1.**醢刑**。目前能见到的醢刑卜辞有三例:

(1)辛酉卜,争,贞醢[①];

(2)□□卜,□,贞醢[②];

(3)…勿醢[③]。

以上辞例(1)意为,辛丑日占卜,贞人争问卦,问对某人处以醢刑可以吗? 争,武丁时期贞人名。醢,甲骨文作𢍰,意为在一巨大镞臼中,有一蹲曲拱背人形而跪,其上是双手所持之大锤,朝人砸去,顿时

---

① 《铁 59·3》。
② 《合集 6026》。
③ 《合集 6027》。

人被砸得血肉四溅。人形两旁的四点,表示溅起的血肉。大锤两旁之两又字即两手,以示两手握大锤。此字形正是《史记·殷本纪》所说将九侯砸(或剁)成肉酱之"醢九侯"之醢字。醢刑,甲骨卜辞与文献记载完全相同。(2)意为某某日占卜,贞人某某问卦,问对某人处以醢刑可以吗? 此辞占卜日期和贞人名均残。此醢字写作𢉖,少一人形,当为醢之简体字。(3)意为贞问对某某人不处以醢刑可以吗?勿,否定副词。

2. **火刑**。甲骨文中火烧罪隶的辞例习见,如:

(1)燎于土羌,俎小宰①;

(2)燊年于夒,燎又羌②;

燎字甲骨文作 㶣、㶣、㶣、㶣 等字形。前两字当为后两字的简体。㶣,罗振玉说:"从木在火上,木旁诸点像火焰上腾之状"③。前两辞例为用牲之法,其燎祭之物是罪隶羌人。可见此二辞例是将羌隶置于积薪之上,活活烧死,用以祭祀社神和祖先神。

甲骨文中施行火刑之字形颇多,如 㷱 ④ 字,像焚烧系索于颈之人于火上;又有巫妝⑤、燓⑥ 诸字。燓字作㷱形,像用火焚巫,即古文献所说的"暴巫"求雨。甲骨文还有焚罪隶以炆求雨之祭。此类卜辞屡屡可见,胡厚宣、陈梦家均作过细致整理,兹择其要者于下:

(1)贞勿炆亡其从雨⑦;

---

① 《粹 18》。
② 《续 1·51·5》。
③ 罗振玉:《增订殷墟书契考释》。
④ 《前 6·21·5》。
⑤ 《邺初下 38·6》。
⑥ 《甲 422》。
⑦ 《前 5·33·2》。

(2)叀烄妦有雨①；

(3)烄从雨②；

(4)今日烄从雨③；

(5)烄妦亡其雨④；

(6)其烄高，又雨⑤；

(7)其烄玑⑥；

(8)其烄于囝⑦；

(9)于殸烄⑧；

(10)于覎烄⑨。

以上辞例(1)意为卜问不焚烧罪隶巫人就不能得到雨吗？烄，甲骨文作𤈦，从人在火上，写作炙或炙，像人立于火上被焚之形，火形象形字。《说文》："烄，交木燃也"。《玉篇》："烄，交木燃之以尞祭柴天"。很清楚，这是用燃死罪隶的办法祭天求雨之仪式。

(2)大意为卜问烧死妦烄祭有雨吗？叀，唯字。妦，烄祭焚烧之巫女。

(3)(4)意为烄祭、今日烄祭能得到雨吗？

(5)意为烄祭烧死妦不能得到雨吗？

(6)意为烄祭烧死高能下雨吗？高，烄祭焚烧之人名叫高。

---

① 《乙 1288》。
② 《屯南 148》。
③ 《续 4·18·1》。
④ 《佚 1000》。
⑤ 《粹 657》。
⑥ 《粹 653》。
⑦ 《下 15·2》。
⑧ 《下 15·8》。
⑨ 《佚 932》。

(7)炆祭烧死汉能下雨吗？汉,炆祭焚烧之人名叫汉。

(8)、(9)、(10)三例中之囗、殴、呃,均为地名,意为在这三地进行炆祭。

3.臽刑。臽,读如陷,甲骨文写作囗、囗、囗、囗、囗等形,像人陷于坑坎之中。从人从凵。凵,系会意兼形字,典籍通作坎,凵为本字,坎为借字。《说文》:"坎,陷也";又"臽,小阱也"。《一切经音义》:"陷,坑也"。该字在陷于坑坎中之人旁各加数点,以示活埋人之尘土。故陷刑即活埋刑罚。甲骨文中,活埋鹿、牛、犬以祭的字形较多,而埋人卜辞虽不太多,亦偶有所见。

(1)今日臽①;

(2)甲辰至戊臽人②;

(3)贞其作豊(于)伊臽③;

(4)甲辰卜,宾,贞囗其疒臽④;

(5)丙申卜,王贞勿善臽于门小用十二月⑤。

上辞例(1)是卜问今日活埋某人怎么样？该辞臽及下(2)、(3)、(4)、(5)四例中之臽,所从坑坎中之人形均作囗形,曲背作跪状,似为有罪之人被活埋。(2)意为卜问从甲辰至戊申期间对某些人处以活埋刑罚可以吗？(3)意为卜问在伊地活埋可以吗？(4)意为甲辰日占卜,贞人宾问卦,问某人有疒施以活埋可以吗？囗,似人名。疒,甲骨文写作囗形。从人从爿,爿像床形,人之旁的三点,像人有疾病,倚箸

---

① 《乙 8716》。
② 《后下 16·11》。
③ 《粹 540》。
④ 《续 2·16·4》。
⑤ 《遗 34》。

于床而有汗滴之形。《说文》:"疒,人有疾病,像倚箸之形"。疒,通疾,病的意思。(5)意为,丙申日占卜,商王亲自贞问,在门地方施行活埋刑罚不好吗? 时间是在十二月。门后有残字,从句式看,门似为地名,也可视作宗庙宫室之门。

4. 攼刑。攼,甲骨文写作⿰它攴、⿰它攴、⿰它攴、⿰它攴诸形,从它从攴。它本像蛇,整个字形像以攴击蛇,其旁之几个小点,表示因击外溅出血之形。此字本义为以攴击蛇,会朴击之意,后引申为割裂之义。《集韵》有胣字,训为剖肠,是攼的后起字。《说文》攼字作攺,读与施同。《庄子·胠箧》:"昔者龙逢斩,比干剖,苌弘胣,子胥靡"《释文》:"胣本作胂,或作施字。胂,裂也,《淮南子》曰:'苌弘𠂢裂而死。'司马云:'胂,剔也。一云剖肠曰胂'"。据此,攼刑为剖腹剔肠并肢解其肌体的刑罚,章炳麟、于省吾等视为古代凌迟刑。

凌迟刑,各家说法不一,据《读律佩觿》载:"陵迟者,其法乃寸而磔之,必至体无余脔,然后为之割其势,女则幽其闭,出其脏腑,经毕其命,支分节解,菹其骨而后已"。可见,殷代攼刑,当为后世凌迟刑之起源或初期形式。甲骨文中载有攼刑的辞例习见。

(1)□卯,攼①;
(2)贞,人岁攼于丁,九月②;
(3)攼人③;
(4)贞,攼人于盙旦④;

---

① 《乙1469》。
② 《燕241》。
③ 《乙6313》。
④ 《拾11·19》。

(5)丙辰卜,古,贞其改羌①;

(6)贞,率改羌若②;

(7)癸亥卜,㱿,贞改羌百③;

(8)甲子卜,㱿贞改羌百。十三月④;

(9)甲子卜,㱿,贞勿改羌百。十三月⑤;

(10)贞翌乙未率改夷⑥。

以上辞例(1)意为卜问□卯对某某人施以改刑可以吗?

(2)意为,问将某人先处死再施以改刑用以祭祀丁可以吗? 时间是在九月。岁即杀。岁改合用,意为先予斩杀,之后再予肢解尸体,这种刑罚似后世磔刑或支解刑。

(3)意为卜问将某人处以改刑吗?

(4)意为,问将某人在亶旦地方处以改刑可以吗? 亶、旦,均似地名。

(5)意为,丙辰日占卜,贞人古问卦,问将羌奴处以改刑可以吗?

(6)意为将羌奴处以改刑顺利吗? 若,顺的意思。

(7)意为癸亥日占卜,贞人㱿问卦,问将一百个羌奴处以改刑可以吗?

(8)意为甲子日占卜,贞人㱿问卦,问将一百个羌奴处以改刑可以吗? 时间在十三月。

(9)意为甲子日占卜,贞人㱿问卦,问对一百个羌奴不处以改刑

---

① 《丙7》。
② 《文录515》。
③ 《续2·29·3》。
④ 《铁176·1》。
⑤ 《铁176·1》。
⑥ 《乙1512》。

可以吗？时间在十三月。

(10)意为卜问明天乙未日将那些异族夷人处以伐刑可能吗？率，捕捉。夷，殷商周边异族方国之通称，此处指异族罪隶。

5.毁刑。即磔刑，割裂肢体的一种酷刑。毁，甲骨文作卜，旧释力，误，于省吾释为毁①，至确。章炳麟最早释毁之一义为"在刑为磔，辜也"。毁字又衍生出舌、䛐二字，均读为矺。《史记·李斯列传》："十公主矺于杜"，索隐："矺，音宅，与磔同，古今字异耳。磔，谓裂其支体而杀之"。此字的发展规律是：毁(舌、䛐)——矺——磔，即甲骨文作毁或舌或䛐，典籍作矺、磔。甲骨文中有毁、舌、䛐的辞例极多，而磔人的辞条偶而亦有所见。如：

(1)莫舌十人又五，王受又②；

(2)□□卜，劦日且甲，䛐羌□③。

此两辞例之(1)意为，傍晚时分对十五个人处以磔刑，时王能得到福佑吗？莫，甲骨文作茻。《说文》："莫，日且冥也，从日在茻中"，即暮字。王受又，卜辞成语。受，接受；又，通佑。王受又(佑)，意为时王将得到福佑。(2)意为某某日占卜，在祫祭先王祖甲的协合大好日子里，磔杀羌隶可以吗？劦，《说文》："同力也"。甲骨文作劦，从三力，故会合力之意。用于祭祀，为祭名，即大合祭之祫祭，取协合之义。劦日，协合大祭之日。且甲即先王祖甲。

6.䘐伐刑。䘐，甲骨文作䘐、䘐，读如删通作刊，俗作砍。砍即斫。《说文》："砍，击"，杀的意思。如辞例"丁丑卜，宁，贞……䘐羌

---

① 《京都1887》。
② 同上。
③ 《京津4046》。

十"①,是说丁丑日占卜,贞人宁问卦,问砍杀十个羌隶可以吗?有的卜辞则晋伐连称②,其意便成先斩头,再砍其肢体,这就成为酷刑,即法外用刑了。

7.**沈刑**。投河溺死之刑罚。沈字,甲骨文作牪或㲽,从水从牛或人。牛、人形四周之几点,像将牛或人投入水中所溅起之水滴状。甲骨文沈字,一般为祭名,用牲之法。但从将人投入河中溺死作祭推测,此法亦可用作刑罚之手段。卜辞沈人之祭仅见一例:

(1)其尞于河窜,沈郏③。

"沈郏",姚孝遂说,当为后世"为河伯娶妇"之所由来④。郏,陈梦家释为嬖⑤,姚孝遂训作女俘⑥。

8.**㓝**。剖腹挖心剔肠酷刑。甲骨文㓝字作㠯或㠰,小篆形体讹变作㓝,《说文》又孳乳作䐾。按用牲方法,姚孝遂认为,当为劈开胸部,取出内脏,风干以祭之酷刑⑦。甲骨文习见㓝羌辞例。如:

(1)翌辛亥屮于司辛,㓝屮羌十⑧;

(2)辛卯屮三窜,㓝羌……⑨;

(3)屮于母辛三窜,㓝三牛、羌十⑩。

以上(1)、(2)、(3)辞例一次㓝羌十名,例(2)羌字后残缺,以此类

---

① 《佚181》。
② 《后上21·10》。
③ 《后23·4》。
④ 姚孝遂:《商代的俘虏》,《古文字研究》,第1辑。
⑤ 《殷虚卜辞综述》,第598页。
⑥ 姚孝遂:《商代的俘虏》,《古文字研究》,第1辑。
⑦ 同上书。
⑧ 《前5·9·6》。
⑨ 《前5·9·7》。
⑩ 《金694》。

推,其数不会太少。

四、甲骨文中的其它刑罚

1. 聝刑。甲骨文中聝字习见,有作㦦①、㦣② 等形的,取以戈系首之义。㦦垂缨之戈,所从之▱乃目字即首(头)字之省,古文字偏旁多以目代首。古代军法,以斩敌首多寡记其军功大小,故聝字初从首,古籍写作聝,甲骨文写作㦣,断首刑罚。后来,可能因其断首记功之法不便,才改作截耳了。《字林》:"截耳则作耳旁,献首则作首旁"。《玉篇》:"聝,截耳也"。《说文》:"聝,军战断耳也"。所以,甲骨文中除从目(首)之馘字外,又有从耳之聝字。此字甲骨文写作㦧③ 或㦨④,从耳聝字还屡见于商代金文。《金文编》附录上载有两个聝字,写作㦩(鼎文)和㦧(觚文);又商器聝觚亦有两个聝字写作㦪和㦫⑤。由于聝、馘二字与军战有关,故其原始字写作戓。《一切经音义》:"聝,古文又作戓"。聝刑,最初只是军法中之一种刑罚种类,后来,扩而大之,便成常刑中之一种轻刑刑罚了。《尚书·康诰》传:"刵(聝),截耳,刑之轻者"。甲骨文中,聝刑辞例偶而也可见到:

(1)□戓□伐□羌⑥;

(2)甲子卜,王从东戈乎厌聝⑦。

以上辞例(1)残缺严重,译句尚难,但其将以戈断耳刑罚施于羌

---

① 《乙 3787》。
② 《乙 2948》。
③ 《乙 3176》。
④ 《甲 622》。
⑤ 《遗录 319;320》。
⑥ 《乙 3176》。
⑦ 《甲 622》。

隶之义,显而易见。例(2)意为甲子日占卜,商王从东边讨伐厌侯可以将厌侯处以馘刑吗?这是个兼语式,句中有两个谓语,第一个谓语中的宾语兼做第二个谓语的主语,即第一个谓语中的宾语"厌"(侯)兼做第二个谓语"馘"的主语。

甲骨文中有一例详细记载小臣墙随从商王征伐犾狁并取得辉煌战绩的辞例,其中对馘刑明确记载。

"……小臣墙从伐,禽犾美……卄人四,馘一千五百七十,讯一百……丙(辆)车二丙(辆),弩一百八十三,函五十,矢……又(祐)白(伯)麟于大乙,用雛白(伯)印……讯于且(祖)乙,用美于且(祖)丁。僖曰,京易(赐)"①。

此辞例意为,小臣墙跟随商王出征,擒获了犾狁首领美,俘获敌军……二十四人,斩杀并截获敌耳一千五百七十个,缴获战车二辆,弩机一百八十三付,箭袋五十个,箭若干,用方伯麟祭祀先王太乙,用雛方伯印祭祀某先王,在先王祖乙灵前审讯敌酋,斩杀犾狁首领美用以祭祀先王祖丁。僖说,大赐。小臣,官名。臣字甲骨文作 𠙵,郭沫若说像一竖目之形,人首俯则目竖,像屈服之形。此处小臣指众人的下级官吏。墙,人名,其官职为小臣。从,跟。伐,征伐。禽,通擒,动词,擒获的意思。犾狁,部落名,美,犾狁部落首领之名。此馘字写作㕞,旧释而,误,李圃释馘②,可从。西周金文《虢季子白盘》馘字作㦸可证。前引《乙2948》所载甲骨文 𢧢(馘)字当为此㕞(馘)字之繁体。㕞像倒首长发形,正首则作𠐁,取以发代首之义,用于刑罚,则为馘刑之简体字。讯,讯酋,此例西周金文中习见。丙,两之初文,借为辆,

---

① 《存下915》。
② 李圃:《甲骨文选注》。

计量单位。函,箭袋。矢,箭。白,引申为伯字,此处作方伯讲。麟,方伯名。大惭即太乙,史书称天一,成汤庙号。成汤,甲骨文除称庙号太乙外,也单称成或唐(汤)。雠,方国名;雠白(伯),方国伯长。且,祖之初文;且乙即祖乙,殷先王第七世之庙号。依此,且丁即祖丁,殷先王第九世庙号。偞,疑人名。京,训为大,易,假为赐,京易即大赐。此讲战绩军功之辞例,即先讲生获敌酋敌兵,再讲获死敌截耳(聝),最后讲在祖庙前审讯敌酋(讯)之卜辞叙述格式,在西周金文中常见,如《多友鼎》、《小盂鼎》、《虢季子白盘》、《兮甲盘》都是。可见,聝刑在商周刑罚中经常使用。

2. **扑刑**。扑,甲骨文作敎①、敎②、敎③ 等形,挞之初文。《集韵》:"扑,挞也"。一旁为刑具幸(梏),以示罪犯被缚;另一旁为又即手并持大鞭挞笞犯罪者。"丨"为鞭之象形。此字形当为后世鞭笞之原始字。扑(挞)刑,多用于对失礼行为之惩罚。《周礼·地官·闾胥》:"凡事掌其比觵挞罚之事"注:"挞,扑也";疏曰:"有失礼轻者,以觵酒罚之;重者,以楚挞之"。又《礼记·乡饮酒礼》:"罚不敬,挞其背"。甲骨文扑字字形,与以楚挞人背正相符合。

3. **耻辱刑**。甲骨文中的耻辱刑,前文第一章第一节"象刑"部分已经述及。甲骨文伲字,其所从之尼作𠬝或𠬛,像一人坐于另一人之背上;夢(郁)字中从夸作𠬝,像一人践踏在俯伏于地的另一人之背上;还有𠬝字,像一人骑在另一人的头上。这些均属人身侮辱性质的耻辱刑。

另外,据古文献记载,从殷商至明清还盛行一种迫使罪犯脱光衣

---

① 《后下 14·6》。
② 《卜 630》。
③ 《存 1·719》。

服,当众受辱的称之为裸刑的耻辱刑。《史记·宋微子世家》:

"周武王伐纣克殷,微子乃持其祭器造于军门,肉袒面缚,左牵羊,右把茅,膝行而前以告"。

这里所说的"肉袒面缚"、"膝行而前"就是裸刑。《索隐》:"肉袒者,袒而露肉也",即赤裸着身体的意思。"面缚者,缚手于背而面向前也",即反绑双手,面部朝前,表示服罪。微子为殷纣王之兄,纣王无道,残杀忠良,他数谏不听,于是断然离去隐居起来。周武王伐纣克殷建周之后,作为昏君之兄的微子,也自感有罪于周,于是便自动"肉袒面缚","左牵羊,右把茅,膝行而前",以示认罪服法。这一事例虽然发生在克殷之后,而"肉袒面缚"也是微子之自为,但其说明耻辱刑在商代已很盛行了。

"肉袒面缚"耻辱刑自殷商使用之后便一直沿用了下来。《周礼·秋官·司寇》载:"掌戮,掌斩杀贼谍而搏之"。"搏之",据郑玄注,即去其衣而分裂其尸体并暴露之。也就是说,斩杀贼谍时,要去其衣,分其尸,并将尸体暴露于光天化日之下。汉代丞相张苍,"坐法当斩",他也"解衣伏质",裸着身体准备去服刑。类似案例,枚不胜举。

第三节 狱政

一、甲骨文中的刑具

夏商以至西周的刑具,据史籍记载,有桎、梏、拲三种。《易·蒙》:"初六,发蒙,利用刑人,用说桎梏,以往吝"《释文》:"在足曰桎,在手曰梏"。桎,相当于今天的脚镣,梏相当于手铐。拲,按《周礼·秋官、掌囚》注引郑司农说:"拲者,两手拲一木也,桎梏者,两手各一木也"。

桎、梏、拲三种刑具的使用,是按所犯罪行轻重,"上罪梏拲而桎,中罪桎梏,下罪梏",就是说轻罪犯者只用梏,较重者桎梏同用,重罪者桎梏拲三木齐上,即所谓"三木之人"的重囚。考甲骨文记载,商代的刑具,确为桎和梏,但史书所载刑具,其构造、性能和使用方法,与甲骨文记载却不尽一致。

梏。手铐。甲骨文有幸字作 ①、②、③、④、⑤ 等形。本为羍,幸是后起字。使用时,将罪犯两手腕箝入刑具幸中,然后用绳索将刑具的两端捆住,使其不得自由行动。这是一种最原始的木质手铐。在甲骨文中可做名词,也可做动词。用作名词,为刑具名称梏;用作动词,意为用此刑具将人的双手缚住。

羍,《说文》:"所以惊人也。从大从羊。一曰大声也;一曰读若瓠;一曰俗语以盗不止为羍,羍,读若籋"。又《说文竹部》:"籋,箝也"。"箝,籋也"。段注谓籋箝二字双声,夹取之器。羍,读为籋,故羍又为籋之本字,取夹取之义,引申为刑具梏(名词);又可引申为拘捕罪犯(动词)。

1937年殷墟第十五次发掘中出土了多件戴幸即梏的陶俑⑥。这是前中央研究院历史语言研究所在解放前所进行的最后一次殷墟发掘,发掘地点集中在小屯村北地C区。带梏陶俑是在小屯村北地C

---

① 《京1548》。
② 《前6·62·8》。
③ 《前7·24·1》。
④ 《人337》。
⑤ 《后下18·12》。
⑥ 陶俑件数不详。胡厚宣在《殷墟发掘》图录上说得陶俑二件;郭宝钧在《中国青铜器时代》中说,第358坑中出土三个囚俑;郑振铎《中国历史参考图谱》中载有男女陶俑图片共二人四图。这些陶俑现藏于台湾。

区 YH358 窖穴中挖掘出来的。这是殷墟发掘史上首次发现的陶俑,也是迄今为止最早的陶俑。它的发现,为我们了解殷代刑具梏提供了极其可贵而又可靠的第一手实物资料。从殷墟陶俑可以看出,女俑是双手戴梏于胸前,男俑则是双手戴梏在背后,无论在前在后,其形状恰似甲骨文⊛字从中剖开为两半的字形,然后将人的两手腕纳入其中,再用绳索紧绑两端即可。甲骨文中有幸字的辞例颇多,如:

(1)丁未卜,宁,贞幸①;

(2)贞皋幸②;

(3)贞伲弗其幸③;

(4)贞舟弗其幸④;

(5)乙卯卜,永,贞皋弗其幸子二月⑤;

(6)丁未卜,宁,贞幸⑥;

(7)癸巳卜,设,贞幸⑦;

(8)壬寅卜,古,贞幸⑧;

(9)弗其幸。三月⑨;

(10)贞弗其幸⑩。

以上辞例(1)意为,丁未日占卜,贞人宁问卦,问对某人戴上手镣

---

① 《合集5845》。
② 《合集5832》。
③ 《合集5835》。
④ 《合集5843》。
⑤ 《合集5834》。
⑥ 《合集5845》。
⑦ 《合集5846》。
⑧ 《合集5850》。
⑨ 《合集5874》。
⑩ 《合集5875》。

可以吗?

(2)贞问对皋戴上手镣可以吗?

(3)贞问对伲不戴手镣可以吗?

(4)贞问对舟不戴手镣可以吗?

(5)意为,乙卯日占卜,贞人永问卦,问对皋不加刑具桎可以吗?时间是在二月。

(6)、(7)、(8)是丁未、癸巳、壬寅三天,由贞人宁、敳、古分别占卜问卦,对某人加戴手镣可以吗?

(9)和(10)是卜问对某人不戴手铐可以吗?

(9)辞例占卜时间是在三月。

另外,甲骨文梏字𠦪,还可写作𢆶,当为𠦪之繁文,取"幸者,两手共一木"之义。𢆶两旁之两又即两手字。此类辞例甲骨中亦习见,如:

(1)贞勿令幸。三月①;

(2)贞勿幸②;

(3)□卯卜,敳,贞幸③;

(4)贞幸望④;

(5)贞勿幸黄⑤。

确定𢆶为𠦪之繁文,均为刑具梏字的不同写法,这就可以纠正史籍将幸作为桎、梏之外的另一种刑具之误。"幸者,两手共一木也",

---

① 《合集 5890》。
② 《合集 5892》。
③ 《合集 5896》。
④ 《合集 5907》。
⑤ 《合集 5909》。

实际上是指桎的使用方法,并非别一种刑具。既如此,那么,郑司农所说的"桎梏者,两手各一木"也即伪说。

桎。脚镣。甲骨文写作𣥂,隶定为𡴎,刑具桎之初字。从止从幸,取足上戴了刑具幸之义。𣥂或作𣥂,止,通趾。甲骨文中,止既表示趾,也可指代脚。《易·蒙》:"初六,发蒙,利用刑人,用说桎梏,以往吝"。《释文》:"在足曰桎"。《广雅》:"械谓之桎"。甲骨文中带桎辞例亦不少,如:

(1)壬午□,□,□桎①;

(2)贞遘不桎②;

(3)贞王占曰,遘勿桎③;

(4)不桎④;

(5)□占曰,勿桎⑤。

以上辞例(1)意为,壬午日占卜,贞人某问卦,问给某人戴上脚镣可以吗?

(2)意为卜问对遘不戴脚镣可以吗?遘,人名。

(3)意为,商王视察卜兆后说,不要给遘加戴刑具桎。

(4)、(5)卜问方式与(2)、(3)同。例(5)缺字当为"王"。

枷。甲骨文中还有一从幸的字形作𡴎,从幸从口。从幸,取两手共一木戴梏之义;从口者,胡厚宣说,像拲手刑具连有项枷之形⑥,朱

---

① 《合集 5926》。
② 《合集 5929》。
③ 《合集 5930》。
④ 《合集 5931 正》。
⑤ 《合集 5931 反》。
⑥ 胡厚宣:《甲骨文所见殷代奴隶的反压迫斗争》,《考古学报》,1976 年第 1 期。

芳圃释其为枷字①。小屯村 YH358 窖穴出土的男女陶俑,正好其颈项部位有一项枷之状,即其明证。可见殷代枷,不仅人之颈部要戴一圆形项枷,还要连有手铐梏,枷实为梏和项枷之合用。这是我国古代最早的枷。甲骨文中又有圉字,从口从睪。从囗(监狱)者,表示有罪者被戴上梏、枷受刑之后,又被投入牢狱之中。卜辞中,睪即幸字,圉睪同义,所以圉字亦即幸字。不加口,作梏讲,加口即为枷。带枷卜辞偶有所见:

(1)〔夕〕亞,己未仆龛乌壴自爻,圉□〔人〕②;

(2)癸亥卜,争,贞旬亡祸。〔六日〕戊辰龛乌幸自爻,睪六人。八月。③

(3)…来…奠不…④;

(4)贞奠睪…⑤;

(5)…睪⑥。

以上辞例(1)为验辞,大意为,己未这天傍晚,天气阴蔽有仆奴龛乌从爻地逃跑了,结果有几个戴上枷被抓回来了。仆,奴隶之一种。龛和爻均为地名。乌,奴隶之名。壴,从止从立,像人安立其位,被迫而逃走。圉,拳手刑具幸并连项枷,其后缺字当为"人"。圉人,是说有几个人被戴上手铐并连有项枷,意为这几个逃亡者被抓回来戴上梏和枷投入了监狱。拳即圉,囹圄即监狱。

(2)意为,癸亥日占卜,贞人争问卦,问这十天之内没有什么灾祸

---

① 朱芳圃:《殷周文字释丛》下卷,第 156 页,1962 年。
② 《后下 41·1》。
③ 《前 3·13·3 十契 124 正》。
④ 《合集 5936》。
⑤ 《合集 5937》。
⑥ 《合集 5938》。

吧！到第六天戊辰日,有笔地方的刍奴从爻这个地方逃跑了,经追捕,六个人被抓获戴上桎梏囚禁了起来。占卜时间是在八月。辇,从止从幸,意为戴有梏的罪奴脱逃了。

(3)、(4)、(5)三例残缺严重,无法成句,其中睪即戴梏并连枷之形。

二、甲骨文中的拘捕

甲骨文执字作 ①、②、③、④、⑤、⑥、⑦、⑧ 等形。从幸从丮。

幸即幸为梏;丮或作 、 ,像两手加梏之象形。 后或作 像系索状,会以绳索系人项部之义;或作 像以手抓持罪人之形。左旁之 字,于省吾认为,像笼首之形⑨。最后两字 和 前执字之省体。执字,本作埶,后世楷书写作埶,整个字形,会捕执之义,做动词用,可引申为拘捕捉拿罪犯。《说文》:"埶,捕罪人也"。此类卜辞颇多,如:

(1)己未卜,殻,贞乎执⑩;

---

① 《合集 5967》。
② 《合集 5968》。
③ 《合集 5969》。
④ 《存 2·917》。
⑤ 《前 6·29·5》。
⑥ 《合集 5940》。
⑦ 《合集 5971》。
⑧ 《合集 5970》。
⑨ 于省吾:《甲骨文字释林·释埶》。
⑩ 《合集 5966》。

(2)丙辰□,□,勿执①;

(3)辛巳卜,…王勿执②;

(4)壬辰卜,贞执于圉③;

(5)己亥卜,夬,令弗其执亘④。

以上辞例(1)意为己未日占卜,贞人旻问卦,问将某人拘捕起来可以吗?

(2)意为丙辰日占卜,某贞人问卦,问不拘捕某某可以吗?前一缺字当为"卜",后一缺字为贞人名。

(3)意为辛巳日占卜,卜问商王不拘捕某人可以吗?

(4)意为,壬辰日占卜,卜问将某人拘捕起来并送入监狱可以吗?圉即图圄,监狱。

(5)意为己亥日占卜,贞人夬问卦,卜问不拘捕亘可以吗?

除执之外,甲骨文中反映拘捕追拿罪犯、逃犯和羌奴的字及辞例极多,仅甲骨文字而言,就有系、反、曳、追、获、躐、得、幸、取等10个左右,兹分述于后。

系。甲骨文作 、 、 等形,于省吾释系,像用绳索缚系人颈之状⑤。甲骨文中,羌字也作 或 ,似羌人颈部被缚。甲骨文中,系字做名词,也可做动词,做动词用时,有缚系之义,引申为拘捕。如:

(1)□十羌系□⑥;

---

① 《合集 5970》。
② 《合集 5971》。
③ 《合集 5973》。
④ 《乙 4963》。
⑤ 于省吾:《甲骨文字释林·释系》。
⑥ 《续 2·18·7》。

(2)弓系①。

𠬝。甲骨文作㓒②、㓓③、㓔④等形,从又(手)从卩,像用手压抓跪伏者,会捉拿、俘获之义,当为俘或服字之初文。在卜辞中,𠬝、执二字常常连用,足以说明𠬝和执一样有拘捕之义。带𠬝辞例多见,如:

(1)用执用𠬝⑤;

(2)戊戌卜,㓕追及𠬝⑥;

(3)弗及𠬝,于来庚子幸⑦;

(4)不及𠬝⑧。

以上辞例(1)意为卜问对某某人施行拘捕行吗? 用,施行、使用的意思。

(2)意为,戊戌日占卜,让㓕去追捕某某人能抓住吗?㓕,人名。

(3)意为卜问捕捉某某人现在捕不到,到过些天的庚子那一天能抓获吗? 来,未来。庚子,时间。幸,刑具,此处作捕获讲。

(4)意为卜问捕捉不到吗?

曳。甲骨文作㓕,商金文作㓕⑨,像两手抓住人之头部而曳之。于省吾释此字为曳⑩,意为逮捕罪犯。

---

① 《南北明 310》。
② 《乙 8705》。
③ 《乙 6732》。
④ 《粹 720》。
⑤ 《存 2·268》。
⑥ 《佚 637》。
⑦ 《续补 7732》。
⑧ 《龟 1·24·4》。
⑨ 商器《尹曳鼎》。
⑩ 于省吾:《甲骨文字释林·释曳》。

追。甲骨文作 🕉①或 🕉②，从止从自，追字。《说文》："追，逐"，追捕的意思。

(1) 令🕉追方③；

(2) 𠂤追羌④；

(3) 今日𠂤追羌⑤；

(4) 今日𠂤勿往追羌⑥；

(5) 癸未卜，宾，贞虫𠂤往追羌⑦；

(6) 贞呼追羌及⑧。

以上辞例(1)为责令🕉追捕方人的卜问。🕉，人名。(2)、(3)、(4)三辞为卜问𠂤于今天去不去追捕羌奴。𠂤，人名。(5)意为癸未卜，贞人宾问卦，问由𠂤去追捕羌奴行吗？(6)意为殷王呼唤去追捕羌奴，贞问能追捕得到吗。及，到的意思。

获。甲骨文作 犾，只字，借为获。卜辞中是捕获的意思。

(1) 蹱获羌⑨；

(2) □丑卜，宾，贞蹱获羌。九月⑩；

(3) 贞蹱不其获羌⑪。

---

① 《南南 295》。
② 《合 302》。
③ 《人 3224》。
④ 《珠 423》。
⑤ 《续补 5699》。
⑥ 《南师 2·95》。
⑦ 《前 5827·1》。
⑧ 《续补 6180》。
⑨ 《乙 8186》。
⑩ 《乙 8422》。
⑪ 《乙 2728》。

以上辞例(1)意为贞问羌奴能够追逐捕获得到吗？躓,《说文》："追也"。

(2)意为,囗丑日占卜,贞人宾问卦,问能捕获到羌奴吗？时间是在九月。

(3)意为,贞问不能追捕到羌奴吗？

此类卜辞的验辞亦偶有所见。如《虚473》有一辞例是："〔追〕弗其幸。允弗及"。意思是说,贞问某某人不能追捕到吗？果然没有追捕得到。"允弗及"是验辞,意思是果然没有捕获。

得。甲骨文作❏① 或 ❏②,从又从贝,会有所得之义。《说文》："得,行有所得也"。《玉篇》："得。获也。"甲骨卜辞中常作捕获讲。如：

(1)戊辰卜,贞弗其得羌③；

(2)得三羌④；

(3)得四羌,在秉。十二月⑤。

以上辞例(1)意为戊辰日占卜,贞问不能捕获到羌奴吗？

(2)意为卜问捕得到了三个羌奴。

(3)意为卜问在秉地捕获四个羌奴。时间是在十二月。秉,地名。

取。甲骨文作❏⑥、❏⑦、❏⑧ 等形。从耳从又,像以手持耳之

---

① 《京2259》。
② 《佚317》。
③ 《续5·21·1》。
④ 《续补2657》。
⑤ 《珠465》。
⑥ 《前1·9·7》。
⑦ 《前5·42·3》。
⑧ 《京692》。

形。《说文》:"取,捕取也"。《周礼》:"获者取左耳",断耳职刑。金文作取①。卜辞中常作捕获用。如:

(1)庚申卜,呼取犰刍②;
(2)庚午卜,宾,贞𢦔氏𨞠刍③;
(3)勿呼取犰刍④;
(4)𢦔弗其氏𨞠刍⑤。

以上辞例(1)意为庚申日占卜,贞问呼唤人去捕取犰地的刍奴行吗?犰,地名。

(2)意为庚午日占卜,贞人宾问卦,问让𢦔送回从𨞠地捕获的刍奴可以吗?𢦔,人名。𨞠,地名。氏,送、还的意思。

(3)意为不要叫人到犰地去取捕刍奴吗?

(4)意为卜问不让𢦔到𨞠地去送捕到的刍奴吗?

三、甲骨文中的监狱

据古文献记载,我国的监狱,始设于虞舜时代。西汉史游《急就章》说:"皋陶造狱法律存"。《广韵》三烛:"狱,皋陶所造"。彭注:"皋陶作狱,其制为圜,象斗,墙曰圜墙,扉曰圜扉,名曰圜土"。可见,皋陶所造之狱,名叫圜土,即后世的圆形土牢。《今本竹书纪年》也说:"夏帝芬三十六年作圜土"。说明从虞舜直至帝芬时期的狱都叫圜土。到夏桀时,夏代监狱又称作夏台。《史记·夏本纪》说:"桀召汤而

---

① 《毛公鼎》。
② 《甲 3022》。
③ 《乙 2260》。
④ 《甲 3107》。
⑤ 《乙 8150》。

囚之夏台"。《今本竹书纪年》也说:"桀二十二年商侯履来朝,命囚履于夏台"。其实,夏台本是供夏桀观赏游乐的地方,只是到了后来才变成了监狱。《风俗通义》说:"夏台,言不害人,若游观之台,桀拘汤是也"。

夏代监狱还有均台之说。《史记·夏本纪》夏台《索隐》注说:"狱名"。但又说:"夏有均台",似均台又是狱名了。而历史事实是,均台为夏启大会诸侯之地。《左传·昭公四年》:"夏台有钧台之享"注:"河南阳翟县南有钧台陂,盖启享诸侯于此"。《今本竹书纪年》也说:"启元年,大享诸侯于钧台"。古文均、钧二字相通,可见,均台即钧台并非夏代狱名。

殷代监狱叫羑里,其地在今河南汤阴县北,当即商朝中央直辖监狱所在地。《史记·殷本纪》:"纣囚西伯羑里";《今本竹书纪年》:"纣二十三年囚西伯于羑里";《风俗通义》:"殷曰羑里,……纣拘文王是也"。

殷代监狱也称圜土。《墨子·尚贤下》:"昔者傅说,居北海之州,圜土之上,衣褐戴索,庸筑于傅险之城"。就是说,傅说曾是一个身穿粗衣,身系绳索的奴隶,白天进行版筑劳动,晚间就被囚禁止在圜土牢里。傅说是名奴隶,在殷代,奴隶们是用绳索串联起来劳动的。武丁继位后,傅说才被举为相,为商王朝中后期的复兴起了重大作用。由此可知,圜土,在古文献中,可以说是夏商二代监狱的通称。而夏台和羑里,从词义本身看,与监狱无关,不应视为狱之名称;但从"桀召汤而囚之夏台"和"纣囚西伯羑里"句式分析,又与监狱有关。甲骨文中,凡圉字之前往往要冠以地名,如"冰圉"、"辜圉",意为冰地的监狱,辜地的监狱。由此推论,夏台、羑里应是地名或某建筑物名称,"纣囚西伯羑里",指殷纣王把西伯侯囚禁在羑里的监狱了。

在古文献中,夏商时代甚至更早的传说时代,不仅设置监狱,还设有各类不同的监狱官吏。《汉书·胡健传》"李法"师古注:"李者,法官之号也"。说明早在黄帝时代已有设置法官的传说。虞舜时代又有皋陶作士的记载。《尚书·尧典》:"帝曰:'皋陶,蛮夷猾夏,寇贼奸宄,汝作士,五刑有服'"。意思是,舜说:"皋陶啊!外族常来侵扰我们,他们在我们境内到处为非作歹,抢城财产,现在任命你担任法官士,运用五刑去处罚他们。"《史记·夏本纪》也说"皋陶作士以理民"。士,据《尚书大传》是"理官也"。理官即李,法官之称。商代的法官叫司寇。《礼记·曲礼》"司寇"郑康成注:"殷时制"。

以上是文献记载中的夏商监狱和狱吏名称,这些称谓的可靠程度如何?目前尚无地下一手资料佐证,很难定论。但是,甲骨卜辞中确有不少有关殷代监狱设置及其职能运行的记载,这些记载使我们对殷代晚期的狱政制度有了较明确的了解。

甲骨文中有囚字,但其与监狱无关。甲骨文囚字写作丮、丮、囟或丮、丮、㐀或㐀、丮、丮 等字形。此字形商承祚释为囚字,谓:"《说文解字》:'囚,系也,从人在井中'。卜辞之井、囗,皆像囚阑之形,而纳人于中"①。郭沫若亦释为囚②。商郭均以《说文》为据,将此字形释为将人投入囗形土牢之中的囚字,取囚禁之义。土牢,就是监狱。丁山首次将此字形释为死字。他说:"死,本作丮,像人在棺椁之中。旧释囚,非也"③。胡厚宣作《释丮》一文,引用大量卜辞辞例,在丁山释死基础上,对此字形做了卓有见地的考释。他说:"丮字所从之井,固不必为井,而所从之亻,当为卧于棺椁之死人也。……丮字作丮,

---

① 商承祚:《殷虚文字类编》卷六。
② 郭沫若:《卜辞通纂考释》。
③ 丁山:《释丮》,刊中央研究院史语所集刊。

像人死后卧于棺椁之形,周围加丷者,像土所以埋之;作茻,则像人死葬埋,封而树之。倘释为囚,则土与树者,将何以说之"①。丁、胡之说可从。

甲骨文中还有牢字,而牢字也与监狱无关。甲骨文牢字作囵②、囹③等,意为经专门饲养用作祭祀的牛羊,并非监禁人犯的土牢。

甲骨文中表示监狱的字作圉④、圉⑤、囧⑥、圉⑦等形。圉隶定为圉,释作圉,已为学界所公认。《说文》:"圉,囹圄,所以拘人"。圉,从幸从口(囗),幸,牵手刑具梏;囗,土牢,整个字形,会囚禁罪人于土牢中。圉是圉字的异体,齐文心释作像戴手梏的女奴隶作跽形被囚禁在监狱里的象形⑧。圉也是圉字的异体,其所从之囧,可释为刑具枷。整个字形像刑具放置于牢狱之中,以示监狱之森严。

从甲骨文圉字字形及其异体来看,殷代不仅有狱,而且有男监女监之别,凡被囚人犯,还要按其罪行之轻重,戴上不同刑具梏或枷。甲骨文圉字,《说文》解释成"囹圄",说明殷代监狱也可称囹圄,这点《说文》与其它典籍有牴牾。《风俗通义》:"夏曰夏台,殷曰羑里,周曰囹圄"。又蔡邕《独断》:"周曰令圉"。《玉篇》也说:"殷曰羑里,周曰囹圄"。可见《说文》之说不足为信。从甲骨文圉字之形分析,其所从之囗,恰似有些史书所说的狱城土牢——圜土。《周礼·秋官·司圜》

---

① 胡厚宣:《甲骨学商史论丛》集初四。
② 《甲 2698》。
③ 《合集 20700》。
④ 《前 6·53·1》。
⑤ 《乙 7142》。
⑥ 《前 6·1·8》。
⑦ 《合集 5974》。
⑧ 齐文心:《殷代的奴隶监狱和奴隶暴动》,《中国史研究》,1979 年第 1 期。

注引郑司农说:"圜,谓圜土也;圜土,谓狱城也"。又《初学记·狱第十一》:"为狱圆者象斗运合"宋均注:"作狱圆者象斗运也"。可见,圜土是用土筑起围墙以关押罪犯的土牢,古人将其称之狱城。圈字所从之囗正像以土筑起的所谓狱之"城墙",其形状可为圆形,也可成方形。

甲骨卜辞中表示监狱的辞条习见,如:

(1)丁寅卜,㱿,贞囷。①

(2)贞勿囷。②

(3)壬辰卜,執于囷。③

(4)入囷。④

以上(1)大意为:丁寅曰占卜,贞人㱿问卦,问将某人加械入狱行吗?(2)大意为:问对某人不予监禁可以吗?(3)壬辰曰占卜,问将某人拘捕入狱行吗?(4)投入监狱。

殷代晚期,商王室东到山东,西至陕北广修监狱,草菅人命,仅齐文心在《殷代的奴隶监狱和奴隶暴动》一文中就考释出东对、㽙、冰、爻、昌、戈、痒、旁方和蔿等9处有据可查的监狱,真可谓圜土成林了。

㽙狱。㽙地之监狱。此狱卜辞中习见,如:

(1)王日丁未,在㽙囷羌⑤;

(2)呼师般取葬自㽙⑥;

---

① 《合集 5977》。
② 《合集 5978》。
③ 《前 4·4·1》。
④ 《乙 9057》。
⑤ 《前 7·19·2》。
⑥ 《续存上 186》。

(3)呼取㚔圉①。

以上辞例(1)当是癸卯日占卜之后五天丁未日的验辞。㚔,地名,今河南沁水以西②。㚔圉,当指㚔地的监狱。整句意为,癸卯日占卜之后的第五天丁未日,果然抓回了逃跑的羌奴并囚禁在㚔地监狱中。(2)意为呼唤师般抓获从㚔地监狱里逃跑的罪囚。呼,呼唤。师般,人名。取,获。㚔和下辞例中的㚔,同(1)中之㚔圉,即㚔地监狱。(3)意为,呼唤某人捕获从㚔地监狱逃跑的罪囚。

冰狱。冰地之监狱。此狱卜辞中偶有所见,如:

"甲戌〔卜〕,贞　自冰 圉得。〔贞〕不其得"③。

㚔与㚔义同,逃亡的意思。冰,地名;冰圉,冰地监狱。得,《玉篇》:"获也"。"得。不其得",甲骨卜辞之固定句式,是从正反两面对贞,卜问是能还是不能抓到逃亡者。整句意为,甲戌日占卜,卜问有罪囚从冰地监狱逃跑,能抓得到吗?又问抓不到吗?

爻狱。爻地之监狱。此狱卜辞中多见,如:

(1)〔六〕〔日〕〔戊〕〔午〕〔夕〕,己未仆爯㚔自爻圉□〔人〕④;

(2)癸亥卜,争,贞旬亡祸。〔六〕〔日〕戊辰爯㚔自爻圉六人。八月⑤;

以上辞例(1)为癸丑日卜旬之辞的验辞。意为第六日戊午傍晚,

---

① 《虚 2305》。
② 李学勤:《殷代地理简论》,科学出版社,1959 年。
③ 《库 267 十库 276》。
④ 《后下 41·1》。
⑤ 《前 3·13·3》。

天气阴蔽,己未日,有仆奴和龟刍,从爻地监狱里逃跑了几个人。亚,天气阴蔽。仆,奴隶之一种,龟、爻,地名,可能在今山东滕县境内。1958年在滕县发现过带"爻"字徽铭的铜器。爻圉,爻地监狱。(2)意为癸亥日占卜,贞人争问卦,问在十天之内不会有灾祸吗?到第六天戊辰,有龟地的刍奴从爻地监狱里逃跑了。占卜时间是在八月。〔六〕〔日〕之后当为验辞,故其前应补"王占曰:有祟"句。

昌狱。昌地监狱。辞例偶见,如:

"癸卯卜,㱿,贞旬亡祸。王占曰:有祟,其有来艰。五日丁未,允有来艰,㞢邦□辛自昌圉,六人"①。

艰,唐兰先生释,艰难的意思。来艰,往往表示有敌来犯。昌,地名。圉,昌地设置的监狱。㞢,不识。卜辞意为,癸卯日占卜,贞人㱿问卦,问十日之内有灾祸吗?时王看了兆后说,有灾祸,有敌人来犯。到了第五日丁未,果然有敌人来侵犯,另有六个囚犯从昌地监狱里逃跑了。

㳄狱。㳄地监狱。

(1)癸卯卜,永,贞旬亡祸;

(2)〔癸〕〔丑〕〔卜〕,永,〔贞〕旬亡〔祸〕;

(3)〔王〕〔占〕〔曰〕:〔有〕〔祟〕。…乙卯有酘…,虎。庚申亦有酘,有鸣雉,㳄圉羌戎②。

以上(1)、(2)为癸卯、癸丑日的两次卜辞,(3)为癸丑日卜旬之辞的验辞。(1)意为癸卯日占卜,贞人永问卦,问十天之内有灾祸吗?(2)为癸丑日占卜,卜问内容同前。(3)意为殷王亲自审视了卜

---

① 《菁2》。

② 《合36正、反》。

兆后说:有祸祟!……第三天乙卯将有不祥之兆……情况异常。第八日庚申又有祸,有雉乱鸣,预示着灾祸即将来临。果然泂地监狱爆发了羌奴暴动。圉,名词,作监狱讲。泂,地名。泂圉,泂地的监狱。甲骨文有𢦏字形,孙诒让释或①,罗振玉释戈②,非。丁山、胡厚宣释戎③,可从。齐文心在《殷代的奴隶监狱和奴隶暴动》一文中还认为,戎字在卜辞中有"族名"、"来犯"和"暴动"三种用法,此辞之"羌戎",是指羌囚暴动。该辞例在"泂圉羌戎"四字前,所列"有殴"、"虤"、"亦有殴"和"有鸣雉"四组灾害辞,将商王在羌囚暴动前的恐惧心情,描写得活灵活现。

泂地设置监狱的辞例随处可见,如:

(1)癸卯卜,殻,贞〔旬〕〔亡〕〔祸〕。王占曰:有祟。〔甲〕〔辰〕〔大〕撇风,之夕乇,〔乙〕〔巳〕〔泂〕〔𦥑〕羌五〔人〕,〔五〕〔月〕〔在〕〔𡨄〕④;

(2)〔癸〕〔卯〕〔卜〕,□〔贞〕〔旬〕〔亡〕〔祸〕。〔甲〕〔辰〕大撇风,〔之〕〔夕〕乇,乙巳泂𦥑,〔羌〕〔五〕人,五月在𡨄⑤;

(3)癸卯卜,争,贞旬亡祸。甲辰大撇风,之夕乇,乙巳〔泂〕〔羌〕五人,五月在〔𡨄〕⑥。

以上三辞是殻,□和争三个贞人于癸卯日同一时间就十天之内有天灾祸同一事件占卜的卜辞,其验辞也一样:甲辰日有大风暴,当

---

① 孙诒让:《契文举例》下卷。
② 见商承祚:《殷虚文字类编》。
③ 丁山:《甲骨文所见氏族及其制度》,科学出版社,1956年;胡厚宣:《甲骨文所见殷代奴隶的反压迫斗争》,《考古学报》,1976年第1期。
④ 《佚386》。
⑤ 《续5·32·1》。
⑥ 《菁3》。

晚天气阴蔽,第二天乙巳日,沰地监狱果然有五个羌囚逃亡。撤,读为骤;大撤风,犹大暴风。翌,形容天气阴蔽。沰、耄均为地名。这三条卜辞都是五月在耄地占卜沰地发生羌奴逃跑事件,而沰地早有囚禁羌囚的监狱,说明这些逃亡的羌人必是沰狱的在押羌囚。这三条卜辞说明,沰地设置监狱无疑。而耄地地处西北边陲,与羌族紧紧相连,耄地是羌人向殷王贡献羌奴的必经要塞,可知沰狱定是大批羌囚的在押地和输向殷王室的集散地,其规模不会太小。

戈狱。戈地监狱。戈狱卜辞仅见一例:

"…王占曰:有祟。八日庚子,戈䇞羌□人,攺有圉二人"①。

这是癸巳日卜旬之辞的占辞和验辞,癸巳日卜辞已残。戈,地名。䇞与奔同,意为逃亡。有,语助词,无义。攺,甲骨文中的酷刑,剖腹刳肠刑罚,圉,名词,指被囚禁的羌奴。该辞例意为殷王视察了卜兆后说,有祸祟。第八天庚子,从戈地监狱逃跑了羌囚若干人,被抓回的两人被处以剖腹刳肠的酷刑。

殷代刑律,对越狱逃亡囚犯的处罚是十分残重的,兹举例如下:

(1)□□卜,争,〔贞〕刖壴不〔死〕②;

(2)丁酉卜,㱿,兄执仆戕③;

(3)䇞自□。〔王〕占曰,其有来〔艰〕,□圉羌重④;

(4)贞不夌壴⑤;

(5)贞执用于祖□⑥。

---

① 《簠地 33 十簠杂 60》。
② 《前 6·20·1》。
③ 《前 6·29·5》。
④ 《续补 2272》。
⑤ 《乙 1715》。
⑥ 《续存下 161》。

以上辞例(1)意为某某日占卜,贞人争问卦,问将抓回的囚徒处以刖刑,不会致其死亡吧!

(2)意为丁酉日占卜,贞人㕥问卦,问兄抓住了逃亡的囚仆,是否把他杀掉?

(3)意为有囚徒从某地逃走了,便贞问于占卜。殷王视察卜兆后说,占卜结果不好,恐怕要有什么灾难吧。后来果然有囚徒逃跑了。抓住后,先拘捕,再杀掉。甼,胡厚宣释戎。《说文》:"戎,兵也"。用为动词,则为伐,杀的意思。

(4)例中之夨字从矢,用作动词,射的意思。㞢,用作动词,义为逃;用为名词,即逃亡罪囚。夨㞢,即用箭射死逃亡囚犯。

(5)意为卜问将拘捕抓回的逃亡囚犯,用作人牲祭祀祖先神灵可以吗?执,拘捕逃犯。

旁方监狱。旁方地方设监狱的卜辞亦见一例:

"庚午卜,旁方其圂乍戎"。①

旁方,国名。其,代名词。乍戎,即作乱。卜辞大意为,庚午日占卜,问旁方监狱的在押囚犯是否发生了暴动?

此外,监狱所在地名残缺的卜辞也偶有所见,如:

(1)…辈自…〔王〕占曰:其有来敉…□圂羌戎②;

(2)…卜,㱿,贞旬亡祸。…㱿,贞旬亡祸。〔正〕〔王〕〔占〕〔曰〕:〔有〕〔祟〕……□〔圂〕羌戎,改圂一人。(反)③。

以上辞例(1)从命辞尚存"辈自"二字推论,定是卜问有囚徒从某地逃亡之事。占辞说有敌人入侵。验辞"□圂羌戎"是说某地监狱发

---

① 《文录 631》。
② 山东博物馆藏。
③ 北京大学藏。

生了羌囚暴动。□,从类似卜辞推论,当是地名。□圉,即某地监狱。(2)例中亦有"□圉"二字,与(1)例同,指某地监狱。卜辞大意是,某某日占卜,贞人㱿问卦,问近十天有灾祸吗?贞人㱿再次问卦,十天内有灾祸吗?殷王视察卜兆后说,有灾祸。果然某地监狱发生了羌囚暴乱,其中一人被处以㱿刑。此卜辞有两个圉字,前指监狱,后指羌囚,都是名词。

综上所述,甲骨文所反映的殷代刑罚,既有墨、劓、刖、宫、大辟法定常刑,又有职刑通常用于军事处罚,敦刑和耻辱刑适用于轻罪犯者。至于甲骨文中的酷刑,名目繁多,残酷至极,目不忍睹,和司马迁《史记·殷本纪》所载纣王酷刑相比较,实有过而无不及。甲骨文中的监狱,大都以地名命名,不仅旧狱遍及各地,而且广修新狱,东至山东,西到与周边各族相接的关中、陕北,以及中原殷都附近广大地区,随处可见。监狱在押囚犯,倘有越狱,或暴乱行为,一旦抓获,即以严刑处死。狱中囚犯,统统要戴上刑具梏或柙,进行人身摧残。

从甲骨卜辞考察,殷代刑罚,确乎残酷,监狱制度,亦很黑暗,但是,我们不能因此而断定整个殷代的刑罚和监狱都是如此。殷墟出土的甲骨文,大都是武丁以后的占卜记录,武丁之前的卜辞,寥寥可数。殷代自祖甲之后,开始走向衰败,尤其是最末两代国王帝乙和帝辛(即纣王)时期更是政治昏暗,酷刑泛滥,天怒人怨。《史记·殷本纪》说:"纣好酒淫乐,嬖于妇人。……大聚乐戏于沙丘,以酒为池,县肉为林,使男女倮相逐其间,为长夜之饮"。加之又行"重刑辟,有炮烙之法","醢九侯","脯鄂侯","剖比干,观其心",阶级矛盾空前尖锐,奴隶逃亡,狱囚暴动,时有发生。因此,这些处于火山之巅的末代帝王,在走投无路的情况下,孤注一掷,借严刑苛法,以延缓其摇摇欲坠的统治,是无计可施情况下之一计了。因此,在研究殷代刑罚史、监狱史时,切切不可把甲骨文和古文献所反映的殷代晚期,尤其是帝乙、帝辛时的严刑苛法,说成是整个殷代的刑罚、监狱制度。在商代,从商汤开始至祖甲"重作《汤刑》",作为国家大法的《汤刑》之实施,基本上是平稳的,其间太甲"不遵汤法,乱德",也不过三年时间。甲骨文所反映的酷刑,和广设监狱的不正常现象,大都是祖甲"重作《汤刑》",刑罚加重之后的产物。商代有550年以上的历史,祖甲至帝辛也不过140多年,在商殷历史长河中仅占四分之一时间。这一时间所行之酷刑,不可能反映商代刑罚的全貌。就监狱而言,被监禁者也不全是老百姓,商的属国首领周文王和商纣王的大臣箕子也都先后被囚禁过。

第三章　夏商的民事法律关系

第一节　夏代的民事法律关系

一、夏人的身分法

罗马法学家将私法的研究即将与私人利益有关的法的研究划分为三部分,即人法、物法、诉讼法,而其中,人法是居于第一等的地位。他们说:"所有我们适用的法,或是涉及到人,或是涉及到物,或是涉及到诉讼。首先应当审视的是人法的意义。"① 这是因为人法要确定人的人格状态,即确定人是否可以在法律上享有权利以及其权利能力的大小。

在有阶级社会产生以后,人的人格状态,是由其"身分"所决定的。梅因说:"把'身分'这个名词用来仅仅表示这一些人格状态。"② 而人格一词就等同于权利能力。③ 权利能力的大、小,减等与否均与

---

① 盖尤斯:《法学阶梯》I.8,中国政法大学出版社,1996年版。
② [英]梅因:《古代法》,商务印书馆,1959年版,第97页。
③ 俄语"人格"一词为 правоспособности,是由权利 право 同能力 способности 二词组合而成。又查士丁尼《法学阶梯》也将权利能力减等译为身分减等,说明"人格"、"权利能力"和"身分"为同一词。

人的身分的变异,地位有关。故而,在阶级社会,人法,首先表现为人的身分法。只有随着社会的逐渐进步,身分差异的逐渐被消灭,人的民事法律地位才逐渐走向平等。所以梅因说:"'身分'这个字可以有效地用来制定一个公式以表示进步的规律。"①

夏是我国历史上有文献记载的第一个阶级社会,并开创了中国奴隶制社会家天下之先河,即专制君权之始。夏人的身分法也决定了夏人的民事权利能力。这一点从史籍记载以及地下考古发掘均已有证。

据《史记·夏本纪》记载禹以其浚疏河海,排除水患,使民有食,且以德政及法律治天下。死后其子启承位,开启了夏王朝;开始了中国第一个家天下奴隶制国家。夏经十三世、十六王而亡,即启、太康、中康、相、少康、予、槐、芒、泄、不降、扃、孔甲、皋、发、履癸(夏桀)。夏王朝大致在公元前21世纪末至公元前17世纪晚期共400多年的历史。《纪年》曰:"有王与无王,用岁四百七十一年"。

从考古发掘也证实了夏王朝的存在及其活动区域。《逸周书·度邑》载:"自雒汭延于伊汭,居易无固,其有夏之居。"说明夏王朝的中心辖区应当在中岳嵩山和伊水、洛水、颍水、汝水四水流域的豫西地区,并在其间不断来回迁徙。《左传·定公四年》记载西周初成王封唐叔于晋,"封于夏虚,启以夏政",那么,晋南一带也应是夏的重要统治区域。以考古学发现而佐证史籍,在豫西有二里头类型发掘,在晋南有东下冯类型的二里头文化。豫西河南偃师二里头考古遗址已发现80多处,主要分布在黄河中游南面的伊水,洛水间的洛阳平原及汝水、颍水上游的河谷地带。在晋南夏县东下冯发掘的夏代遗址已有

---

① [英]梅因:《古代法》,商务印书馆,1959年版,第97页。

约 50 处，分布在汾河下游的涑水、浍水二水一带的河谷盆地，遗址相对年代为公元前 19—前 16 世纪，约 300 余年。

从史籍和考古得知，夏代是以大农业经济为基础的奴隶制社会，而农业的发展集中于黄河中下游的大河支流的两岸阶地或阳坡地，取光好、土壤疏松肥沃，利于农耕，靠近水源，便于生活。这样的大农业生产，水利兴修、防止洪水，便为第一等大事，并且必得一个强有力的中央政府统一领导和管理治理水利之事。集权的中央专制政府便必然产生。正如马克思在《英国在印度的统治》一文中所阐明的古代东方国家国民经济的特点一样："气候和土壤条件，特别是广阔的沙漠地带，由撒哈拉经阿拉伯、波斯、印度及蒙古绵延到亚洲高原，——这些情形曾使利用水道及水利工程来实现人工灌溉的办法成为东方农业的基础。在埃及和印度利用河水泛滥来灌溉田地，在美索不达米亚、波斯及其他国家也是一样，利用河水高涨来灌满人工水道，人们需要节省水分和共同使用水源，这种初步的需要……便绝对要求政府集中力量出来办理此事。由此便产生一切亚洲政府所不得不担任的经济职务，即组织公共事业的职务。"① 中国古代恰恰没有脱出东方农业经济的模式，反而表现得极为典型。《孟子·滕文公下》说：

> "当尧之时，水逆行，泛滥于中国，蛇龙居之，居无所定，下者为巢，上者为营窟。《书》曰：洚水警余。洚水者，洪水也。使禹治之。禹掘地而注入海，驱蛇龙而放之菹，水由地中行，江、淮、河、汉是也，险阻既远，鸟兽之害人者消，然后人得平土而居之。"

一幅多么生动宏伟的兴修水利、战胜洪水图，唯有这样大规模的

---

① 《马克思恩格斯全集》第 9 卷。

统一修治水利才能导致人民得到"平土而居之"的农业定居生活。而要将洪水一直从江、淮、河、汉疏导入海，则非强有力的中央政府不能完成，所以第一位赫赫有名的治水功臣，处于原始社会末期与阶级社会门槛上的禹也就开始建立了第一个专制中央政府。这个专制政府为了利于治理国家，必须树立中央王或帝的最高的也是统一的统治地位。《夏书》云："众非元后何戴，后非众无与守邦。"[①] 便证明了这点，全体社会成员必须拥戴一个中心，一个最高元首"元后"。其实，"元"的本意就是"第一"的意思。而"元后"就是领导社会人众的，无社会人众也就无国，无"邦"。

这样的国家其雏形及其后持续发展的东方国家主要的任务，一是发展农业生产，二是收敛财政，三是对外征战与臣服他国或扩大自己的疆域。正如马克思在《英国在印度的统治》一文中所指出的："亚洲自从有史以来只存在过三个管理部门：财政司，或称抢掠本国人民的机关；军务司，或称抢掠邻国人民的机关；最后，就是公务司。"[②] 这个公务司就是主管指导农业生产、人工灌溉和祭祀大事的，它是东方奴隶制国家的重要国家机构，也是夏王朝的主要政府机构。

夏代是我国第一个阶级社会，社会人员的构成主要分为三种：奴隶主贵族统治阶级；广大的平民；奴隶。

从夏禹作部落联盟之领导、建立都城，领导人民从事农耕生产开始，终夏一代，国都迁徙频繁，几乎每王一徙，后期数代或一徙，所徙范围大抵在华山以东，至豫东平原的横长地带。其间相和少康因为外族羿的部族所逼曾一度远徙山东，但相子少康最后还是设法徙回

---

① 《国语·周语上》引。
② 《马克思恩格斯全集》第9卷。

豫西故地。夏代各王的迁都基本都是在以偃师为中心的范围内移动,文献称偃师为"有夏之居",是夏文化的发祥地。偃师二里头遗址前后延续约400年,其地下发掘和史籍佐证,可以反映夏代阶级社会的状况。

《管子·轻重戊》载:"夏人之王……民乃知城郭门宫室屋之筑,而天下化之",说明夏开始筑城郭,设民之居室。这居室本身就有等级身分区别,普通平民的住室称为"室",而统治阶级的住室包括办公处所则称为"宫"。《吕氏春秋·音初》记载:"孔甲迷惑,入于民室"。这是记载帝孔甲时因政治衰败,诸侯背叛,孔甲逃入民居之事。《史记·夏本纪》说:"帝孔甲立,好方鬼神,事淫乱。夏后氏德衰,诸侯畔之"。以"民室"称谓,可知平民之居所称为"室"。而统治阶级居所称为"宫"。《世本·作篇》云:"禹作宫室"。《论语·泰伯》说:"(禹)卑宫室而尽力乎沟洫"。《越绝书》载:"禹穴之时,……治为宫室"。《竹书纪年》则云:"夏桀作倾宫瑶台"。宫是统治阶级享宴、祭祀、治事、居住之所。甲骨文有"我宫"、"天邑商王宫",金文有"王在周康宫"等。可见"宫"从此作为统治阶级与平民居所贵贱有别的划分标志。甲骨文宫字构形为 𠂉、𠁈、𠃠 等,已明显显现其建筑的群体结构形式。宫和室的对立,表现夏代统治阶级贵族与平民乃至奴隶的阶级分化和地位不平等。

河南二里头夏代晚期都邑遗址的发掘,从建筑遗址上大致也可反映出当时社会的阶级状况。遗址遗迹中的房屋建筑大体可分为三等级。

最低等的居室是小型半地穴式或地面或长方形居室。如下图1980年发掘的 YLVLFI 是半地穴或单间住宅,门道朝南,穴深0.94米,东西长2.9米,南北宽2.15米,面积总共6.23平方米,屋内东北角有灶坑,中央有一个圆柱洞,可以看出是一座很简陋的窝棚建筑。其平、剖面图如下。①

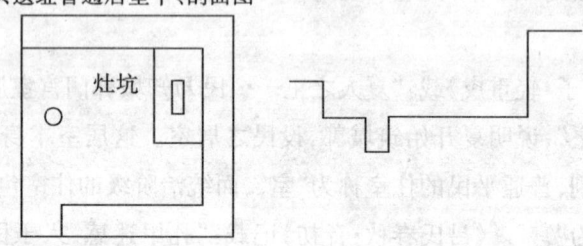

二里头遗址普通居室平、剖面图

另又如1982年发掘的82秋YLTXF1小型居室,曾前后两次建筑使用,先是一座半地穴建筑,穴深约1米,面积4×3.3米,门道在东南部,室内南壁处有一宽约1米,长2.95米,高0.4米的平坦土台,似供睡眠所用。翻建时,穴坑被填平,重新挖槽、立柱、修墙,改筑成地面式方形居室,面积3.4×35米,室内又加了一道隔墙。② 这类型居室显而易见属于下层平民小家庭所使用。

第二等的居室是中型地面式或土台式或长方形居室,其结构常出现多连室或多隔室。如1973年二里头遗址第三工作区发现的 F_1 夯土房基,土台高0.8米,南北长约8.5米,东西宽约4米,建筑面积为34平方米。F_2 为一座地面式长方形一面坡顶的双连室,东室已毁,西室东西长9.7米,南北宽4.1米,面积为39.77平方米。③ 1980、1981年同区又发现一座土台式东西走向三隔室排屋,通长28

---

① 中国社会科学院考古研究所二里头队:《1980年秋河南偃师二里头遗址发掘简报》,《考古》1983年第3期。

② 中国社会科学院考古研究所二里头队:《1982年秋河南偃师二里头遗址九区发掘简报》,《考古》1985年第2期。

③ 中国社会科学院考古研究所二里头队:《河南偃师二里头遗址三、八区发掘简报》,《考古》1975年第5期。

米多,进深 5.3 米,南北两面均有宽约 0.9 米的檐下廊。三室内部贯通,东室最大,面积约 65 平方米,三面山墙有门通室外;中室次之,约 39 平方米;西室较小,约 36 平方米,西山墙亦有一门通室外。① 这一类居室应当是以家族为单位的中等普通平民的住所,连室或多隔室的房屋表明在家族中包括若干个一夫一妻制的小家庭单元。

  最高一等的居室则是大型的宫室建筑。在二里头都邑遗址的中部,共发现 30 余块大小不同的夯土建筑基址,形式分为长方形和方形两种,大的长度约 360 余米,小的长宽约 20 米至 50 米不等。例如,其中三期一、二号两座基址,是主体宫室,面积相当大,周围有群体建筑辅助,其占地面积总共有 8 万平方米。② 一号宫室基址是一座大型土台基,整体略呈方形,东西长约 108 米,南北宽约 100 米,面积共约 1 万平方米。③ 其方向 8°,与当地太阳纬度一致,由正殿、中庭、门道、塾、廊庑组成一个完整的宫室。正殿座北朝南,与南部大门和东西两塾遥相对应,建在一座东西 36 米、南北 25 米、高 3 米的长方高台上,面阔八间,进深三间,双数开间,可能已采用人字木支承檩、椽,屋顶似属四坡重檐式。④ 正殿前的中部为中庭,是一块约 5000 平方米的庭院,四周环以封闭式的廊庑建筑。一号基址的建筑平面示意如图。

---

  ① 中国社会科学院考古研究所二里头队:《偃师二里头遗址 1980—1981 年Ⅲ区发掘简报》,《考古》1984 年第 7 期。
  ② 赵芝荃:《二里头遗址与偃师商城》,《考古与文物》1989 年第 2 期。郑光:《二里头遗址勘探发掘取得新进展》,《中国文物报》1992 年 10 月 18 日。
  ③ 中国社会科学院考古研究所二里头工作队:《河南偃师二里头早商宫殿遗址发掘简报》,《考古》1974 年第 4 期。
  ④ 杨鸿勋:《初论二里头宫室的复原问题》,《建筑考古学论文集》,文物出版社,1987 年版。

偃师二里头遗址宫室建筑之大庭

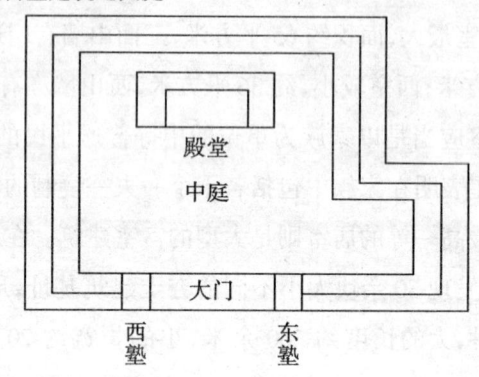

```
        ┌─────────────────────┐
        │   ┌─────────┐       │
        │   │  殿堂   │       │
        │   └─────────┘       │
        │      中庭           │
        │                     │
        └──────┐ 大门 ┌───────┘
           西         东
           塾         塾
```

在一号宫室东北约150米处是二号宫室基址,平面呈长方形,东西约58米,南北约72.8米,面积约4000多平方米。形制略同于一号宫室,是一组由陵墓、墓前大殿、中庭、门塾、东北西三面廊庑、南面覆廊组成的封闭室宫室。墓前大殿面阔三间,内部有门走通三室,建在一座东西长约32米,南北宽约2米,高出庭院地面约0.2米的长方形夯土台上。大墓被盗,从残留痕迹看,墓中殉葬一狗,似安放在一个红漆木匣中,可见墓主地位极高,其宫室基址示意图如下。

二号宫室基址

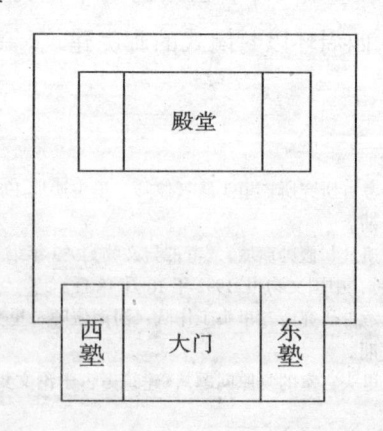

```
    ┌───────────────────┐
    │                   │
    │      殿堂         │
    │                   │
    │                   │
    └───┬───────────┬───┘
        │           │
    ┌───┴───┬───────┴───┐
    │ 西塾  │ 大门 │ 东塾 │
    └───────┴──────┴─────┘
```

像上述最高等的居室,布局严谨,主次分明、工程浩大,构成宫室群体,无疑为最上层统治阶级生活与施政场所。

一号宫室,类似于古文献所说的"夏后氏世室"。世室又可称大室,因为其特别大,又可称明堂,因为面南向阳位尊。戴震《明堂考》说:"王者而后有明堂,其制盖起于古远,夏曰世室"。一号宫室坐北朝南,正殿前之大庭,面积5000平方米,可聚集万人以上适合颁布政令。正殿面开八间,进深三间,适合王居住、治事、宴飨、举行祀典。南大门的东西两塾,可供卫士守卫之用。宫室是最高统治者的居住与施政之所。

一号宫室东北方的二号宫室,为供祀祖先的陵墓建筑。正殿后面位置居中的陵墓是这个建筑群的核心。前面的正殿、中庭、门塾依次自北向南而摆开。墓前的正殿有三室并列。《尔雅·释宫》说:"室有东西厢曰庙"。《周礼·夏宫·隶仆》郑玄注说:"诗云:'寝庙绎绎',相连貌也。"就是说,建筑的宫室如连有东西厢房就是"庙"。那么,庙是什么?蔡邕《独断》云:"庙以藏主,列昭穆;寝有衣冠、几杖、象生之具。总谓之宫"。也就是说,庙是供奉祖先神主的场所,并在供奉中排列出次序,即宗法顺序。始祖居中,以下父子递为昭穆,左为昭,右为穆。这个二号宫正殿的中室就为庙,是按宗法顺序供奉祖先神位之处。而东西两厢房称为寝,是放置祖先衣冠、生活用具处,象征人生前的模样。形成一庙二寝制。为什么在王者住的宫室旁要修庙寝呢?我们的先民在对自然的斗争中还带有很严重的信奉神灵、祖先保佑的思想。他们认为人死后灵魂不灭,灵魂有超人的能力,生者畏惧它,也能依赖它。认为在本氏族共同体中正常死亡的鬼魂有庇护自己本族成员、降福子孙后代的超人能力,故而应生了祖灵信仰。我们的先民还按照人活着的生活方式、社会关系,想象鬼魂神灵也应有一个类似的世界,因而产生了葬俗葬礼、祭祀仪礼。这种信仰观念在夏代流行不衰。《左传·宣公三年》有记载:"昔夏之方有德也,……使民知神、奸,故民入川泽山林,不逢不若,螭魅罔两,莫能逢之"。故而,在统治者修建城郭宫室时,一定同时将供奉祖先神灵的寝庙一起修建。《诗·大雅·崧高》云:"有俶其城,寝庙既成",毛传曰:"作城郭及寝庙,定其人神所居"。那么,从二号室的发掘来看,夏人也是在统治者为自己修建宫室时就同时修建祭祀祖先的寝庙,以"定其人神所居"。当然这样宏大的工程普通百姓家绝不敢奢望,因而,只有最高统治者,才在修宫室同时又修寝庙,而小民则连居室有的也是小小一间地穴室的,哪能顾及神鬼呢?看来也许只能人鬼同室吧!

从夏都邑遗址的发掘,明显地显示了当时社会阶级的分化,各阶级地位的不平等。

另外,从史籍记载和考古发掘的其它方面,也可以看出当时统治阶级与普通平民的等级分别。

第一,从饮食及饮食文化的区别来看。

夏是农业国家,继承了原始社会末期以来的农耕作业。《史记·夏本纪》记载,禹奉舜命治水时,就令同去的益教会民众于低湿地带种稻,令后稷给予民众难得的食物,并调配之。"令益予众庶稻,可种卑湿"。"命后稷予众庶难得之食。食少,调有余相给,以均诸侯"。后稷给予众庶的难食就是艰食,根食,即百谷。《尚书·益稷》说:"暨稷播,奏庶艰食、鲜食"。鲜食,《尚书》注曰:"鸟兽新杀曰鲜食"。而"艰食",马融解曰:"艰又作根。云根生之食,谓百谷"。[1]《尚书·舜典》也说:"汝后稷,播时百谷"。从考古发掘来看,夏人在中原地区的

---

[1] 陆德明:《经典释文》。

主食以粟类谷物为主,去皮就是今人所称小米。位于夏东南地区的一些方国,则以稻米为主。如在晋南夏王朝主要统治区,襄汾陶寺遗址墓葬出土考证当地夏民以粟为主食。① 夏县东下冯遗址第三、四期的一些灰坑,发现很多炭化粟粒,有一坑内堆积炭化粟类粮食厚达40—73厘米。② 河南洛阳皂角树遗址也出土了二里头文化时期的炭化水稻、谷子、小麦、豆等作物种。

安徽巢湖附近的含山大城墩遗址,发现碳化稻谷,鉴定为籼稻和粳稻,是夏末的遗址。③ 据说夏末之桀被成汤放于此。《尚书·仲虺之诰》:"成汤放桀于南巢"。并有"肇我邦于有夏,若苗之有莠,若粟之有秕"之喻。说明夏统治的方国,有的以稻米为主食。

饮食是人类生存之本,所以中国的统治者很注重饮食维护统治的观点。古人说:"食者,万物之始,人之所本者也"④;"食,殖也,所以自生殖也"⑤。《虞书·益稷》说:"烝民乃粒,万邦作乂(治)。"夏作为阶级社会的起始,饮食不仅是为政首要问题,并且还要通过"食礼"的文化使饮食具有明贵贱、辨等列的作用。因此,在饮食方面也要以"礼"来区分等阶级、等级地位。

夏代,随着农耕经济的发展,粮食生产已有了剩余,夏人便用粮食酿酒。然而,能够享用酒,并配以食肉的只是贵族统治阶级,而普通的平民则仍然只能是"粒食之民"。这在"礼"制方面便有规定。

贵族饮酒,并要配以音乐歌舞,这已成为礼制。例如,为了人伦

---

① 《山西襄汾陶寺遗址首次发现铜器》,《考古》1989年第12期。
② 《夏县东下冯》,文物出版社1988年版,第147、209、215页。
③ 《安徽含山大城墩遗址发掘报告》,《考古学集刊》6集,1989年。
④ 《尚书大传》。
⑤ 《释名·释饮食》。

教化,统治阶级也提倡养老教子的食礼。《礼记·内则》说:"凡养老,有虞氏以燕礼,夏后氏以飨礼,殷人以食礼,周人修而兼用之。"而教子,《诗·小雅·绵蛮》则说:"饮之食之,教之诲之"。《酒诰》说:"姑惟教之,有斯明享"。这种对贵族子弟的食礼教育是为了使他们今后能懂得"上以事宗庙,下以继后世"① 的统治礼制。然而贵族们则在食礼的教育中过着豪华奢侈的生活。从启开始,便已非常奢侈淫佚了。《墨子·非乐上》记载:

"启乃淫溢康乐,野于饮食,将将铭苋磬以力,湛浊于酒,渝食于野,万舞翼翼,章闻于天。"

上行下效,国君如此,下臣有的更甚,则因耽酒误工作的更不少。《伪尚书·胤征》云:

"惟仲康肇位四海,胤侯命掌六师,羲和废厥职,酒荒于厥邑"。

这件事《史记·夏本纪》也有记载:

"帝中康时,羲、和湎淫,废时乱日。胤往征之,作胤征。"

[集解]孔安国曰:"羲氏、和氏,掌天地四时之官。太康之后,沈湎于酒,废天时,乱甲乙也"。又说:"胤国之君受王命往征之"。郑玄曰:"胤,臣名"。

从禹开始,终夏一代,在"食礼"的礼制保护之下,统治阶级都是非常好酒的,以至到了夏桀因酒而亡国。《缠子》云:

"桀为天下,酒浊杀人"。②

《大戴礼记·少闲》云:

---

① 《礼记·内则》。
② 《太平御览》卷 980 引。

"桀不率先王之明德,乃荒耽于酒,淫佚于乐,德昏政乱,作宫高台,污池土察,以为民虞,粒食之民,惛焉几亡。"

统治阶级因为荒耽于酒、淫佚于乐,建宫于高台之上,对民众自然要暴敛暴虐,而普通的小民本是粒食之民的,在这种德昏政乱状况下无法再忍受,终于发出了宁肯与桀同归于尽的誓言。《尚书·汤誓》说:

"夏王率遏众力,率割夏邑;有众率怠弗协,曰:'时日曷丧,予及汝皆亡。'"

这是汤灭夏桀时所数列桀的罪状。三个"率"字均为虚词,无实义。而"遏众力"、"割夏邑",是桀的具体罪行。"遏"和"割"都是残害、灾害之意,夏桀残害人民,带灾害于夏的国土,人民忍无可忍而用太阳暗喻夏桀,终于发出了"太阳啊,你为什么不灭亡呢?我们愿同你一起同归于尽"的呼号。《史记·夏本纪》也说:

"夏桀不务德而武伤百姓,百姓弗堪。"

可以说夏的亡国正是统治阶级的荒淫耽溺而致。

考古发掘也确证了当时的阶级对立。二里头四期墓葬11座,其中随葬礼器的组合明显反映了阶级对立的局势。

一般平民的墓室,面积大致在1平方米左右,一般只在随葬品中见到炊食器,连同陶片的随葬都没有。这说明墓主的身分地位不高,属于"粒食之民"的平民,他们除维持生存的炊食之外,是不许饮酒,也无力饮酒的。生前生活如此,死后的墓葬也一如生时,是无酒器陪葬的。

另一种墓,是在陶的炊食器中加进几件酒器,如80YLVlM6,发掘出随葬品有炊食器罐、甗配酒器陶盉、铜斝,表明墓主身分为上层平民或一般贵族。生前他们依"礼",有权也有能力饮酒,死后的陪葬中可以有少量酒器。

还有一种墓,为纯出酒器组合墓,墓室面积超过平民墓一倍左右,均有若干圆陶片随葬,青铜酒器出土较多。如1984年二里头遗址六区发掘的M11墓,面积1.9平方米,出二套盉、爵,内有一铜爵,伴出圆陶片多达6个,其中一个不仅大而且涂有红彩。还有随葬漆盒一个,绿松石片镶嵌的精巧兽面铜牌饰一面,又有玉戚壁、玉刀、玉圭、玉柄形饰、铜铃各一个、海贝58枚。可以看出墓主是社会地位很高的贵族。

夏代的阶级和等级身分的差异,在日常使用的器皿和祭器中均已明确表现,作为社会等级名分制度的重要物质标志,被视为"器以藏礼"。①

礼器是贵族统治阶级宴饮或祭祀礼仪场合使用。夏代贵族们使用的礼器首先是漆器。《韩非子·十过》有记载:

"昔者尧有天下……虞舜受之,作为食器……流漆墨其上,输之于宫以为食器……禹作为祭器,墨染其外,而朱画其内,绵帛为茵,蒋席颇缘,觞酌有采,而樽俎有饰。"

可知漆器虽在原始社会末期出现,但那时是氏族首领们的食器,夏以后,漆的技术更发展,作为墨色,内画朱色,作为贵族们祭器和酒宴的酒器。故而我们在二里头文化中见到贵族的墓葬中有精美漆器和漆的酒器的出现,而平民则绝无。

其次是青铜器。青铜礼器出现始于夏代,目前经科学的考古发掘得知,在河南偃师二里头遗址中,出现的青铜礼器有爵、盉、斝、鼎、觚五种,都是宴礼酒器或饮食器皿。因为当时生产水平的限制,数量

---

① 《左传·成公二年》。

是有限的。但二里头二期的 10 座贵族墓葬中,一般除陶器外,百分之九十配有一套酒器。前列四期贵族墓的发掘也证明了这点。墓内有陶盉配铜爵。盉是酒器,王国维先生说:"盉者,盖和水于酒之器,所以节酒之厚薄者也。"① 爵是酒器,青铜制品,有流、柱、鋬和三足,用以温酒和盛酒。可见贵族饮酒已向高品味追求。

第二,贵族身分与平民的差异还从服饰及佩戴的装饰物上有别。《史记·五帝本纪》载:"禹践天子位,尧子丹朱、舜子商均皆有疆土,以奉先祀,服其服,礼乐如之"。"服其服"说明贵族有贵族的服饰,这已是身分礼仪的标志。《山海经·海外西经》说夏后启"左手操翳,右手操环、佩玉璜"。环和玉璜都是玉的装饰物,也是贵族身分的标志。《左传·僖公二十七年》引《夏书》称夏代"明试以功,车服以庸",说明车马服饰品都是显示贵族有功者的尊贵身分的。

前引二里头四期的贵族墓中也出土了不少显示其身分的玉的和铜的服饰及车马饰物。如,玉戚璧、玉刀、玉圭、玉柄形饰、铜铃等。另外 1980 年二里头的一座 4 号墓中,发现虽已经盗掘,仍出土有 200 余件绿松石管和绿松石片的饰品。② 墓主身分为高级贵族。1981 年发掘的一座有漆鼓的 4 号高级贵族墓,墓主颈部佩戴 2 件精工磨制的绿松石管串饰,胸前有一件镶嵌绿松石片的精致铜兽面牌饰。③ 中等贵族的服饰没有兽面铜牌饰的装饰物,但颈胸部也有装饰。1981 年发掘的一座贵族墓,出土一串 87 枚绿松石穿珠项链。1984 年在一座随葬铜爵等物的 6 号墓内,也发现有项链,绿松石串珠达

---

① 王国维:《说盉》,《观堂集林》卷三。
② 《1980 年秋河南偃师二里头遗址发掘简报》,《考古》1983 年第 3 期。
③ 《1981 年秋河南偃师二里头墓葬发掘简报》,《考古》1984 年第 1 期。

150枚。① 而小贵族则装饰物就差多了。如1981年发现的一座漆棺3号小型墓,仅在墓主头部有一件用于束发的骨笄。大量的平民墓则很难有饰品出土。

第三,殉葬货币。更显示出阶级身分的差异。前引二里头四期贵族墓有海贝58枚出土,表明墓主是地位极高的权贵。中国古代货币最早以自然货币形式表现,其中最重要的自然货币就是海贝和齿角。《说文》:"古者货贝"。自然货币开始于何时?郑家相先生认为开始于黄帝之世,而历经唐虞至夏商周未大变,而其中海贝是上古行使最广且最久的货币。② 夏代的海贝作币,染有黑色。《盐铁论》载:"夏后以玄贝"。贝也可作饰物,二里头遗址贵族墓中也有贝壳串饰的。但用58枚海贝作墓葬当是货币了。由于当时商品经济还是萌芽状态,货币本身也是稀有物,除极少数贵族统治者外,货币在民间的流通作用很小,故而连中、小贵族都极少使用货币,更无论普通平民。在墓葬中也只有高级贵族才有货币陪葬。

上引考古发掘印证了文献记载,反映了夏代社会中贵族、平民的等级身分和地位的不同,而这种身分不同决定了他们在民事上享受的权利不同,法以"礼"来表现之。

夏代的被压迫阶级奴隶其命运应更低于平民。中国古代是东方奴隶制国家,奴隶处于家内奴隶制阶段,不像西方,大量用于生产劳动。中国夏代的生产主要还是由平民来参加。奴隶与平民的区别在于其无人身保障,可以任意被奴隶主处置,包括处死、买卖、赠送。夏代奴隶的来源主要来自两方面:一是不服夏王朝的统治,被征服的异

---

① 《1984年秋河南偃师二里头遗址发现的几座墓葬》,《考古》1986年第4期。
② 郑家相:《中国古代货币发展史》,三联书店,1958年版,第12—13页。

族;二是本氏族平民沦落为奴隶。夏是我国历史上第一个奴隶制国家,刚从氏族民主制步入奴隶制的阶级压迫,因此,夏初其它非夏氏族的部落还是要起来反对它的统治的。在夏代的历史上与它有交往的异氏族有有穷氏、伯明氏、斟灌氏、斟郭氏、有鬲氏、有仍氏、有虞氏、有扈氏等,这些异氏族之所以不称方、国而称氏,说明它们还是部落不是国家。在夏的发展中,斟灌氏、斟郭氏、有鬲氏、有仍氏、有扈氏都在禹的时代接受了夏的统治,在"夏政"的治理下生活。但是,有扈氏则不安分服从这种统治,于是夏启对之进行了讨伐,并在战前发表了有名的甘誓。《史记·夏本纪》记载:"有扈氏不服,启伐之,大战于甘。将战,作甘誓……遂灭有扈氏,天下咸朝。"这个被征服的有扈部落就应当成为奴隶了。因为在甘誓中,夏启曾借天的命令说,"天用剿绝其命。今予惟恭行天之罚。"后来的少康中兴灭有穷氏也是史有记载的。《左传·襄公四年》载:"少康灭浇于过,后杼灭豷于戈。有穷由是遂亡"。

除了异族由于反抗被征服而沦为奴隶之外,本氏族成员因为反抗君命或其它原因沦为奴隶也是史有记载的。启在作甘誓中,对那些战争中不努力服从君命的本氏族成员就有过这样的告诫:

"予誓告女:……左不攻于左,汝不恭命;右不攻于右,女不恭命;御非其马之政,女不恭命。用命,赏于祖;弗用命,戮于社。予则孥戮女。"

从这段话分析,参加作战的是本氏族或本地域公社的成员,当时还尚无王室专属的雇佣军。之所以认定参战者是本氏族或地域公社的成员者,是因为启在誓辞中说,你们服从我的命令,我就在宗庙祖先前赏赐你们,即"用命,赏于祖"。祖,就指宗庙和宗庙内供奉的祖先。我们前已说过夏人的迷信和对祖先的崇拜与祭祀。像征战这样的大事一定要乞求祖先神灵的保佑的,故不仅出征前要告祭祖先于宗庙,并且迁祖先的灵牌与之同行,因而,在奖赏有功者时,可以"赏于祖"。祖就代表宗庙、祖先。《考工记·匠人》:"左祖右社"。就指宗庙的设置,左面为宗庙,供奉祖先;右面为社庙,供奉土地神。既"赏于祖",说明大家为同一祖先的后代,是同氏族人。另外,也可能是本地域公社的成员,因为当氏族公社进入国家时,随地区的扩大,旧的血缘关系有时已解体而形成新的农村地域公社。恩格斯说:"一句话,氏族制度已经走到尽头了。社会一天发展一天,超出了它的范围……但在这时,国家已经不知不觉地发展起来了。……创立了诺克拉里——小的地区……这种制度对氏族制度的摧毁作用有两重:第一,它造成了与全体武装的人民已不一致的公共权利;第二,为了公共目的,它开始不依亲族集团而依地域的居住地来划分人民了。"[1]中国没有脱出这个规律,只不过中国氏族公社解体的速度慢,并与地域公社较长期地交叉结合在一起。我们之所以又称这些出征的成员也是本地区农村地域公社的成员,因为甘誓中说:"不用命,戮于社。"即,你们不服从我的命令,我将在社庙土地神前杀戮你们。社,是祭祀土地神的场所,称之为社庙。在古代,对土地神的祭祀与祖先祭祀并重,因为土地神是农业民族生存的心理支柱,正如埃及与两河流域古代崇拜太阳神一样,中国夏人崇拜土地神,祭祀则包括祭神与人(祖先),故而祭祀场所二者并列,所谓"左祖右社"者也。所以"戮于社"的社,指土地神,也指祭祀社神的处所。《祀记·祭法》说:"共工氏之霸九州也,其子曰后土,能平九州,故祀以为社。"就是说共工之子后土是土地神。《白虎通·社稷》说:"封土立社,示有土也。"是说社是

---

[1] 恩格斯:《家庭、私有制和国家的起源》,人民出版社,1954年版,第109—110页。

祀土地神的处所。既能惩处于土地神之祭祀所或土地神位前,说明大家是同一地域公社的成员。这些受惩处的同公社成员在阶级社会中本属平民阶层,然而当他们犯法之后,统治阶级国君有权杀戮他们而且连累家属妻、子。使家属也被杀或降为奴隶。《甘誓》中说:"予则帑戮女"。对"帑"字的解释,我们知道它通"孥"。《诗·小雅·常棣》:"宜尔家室,乐尔妻帑。"毛传曰:"帑,子也。"而甘誓上的这句话,孔传解释:"孥,子也,非但止汝身,辱及汝子,言耻累也。"颜师古《匡谬正俗》卷二曰:"按孥戮者,或以为奴,或加刑戮,无有所赦耳。"孥,又可是妻和儿女的统称。《国语·晋语二》:"以其孥适西山。"韦昭注:"孥,妻子也。"那么可知,在国家产生之后,专权的君主可以将不服从其令的同族或同公社的平民及其妻子、儿女惩罚为奴隶,并可处其死刑。这是夏代奴隶的又一来源说,也是奴隶地位的明示。至于夏代有没有平民因债务关系沦为贵族的奴隶的,史籍未发现记载,分析起来,应当是没有的。因为夏的时期,中国的商品货币关系还不发达,私有财产也很有限,作为农业国家,人民主要生计来源的土地为国有,土地既为公产,任何平民总不至于失去生存的主要源泉,所以不必要为生计而鬻子卖妻。

奴隶的法律地位是低下的,他们没有人身自由,也可以被奴隶主当作物品而转让。奴隶主贵族在娶妻或嫁女时也可以将奴隶作为随嫁物品而赠送。例如夏桀的妻子,妹喜为有莘氏的女子,嫁于夏桀时所带的陪嫁中便有媵臣伊尹。《孟子·万章》说伊尹曾"耕于有莘之野",是耕作奴隶,《楚辞·天问》说他作为有莘氏的媵臣。《史记·秦本纪》:"吾媵臣百里溪在焉,请以五羖羊皮赎之"。可知媵臣是随嫁奴隶,可以被买卖的。

二、夏人的婚姻关系

（一）夏建国前后母系氏族社会时代对偶婚与父权制婚姻的斗争

夏代刚步入阶级国家时，氏族时代的婚姻关系仍留有遗风，但也呈现出阶级社会的印记。

从考古发掘看，山西襄汾陶寺遗址，坐落于"夏墟"地域之内，这里先后发现原始社会末期的龙山文化晚期墓葬700余座。根据墓葬可以看出，氏族社会末期，已有贫富之分。氏族成员同葬一处，却约有87%的狭小墓穴无随葬品，而约有13%的大中型墓有随葬品，有的多达上百件，可见当时财富已分配不公，有氏族贵族与普通氏族成员的分别。氏族贵族不仅聚敛了大量财富，且在家庭关系中享有多妻特权。一些大型墓的两侧往往分布着同期的中型墓，如M3002、M3016、M2001的左右两侧都各有两座中型墓，死者为女性，佩戴精工镶嵌的头饰、臂饰、随葬彩绘陶瓶等物。M2001两侧的中型墓，死者分别为25岁和35—40岁的女性。从墓位上判断，她们应是大墓墓主的妻、妾，一夫多妻而异穴并葬。这说明原始社会末期，夏部族的氏族贵族们已是父系氏族社会的一夫多妻制关系了。

但是，原始社会末期并非所有与夏部族有关系的氏族均进入父系氏族时代，相反，有的氏族仍处于母系氏族，在婚姻关系中处于母系氏族对偶婚时代。① 这种婚姻要求男到女方氏族，有时出于对对偶婚性生活节制的习俗，男到女方是走访婚，即男方固定若干时日到女家，又需固定时日的暂时离开。这种母系氏族对偶婚所生的后代

---

① 中国社会科学院考古研究所山西工作队、临汾地区文化局：《1978—1980年山西襄汾陶寺墓地发掘简报》，《考古》1983年第1期。高炜、高天麟、张岱海：《关于陶寺墓地的几个问题》，《考古》1983年第6期。

是留居在母的氏族内的。

夏人建国前后,婚姻关系中仍能反映了母系制婚姻残余与父权制婚姻的频繁纠缠。山西夏县东下冯遗址中既有母子合葬墓(M510),也有父子合葬墓(M528),就反映了这种关系。文献中记载的传说故事也反映了这种斗争。《吴越春秋·越王无余外传》说:"鲧娶于有莘氏之女,名曰女嬉";《帝王世纪》说:"鲧妻脩己,见流星贯昴,梦接意感,又吞神珠薏而生禹"。但是《山海经·海内经》却说:"鲧复生禹"。因此屈原《天问》发出质疑:"伯鲧腹禹,夫何以变化?"鲧是男子,何能生子?事实是鲧的作法是产翁遗风,即产妇生子之后,产妇立起工作,产妇之夫抱子卧床修养。这种产翁遗风据学者称是父权制出现的产物,丈夫在妻子生育后,采用模仿妇女生育和哺乳婴儿的姿态,以达到确认和维护父子血统关系,加强父权的目的。① 在一些少数民族习俗中也常有存在。《太平广记》卷四八三载:"南方有獠妇,生子便起,其夫卧床褥,饮食皆如乳妇"。《云南志略》载傣族"女子产子,洗后裹以襁褓,产妇立起工作,产妇之夫则抱子卧床四十日"。禹的父亲鲧的"腹生禹"便是产翁的作法,目的是要加强父权制。所以,尧斥责他为"鲧为人负命毁族"。② 也就是指责他破坏母系氏族的行为规范。实质上,鲧的"腹生禹"的作法正是父权制婚姻与母权制斗争的表现。

禹的婚姻本身也充满了这种由母系制向父权制过渡中母系制的余韵及其间的斗争。禹曾一度因循旧俗,结识母系氏族女子,过走访婚的生活。《战国策·赵策二》载:"昔舜舞有苗,而禹袒入裸国","养

---

① 宋兆麟、黎家芳、杜耀西:《中国原始社会史》,文物出版社,1983年版,第248页。
② 《史记·夏本纪》。

欲而乐志";《吕氏春秋·贵因》说:"禹之裸国,裸入衣出,因也"。这是一种走访婚。后来禹与涂山女的爱情婚姻也起始于这种母系走访婚。《吕氏春秋·音初》叙述:"禹行功,见涂山之女。禹未之遇而巡省南土,涂山氏之女乃令其妾待禹于涂山之阳。女乃作歌,歌曰:候人兮猗"。禹由与涂山女的野合而发展为走访婚,后来又发展为比较稳定的对偶婚。《吴越春秋·越王无余外传》载:"禹三十未娶,行到涂山,谓之女娇,取辛壬癸甲。"注引《吕氏春秋》说:"禹娶涂山氏女,不以私害公,自辛至甲四日,复往治水"。《史记·夏本纪》用禹对舜的回答说:"予(辛壬)娶涂山,(辛壬)祭甲,生启予不子,以故能成水土功。"《史记正义》解释说:"禹辛日娶,至甲四日,往理水,及生启,不入门,我不得名子,以故能成水土之功。"实际上禹结婚四日便离开涂山女,既是与公务有关,也是出于女方氏族对对偶婚性生活节制的习俗。但禹的婚姻故事后来又有了新发展。《汉书·武帝纪》颜师古注引《淮南子》道:"禹治鸿水,通轘辕山,化为熊,谓涂山氏曰:'欲饷,闻鼓声乃来'。禹跳石,误中鼓。涂山氏往,见禹方作熊,惭而去,至嵩高山下化为石,方生启。禹曰:'归我子',石破北方而启生。"据学者分析这段神话正反映了夏初婚姻关系中父权制婚姻最终战胜了母权制婚姻。熊是禹氏族的图腾。禹与涂山女的婚姻本是母系氏族对偶婚,男从女居,但因男的不能经常来,涂山女情深,终于破坏母系氏族习规而奔熊图腾的夫家,却最终没敢冲破习俗的羁绊,而望夫族作了殉情女。然而儿子启未归涂山氏族而归于禹,使虽未尽名子、教子之责的禹取得父子血缘关系的确认,在争夺儿子归属权方面,禹取得胜利,这也是父权制婚姻对母系对偶婚的最终胜利。①

---

① 宋镇豪:《夏商社会生活史》,中国社会科学出版社,1994年版,第135—136页。

(二)夏政权确立后王室与贵族的一夫多妻制婚姻

夏的政权确立之后,统治阶级的婚姻关系表现出明显的等级分化,个人专权,王室婚姻呈现父权制下的一夫多妻特权。

早在禹时,他便享有了一夫多妻的特权。史称"禹卑宫室,垂意于沟洫,百谷用成,神龙至,灵龟服,玉女敬养,天赐妻"。① 这是说禹因其功之成,使四方氏族部落归附,其中也不乏使用政治联姻的方法,于是"玉女敬养天赐妻"了。

禹的继承人启,开家天下之先河,史书称他"淫溢康乐"。屈原《天问》说:"启棘宾商(帝),九辩九歌。"《山海经·大荒西经》说:"开(启)上三嫔于天,得九辩与九歌以下。"郭璞注曰:"嫔,妇也,言献美女于天帝。"可知启多妻到了可以任意以嫔作为牺牲,人祭于天的地步。也可以反映出此时母系氏族势力已彻底被击溃,否则是绝不能容忍大量的以嫔作祭的现象。屈原《天问》中还说启"勤子屠母而死分意地"。这至少说明"勤子"是确立了王位的父传子的父权统治制度,而"屠母"则象征了母系制的惨败。

夏的王室多是一夫多妻制的,连少康在中兴之前也已有二妻。《左传·哀公元年》记载有虞氏以二姚妻少康。夏桀的多妻则更有记载,《国语·晋语》说:"昔夏桀伐有施,有施人以妹喜女焉"。桀得妹喜曾日与之爱恋,《太平御览》卷八二引《帝王世纪》说桀"日夜与妹喜及宫女饮酒,常置妹喜于脟(膝)上;妹喜好闻裂缯之声,桀为发裂缯,以顺适其意"。但不久,桀又有了新欢,《竹书纪年》云:"桀伐岷山,得女二人,曰琬,曰琰。桀爱二女,无子。刻其名于苕华之玉,苕是琬,华是琰。而弃其元妃于洛,曰末喜氏。"

---

① 《太平御览》卷八二引《礼含文嘉》。

当然，夏代王室婚姻的一夫多妻制不仅是统治者私欲的需要，也是政治联姻的需要，通过这种联姻，王室可得妻族的支持，这常常也关系到政权的得失。因为夏代立国后，对外以宗法关系形成父系力量，对内部常依靠母系为巩固政权之纽带，失去妻族支持，常会导致失权。太康失国，便是失去妻族支持的显例。《楚辞·离骚》说："夏康娱以自纵，不顾难以图后兮，五子用失乎家巷。"扬雄《宗正卿箴》说："昔在夏时，太康不恭，有仍二女，五子家降"。《史记·夏本纪》载："帝太康失国，昆弟五人，须于洛汭，作五子之歌。"《史记集解》孔安国注："太康五弟与其母待太康于洛水之北，怨其不反，故作歌"。上古母、妻同义。这段话是说太康不图王室的安忧，另外与有仍氏的二女姿肆作欢，使他的王室妻族和五兄弟氏族组成的血族集团抛弃了他。

因为婚姻有政治联姻关系，所以得权者与失权者常在婚姻血族关系上特别注意。后羿是东方有穷氏的首领，在夏衰之时，曾一度夺得夏政权。《左传·襄公四年》引《夏训》说："昔有夏之方衰也，后羿自鉏，迁于穷石，因夏民以代夏政。"即指后羿夺夏之政权。杜注："禹孙太康淫放失国，夏人立其弟仲康，仲康亦微弱，仲康卒，子相立，羿遂代相，号曰有穷。"后羿也因"不修民事"而被他重用的寒浞夺权并杀身。寒浞的办法是与后羿被冷落的妻纯狐勾结，娶其为妻而阴谋杀后羿。《天问》说："浞娶纯狐，眩妻爰谋。"《路史·后纪十三上》说："浞乃蒸取羿室纯狐，爰谋杀羿"。寒浞就是通过婚姻手段得到羿妻室的支持而夺权。

正因为婚姻中与妻家族的政治联姻关系，夏代甚至保留了嫂居寡后，弟娶嫂的原始习俗。寒浞与纯狐结婚后生有二子。长子名寒浇，他长大后又求被寒浞所杀的羿子之妻为妻。羿子与他同为纯狐所生，是同母异父兄弟，而寒浇则娶寡嫂为妻。因为寒浞杀羿子时却将羿子之妻送回娘家。《路史·后纪十三上》说寒浞"通于丘嫂歧,日康娱以自忘,馆同所止。"丘嫂就是长嫂。这种婚姻是氏族兄弟共妻遗俗,但又适应了"恢于夏室"的政治需要。

统治阶级的一夫多妻制在中小贵族中也有影响。山西夏县东下冯的夏代遗址 M527 墓的发掘中也发现一夫二女同穴合葬墓。①

夏代的婚姻关系中那些成为次妻的女子的地位是低下的,他们的丈夫甚至对他们有姿意杀戮之权。前引《山海经·大荒西经》说:"开(启)上三嫔于天,得九辩与九歌以下。"嫔,古代宫廷女官的名称。《左传·昭公三年》:"以备嫔嫱";嫔,也可以作为妻死后之美称。《礼记·曲礼下》:"生曰父,曰母,曰妻;死曰考,曰妣,曰嫔。"而对《山海经》的上段引文,郭璞注曰:"嫔,妇也,言献美女于天帝"。可知,无论是作为宫廷女官还是国君次妻的美女均可被身为国君的丈夫作为牺牲之物敬献于天帝。那么,这种地位的妻们不是如同牛、羊、猪等类牲畜一样没有生命权么?他们只是一种物的地位。正妻的婚姻往往是政治联姻的需要,妻族在巩固政权中的作用常使作为国君的丈夫有所顾忌,不喜欢后,最多是冷遇之,如夏桀妻妹喜之被弃,"而弃其元妃于洛,曰末喜氏。"但次妻的地位则很危险,有如夏启之"上三嫔于天"。看来,夏代贵族婚姻中的多妻已开始等级之分了。

三、夏代的继承

如同婚姻一样,继承关系中我们能得到的材料也主要来自王室。

(一)王位继承中的父死子继和兄终弟及

婚姻关系发展到明确的一夫一妻或一夫多妻的父权制观念,很

---

① 《夏县东下冯》,文物出版社,1988 年版,第 113 页。

明显是在私有财产确立以后，父权制为确定自己真正的继承人而使婚姻如此。因之，可以说，古人的观念，婚姻的目的在于承祭祀，承继承的。恩格斯说："奴隶制与一夫一妻制的并存，受男性完全支配的年轻美貌的女奴隶的存在，使一夫一妻制从其开始之日起，就具有了一种特殊的性质，使它成为只是对妇女的一夫一妻制，而不是对男子的。"[①] 他又说："一夫一妻制不是以自然条件为基础而是以经济条件为基础，即以私人所有制对原始的天然成长的共同所有制的胜利为基础的头一个家庭形式。丈夫在家中的支配权和只有为他所生而应继承他的财产的子女的生育——这些便是为希腊人所公开承认的个体婚制的特有目的"。[②] "一夫一妻制与男子的支配权原是为了保存和继承财产而建立的"。[③] 恩格斯这些名言可说是对整个人类婚姻发展史的总结。夏在立国之前，鲧的"负命毁族"，"腹生禹"，禹的要涂山女"归我子"，都是要确立子的继承权。甚至建立奴隶制国家后，启还"勤子屠母"，也是要确立男性支配权，为保存和继承财产而作的斗争。

这种男性为支配地位的继承，在王族则集中表现于王位继承上。因为在集权奴隶制国家，王位被视为王的最大私产。从夏的历史来看，王位继承中主要采取父死子继原则，而在无子可继的情况下，也采取兄终弟及原则，甚至个别情况下有过堂兄弟的继承。夏代的王位继承列表如下（见后页）：

可以看出，17代国君中，兄终弟及两代，兄终堂兄弟及一代，其余14代均为父死子继。

---

① 恩格斯:《家庭、私有制和国家的起源》，人民出版社，1954年版，第60页。
② 同上书，第62页。
③ 同上书，第68页。

```
禹——(子)启┬(子)太康
            │
            └(弟)仲康—(子)相—(子)少康—(子)予—(子)槐┐
┌─────────────────────────────────────────────────┘
├(子)芒—(子)泄┬(子)不降
│              │
│              └(子)扃┬(子)
│                      │
│                      └(堂兄弟)不降之子孔甲—(子)皋┐
┌─────────────────────────────────────────────────┘
└(子)发—(子)履发(桀)
```

夏代的王位继承无论父死子继还是兄终弟及均体现了男性继续权原则。其次,继承主要采取父死子继的直系血亲继承原则,这从上面分析已可知;同时,父死子继原则在夏初已基本确定。史载禹死之时,本按原始社会氏族民主制习俗以天下传之益,但因为天下诸侯认为启是禹的儿子,故而归属于启,看来父死子继原则在当时已被人们所接受。《史记·夏本纪》记载:

"帝禹东巡狩,至于会稽而崩。以天下授益。……禹子启贤,天下属意焉。及禹崩,虽授益,益之佐禹日浅,天下未洽。故诸侯皆去益而朝启,曰'吾君帝禹之子也。'于是启遂即天子之位,是为夏后帝启。"

益虽佐禹日浅,但已是在禹时的佐政者,且是禹亲自以天下授之者,而启并未佐政,诸侯归附的原因仅是"吾君帝禹之子也"。可见父死子继的原则在当时人们的心目中已予以承认。

再看,夏的政权从太康失国到少康中兴中间的斗争也反映出父死子继原则在当时人心目中的被认可。太康因淫佚奢侈而导致其余五兄弟的叛乱。后来他的第二个弟弟仲康虽被夏人拥上王位,政权是不稳的,虽勉强传位到仲康子相,便被异族的后羿所夺位了。《左传·襄公四年》引《夏训》说:"昔有夏之方衰也,后羿自鉏迁于穷石,因夏民以代夏政"。杜注:"禹孙太康淫放失国,夏人立其弟仲康,仲康亦微弱,仲康卒,子相立,羿遂代相,号曰有穷"。后羿之后,寒浞又代了后羿。后羿为有穷氏部落的首领,寒浞为东夷伯明氏的不肖子弟,被本氏族开除后投奔后羿而后又杀之夺权的。这一阶段都不是夏人的掌权,相反,夏的王室继承人被迫东奔西跑到处逃命。史载仲康也是跑到外地不久死去。仲康子相投奔姒姓部落的斟灌氏,寒浞派其子寒浇灭斟灌氏,相又逃到斟鄩氏,浇又灭斟鄩氏而杀了相。相被杀时,相妻后缗正身怀有孕,慌乱中从墙洞逃出,奔回母家有仍氏。后缗在娘家生下少康。少康长大以后,浇又派亲信俶去有仍氏抓少康,要斩草除根,少康逃到有虞。有虞氏君看重少康,委派他当庖正,并将两个女儿嫁给他,并封给他纶邑。少康这才在纶收罗"夏众",最终与其它方国联合攻下夏邑,恢复了王位和夏朝的统治,史称"少康中兴"。《史记正义》引帝王纪说:"初,羿之杀帝相也,妃有仍氏女曰后缗,归有仍,生少康。初夏之遗臣白靡,事羿,羿死,逃于有鬲氏,收斟、鄩二国余烬,杀寒浞,立少康,灭羿于过,后纾灭豷于戈,有穷遂亡也。"

从帝相被杀,至少康复国,历经四十年,而少康为何能复国呢?他得到过夏的遗臣伯靡的帮助,得到过夏的同姓部落斟灌、斟鄩二氏族的援助,得到过夏的方国有鬲氏的帮助,这其中,帮助者们都有一种父死子继王位的继承观念,认为有穷氏的篡权是非正统的。

另外,在夏的王位继承中也反映出父死子继的顺序是诸子中的老大继位,老大不能继再由老二继承,以长幼列序。是否嫡长子尚不得知,但长子继位是肯定的。因为我们从启子太康、仲康的先后继位可知。太,极大的意思。太子,指继承君位的室子。仲,居中的,兄弟排行,仲是老二,如孔丘,字仲尼,便是指排行老二。

夏的王位继承除父死子继,长子优先原则外,也还保留了一定氏族遗风的兄终弟及原则。继承是为了财产继承,在原始社会末期,财产还为氏族共有时,便形成了氏族财产尤其是主要生活资源如土地不能落入异族之手,必须保留在本氏族的习俗。所以当国家形成后,在家族财产的继承中保留了这种习俗,故而一个家族没有直系血缘的继承人时,法律便规定了本氏族旁系血亲优先原则。这点我们从罗马《十二铜表法》中可以看到。所以说,夏的王位继承中的兄终弟及原则作为对父死子继原则的补充而不是优先,正反映了夏刚从氏族社会进入国家,家族与氏族之间血缘的纽带还远远未断绝。

(二)平民的继承

平民的继承无有文献材料,但从考古发现父子同穴也可看出父对子的归属权的重视,这其实就是在争夺子对父财产身分的继承权问题。

四、夏人的物权法

所谓物权法,自然是借用了今人的学理概念。就夏人来说,在那样的远古时代,其物权的概念是很模糊的,物权法的内容也极不完善,至多不过包括了所有权和用益权两个方面,即完全物权与限制物权的两个方面。再就物权权利的标的而言,恐怕只能包括土地和其它动产。

从所有权方面谈。作为农业国家,依附于土地(当然,这里的"土地",仅指可以耕种、生产粮食或其它作物,或与农业生产紧密相关的土地,包括山、川、河、海等)而生存的民族,其所有权的标的,首先当指土地。

(一)夏代的土地农村公社所有制和国王对土地的最高所有权

从原始公社步入奴隶制国家,地域公社土地所有制是土地所有制的形式。夏代以前的漫长岁月,我国的原始人是过着氏族群居的生活,其维持生计的土地也是属于氏族公社公有。而且从史前文化遗址的考古发掘,让我们了解原始社会晚期,人们一旦面临严重自然灾害,往往无能为力,不得不放弃原先经营依赖的土地,而另谋生路,诚如孟子所言:"民无所定"① 迁徙常常是整个氏族、部族的迁徙,新迁到的土地,人们"平土而居之"② 自然土地属于公社所有。当国家建立以后,我国的夏部落还比较完整地保有了公社组织,也保有了公社土地所有制的形式。

夏代的公社土地所有制的具体表现形式即为井田制。《左传》哀公元年记载少康中兴一事时说:"虞思于是妻之以二姚,而邑诸纶,有田一成"。这里所说的"一成",与井田制有关。《周礼·考工记·匠人》说"九夫为井","方十里为成"。即九户农家分一块井田,为井字形,方里而井,一块井田就是一里,方十里为成,就是十里称为"一成",有百块井田。《汉书·刑法志》说:"地方一里为井,井十为通,通十为成,成方十里"。这段话虽说的是殷周之制,然而,殷周距夏并非很遥远,而《左传》记少康有田一成,即分予他方十里的井田,说明夏代存在井田制,即公社所有制。所以,顾炎武先生在《日知录·其实皆什一也》条中说井田之制,"实始于夏"。

---

① 《孟子·滕文公下》。
② 同上书。

为什么说井田制即农村公社土地所有制？因为公社土地所有制，土地所有权不属于私人，每个农户从公社公有土地中领取份地而耕种生活，并因此负有对公社的义务。农户取得的只是公社土地的占有、使用、收益权，而为这些权利，他们要向公社履行义务，包括劳役、军役、赋税。这些，我们从塔西陀的《日耳曼志》中可以读到。这种公社土地所有制是残留在阶级社会里的"原始共产主义"的"历史遗迹"。①

夏王朝土地所有权属于君主。进入奴隶制社会的夏王朝，其土地虽表现为公社土地所有制，而土地所有权却不属于公社而属于最高的统治者——王。如马克思所指出："在大多数亚细亚的基本形式中，凌驾于所有这一切小的共同体之上的总合的统一体表现为更高的所有者或惟一的所有者。实际的公社却只不过表现为世袭的占有者。……在这些单个的共同体中，每一个单个的人在事实上失去了财产，或者说财产对这单个的人来说是间接的财产，因为这种财产，是由作为这许多共同体之父的专制君主所体现的统一总体，通过这些单个的公社而赐予他的。因此，剩余产品不言而喻地属于这个最高的统一体"。② 也就是说，当奴隶制国家产生以后，原有的公社也改变了性质，不再是土地的所有者，而是土地的"世袭的占有者"，公社的土地所有制已变为奴隶制国家君主土地所有权的体现者，国家通过公社将份地分给农户占有，从法律意义上说，份地的所有权属于国王。正因为此，农户的剩余产品要缴给国家，这便有了"贡"的称谓，其实就是赋税。国家向农户收赋税，正是立足于所有权王有的理

---

① 《马克思恩格斯全集》第 36 卷，第 112 页。
② 《马克思恩格斯全集》第 46 卷上册，第 478 页。

论上。

夏王朝的完整的贡赋制度,反映了亚细亚的土地所有权的王有。《尚书·禹贡》虽世人以为可能是战国或汉初的作品,但那时距离夏代究竟与现在相比还不很辽远,且记载大都凿凿,可以作为佐证。《禹贡》提到夏的贡赋制是十分周详的。其言曰:"九州攸同,四隩既宅",就是说九州水利工程都已经完工,四方土地都可以居住了。因而,国家对土地进行考查,并根据土地质量优劣,谨慎地规定了不同的赋税,要求各地人民要根据土质优劣的三种规定缴纳赋税,即所谓"庶土交正,底慎财赋,咸则三壤成赋"。这种贡赋按距离王都的远近规定了完税方法。如王城以外的五百里属于甸服。相距王城一百里者,将割下的庄稼贡来;二百里者,将庄稼的穗头贡来;三百里者,将庄稼脱去芒尖贡来;四百里者贡粟;五百里者贡米。①

国王享有最高土地所有权的另一标志是他有权将土地分封给诸侯,然而,分封了的土地从学理上说,其所有权仍属国王,因为国王仍要收贡赋。诸侯们则取得对土地的高级占有与收益权。《尚书·禹贡》说:"中邦锡土姓。祗台德先,不距朕行"。就是说,"九州之内的土地都分封给诸侯并赐之以姓氏。诸侯们应该把尊敬我的德行放在首要地位,不准违背我所推行的德教"。

(二)公社对土地的占有权和公社社员对土地的用益权

如上所述,夏代保留了农村公社的组织,但"实际的公社却只不过表现为世袭的占有者",即农村公社对土地只有占有权。而每一个别的公社农户则只能在其所属的公社领取一份份地,故而,公社社员

---

① 《尚书·禹贡》:"五百里甸服。百里赋纳总,二百里,纳铚,三百里纳秸服,四百里粟,五百里米"。译文见王世舜《尚书译注》。

对土地也只能享有用益权。公社社员对土地的这种用益权不是完全物权而是不完全物权,因为土地不属于社员私有。社员在享用份地的使用与收益权时还要受贡赋制的限制。《孟子·滕文公上》说"夏后氏五十而贡",大约指夏代公社农民在耕种自己的五十亩"份地"之外,还要耕种五亩"共有地",如赵岐《孟子注》所说"民耕五十亩,贡上五亩"。贡,就是纳税,社员要纳税的原因在于他们享有对公社份地的权利不是所有权这种最完全的物权,而是有限制的他物权——用益权。《广雅》解释:"贡,税也,上也。"郑玄说:"献,进也,致也,属也,奉也,皆致物于人,尊之义也。"《尚书》说:"禹别九州,任土作贡"。《周礼·夏官·职方氏》云:"制其贡,各以其所有。"这都说明夏代公社中大部分土地作为份地分配给公社成员,由他们独立耕种、使用、收益;另一部分土地则作为"共有地",由公社社员共同耕种,将其收获物以贡赋形式缴纳给公社酋长,而逐层上缴。

  农村公社本是原始社会保留下来的组织形式。在原始社会末期,公社土地已分为"公田"与"私田"。公田即"共有地",社员们在其上共同劳作,以收入应付公共支出,如马克思所说的"支付共同体本身的费用"。如战争,祭祀、歉收等。"私田"则是公社大部分土地以份地分配给社员由其独立耕种而维持一个社员之家的必需生存费用,所以他们有实际的用益权。进入国家后,由于公社土地所有权在法律上属于国家——国王,因而社员需有贡赋制度。

  依笔者看,夏代公社社员上缴的贡赋,一部分归国家,但大约公社也保留了少量的共有食物。

  夏代的农业生产尚不是很发达,社员贡奉给国家或留给公社的贡奉实物,多用于饮食。夏的高级权贵很注重饮食俗尚,以饮食关系,维护人际关系,他们常常举行重大的飨饮活动,并经常充当主厨角色。这大约源出于原始社会"酋长掌勺,合族以食,别之以礼"的氏族血缘关系形成的维护人际关系的古老饮食俗尚。夏代中兴之主少康,起初曾为有虞部落的"庖正"、"以收夏众",最终重建夏朝政业。①《世本》说"少康作秫酒",可知他还是一位善于用不粘粟酿酒的能手。《尚书·洪范》篇虽是夏以后的作品,但在列举施政方案时将"食"作为其首。作为农业国家的夏代统治者也能认识到民以食为天的重要性。夏代从王室权贵到中上层平民都有较广泛的美食心理,并将之列为礼节。

夏代的饮食,除每日常食之外还有筵席宴飨。筵席宴飨就是聚餐,并且在宴飨中还配以歌舞,以此来序贵族内部的上下尊卑等级制度,并加强公社成员间的密切关系以增强家天下的凝聚力。《墨子·非乐上》谓夏启"将将铭苋磬以力,湛浊于酒,渝食于野,万舞翼翼,章闻于天"。《夏书·五子之歌》说太康"甘酒嗜音,峻宇雕墙"。《新序·刺奢》说桀:"纵靡靡之乐,一鼓而牛饮者三千人。"《管子·轻重甲》则言"桀之时,女乐三万人,晨噪于端门,乐闻于三衢。"在夏代遗址的山西闻喜官庄乡南宋村,发现一件4000年前打制的石磬,晋南襄汾陶寺遗址、河南上蔡十里铺遗址、河南偃师二里头夏代遗址也都出土过夏代饮食宴饮时用的乐器磬、鼓、铃、一音孔陶埙等,这与《诗·商颂·那》"置我鞉",其下毛传曰:"夏后氏足鼓",《礼记·明堂位》云:"夏后氏之鼓足",可以相印证,说明夏代聚众而饮食的宴饮非常盛行。在夏人遗址发掘中发现贵族大型墓葬中,随葬品中饮食品与乐器摆放位置最具特征。夏代贵族的饮食宴饮盛行于王都,及王都之外各地。《史记·夏本纪》有一段记述宫廷宴舞的文字:

---

① 《左传·哀公元年》。

"夔行乐,祖考至,群后相让,鸟兽翔舞,箫韶九成,凤凰来仪,百兽率舞,百官信偕。"帝用此作歌曰:"陟天之命,维时维几。"乃歌曰:"股肱喜哉,元首起哉,百工熙哉。"

这种君臣同飨同乐的花费均取自公社社员各地人民缴纳给王的贡献之中。而上行下效,既然统治者以饮食宴乐作为为政的措施,则地方、公社也常有普通社员之众的聚食群饮之风,性质类似礼书中所述"乡饮酒"。① 在商代是在岁末十二月大腊之时,"以礼属民而饮酒于序,以正齿位,于是时,民无不醉者如狂矣"。② 乡民聚集于学校,在宴饮之中,对乡民进行初级的文化教育,即学会养老尊老,家庭有序,这是从原始社会末期父系氏族制时代传下来的崇拜祖先的宗教意识,也是我们初民的早期教育。我国古书从《孟子》到《王制》都说到原始社会的虞到夏到商均有学校设置。《孟子·滕文公篇》说:"夏曰校,殷曰序,周曰庠;学则三代共之,皆所以明人伦也。"考古又发掘出许多夏代遗址的宴饮之乐器,且乐器与食物为墓葬中之一等重要者,并存而列放之,那么,夏人在普通公社的初级学校中的聚众餐宴进行文化教育应当是确切的了。那么,乡民们的聚众宴饮的花费从何而来?毫无疑问,那当是公社社员从共有地的劳作收获中缴纳上去而留给公社为公益的教育事业等所保留下的一部分公产。

(三)社会各阶层自由民对动产的完全私有权

与作为主要生产资料的土地不同,夏代的其余财产,尤其是作为次要生活资料的动产,大约都是属于各阶层自由民完全私有。这点,我们从考古挖掘的墓葬可见。只是这些可以为个人私有的动产其种

---

① 《仪礼·乡饮酒》、《礼记·乡饮酒义》。
② 《礼记·杂记下》子贡观蜡,"一国这人皆若狂"句,郑氏注。

类无非属于生活用品,为衣、食、用之物。如前所述,在各不同等级人群的墓葬中所发掘的各类随葬物,从饮食用具、个人佩戴的装饰品、用具、到钱币,甚至个人所宠爱的狗等宠物等。这些都显示了动产(无论当时经济决定了它们是如何原始和数量少微)是属于社会成员个人完全私有,否则何以能随葬呢?

五、夏人的债的关系

(一)夏代手工业的发展

从考古发现和史籍记载可知,我国上古的商品交易关系可以上溯到旧石器时代。1952—1954年河北阳原虎头梁发掘了一个狩猎遗址,其中都遗存了一批细致加工的石器及磨制装饰物,它说明当时狩猎人群已用猎物与其它会手工磨制石器的人群有交换活动。[①] 70年代,我国考古工作者通过到临潼姜寨遗址的10次发掘,认为陕西与河南出土古陶器有某些相似性,"这些相似性反映了陕西龙山文化与齐家文化和河南龙山文化之间的交流"。[②] 而这些文化交流首先来自陶器的交换。而《易·系辞》下,记载舜的时候已经在管理部落间的集市贸易中"致天下之民,聚天下之货,交易而退,各行其所了"。换言之,已经有了关于商品交易的有效的社会调整规范。甚至,原始社会末期的这种商品交易活动中已经出现了货币的形态。

夏代是奴隶社会的开端,虽则比起今人来,经济自不知落后若干而比起此前社会,则经济自有很大的发展。我们从前文所引考古发掘的青铜器、玉器、漆器、陶器、贝器等来看,手工产品的分类、精致

---

① 《虎头梁旧石器时代晚期遗址的发现》,《古脊椎动物与古人类》,1957年第15期。
② 《陕西临潼姜寨遗址第二、三次发掘的主要收获》,《考古》1975年第5期;《临潼姜寨遗址第四至十一次发掘纪要》,《考古与文物》1980年第3期。

性、数量、质量已远非此前社会可望其项背者。譬如：陶器类已有鼎、鬲、甗、豆、簋、斝、缸、钵、爵、盉、壶、罐、器座等，多达30多种陶器类型。陶器是当时贵族统治者及一般平民日常主要生活用具，当时制陶技术已很成熟，种类也丰富多彩。仅以罐为例，出土文物中已有深腹罐、圆鼓腹罐、小口罐、小口鼓腹罐、大口罐、单耳罐、双錾罐、折腹罐、双耳罐、大口深腹罐、折肩罐、子母口三足罐等多种，具体形制和纹饰风格很有差异。另外，陶器在使用中也已分开功能，炊器有鼎、罐、甑、甗、鬲；食器有碗、豆、钵、簋等；食品加工器有擂钵等；盛储器有瓮、大口深腹罐、尊；水器有盆、盘、杯等；酒器有鬹、爵、觚等，并且各地陶器有地方性差异，岳石文化中还独有彩绘陶器的出现。列举以上种种，说明人工制作器皿已使手工业有专门化的趋向。《韩非子·难一》载："历山之农者侵畔，舜往耕焉，期年甽亩正。河滨之渔者争抵，舜往渔焉，期年而让长。东夷之陶者器苦窳，舜往陶焉，期年而器牢。"它说明还在原始社会末期各部落已有生产分工的不同。舜等氏族部落首领前往农业部落排除侵权纠纷，划定田界；去渔猎部落确立了按年龄长幼避免争夺的秩序；至制陶业部落确定了制陶规则。那么，到了夏朝，这种地域公社间生产分工的差异应更为存在，则各地的交换或贸易货物的现象自是不在话下。

再以贵重的青铜器看，青铜作为礼器进入夏人生活中，目前所知经科学发掘而得的最早青铜器，出自河南偃师二里头遗址，有爵、斝、盉、鼎、觚，大体均为酒器。从二里头一、二、三、四期墓葬随葬铜器的发掘看，初期贵族墓中，青铜器较少到四期开始，随葬青铜礼器已有固定配合形式，如爵与斝两器相配，鼎、斝、觚三器相配；另外，贵族的服饰中显示身分等级时，除用玉器外，亦有青铜器，如1981年发掘的偃师二里头4号墓主，胸前有一件镶嵌绿松石片的精致铜兽面牌饰。

表明至此时始,在贵族阶层的礼仪生活领域,铜礼器已逐渐有加速取代陶礼器之趋势。青铜制品比起陶器来更需要专门技术和原料来源。那么,手工业的专门化趋势应当更为加强。

(二)夏代交通道路的修建

夏代的手工业较前发达,还与交通发展有关。交通发展,促进经济的交流。

首先说到夏人的交通地理观念。宋祖豪先生认为夏人的交通地理观念可以概括为"四海观"。由于夏禹的治水,使人们对周围的地形地貌有了了解,也掌握了一定的交通地理知识。《尚书·禹贡》说大禹治水后将国土划为九州,开通了九条陆路和九条水道。夏代诸王经常关注四海。《大戴礼记·少闲》说禹"修德使力,民明教通于四海";《禹贡》说"讫于四海,禹锡玄圭,告厥成功"。《帝王世纪》说帝启"德教施于四海"[①]。《竹书纪年》说:"伯杼子征于东海"。而夏桀"与妹喜及诸嬖妾同舟浮海,奔于南巢之山而死"[②]。四海实际就是夏人神往的东部滨海地区。《史记·夏本纪》说的"帝禹东巡狩"。

为了画九州,启九道,夏代国家将原始部落时氏族成员在各自地域公社内筑路变为整个社会的政治劳役。《夏书·胤征》云,"每岁孟春,遒人以木铎徇于路",朝廷的宣令官手执木铎当道号令,人民则修建交通道路。夏代道路的铺筑已大大超过前人。山西夏县东下冯遗址发掘出一条夏代筑建的道路,路面宽1.2—2米,厚5厘米,用陶片和碎石子铺成,[③] 偃师二里头夏末都城遗址内除有用鹅卵石铺的石

---

① 《太平御览》卷82引。
② 同上书。
③ 中国社会科学院考古研究所,中国历史博物馆,山西省文物工作委员会:《山西夏县东下冯龙山文化遗址》,《考古学报》1983年第1期。

子路、红烧土路外,还发现一条铺设讲究的石甬路,路面宽 0.35—0.60 米,甬路西部由石板铺砌,东部用鹅卵石砌成,路面平整,两侧保存有较硬的路土。① 这样的道路铺筑规格是相当高的。

随着交通网络拓展,也会遇到越河架桥的问题。与筑路一样,架设桥梁也是夏代国家的实政措施之一。《国语·周语中》引《夏令》说:"九月除道,十月成梁"。夏代这一措施为后世所继承,周代称之为"先王之教"。同书云:"雨毕而除道,水涸而成梁",韦注:"夏令,夏后氏之令,周所因也。除道所以便行旅,成梁所以便民,使不涉也"。筑路与开梁架桥并重,成为夏代国家规定的强制性公共义务,表现了夏代对交通发展的重视。

(三)夏代的交通工具

交通道路发展以后,远处交往的车、舟等交通工具也相应产生。《史记·夏本纪》:"陆行乘车,水行乘船"。

夏代有舟应当无问题,传说舟楫的发明者是黄帝。关于夏代用舟的记载,古文献已累见不鲜。《今本竹书纪年》载帝相二十七年,"浇伐斟鄩,大战于潍,覆其舟,灭之";《论语·宪问》云:"羿荡舟";《尚书·皋陶谟》说:"无若丹朱傲,……罔水行舟"。闻一多先生指出,浇、羿丹朱傲系同一个人。当时能动用舟船交战,舟已不是小独木舟了。夏末桀曾"与妹喜及诸嬖妾同舟浮海,奔于南巢之山而死"②。这种舟应当已是较大、较精细的木板船。甲骨文有舟(㇠)字,又有"𦨶"字,像人手执竹竿立于舟上;另外有现藏于上海博物馆内之一个饕餮

---

① 中国社会科学院考古研究所二里头工作队:《河南偃师二里头遗址三、八区发掘简报》,《考古》1975 年第 5 期。又《1980 年秋河南偃师二里头遗址发掘简报》,《考古》1983 年第 3 期。

② 《帝王世纪》,《太平御览》卷 82 引。

纹的青铜鼎,腹内铭纹为一人荷贝立于舟中,应当是商人乘舟去远方贸易的图示。①

夏代的用车也是广有记载的。吕思勉说:"车之兴,必有较平坦之道",② 传说中载"黄帝有熊氏始见转逢而制车"③ 而夏代修筑道路较前更为广阔平坦,因而车辆的制作也应承前或更有发展。《孙膑兵法·势备》说"禹作舟车",先秦文献中,基本都把车的发明权归于奚仲④ 而奚仲正是夏代的人。《左传·定公元年》说:"薛之皇祖奚仲居薛,以为夏车正";《古史考异》说:"禹时奚仲驾车,仲又造车"⑤;《新语·道基》说:"(禹时)奚仲乃桡曲为轮,因直为辕,驾车服牛"。文献中也有夏代贵族统治者乘车的记载。《说苑·君道》云:"禹出,见罪人,下车问而泣之"。《帝王世纪》说夏桀"以人架车"。⑥ 夏代考古发掘中尚未发现车的遗迹,但史载夏末商初,车已用于战争。《墨子·明鬼下》说:"汤以车九两,鸟阵雁行,汤乘大赞,犯遂下(夏)众,人(入)之螭(郊)遂"。而从20世纪30年代以来大量的考古发掘已证实了商时战车的实存。⑦ 除用于贵族乘坐和出战的战车外,当时还有牛车,牛车不及马车轻便,但它偏重于实用,主要是负重致远的。《世本·作篇》说"胲作服牛"就是说夏代时商人的祖先王亥曾驾牛车负重到远地的事。《山海经·太荒车经》也说:"王亥托于有易、河伯仆牛,有

---

① 吴浩坤、潘悠:《中国甲骨学史》,上海人民出版社,1985年版,第287页。
② 吕思勉:《先秦史》,上海古籍出版社,1982年版,第363页。
③ 《古今图书集成·考工典》卷106,《东舆部汇考一》。
④ 《墨子·非儒下》、《管子·形势篇》、《荀子·解蔽》、《吕氏春秋·君守》、《世本·作篇》等。
⑤ 《太平御览》卷773引。
⑥ 《太平御览》卷82引。
⑦ 宋镇豪:《夏商社会生活史》,中国社会科学出版社,1994年版,第227—229页图表。

易杀王亥,取仆牛"。这里的仆牛就是服牛。《考工记》又称之为"牝服"。清人陈奂说:"牝即牛,服者,负之假借字,大车重载故谓之牝服。"① 牛车又称为大车,《考工记·辀人》云:"大车之辕挚",郑玄注:"大车,牛车也"。《诗·小雅·黍苗》载:"我任我辇,我车我牛",朱熹注:"牛,所以驾大车也"。戴震《考古记图》也说:"大车任载而已"。牛车在甲骨文中称为牵,字像缚牛牵引的意思② 武乙时的甲骨文中有大量记载:

丁亥卜,器其五十牵。(《合集》34677)

己丑卜,品其五十牵。

戊子卜,品其九十牵。(《合集》34675)

□□□,□其百又五十牵。(《合集》34674)

可见牛车是辎重或运输的工具,使用很广泛。

上述资料证明,夏代不但有车,而且有马车和牛车,牛车还可用于负重运输,远途交易。甲骨文中也有车(簫)字。③

当然,无论舟,还是车都不是夏代最主要的交通工具,对于绝大多数人来说,人们的远行外出,还是靠徒步行走为主。甲骨文中有一个"遴"字④ 像一个人踱行在四通的衢道之间,特别突出人的足部。金文的"走"字作彐⑤ 以足替代人形,突出构画出人徒步行于道中。甲骨文从足止的字多达260个以上⑥,可以说明当时主要的交通方式仍是徒步行走。

---

① 《周礼正义》卷86,车人条引。
② 宋镇豪:《甲骨文牵字说》,《甲骨文与殷商史》第2辑,上海古籍出版社,1986年版。
③ 吴浩坤、潘悠:《中国甲骨学史》,第287页。
④ 《粹1543》。
⑤ 《三代14.22.1》。
⑥ 宋镇豪:《夏商社会生活史》第25页,及注③。

徒步行走中遇到荆棘杂生、蛇兽出没,人们对付的办法是持木棒而行。金文中有㇄字①,是持棒行走状。甲骨文出发的发字写作𣥂②,或𣥂③,也是持棒而行的意思。《淮南子·诠言》说夏代"羿死于桃棓",高诱注:"棓,大杖,以桃木为之"。

外出行走时,随身还往往携带一些物品,这便形成囊橐。甚至大囊中又有小囊。甲骨文中有记载:

贞惟𢦏令途启于并。(《合集》6055)

……迄自𢦏七。(《零拾》133)

……小臣……𢦏……。(《合集》32978)

甲子卜,出,贞𢦏有致𢦏于师归。(《合集》23705)

携带的囊橐也可以额部负之。甲骨文系字作𦥑④,大概是其形的示意。又竞字金文作𦥑,甲骨文作𦥑⑤,为头顶负器状。甲骨文又有𦥑⑥,为手提行囊状。还有𦥑、𦥑⑦ 为背驮囊橐出行状。

(四)夏代的货币与商品交易关系

恩格斯在《家庭·私有制和国家的起源》这本经典论著中谈到人类社会从野蛮向文明的过渡,即从氏族制向国家过渡是以社会三次大分工来完成的。他说:"游牧部落从其余的野蛮人中分化出来,这是头一次大规模的社会分工"。⑧ 而在这个阶段,商业交换活动已经

---

① 《三代 11.18.8》。
② 《铁 226.1》。
③ 《合集 34095》。
④ 《前 2.19.1》。
⑤ 分见《三代 2.46.8》、《甲 916》。
⑥ 《甲 2903》。
⑦ 分见《续殷》下引,《合集 39456,35225》。
⑧ 恩格斯:《家庭、私有制和国家的起源》,人民出版社,1955 年版,第 153 页。

产生,"牲畜成为商品,一切商品通过它交换,并且到处乐于和它交换,——要之,牲畜获得了货币的机能,在这个阶段上已经起着货币的作用了。自商品交换本身发生的时候起,特殊商品——货币的要求,就以这样的必然性与速度而发展起来了。"① 接着随着铁器的出现(在中国是青铜早于铁器的出现),"于是发生了第二次劳动大分工——手工业与农业分离了。""随着生产分为农业与手工业两大部门,便发生了直接以交换为目的的生产,即商品生产,随之,不仅发生了部落内部及其境界上的贸易,而且也发生了海外贸易。""贵金属开始成为占优势的和普遍性的货币商品,但是还不铸造货币,只是简单地就重量交换罢了。"② 最后,当人类走到文明的门槛时,"第三次为文明所固有的决定意义的分工"便产生了,"即创造了一个不从事生产而只是经营生产品交换的阶级——商人们"。"年轻的商人阶级还丝毫没有预感到它所面临的伟大的事业。但这个事业正在继续形成着而且成为必不可少的了,而这就已经够了。同时随着它而出现了金属货币——铸币。""商品之商品被发现了。这种商品以隐蔽方式含有其他一切商品——是可以任意转化为任何随心所欲的事物之魔力工具。谁握有它,那谁就操纵了生产世界。但是谁首先握有它呢?商人。他已经深深地崇拜货币了。"③ 他在讲到雅典国家的产生时,也说过:"(贵族)把货币财富集中在他们手中。由此而日益发达的货币经济,正如腐蚀性的酸类一样,浸入以自然经济为基础的古老的乡村公社生活方式中。……因此,贵族的日益繁荣的货币统治,……也

---

① 恩格斯:《家庭、私有制和国家的起源》,人民出版社,1955年版,第154页。
② 同上书,第157页。
③ 同上书,第159—160页。

造成一种新的习惯法。"① 恩格斯的上述分析是十分经典性的名言，它也符合中国夏代——这个中国始祖从野蛮进入文明门槛的朝代的经济发展的真实情况。

在夏代手工业与农业分离，手工业技术有了大步发展，手工业产品作为商品而出现以后，商业自然有所发展了。我们前引古书记载夏代时商人的先祖王亥驾牛车负重物到远处贸易的事实便足以证明商业交易的存在。从考古发掘证明当时的商业交易关系作为"商品之商品"的货币已经产生了。如前引河南二里头四期发掘的夏代墓葬中，1984年二里头遗址六区的M11墓与该墓主一起陪葬的物品中还有58枚海贝货币。当然，夏代发掘的货币尚不是金属货币，也更不能证明已进化到铸币阶段，然而中国古代的货币发展史只能以自然货币始，且在很长的时期内，以海贝和齿角为主。《说文》说："古者货贝"，《盐铁论》也记载："夏后以玄贝"。即海贝为币，染有黑色。郑家相先生认为中国的货币开始于原始社会末期的黄帝之世，而历经唐虞至夏、商、周末发生大变化，其中海贝是上古行使最广且最久的货币②。笔者以为海贝之作为夏代货币，一则是夏代中国尚无冶铁技术产生，而冶铸青铜货币则耗费靡大，也非寻常商人可以流通物。二则，海贝为自然货币无需复杂的手工业技术，自然货币其货源较其后的人工铸币则充足多了，可以流通。三则，虽为自然货币但来源于海滨，而东方之海滨为夏人向往又较为费力才能到达之处，故其海贝较之中原随处可造之陶器自又珍贵许多，而商品经济初起的时代，它仍可显示出这种自然货币显示财富的特殊地位，因而也只能在地位

---

① 恩格斯：《家庭、私有制和国家的起源》，人民出版社，1955年版，第107页。
② 郑家相：《中国古代货币发展史》，三联书店，1958年版，第12—13页。

高级的贵族墓葬中才能有所发现。总之,货币,即使是自然货币的产生,也能证明夏代商业关系已经有了一定发展,再加以手工业的发展、交通运输的发展,多方面的相辅相成,由商业关系构成的债的关系在夏代虽不多却也是存在的。

目今能够分析的夏代的债的关系仅能表现为商品关系中的交换与买卖两种契约制度的萌芽。大量的陶器、青铜器、漆器、玉器的随葬,反映了手工业品中的交换,或手工业品与农产品的交换,因为不可能全作为贡品,陶器在平民日常生活中也作为主要用具。这种物品为常用物,又不易携带,故而交换也只能在附近地域公社间,故而陶器存在地域性差别。如夏人活动大本营的豫西二里头文化中出土的陶器与大体同一时期的晋南东下冯等夏王朝重要统治地区的陶器、夏代东方山东苏北的岳石文化中的陶器其具体形制、纹饰风格都有不同,并且岳石陶器有彩绘而其它地区则无。这些说明陶器物品的交换应当是较近地域公社间的商事活动。

买卖则只能从货币的使用上来推证。因为有些贵重物品其生产地看来是集中于某一地域内。如青铜器生产主要集中于王都二里头一带,在二里头遗址南部偏中处,探出面积达1万平方米的铸铜遗址①。偃师二里头遗址,据说是夏末都邑所在。二里头遗址的发掘分为四期,分期愈靠后,则愈是夏代后期。从其各分期出土的墓葬青铜器物看,反映了时间愈后,青铜器物进入夏代上层分子生活中的比重愈大。以夏代二里头34座墓葬资料看,二期的10座墓中,青铜器随葬仅在一墓中发现,即81YLVM4,墓室面积2.9平方米,是同期墓中较大者,除其它陪葬物外,尚随葬一件铜铃,一面绿松石镶嵌的兽

① 郑光:《二里头遗址勘探发掘取得新进展》,《中国文物报》1992年10月18日。

面铜牌饰,十分珍贵,墓主属生前地位相当高的贵族。三期墓葬13座,有两座墓葬中有青铜器随葬为75YLV1K3和80YL111M2两墓,是同期墓室面积很大的两座,除其余陪葬物外前墓尚有铜爵1个,后者有2个铜爵,墓主身分亦是很高的。而四期墓葬11座中,其中6座有青铜器陪葬,数量也大为增多,共有13件之多,种类包括斝3,爵4,铃2,牌饰2,觚1,鼎1。这还不包括11座墓葬之外,1985年在二里头遗址三区采集到的属四期陪葬品的铜盉、铜爵各一件①。这些数据表明到二里头四期文化时,青铜器的礼器使用在贵族生活中已有取代陶器之势,不仅如此,它甚至扩展到上层平民中。如80YLV1M6墓室不太大,面积为1.08 米^2,墓主可能为上层平民,而陪葬物除陶器外也有一件铜斝。贵族和上层平民使用的贵重器物不可能均来自王室赏赐或下属供奉,也需自己购买,以示明身分。再如海贝,来自夏的东方属地山东、江苏,唯其少而珍贵能作货币。夏的东方属地也是夏的商业往来区。再加以前述夏的交通运输地理观念,说明买卖关系在夏末是存在的(因为二里头文化属夏代后期)。当然其具体的债的习惯法则无法再详细考证。

第二节 商代的民事法律关系

一、商代的身分法

商代是我国历史上的第二个朝代,其纪年大约从公元前17世纪末至前11世纪初这五六百年。虽然历史上都知道商汤灭夏而建立

---

① 以上统计材料见宋镇豪:《夏商社会生活史》,第281页图表。

商朝,但实际上在夏代活动的很长时期内,商已立足于豫、鲁、冀之间。商代中国仍然是农业国家,人们选择近水源适宜农耕的河流两岸或沼泽边缘建立居民点。商的国土及活动范围均较夏代有了很大发展,人口总数也有了很大增加。有学者分析商初人口总数应在400－450万之间,比夏初总人口270万净增48.5%—87.5%① 商代仍然是奴隶制国家,在这种国家内,人们的身分地位等级地位的不同,决定了人们的民事权利能力的不同,因此,我们研究商代的民事法律关系时,也应首先将着眼点放置于人法上,即放置在当时社会中人的身分法上。

作为奴隶制国家,商代社会,人们的身分大体分为三类:奴隶主贵族,众人、庶人和小人,奴隶。可以说,前二者是统治阶级,后者是被统治阶级。然而,前二者的身分地位,权利能力也是明显又有差异的。各类身分的人群中又有着等级差异,表现为其权利能力的差异。

奴隶主贵族,这个统治者阶级,居其首位的是王,王是国君的称号,商人从成汤开始称王。早期甲骨文显示,王字像刃部向下的斧钺形状"A"② 表明氏族的军事首领持斧钺带头征伐;国家形成后,军事首领变成国君,是执掌斧钺的代表,王就成了国君。商人自成汤正式称王,他自称"武王"。从成汤到商的末代国王帝辛其三十一王,当他们活着作最高统治者时,均称为王。甲骨卜辞中常见"王乎"、"王令"、"王曰"、"王占曰"、"王出"、"王入"、"王往"、"王步"、"古王事"等就是证明。王自称"朕"、"余一人",这也成为表明王专制身分的标志,其他人不得使用。"朕"在甲骨卜辞中既可是王自称,又可是王的代词,臣下

---

① 宋镇豪:《夏商社会生活史》,第107页。
② 《乙7795》。

亦可称之以指代王。卜辞有"朕耳鸣"(如《乙》5405,《佚》768),即指王的耳鸣,"古朕事"(如《佚》15,106等),"古王事"(如《前》7.4.4等)。

"余一人"或"一人",这是商王自称,其他人不得使用的专有代名词。"一人"表示王是奴隶主阶级的总头目,含有至高无上,唯我独尊之义,这也是典型的独裁专制政治的反映。王是军事、政治、祭祀、司法、经济一切大权的垄断者,作为农业国家,国王是唯一的拥有完全土地所有权的人;商王的意志就是最后的决断,就是法律,国王享有的是绝对的权力,是一种逐渐走向完善的独裁统治权。

商国王以下的奴隶主贵族统治者还有商王的子弟、姻亲等整个王族。卜辞中称"王族"、"子族"、"多子族"。此外还有"诸妇",如累见不鲜的妇好、妇井、妇妹、妇鼠、妇良、妇妥、妇竹等,以及"诸子":子渔、子央、子效、子画、子昌、子商、子目等。《尚书·盘庚》篇讲到"众戚"、"婚友"、"旧人"(世袭要职的旧贵族)、"百姓",《尚书·君奭》讲到的"商实百姓王人"等也均属于此类。

作为专制的奴隶制国家,商王在政权建设中还建立了庞大的官僚机构,依据文献资料和甲骨卜辞看,大体形成了内服百官,外服诸侯的官僚体系。如文献上常讲的伊尹、巫咸、咎单、伊陟;甲骨卜辞累见的黄尹、咸戊、师盘、沚、戜、卓、雀、亘、峕郭等以及各朝的贞人、卜人等都属内服百官。甲骨卜辞中常讲的那些侯伯,如侯虎、攸侯、先侯、周侯、竹侯、井伯、易伯、伯圂、于方伯等都属外服诸侯。他们也都是奴隶主阶级代表人物,在王畿之内或王的臣属国受商王管辖,又为之统治广大的平民和奴隶。

除奴隶主贵族作为统治阶级外,还应当谈到平民阶层。在性质上说,他们也属于统治者阶层,但是他们的统治权极小只是从政治意义上讲,相对于被统治阶级的奴隶来说,他们是权力有限的统治阶级。而这个阶级主要的任务还是作为国家政治经济发展的支柱、支撑者,而承担义务。即所谓的"治人者,必先受治于人"。所以,他们表现为治、与受治的双向权利义务。这个阶层他们大多数由商的本氏族成员演变而成,是农业劳动的主要承担者,此外还承担军役、劳役,向国家缴纳贡赋,是这个奴隶制国家的底层支撑者,是履行义务的主体。然而,他们不是奴隶,他们的身分是自由的;他们有当兵作战的权利,也有一定的参政机会;虽然,在参政中并不实质上给他们主权,但还有听取政权决策和发表意见的机会;奴隶主阶级不能把他们视为奴隶而任意屠戮,也不能将他们作为物品来对待。这个广大的平民阶层,从甲骨卜辞和文献来看,其称谓有"众"、"众人"、"庶民"、"小人"、"万民"等。

首先我们审查"众"和"众人"。从商人直接留下的甲骨文材料中看,当时确有称为"众"或"众人"的社会阶层。关于这个阶层的社会地位是自由民还是奴隶,史学界一直存在有争议。我们认为,这个阶层不是奴隶,当为平民。

"众"和"众人"在甲骨卜辞中活动相同,用法语法也相同,因此,其意义是相同的。如:

$$\begin{cases} 奥以众^{①} \\ 奥以众人^{②} \end{cases}$$

$$\begin{cases} 其丧众^{③} \\ 其丧众人^{④} \end{cases}$$

---

① 《合集 36》。
② 《合集 34 正》。
③ 《合集 58》。
④ 《合集 51》。

$$\begin{cases} 奂不丧[众]① \\ 奂不丧众人② \end{cases}$$

"众人"承担的主要义务有四:即农业劳动的主力军;军役的主要负担者;参加田猎活动;缴纳贡赋。

农业劳动的主力军:甲骨文中的"众"字的构形为日下三人或二人形。学界有人认为像在田野中日光下耕作的民众,也有人说像受田神庇护的民众。甲骨文中"众"字的形构为"㗊"③、"㠭"④、"众"⑤,不论哪种说法,"众"属平民阶层。但从甲骨卜辞看,众人的活动首先与农业劳动有关,则前一种解释似更为合理。如:

王大令众人曰协田,其受[年]十一月。⑥

令众人眔…入𦍌方……垦田。⑦

贞弜令众人。六月。⑧

贞惟小臣令众黍一月。⑨

…小臣令…黍…⑩

上面最后一条卜辞中虽无"众人"一词,但从甲骨文中有关众人的卜辞记载来看,此处"众人"一词是卜辞中残损部分。

---

① 《合集 54》。
② 《合集 57》。
③ 《甲 354》。
④ 《拾 4.16》。
⑤ 《林 1.20.14》。
⑥ 《合集 1》。
⑦ 《合集 6》。
⑧ 同上。
⑨ 《合集 12》。
⑩ 《合集 13》。

卜贞众作耤不丧……。①

戊寅卜，宾，贞王往以众黍于同。②

丙午卜，古，贞…众黍于…③

丙戌卜，宁，贞令众秡，其受祐五。④

辛未卜，争，贞曰众人尊田。⑤

以上大量卜辞说明众人是农业生产的主要承担者。他们从事的农事活动有"协田"，即指农业春耕开始时的祭祀活动；"垦田"；"作耤"，即翻耕土地，耤字本身就像人扶耒以脚踏入地内形状，写作"⿰⿱"⑥"⿰⿱"⑦"⿰⿱"⑧；"黍"，本为农作物，此处作动词，表示种黍；"秡"是麦类之一种，此处表示种秡；"尊田"，即耨田，尊是耨的假借字，《说文》："耨，除田间秽也"。总之可知，上述卜辞反映众人主要从事的工作是农业劳动。再者，因为"众人"是农业地域公社的农民，所以其在王有土地上的农业活动是集体性的且有领导的，因而卜辞中可见由小官员、小臣等率众去耕作的记载。这种在国王公田上的劳动常会激起众人的反抗，因而卜辞有询问众人是否会因此劳役而逃跑的事。

"众人"除农业耕作之外的第二项主要任务就是要承担商王朝的徭役和兵役负担，甲骨文辞中也大量保留了这种记载，如：

---

① 《合集 8》。
② 《合集 10》。
③ 《合集 11》。
④ 《合集 14 正》。
⑤ 《合集 9》。
⑥ 《前 6.17.5》。
⑦ 《前 7.15.3》。
⑧ 《乙 8151》。

辛巳卜,贞令众御事。①

立众人,叀立众人□,□立邑墉商□。②

这两条卜辞,前条"令众御事"的"御"字,原始的意义表示迎接、接受的意思。"事"与"史"字在甲骨文中多同形同义,为"𠭯"③ 为手持捕猎器具之形,古代人们以捕猎生产为事,所以"史"就是"事"的意思。所以,"令众御事",就是呼令众人接受差役之意。后一条辞的"立众人"有征调众人之意,墉指城墙,这条残缺但大意可知是商王征调众人修筑商都城垣的事,筑城也是一种繁重的徭役。

关于众人承担兵役负担的记载在甲骨卜辞中也是屡见不鲜的。如:

甲辰,贞奠以众甹伐召方,受又。④

丁亥,贞王令奠以众甹伐召方,受又。⑤

贞王勿令……致众伐舌方。⑥

丁未卜,争,贞勿令奠致众伐舌。⑦

乙卯贞,令甹以众伐龙,戋。⑧

戊辰(卜),贞翌辛……亚三致众人甹丁录,乎保我。⑨

丁未卜,贞惟亚以众人步。二月。⑩

---

① 《前1,10,2》。
② 《缀合30》。
③ 《周甲探49》。
④ 《粹1120》。
⑤ 《摭续144》。
⑥ 《合集28》。
⑦ 《合集26—27》,两片同文。
⑧ 《库1001》。
⑨ 《前7.3.1》。
⑩ 《合集35》。

戍卫不雉众。①

戍隹弗雉王众。②

戍㠯弗雉王众。戍骨弗雉王众。戍骨弗雉王众。戍弗雉王众。戍〔舀〕弗雉王众。戍羍其雉王众。③

上述卜辞中,除率兵将领的名字外,"致"是率领的意思;"戋"是杀伤的意思;"方"是指方国,商族以外的国族;"雉"读为夷,训为伤亡的意思。"卫"是保卫的意思。从甲骨卜辞看,均是与征战有关而又由众人参与的活动。或是商王令官员率领众人讨伐方国,或是商王不令某人率领众人讨伐方国,或是商王要求官员率众人保卫自己,或是商王询问上天征伐会不会使自己的众人伤亡的事。由此可知均是有关众人服兵役的记载。

除上述负担之外,众人还参加围猎活动,或在农闲时,或在战争胜利后,商王为庆祝胜利而搞的围猎活动。如:

贞呼众人出鹿克。④

贞叀众涉兕。大吉。⑤

辛亥卜,贞众〔人〕往审有擒。⑥

上述甲骨卜辞中提到的"鹿"、"兕"都是围猎的野兽,兕即今称为獬豸者,为巨首独角,写来为兕形。《说文》:"兕,如野牛而青。象形。与禽,离头同……兕故从儿。"《山海经·海内南经》:"兕其状如牛,苍

---

① 《佚 5》。
② 《京人 2129》。
③ 《合集 26879》。
④ 《合集 13》。
⑤ 《甲 3916》。
⑥ 《龟 1.20.5》。

黑一角"。这种兽殷商时常以之为祭祀的牲畜。在甲骨文中写作 ① 或 ②。擒则表示围猎有收获。而这些活动均是由商王直接指挥或由商王的臣下指挥的。

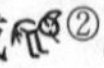

众人的另一任务是向国家缴纳贡赋。商代的土地所有制仍是以东方式的国有土地所有制为主,这点我们在后文的物权法中将有详述。因此,对国有土地仅享有使用权的众人,即公社平民,必须向国家承担缴纳贡赋的义务。这些贡赋或以力役形式表现,如众人合力在公田上的农耕,或以实物形式缴纳,其种类不仅限于农作物,也包括手工业品或畜产品。甲骨卜辞中常有反映,如:

戊寅卜,争贞,今春众有工。十一月。③

□申□,争□,�令有工。④

己巳卜,殻贞,犬征其工。⑤

戊其有工。⑥

贞,卓亡其工。⑦

贞,自亡其工。⑧

甲午卜,亘,贞共马乎伐□。⑨

氏我牛。⑩

---

① 《甲 1635》。
② 《前 7.34.1》。
③ 《外 452》。
④ 《甲 3473》。
⑤ 《后下 373》。
⑥ 《续 5.148》。
⑦ 《续 5.10.4》。
⑧ 《粹 1216》。
⑨ 《佚 378.戊》。
⑩ 《甲 2916》。

贞乎共牛。①

庚辰卜，永，贞般豕氏。②

贞，龟不其南氏。③

上述卜辞中"工"，依于省吾先生意见，读为贡纳之贡。"共"含有征调之意。"有工"可能为某一手工业家族向商王贡纳某种手工业品，或应召为商王生产某种手工业品。而另一些卜辞则反映这种被征调的贡品也包括马、牛、羊、豕、龟等。

然而，众人作为平民阶层，他们与奴隶不同，他们毕竟是人，在法律上享有人的权利。殷商的众人应是商本族的族众，他们享受的权利便较多。从古籍记载看，他们的权利基本表现有：

首先，有参政权。虽然，由于中国古代非共和制或民主制国家，平民阶层的参政权是极为有限的，众人的参政权与古希腊或罗马共和时代的公民参政权不可同日而语，然而，它毕竟表现为一种权利。《尚书·汤誓》篇有记载：

"王曰：格尔众庶，悉听朕言。非台小子敢行称乱。有夏多罪，天命殛之。

今尔有众，汝曰：'我后不恤我众，舍我穑事而割正夏？'予惟闻汝众言，夏氏有罪。予畏上帝，不敢不正。

今汝其曰：'夏罪其如台？'夏王率遏众力，率割夏邑，有众率怠弗协，曰：'时日曷丧，予及汝皆亡！'夏德若兹，今朕必往。

尔尚辅予一人，致天之罚，予其大赉汝。尔无不信，朕不食言。尔不从誓言，予则孥戮汝，罔有攸赦。"

---

① 《乙 7955》。
② 《拾 1.2.3》。
③ 《前 4.54.5》。

《汤誓》是商代的开国国君在鸣条之野即将进行灭夏战争时发布的战争总动员令。这篇动员令的听众是商族的部落成员。商部落要灭掉夏部落,战争的发动者商汤必须要得到本部落族众的支持。

全文共分四段,第一段,商汤解释发动灭夏战争的理由,以期得到自己族众的支持。其文大意如下:

王说:"来吧?我们部落的族众们,请你们都听我的话。不是我小子敢发难战争。因为夏王犯了许多罪行,上天命令我诛杀他。"

第二段,商汤揣度商族众的心理,申说发动战争不是侵夺商族众的农事,而是替上帝完成征讨夏王的任务。大意如下:

"现在,你们大家常会发怨言说:'我们的国君太不体恤我们了,舍弃了我们种庄稼的大事却怎么能够去纠正别人的偏差呢?我听到你们说的这些话,也知道夏桀犯了许多罪行。我,怕上帝发怒,不敢不讨伐夏桀。'"

第三段,商汤再次具体反复说明夏桀的暴政,以重申自己征伐夏桀的决心。其文内容大致如下:

"现在你们将要问我:'夏桀的罪行究竟怎样呢?'夏氏君臣相率使民众承担沉重的劳役来竭尽民力,他们还残酷地剥削压迫民众,人民大都愤恨怠工,不与夏的统治者协力,他们诅咒地说:'这个太阳呀,你什么时候才能消亡呢?我愿意和你一起去死!'夏代的德政已经败坏到如此地步现在我一定要去讨伐它。"

第四段,商汤最后恩威并用告诫商的族众必追随他去讨伐夏朝。其文大意如下:

"你们只要辅助我,奉行上天的旨意竟讨伐惩治夏国,我将大大地赏赐你们。你们不要不相信我的话,我是绝不失信的。如果你们不听从我的话,那么我将要惩罚你们,或把你们变作奴隶,或对你们刑戮,绝不宽恕你们。"

从这篇《汤誓》中清楚地反映了几个问题:

第一,商汤立国之初,还保留了原始民主制的习俗,重大的国事问题,如战争、和平等均要在民众大会上讨论,故商汤灭夏之举也要在民众大会上向商的族众宣告。

第二,民众还有在民众大会上的一定议政权。我们从《汤誓》第二段民众对商汤的不以农事为主不断对外频频战争的怨言中便可看出,商的族众们还敢于在民众大会上发表反映他们的意见的言论,商汤也还在形式上不得不表示"予惟闻汝众言",表示民众的议政意见他是要好好考虑的。

第三,在这种民众大会上,国家的国君虽有一定的威慑力,但他们首先还得考虑民众的权力,故而,商汤要反复地,一而再、再而三地劝说民众同意他的讨伐。

第四,国君虽有重大事务的定夺权,但这种权力是借助于上帝、天的神力来实施的。全文可以看出,商汤一开始便向族众宣布他要向夏朝进行讨伐是"天命殛之"的。接下来,他对族众不满征战一方面表示"予惟闻汝众言"的不对抗民众的态度,但另一方面又宣告"予畏上帝,不敢不正"。最后在反复劝说民众后,他恩威并用地指出,民众辅助他讨伐夏朝是"致天之罚"的,因而若违反天意他将惩罚民众。在当时的条件下,人们对大自然的神秘莫测的力量非常恐惧,因而,商汤借助神力来抬高自己个人的意志也就抬高国君的力量使之有了雄厚的资本。

第五,从《汤誓》可看出,当时的"众庶"是拥有参政议政权的自由民,而非无权利能力的奴隶,虽然在国君的统治下,他们可能有时会身分降等到奴隶,但那必须是犯了国事罪之类一等大罪时方可,例如不从王命,不从天命去出征。一般情况下,"众庶"的自由民身分和他们的权利能力是不能被任意剥夺的。

亚里士多德在其名著《政治论》中,对于"公民"一词虽从不同的广义狭义角度进行了申说。但他总结认为"国也者,即公民所集合而成之团体"。① 因而"总之,凡人民对于其国政务之执行,能参加其考虑或决断之权者,吾人即可以其国公民之称号加之"。② 从这一观点看,刚步入国家的商王朝,还保留有一定的原始民主制特色,商的"众"和"众人"即《汤誓》中称的"格尔众庶"是有着不小的参政和议政权的,因而,成汤要讨伐夏朝这等军事大事一定要在商部落民众大会上讨论,"众庶"要发言议政,并且商王一定要在他们同意下才能征讨。

这种氏族民主制的参政议政权,随着国君权力的强化,民众的权力便日渐被淡化、取消,但也还有一个缓慢地发展过程。从《尚书·盘庚》篇可以有所反映。

《尚书·盘庚》共有三篇,主要记载了盘庚迁殷的历史事实。商人的历史,从契开始算起,史籍告诉我们,商族是从有娀氏分出的一个宗族发展起来的,契是这个宗族的第一代始祖,《史记·夏本纪》记载他被"封于商,赐姓子氏"。因而被称为"商族"。契和禹是同时代人,曾协助过大禹治水。在夏朝统治时期,商族是其在东方的一个附庸。从契经十四世到成汤,商族才灭夏建立了商王朝。

契到成汤建国的几百年间,商族随着人们治理改造自然能力的加强,为了已开发地带不能承受人口增殖的压力,便不断地在黄河中下游广阔的平原地带频频迁徙。史称商人"不常厥邑",《尚书·书序》

---

① 亚里士多德:《政治论》,商务印书馆,1934年初版,第114页。
② 同上书。

说"自契至于成汤八迁"。这八迁的地址是:一、契居蕃(山东腾县);二、昭明居砥石(河北元氏县南槐河);三、昭明又迁商丘(河南商丘);四、相土迁东都(山东泰山下);五、相土再迁商丘;六、上甲微迁殷(河南安阳);七、殷侯(上甲微时人)复归于商丘;八、汤居亳。① 这一时期的迁徙活动地区,大抵在冀南及豫北平原,至鲁中部和南部低山丘陵地带。商人的迁徙有时距离很远,《商颂·长发》有"相土烈烈,海外有截",是指相土时的两次迁居,直线距离足有500里以上,迫近东部滨海地区。

自成汤至盘庚又有五迁,其间经一百多年其地域如下:

一、汤居西亳(河南偃师商城,或又说郑州商城等);②

二、仲丁迁隞③;

三、河亶甲自隞迁相(今河南内黄);

四、祖乙迁邢④;

---

① 参见王国维:《说自契至于成汤八迁》,《观堂集林》卷12,中华书局,1959年。丁山:《商周史料考证》,中华书局;1988年。赵铁寒:《汤前八迁的新考证》,《大陆杂志》27卷6期,1963年。

② 关于亳都的地址,自汉代以来,即众说纷纭,莫衷一是。主要有"四亳"之说:即:"梁国谷熟为南亳"(《史记·殷本纪·集解》引皇甫谧云),即今河南商丘附近;"河南偃师为西亳"(《史记·殷本纪·正义》引《括地志》),近年偃师二里头遗址发掘后,有人认为它即为亳都遗址;汉山阳郡薄县为汤都北亳(《汉书·地理志》,后引臣瓒曰),即今山东曹县境。王国维先生力主此说(《观堂集林·说亳》);近年邹衡提出"郑亳"说,认为应是河南郑州所发现的商城遗址(《夏商周考古学论文集·汤都郑亳及其前后的迁徙》)。

③ 隞,《史记·殷本纪》作"隞",《纪年》作"嚣"。隞、嚣音近相通。其具体地址,也有各家说法。一说河南郑州商城;一说郑州西北石佛乡小双桥商代遗址;一说郑州荥泽敖山;一说陈留浚仪;一说山东洙、泗上游。

④ 祖乙之迁,史籍记载不同,《史记·殷本纪》曰:"祖乙迁于邢",《尚书·商书序》曰:"祖乙圯于耿"。《史记·殷本纪·索隐》曰"邢音耿,近代,本亦作耿"。看来,迁邢、迁耿为同一地。但《古本竹书纪年》曰:"祖乙居庇",便与前说又有异。关于"邢"或"庇"的地址,学界也有不同说法,有谓是"今山东定陶"(黎虎:《夏商周史话》,北京出版社,1984年,第58页);有谓"河北邢台"(宋镇豪:《夏商社会生活史》,中国社会科学出版社,1994年,第21页)。

五、南庚迁奄(山东曲阜；一说河南安阳东南)；

六、盘庚迁殷(河南安阳殷墟)。

盘庚迁殷以后，商才找到一个最理想的定都地点，结束了商族"荡析商居"、"不常厥邑"的动荡生活，此后直至商亡国二百七十三年间不曾迁都。这次迁都扭转了商王朝的颓衰，走上了中兴之道，迎来商王朝政治、经济、文化发展的辉煌时期。

《盘庚》三篇是盘庚迁殷前后对臣民的三次讲话，其内容被公认是商代的遗文。

盘庚当时讲话的对象，从大的方面看，可分为两种人，一种是"众"包括"众戚"、"众"、"有众"等，这类人是上层统治阶级内的成员，包括贵戚近臣及其亲戚朋友；另一种是"民"，包括"厥民"、"万民"，等。这种人是政治上很少享有权利的普通小民百姓。

盘庚对贵族成员，百官的讲话，主要是恩威并用地要说服这些贵族阶层同意他的迁都计划，并向小民传达他的计划，不许隐瞒。作为统治阶级最高领袖的他，已经懂得治民先治吏的道理，他认为当时形成迁都阻力的首先在于这些贵族大臣，所以他在借用先王法制、老天命令之后，还威胁大臣们说"我操纵着你们的生杀大权"，告诫他们若再浮言惑众则将以刑罚制裁之。

《盘庚上》记载：

"盘庚迁于殷，民不适有居，率吁众戚出矢言……

"王命众，悉至于庭。

"王若曰：'格汝众，予告汝训汝，猷黜乃心，无傲从康。'"

这些都是记载盘庚对"众"的训话。在训话中他首先说迁殷的目的是重视臣民的性命，是遵循先王的制度，是恭敬地顺从天的意志。同时告诫大臣，无论谁都不许将他规劝小民的语言隐瞒起来而不向小民传达。他还教训大臣要去掉私心,不要倨傲放肆追求安逸。揭露大臣们的恶言惑众行为,表示他的愤怒。告诫大臣"矧予制乃短长之命,汝曷弗告朕而胥动以浮言?""凡尔众,其惟致告,自今至于后日,各恭尔事。齐乃位,度乃口。罚及尔身,弗可悔!"就是说"何况我还操纵着你们生杀大权呢?你们有话为什么不事先来告诉我,竟用浮言去蛊惑人心呢?""你们诸位应当将我的话语转达;从今以后,你们应当努力做好职分以内的事,不许乱说乱道。否则,惩罚就会到你们身上,到那时,再后悔就来不及了!"

《盘庚·下》记载了盘庚迁殷之后对他的"有众"、"百姓"以及百官们的训话,其主要目的仍是劝说诸位统治阶级中的当权者与他协力一心治理国家,所以语言中仍以劝说为主,很少威胁之词。其听众"有众"、"百姓"均指商王室的贵族,即出身于原先族众中的已上升为官员阶层的人。其中"百姓"应与后世的"平民百姓"区别开来,因为只有出身于同氏族的贵族才被赐以姓,小民是没有姓的。

"盘庚既迁,奠厥攸居,乃正厥位,绥爰有众,曰:'无戏怠,懋建天命。今予其敷心腹肾肠,历告尔百姓于朕志。罔罪尔众,尔无共怒,协比谗言予一人。'

"肆予冲人,非废厥谋,吊由灵各。非敢违卜,用宏兹贲。'

"呜呼!邦伯、师长、百执事之人,尚皆隐哉。予其懋简相尔,念敬我众。

"朕不肩好货,敢恭生生,鞠人谋人之保居,叙钦。今我既羞告尔于朕志若否,罔有弗钦。无总于货宝,生生自庸,式敷民德,永肩一心。"

这几段的大意如下:

"盘庚已经迁都,奠定了人们的住所,于是又辨正了修建宗庙宫室的方位,然后向这些任职的贵族族众说:"不要玩乐怠惰,要勉力完成重建家园的大业。现在我说出我的肺腑之言,把我的意见全数告诉你们。我没有降罪于你们,你们不要大家心怀不满,相互勾结在一起,说我的坏话。

……

"现在我这个年幼的人,不是不听从你们大家的意见,迁都的善事,实在是由深知天命的贞人传达下来的上天意志。迁都不是违背了卜兆,正是因此而宏大彰明了这个卜兆。

"啊!各位诸侯,各位大臣,各位执掌百事的官员们,你们都应好好考虑,自己的责任。我将要勉力地视察你们的工作,看你们是否听从我的命令,恭谨地治理民事。

"我不任用那些喜好贪财的人,却要举用那些黾勉努力为臣民生财致富的人,那些能够养民,为民考虑、使民安于居所的人,我都按其贡献大小依次尊重他们。现在我已经把我的志向,我主张什么反对什么都告你们,希望你们不要不遵从我的意见。你们不要贪婪地敛聚财货,而要努力地尽好自己的职责,以对臣民施以德政,永远地同心同德建设新家园"。

从上述《盘庚》两篇中我们至少可以发现:

第一,商中期以后,"众"已经发生了分化,分为掌握政权的"有众"、"百姓"、"众戚"与被掌握政权者统治的"我众"两个阶层,二者的身分与权利能力是大不相同的。

第二,"有众"、"百姓"、"众戚"、"汝众",均是不同称谓的同一等人,均是氏族贵族出身的,从族众中分化出的协助国王执掌政权者。还不仅从"众戚"称谓中的"戚"字看了商王与他们间源远流长的血亲关系,从商王的其它话语中也明显看出。如:

"迟任有言曰:'人惟求旧,器非求旧,惟新。'

"古我先王,暨乃祖乃父,胥及逸勤予敢动用非罚?世选尔劳,予不掩尔善。兹予大享于先王,尔祖其从与享之。作福作灾,予亦不敢动用非德。

……

"无有远迩,用罪伐厥死,用德彰厥善"。

大意说:

"古代先贤迟任说过这样的话:'用人只应用世家旧臣,用器物则不使用旧的,只使用新的。'

"古时候,我的先王和你们的祖先一起大家共同过着安乐勤劳的生活,我怎敢对你们动用非法的刑罚呢?如果你们继续你们祖先的劳绩,我绝不会掩盖你们的美德。现在我要大祭先王,你们的祖先也将跟从着并一起被祭祀。你们做善与或做恶事,都由你们祖先来处理,我也不敢动用非分的刑罚和赏赐。

不论我们关系的亲与疏,都一律对待,以刑罚惩罚那些罪行,以德政表彰那些善行。"

这些话语说明他们与商王室有着或近或远的亲属关系,且一直是商王室的世代袭位官员,甚至其祖先与商王祖先可同祭。因此这种"众戚"是享有特权的。

第三,这些"众戚"、"有众"、"汝众"、"百姓",有一定的参政权。盘庚在迁都这种大事上是给予他们这种权利的。我们从"今汝聒聒"、"非废厥谋"中可知盘庚是让他们就此等大事发表过自己的意见的。只是其意见与盘庚意见相反罢了。

第四,盘庚还未达到完全专政地步故对这些持不同意见的"有众"们虽恩威并用,却主要是劝导,甚至自己的意见也要借助于天意以加强威力,虽说对这些"有众"有生杀之权,却不使用,而只是警告,且借助于其祖先或先王的神明威力。

第五,另一类"众",则已降落为"民"、"万民"、"小民"的地位。他们没有参政、议政权。商王只要求掌权的"有众"们治理他们,"念敬我众",也就是恭谨的听从我的命令去治理这些民众。这里的"我众"是被"有众"按商王意志治理的对象,从始到终没有"我众"的发言权。

第六,降落为"万民"的"众",亦被称为"民",是只有顺从义务而无参政议政权的小民们。他们直接接受的是作为官员、贵族的"有众"们的指挥。当然,对他们行使最高役使权的仍是商王。所以,当他们敢有不服从的表现时,商王不仅可以残酷杀死他们,甚至株连延及他们的后代。因此,这类"众"与"民"已与前类"有众"身分大大有别了。

《盘庚·中》正是对这些民众的讲话:

"盘庚作,惟涉河以民迁。乃话民之弗率……盘庚乃登厥民。

意即:"盘庚制做了船只,准备把民迁过河。于是召集那些不愿迁徙的民,盘庚登上讲台,将这些民叫到前面来。"

"今予命汝一,无起秽以自臭,恐人倚乃身,迂乃心。予迓续乃命于天,予岂汝威,用奉畜汝众。"

译文:"现在我命令你们专一听从我的命令,不要将污秽之物闻来臭自己的鼻子(即不要听从流言蜚语),恐怕坏人利用你们身上的毛病,使你们回心转意。我要请求上天,使你们继续生存下去,我哪里是要用我的权势去压迫你们,我是为了养育你们啊!"

"乃有不吉不迪,颠越不恭,暂遇奸宄,我乃劓殄灭之,无遗育,无俾易种于兹新邑"。

译文:(盘庚说)"如果你们敢有不行善事,不遵正道,狂颠逾越身分不敬重我的行为,敢有诈伪欺骗,做坏事的罪行,我就要把你们诛杀灭绝,不给你们留一个后代,不使你们的后代在新邑里蕃衍。"

从上述引文看出这种"民"的地位只是服义务者,不仅盘庚对他们以绝对统治者的口吻讲话,而且盘庚说,商的先王已经役使过"民"的祖先。"古我先后既劳乃祖乃父,汝共作我畜民"。所以王可对这种"民"行"劓殄"之刑罚,并株连到其后代"无遗育","无俾易种于兹新邑"。

其次,众人享有军事权,即作为国家自由民,尤其是商部族族众的作为一名士兵的参军、作战的权力。

掌握武器,掌握作战权,便直接掌握了国家的统治权,因此,亚里士多德说:"战士,治人者",所以古代国家,无论东方或西方,无论民主政治,还是专制政治,士兵首先由自由民阶层组成,在东方国家首先由本部落自由民组成。如巴比伦的雇佣军,皆为自由民身分者,国家还保护他们的利益;又如古希腊和古罗马的军人要由有公民权的自由民担任,皆因为他们掌武器是"治人者"。奴隶如在战争中使用,也多用于后勤部队。

商代的众人有承担兵役的义务,也同时将此义务作为自己是"治人者"的一种权利。前文已列举过大量卜辞实例,此处不再赘言。

再次,众人有参加商部落的宗教集会活动之权力。卜辞有记载:

御众于祖丁,牛。妣癸,盟豕。①

---

① 《安阳出土的牛胛骨及其刻辞》,转引自《吉林大学社会科学学报》1982年第4期,赵锡元:《再论商代"众人"的社会身分》一文。

贞,燎,告众□步于丁录。①

卑于□氏众□宗□屮。②

大意:第一条:御祭族众于祖丁之庙,用一头牛作牺牲;御祭众于妣祭之庙,用了一头猪。

第二条:举行燎祭向祖先报告征丁录事。

第三条:宗是宗庙,屮是侑祭。大意说卑在率领众人行动前,在宗庙举行侑祭礼。

最后,众有接受教导、告诫之权利。这一权利也表明,"众"原属于王的同族人,因而王对之主要要教导、引导。

甲骨卜辞有"教众"。

丁巳卜,彀贞,王勿教众方,弗其受有义。③

印证《尚书·盘庚上》:"盘庚教于民"。孔传:"敉,教也。"《说文》:"教,上所施,下所效也"。教众义为教导、告诫。

总之,我们可得结论,商的众人,原是商本族成员,他们在商从建国到其后的发展中地位在变化,其内部成分也在逐渐分化,然而总未脱出自由民地位。他们固然要承担很多义务,是国家社稷的支撑者,但他们仍应进入有限制的权利主体的地位。他们有一定的参政议政权;有参加族的宗教活动权;有接受教导权,商王对之仍以安抚为主;有以族为单位的承担军事义务权等。但他们从另一角度说也是被统治者,不仅要承担繁重的义务,而且可被王下令"劓殄"之,"无遗育"。他们的民主权利被践踏,这是绝不同于古希腊的"民主制"的。

同时,我们还认识到,与"众"共称的"民"、"小民"、"万民"均大多

---

① 《后上,24·3》。
② 《京津 1074》。
③ 《乙 1986》。

是从"众"演变分化而来,仍属有较少权利的社会基本权利主体,非纯粹的权利客体。

奴隶,从法律的意义来看,奴隶是权利客体而非权利主体。在罗马法中把具有生物意义上的人和具有法律意义上的人用不同的单词表示,即 hom 和 persona。前者指自然人,生物意义上的人,以区分与其它动物,奴隶作为人,仅属于生物意义;后者则指在法律上可作为权利主体的人,可具有人格的人,而奴隶不属于后者。奴隶在法律上不属于人而属于物。罗马学者玛尔库斯·铁纶提乌斯·瓦罗(公元前116—27 年)曾公开地将奴隶列为工具。他说:"奴隶属于说话的工具,牡牛属于发出不分音节的声音的工具,而马车则属于哑吧的工具。"① 罗马法学家乌尔比安说:"从民法的观点来看,奴隶是什么也算不得的。"② 因此,奴隶在法律上没有人身权和自由权。盖尤斯的《法学阶梯》如是说:"奴隶是处于主人权力之下,这种对奴隶的权力是万民法的制度;因为我们可以发现,在各民族中,主人都对奴隶拥有生存权、处死权,以及奴隶所获得的一切也就是主人获取的";"根据裁判官法,或根据市民法,或根据其它替代法,奴隶被认为是每个人的财产"。因此,主人可以对奴隶生杀予夺,用各种残酷方法虐待。如盖尤斯说:"主人用枷锁羁押,或用热铁烙下印记……或被预先指定要同野兽角斗,或被抛弃,或被交给杂技团演杂技,或被扣押在监狱。"③ 奴隶既没有了做人的权利,因而他们也没有婚姻权、财产权或成为独立诉讼主体的诉讼权。故此,马克思不止一次地说:奴隶是

---

① 科路美拉:《论农业》I,17。转引自科瓦略夫《罗马史》。
② 《学说汇纂》I,17,32。
③ 盖尤斯:《法学阶梯》I,52;I,54;I,13。引文见冯卓慧:《罗马私法进化论》,陕西人民出版社,1992 年版,其后之附录,盖尤斯《法学阶梯》(摘译)第一卷。

"会说话的工具","在这里只是会说话的工具,牲畜是会发声的工具,无生命的劳动工具是无声的工具,它们之间的区别只在于此。"① 恩格斯说:"奴隶被看做物件,不算是市民社会的成员"。"奴隶本身是商品。""个体奴隶是特定的主人的财产。"② 列宁说:"奴隶不仅不算是公民,而且不算是人"。"奴隶主享有一切权利,而奴隶按法律规定却是一种物品,对他不仅可以随便使用暴力,就是把他杀死,也不算犯罪。"③

从甲骨卜辞看,具有上述奴隶特征的商代奴隶制是存在的,可称为奴隶的有仆、宰、臣、羌、刍、工、奚、屯、垂、妾、孥、婢等十余种。之所以有不同的种谓,或是由其所从事的奴隶劳动性质,或是由其奴隶来源等而有不同名称,现逐一说之。

仆,甲骨文中写法有多种,基本构形为人在屋下持杖操作"𠈯"④。胡厚宣先生在《甲骨文所见殷代奴隶反压迫的斗争》一文中释作"仆"。认为:此字从宀,从丮,从卜,像人手持卜在室内操作,一点,为操作时所产生的物屑。从卜得声。宀,《说文》解释"交复深屋也",像屋室之形状。丮《说文》释"持也"。卜,从形状看类似杖形。仆,就是奴仆之意。《说文》说"仆,给事者"。《广雅》释"仆,使也,执事者谓之仆,因为奴仆之名"。

甲骨卜辞有关"仆"的地位的记载:

(1)"仆"被视为物,商王可向别的奴隶主索要之或由别的奴隶主向商王赠送。

---

① 《马恩全集》,人民出版社1972年版,第26卷,Ⅲ,54页;23卷,222页,注17。
② 《马恩选集》,人民出版社1972年版,第1卷,第23、355页。
③ 《列宁选集》,人民出版社1972年版,第4卷,第49页。
④ 仆字的甲骨文见彭邦炯《商史探微》,重庆出版社,1985年版,第151页附表1。

贞勿呼致仆。①

贞令厈取仆于若。

癸未卜,贞勿惟厈令。一月。

乙未卜,贞呼先取仆于……

贞勿呼。②

上例(1)是卜问是否让把仆送来。下面前两辞是从正反两个方面卜问是否命令叫厈的人去索取若地的仆,后两辞是从正反两个方面卜问是否令先去索取某地的仆。

(2)"仆"从事劳动,包括农耕劳动。

〔癸巳卜〕,争,〔贞〕自〔亡〕祸?王占曰:有祟,叙光其有来艰。乞至六日戊戌,允有〔来艰〕,有仆在叏,宰在……〔田〕薅,亦〔夜〕焚靣三。③

……〔王占〕曰:有祟,其有来艰。乞至六……〔仆〕在叏,宰〔在〕……田薅,亦〔夜〕焚靣三。④

这两条是同样内容的卜辞,大意说癸巳占卜,占人争问本旬有无灾祸,商王武丁看了卜兆后说,不好,光那里要来灾难。结果在第六天后的戊戌日发生了灾祸。有仆在叏地,宰(另一种奴隶)在某地田里耕薅,到夜间放火烧了三个仓廪。这里,叏地、田薅都是田间劳动。

(3)在战争兵员不足时,奴隶也可被迫去服兵役。卜辞有"呼仆伐舌方","呼多仆伐舌方"等记载。

(4)仆这种奴隶可以被当作祭祀用的人牲。卜辞中有大量记载:

---

① 《前6·6·6》。
② 《合集561》。
③ 《合集583正反》。
④ 《合集》584反乙+584反甲+9498反。

……卜，㱿，贞五百仆用。①

……贞五百仆用，勿用。②

癸丑卜，㱿，贞五百仆用。③

旬甲戌又用仆百，三月。④

……〔子〕卜，㱿，贞五百仆〔用〕。⑤

上例均是卜问是否把仆作为人牲的记录。"用"字在卜辞中指杀祭用人牲。

(5)仆因不堪忍受虐待，常有逃跑的事，卜辞中有许多关于追捕、抓获仆奴的记载，也有抓获逃奴后将之杀死的记载：

贞亘执仆。

贞亘弗其执仆。⑥

癸丑卜，宎，贞令邑竝执仆。七月。⑦

癸丑卜，宎，贞惟吴令执仆。⑧

贞呼追仆，及。⑨

丁酉卜，㞢，贞兄执仆戕。⑩

以上前4条卜辞均记载了追捕逃亡的仆奴，其卜辞中的"执"字，表示追捕之意，第5条卜辞在询问追仆是否能追及。第6条卜辞中

---

① 《合集558》。
② 同上。
③ 《合集559》。
④ 同上。
⑤ 同上。
⑥ 《丙68》。
⑦ 《金521》。
⑧ 《南明90》。
⑨ 《佚769》。
⑩ 《前6.29.5》。

的"戜"字,一边"奚"字表示追捕者以手抓住逃仆的头发,另一边"戊",表示以斧戜砍杀逃仆的形状,此条表示奴隶主抓获追捕到的仆奴时,询问是否将之杀头。

上述卜辞表明仆是一种毫无权利,并可被奴隶主任意处死的权利客体,地位如同牲畜。

臣,于省吾《释臣》说:"甲骨文以纵目为臣,作㓂或㓂",又认为甲骨文臣字的用法有两种:一指奴隶,二指臣僚。① 《说文》:"臣,牵也,事君也,像屈服之形"。微子说:"商其沦丧,我罔为臣仆"。② 说明商周时奴隶是被叫做臣或仆。郭沫若在《释臣宰》一文中认为臣"人首俯则目竖,所以像屈服之形者。"而于省吾先生则考证臣字本像纵目形,纵目人是少数民族之一种,臣字的造字本义,起源于以被俘虏的纵目人为家内奴隶,后来被引申为奴隶的源称。于先生并引清代陆次云《峒谿纤志》:"竖目仡佬,蛮人之尤怪者,两目直生",从少数民族志上证明确有纵目人。又引《华阳国志·蜀志》:"周失纲纪,蜀先称王,有蜀侯蚕丛,其目纵,始称王,死作石棺石椁,国人从之,故俗以石棺椁为纵目人冢也。"并指出这种纵目人也就是《汉书·天文志》记载的汉哀帝建平四年,使民相惊动、喧哗奔走的原因——"纵目人当来"。总之通过诸种文献说明,臣是一种奴隶。

臣作为奴隶,其法律地位常常通过以下形式显现:

(1)臣经常被用作牺牲物:

"癸酉卜,贞多妣献小臣三十,小母三十于妇。"③

---

① 于省吾:《甲骨文字释林·释臣》,中华书局,1979年6月版。
② 《尚书·微子》。
③ 《合集629》。

"贞今庚辰夕用献小臣三十,小妾三十于妇。九月。"①

以上两条所引卜辞中母、妾、臣都是女奴隶,用以作牺牲祭礼死去的王妃。

(2)臣因不堪役使逃亡和被捕获的记录:

"壬午卜,宁,贞俒不齬执多臣垈(亡)羌。"②

"壬……卜,㱿,贞俒〔追〕多臣羌弗执。"③

以上两卜辞均是询问俒这个人是否追捕到逃往羌地去的许多臣奴的记录。

"乙酉卜,宁,贞州臣有垈(亡)寞,得。"④

该卜辞是询问有从寞地逃亡的州臣能否抓得住?

州臣是农业奴隶。州字甲骨文像水中陆地形,"州",《说文》"州,水中可居曰州。一曰畴也。各畴其土而生之",而畴字《说文》又谓"畴,耕治之田也"。所以州即耕种土地之意,州臣即耕种土地的臣奴,为农业奴隶。此条不仅反映了臣这种奴隶也可使用于农田耕作中,而且反映了不堪繁重农业劳动的臣奴的逃亡。

(3)臣可以作为礼品送人:

"吴弗其致王臣。"⑤

"子效臣田,只。"⑥

"氐(致)子嫈臣于卣。"⑦

---

① 《合集 630》。山博藏片。
② 《粹 1169》。
③ 《缀合 73》。
④ 《合集 849》正。
⑤ 《铁 1.1》。
⑥ 《京都 283》。
⑦ 《后下 33.12》。

此三条卜辞,第一条是向王送臣奴,第二、三条是给贵族子效和子芮送臣奴。如果印证于西周金文则常见有将臣以家为单位作为赏赐物被赠送的,由此可见臣奴的地位在法律上为物而非权利主体——人。

(4)臣可也以被驱赶上战场为奴隶主卖命,如:

"呼多臣伐舌方。"①

当然甲骨文中的臣也有作为商王臣僚的则不在本文讨论之列。

羌,也是奴隶的一种。本为商王国西北部一个方国部落名称。《说文》"羌,西戎牧羊人也,从人从羊",说明该部落可能是游牧民族。商的奴隶主通过战争方式掳掠大批羌人以为奴隶,故羌也成了奴隶的称谓。甲骨文中羌字除从羊从人的基本写法外,有的在颈部加绳索以示捕获羌奴之意。如"羌"、"羌"②。

羌奴用于生产劳动田猎的,在卜辞有记载:

"辛卯卜,品,贞呼多羌逐鹿,获"。③

"……多羌不获鹿"。④

"贞多羌获"。⑤

"贞从羌田于西,祸。"⑥

羌奴也用于畜牧业:

"……允有来自光,致羌刍五十。"⑦

---

① 《合集614》。
② 彭邦炯:《商史探微》,重庆出版社,1988年版,第151页。
③ 《合集154》,《续4.29.2》。
④ 《合集153》。
⑤ 《合集156》。
⑥ 《乙4692》。
⑦ 《珠620》。

"丁未卜，贞令戍光有获羌刍五十。"①

甲骨文中也有大量捕获羌，赠送羌，屠杀羌的记载。②

兒，该字从又(手)、从人之跽形，甲骨文字写作"🐾"③，像以手在背后使人下跪屈服形状。郭沫若同志在《卜辞通纂》别录的释文中说："兒即服字所从。"可见兒字应为服从的服之本字。奴隶主从战场上抓获的俘虏叫做孚，使用暴力再使之驯服就叫做兒，即战俘变为奴隶。《尚书·盘庚》中说到"若农服田力穑"，即指驯服的奴隶从事田间劳动。

甲骨文中常见兒被用作牺牲，如：

"乙卯卜，𠂤，贞呼妇好侑兒于妣癸"。④

"侑兒于妣庚"。

"勿侑兒于妣庚。"⑤

"……侑兒于父乙。"⑥

"册兒一人。

册兒二人。"⑦

"丁酉卜，来庚用十兒"。⑧

"癸卯，贞用兒牢妣庚"。⑨

以上这些例证都是用兒作牺牲的记录，或用以祭祀商的女祖先

---

① 《乙 4692》，《合集 22043》。
② 岛邦男：《殷墟卜辞综类》，第 14—17 页。
③ 《商史探微》第 151 页，附表第 6 字。
④ 《珠 620》。
⑤ 《乙 3329》。
⑥ 《乙 7862》。
⑦ 《佚 118》。
⑧ 《乙 8723》。
⑨ 《乙 8852》。

们如妣庚妣癸,或用于祭祀商的先王如父乙,或虽未言明癸祀某一神灵,却均知是用于祭祀的,一次用于祭祀的艮奴从一、二人直至十人。这些卜辞证明了艮奴的地位与牲畜一样。文中的"侑"、"册"均代表祭祀之意。

工,甲骨文工字作占,工等形,于省吾先生在《甲骨文字释林·释工》中解释二字的含义有四种:

(1)工与贡字古通用,甲骨文有工无贡。《广雅释言》:"贡,献也。"甲骨文中有"工叀其酌乡"①,"工叀其蒦"②,"工叀其幼"③,"工叀其翌"④,"工典其啓"⑤。以上各条工字皆应读为贡。典即古典字,工典即贡典,指祭祀时献其典册。

(2)当做动词祭祀用。如:

"工乙豺。"⑥

"其兄(祝),工父甲三牛。"⑦

"出艮于受,工牢。"⑧

此三条均作为祭祀的动词。第一条为祭祀某乙贡献牡豕;第二条为祭父甲贡献三牛;第三条的工牢就是贡牢。

(3)工表示贡纳。如:

"贞,我叀亡其工○贞,我使出工。"⑨

---

① 《后上,10.9》。
② 《前4.43.4》。
③ 《前2.237》。
④ 《明789》。
⑤ 《乙9037》。
⑥ 同上。
⑦ 《掇389》。
⑧ 《乙4857》。
⑨ 《丙78》。

"戊其出工。"①

"贞,卑亡其工。"②

"今苢(春)众出工。"③

以上四条是商王令其臣僚与众庶贡纳,因而占卜之。

"贞,虫㝱令司工。"④

"王其令山司我工。"⑤

以上两条是商王令名叫㝱和山的人主管贡纳之事务。

(4)工亦指官吏而言。《书·尧典》"允釐百工",伪孔传谓"工,官也。"《诗·臣工》"嗟嗟臣工",毛传谓"工,官也。"甲骨文"帝工耄我"⑥,"帝工耄我,又(侑)卅小牢"⑦。其中之帝工即帝官。陈梦家先生也将工释为官名⑧。

但是,应当指出,工字除上述4种解释外,还应有一种用法,即指手工业奴隶。如:

"……翌日戊,王其省牢右工,湄日不雨。"⑨

"……其令又(右)工于……。"⑩

"……卜,余,……左工……。"⑪

---

① 《佚7》。
② 《续5.10.4》。
③ 《外452》。
④ 《续存上70》。
⑤ 《掇4》。
⑥ 《续存上1831》。
⑦ 《邺3下46.5》。
⑧ 《殷虚卜辞综述519》。指工典可能为一官名。
⑨ 《甲867》。
⑩ 《续存上,2211》。
⑪ 《京津3155》。

"甲寅卜,史,贞多工亡尤。"①

以上诸条说明工也当作手工业奴隶,他们按工作场所被编为左、中、右,所以有"右工"、"左工"之称,王还要视察他们的工作场所。又陈梦家先生也说"酒诰述殷制的工、宗工、百宗工,着重一'宗'字,可能指宗庙之工,或作器的百工,或是乐工。"②

我们之所以说工为奴隶是因为卜辞中还发现用工作牺牲的记载:

"戊辰卜,今日雍已夕其呼夒执工,大吉。"③

"弜呼夒执工其作尤。"④

"……夒执工于雍己……"。⑤

这三条均是1973年在小屯南地发现的,卜辞内容相同,是连续卜问让夒这个人把工奴戴上刑具,拉去祭祀雍己,问是否吉利的记录。

所以据上可知,工奴也是可作为奴隶的一种,他们不掌握自己的生存权。

奚,甲骨文中有多种写法。有像以手抓人的发辫形的,在甲骨文中多作地名,商王曾田猎至此地(《前》2.42.5)。有两手抓着发辫双手反绑形的,或作人下跪双手反背有长辫形的。如:"奚"、"奚"、"奚"⑥、"奚"或"奚"⑦《说文》解释为大腹也。罗振玉认为是女奴隶,

---

① 《粹 1284》。
② 《殷虚卜辞综述》第 519 页。
③ 《屯南 2525》。
④ 同上。
⑤ 同上。
⑥ 《商史探微》151 页附表第 8 号。
⑦ 《甲骨文字释林·释奚》第 65 页。

他说:"说文解字奚,大腹也。予意罪隶为奚之本意,故从手持索以拘罪人。其从女者与从大同,周官有女奚,犹奴之从女矣"①。于省吾先生根据安阳出土有编发的玉人雕像和引证《尚书大传》认为商代远方有编发为俗的国族,奚奴就是从这些国族来的人。于先生说:"余向时见商人卢雨亭自安阳买来玉人头一枚,高约一寸五分,其头下连颈,颈围约如拇指,头上像清人剃发留辫形。……唯其与清人鬓辫不同者有二:一,清人发辫自颈部编起,此则自顶之中间编起。二,清人发辫甚长,此则自顶部起,仅垂至颈部。又近来在安阳妇好墓中出土之玉人亦有数枚带发辫者。《尚书大传·高宗肜曰》:'编发重译来朝者六国'。可见商代同时之其他方国已有编发之制"。根据于先生的考证,商的方国已有编发之制,并且这些方国来朝拜商,看来已是商的附属国。再从出土殉葬品中看,这些有编发的奚人已成为商的奴隶,故才在殉葬品中以玉模型奚人陪葬。

甲骨文中,奚奴也常见用作牺牲的。如:

"乙丑卜,王侑三奚于父乙。三月雨。"②

这里奚写作长辫人双手反背下跪状。卜辞大意是说,乙丑日占卜,问王用三个奚奴侑祭父乙吗?后注明是三月,并且有雨。

"庚午卜,侑奚大乙卅。"③

此条是讲用三十个奚奴祭祀成汤。

"父乙三奚豖"。④

此条同前二条。豖字像以箭穿豕形,是一种杀牲的方法。

---

① 《甲骨文字释林·释奚》第65页。
② 《柏8》。
③ 《缀合8》。
④ 《乙189》。

甲骨卜辞中还有奚向商王贡纳牛马,跟随商王军队去征讨的材料。例如:

"贞今春奚来……。

……奚不其来牛。"①

"甲辰卜,㱿,〔贞〕奚来白马?王占曰:吉。其来马五……。"②

从上卜辞看出,奚族是降服于商王国的另一种奴隶,他们必须向商王缴纳一定的贡物和用作祭祀的人牲。

屯,也是一种类似奚奴的种族奴隶。于省吾先生说"甲骨文𠂆字习见","甲骨文𠂆字作𠂆、𠂆、𠂆、𠂆、𠂆等形即屯之初文。"《说文》作𡴈,于先生认为为屯字之演变③。晚商青铜器有《屯父巳鼎》、《屯作兄辛簋》等,卜辞中还有"侯屯"被用作人牲的不少记录,因此分析屯族可能是被商族人征服的一种种族奴隶,因而可被用于人祭。卜辞所见用屯作牺牲的如:

"丙寅〔卜〕,亘,贞王戠多屯若于下上?

贞王戠多屯若于下乙。"④

"贞王戠多屯。"⑤

"庚申……戠子商二屯。"⑥

"癸丑卜,宁,贞卑来屯戠。十二月。"⑦

---

① 《缀合 144》。
② 《乙 3449》。
③ 于省吾:《甲骨文释林·释屯》。
④ 《合集 808 正》。
⑤ 《乙 3442》。
⑥ 《乙 6579》。
⑦ 《佚 151》。

伐字为杀牲。以上辞条显示屯被多次杀牲以作祭品,有时是王要杀牲,有时是杀贵族如子商、皋的屯奴以作祭品的。

屯也有逃跑后被抓捕的记录,进而证明其奴隶的身分的。如:

"壬辰卜,宁,贞执多屯。"①

"丁酉卜,㱿,贞执多屯。"②

"贞执屯,王占曰:执。"③

从上例卜辞看,执字的写法有多种,很像桎梏形,意为拘执、抓捕。卜辞中未见屯作其他被役使的记载,另外卜辞中有"侯屯"一词,分析屯是一个国族,用作祭祀的屯可能是屯族献纳的牺牲品。

妾,是奴隶的又一种,历来都被认为是女奴隶。甲骨文妾字写作妾,古文字学家都释为妾。《左传·僖公十七年》说"男为人臣,女为人妾",故妾被认为是女奴隶。甲骨卜辞中有用妾作牺牲的记载,如:

"贞侑伐妾媚。

三十妾媚。"④

奴,甲骨文字写作从妾从手形"奴"。按前段妾的用法,也应是女奴的一种,像以手使妾屈服形,应当就是后来的奴字。《说文》解释妾字时说:"妾,有皋女子给事之得接于君者。"解释奴字时说:"奴婢皆古皋人,《周礼》曰:其奴,男子入于皋隶,女子入于舂藁。从女从又。"可知妾本为出身皋部族的女奴,从事农事家务劳作,奴为简化的奴字。甲骨卜辞有用奴作牺牲的记录,并将奴与妾并卜共作牺牲,说明

---

① 《合集 817》。
② 《合集 826》。
③ 《丙 168》。
④ 《乙》5316 + 5869 + 5846 + 5849 + 5950。

其性质相同。如：

"贞侑伐妓媚。

贞侑伐妾媚。"①

郲,也是妾、妓性质相同的女奴,甲骨文字写作𦥑,也常被用作牺牲,并与羊、牛一起同为牺牲品。如：

"王其侑母戊,一郲,此受〔又〕二郲。卯叀羊,叀小宰,叀牛,王此受又。"②

䇷,于省吾先生认为是婢的原始字。他说"甲骨文有䇷字,系婢字的初文。"甲骨文作"𦥑"或"𣪊"。《说文》："婢,女之卑者也,从女从卑,卑亦声。"于先生认为"婢是形声字,它的形符说文从女,甲骨文从妾,义训相仿。但从女的含义太抽象,妾与婢的身分相比次,在商代都系家内奴隶,故从妾于字义更相适应。"䇷之从卑,不仅是个音符,同时也具有卑贱之义。甲骨文用家内奴隶的䇷以为人牲,当然䇷在当时是没有社会地位的。"③ 甲骨文卜辞用䇷作牺牲也可见：

"叀䇷,王受又○又𣪊羌,王受又。"④

于省吾先生解释此条卜辞上下对贞。是贞问用䇷为牲以祭而王受祐,还是𣪊(刹)羌俘以祭而王受祐呢？可见䇷也被用作人牲。

当然,甲骨文用作人牲的女奴婢还不止上述几种。于省吾先生在《释用作人牲的女奴隶》中列举两条卜辞,其中可见作为人牲的女奴还要更多一些。例如下：

"辛丑卜,酚㚔,壬寅○辛丑卜,酚,壬寅。妣乙𨒌(致)。妣

---

① 《缀合 303》。
② 《粹 38》。
③ 于省吾：《甲骨文字释林·释䇷》。
④ 《宁沪 1.231》。

辛亞(妾)。毋庚豕。妣辛㱿(嫩),妣癸㰀(敯)。妣戊㱿(敯)。"①

"其卒妣癸㰀(敯),妣甲㰀(敯),叀囚"。②

于先生认为这两条均是商王祭祀其先妣癸、先妣甲、妣乙、妣辛、妣戊等的卜辞,前条有女奴敯、妾、嫩、敯、敯等,还有物牲的母庚豕等,后条仅有女奴敯,敯等。所以由此而知用作人牲的女奴其实远不止我们以上所列诸种。

总之,我们可知商代奴隶的种类和名称是很多的,但他们绝大多数除承担重劳役之外,还常常被用作人牲。既然连生命权都不掌握在自己手中,他们的法律地位只能如牛、羊等牲畜一般。他们不是权利主体,而只能是权利客体。

二、商代的婚姻家庭法

商代的婚姻制度据学者们考证,可分为商王、贵族的婚姻制度,和平民的婚姻制度两种。

(一)商王、贵族的婚姻制度

商王、贵族的婚姻制度,其前期为一夫一妻制,后期为一夫多妻制。

根据陈梦家先生《殷虚卜辞综述》所列卜辞世系表如下(见下页):

此表横线为父子相传,直线为同世兄弟先后相传,方括号内表示卜辞未见,右上角阿拉伯号码表示各王在周祭中的顺序。此表所示

---

① 《乙 4677》。
② 《库 1716》。

```
上甲 1──〔乙 2──〔丙 3──〔丁 4──示壬 5──示癸 6──大乙 7─┐
┌─────────────────────────────────────────────────────────────┘
├─大丁 8──大甲 9──〔沃丁〕    小甲 12
├─卜丙 10   大庚 11──┬─大戊 13──┬─中丁 15──且乙 18──┬─且辛 19─┐
└─〔中壬〕           └─雍己 14  ├─卜壬 16           └─羌甲 20 │
                                └─戋甲 17                      │
┌─────────────────────────────────────────────────────────────┘
├─且丁 21──┬─羌甲 23
└─南庚 22  ├─盘庚 24
           ├─小辛 25                      │且己 28
           └─小乙 26──武丁 27──┬─且庚 29  │且辛 31
                               └─且甲 30──┤康丁 32──武乙 33─┐
┌─────────────────────────────────────────────────────────────┘
└─文武丁 34──帝乙 35──〔帝辛〕
```

世系与殷本纪所示世系基本相符。①

胡厚宣先生《殷代婚姻家庭宗法生育制度考》②中述,殷代婚姻制度虽不可详知,但据甲骨文卜辞可知殷王前期实行一夫一妻制,后期则实行一夫多妻制。

先生已自卜辞考证出,自示壬至大戊诸商代前期之王均为一夫一妻制。综述如下:

示壬之配,卜辞称为妣庚:

"辛丑卜,王,三月出示壬母妣庚犬不用。"③

此条卜辞中的母字,胡先生认为应为妇字的借字。母字表示妇

---

① 此表见《殷虚卜辞综述》第 379 页。殷本纪所示世系表见同书 368 页。科学出版社,1956 年 7 月版。
② 见胡厚宣:《甲骨学商史论丛》初集。哈佛燕京学社经费印行,1944 年。
③ 《甲 460》。

道的通称,可以借用。此卜辞为武丁时所卜。另有商代的卜辞也可印证。

"庚戌卜,□,贞王宾示壬奭妣庚□,亡□。"①

此卜辞为祖庚、祖甲时所卜。奭为仇匹之仇。其义与母妾同。又

"庚辰卜,贞王宾示壬奭妣庚翌日亡尤。"②

"庚申卜,贞王宾示壬奭妣庚憲亡尤。"③

"囚年妣庚示壬奭。"④

示癸的配偶,称为妣甲:

"癸丑卜,王,□宰示癸妾妣甲。"⑤

这是武丁时的卜辞。"示癸妾妣甲"的意思,即示癸妻妣甲。妻、妾、帚、母、奭为同义,均表示妻的意思。⑥ 又有帝乙、帝辛时的卜辞亦可证明:

"甲子卜,贞王宾示癸奭妣甲壹亡尤。"⑦

"甲辰卜,贞王宾示癸奭妣甲昝日亡尤。"⑧

"甲申卜,□□宾示癸團妣甲□□□。"⑨

大乙的配偶,称为妣丙:

---

① 《库1221》。
② 《后上,1.7》。
③ 《后上,1.6》。
④ 《粹122》。
⑤ 《拾1.8》。
⑥ 见胡厚宣:《殷代婚姻家族宗法生育制度考》,载《甲骨文学商史论丛·初集一》。
⑦ 《后上,19》。
⑧ 《龟2.35.1》。
⑨ 《后上,1.11》。

"乙巳卜,㭰㞢大乙母妣丙一牝才才。"①

这是武丁时卜辞,祭祀妣丙,因其配大乙在乙日,故于此日祭。另又有帝乙帝辛时的卜辞亦可为证:

"丙午卜,贞王宾大乙奭妣丙㗊囧囡。"②

"丙寅卜,贞王宾大乙奭妣丙翌日亡尤"。③

大丁的配偶称为妣戊:

"戊戌卜,贞王宾大丁奭妣戊壹亡尤。"④

"囧翌日大丁奭妣戊。在二月。"⑤

此卜辞为帝乙帝辛时所卜。

卜丙之配偶,称为妣甲:

"癸酉卜,行,贞翌甲戌卜丙母妣甲岁㚔牛。"⑥

此卜辞为祖甲时所卜。

大甲的配偶称为妣辛:

"□子卜,□㞢大甲母妣辛。"⑦

此为武丁时所卜,另有祖庚祖甲时的卜辞为证:

"辛□卜,行,贞王宾大甲奭妣辛㗊,亡尤,在八月。"⑧

还有帝乙帝辛时之卜辞:

"辛卯卜,贞王宾大甲奭妣辛□□□□。"⑨

---

① 《写》336,《甲》248,254 合。
② 《后下,41.8》。
③ 《前1.37》。
④ 《后上,2.1》。
⑤ 《珠63》。
⑥ 《铩271》。
⑦ 《粹182》。
⑧ 《后,上,2·7》。
⑨ 《龟1.12.6》。

"辛卯卜,贞王宾大甲奭妣辛彡日□□。"①

"辛丑卜,贞王宾大甲奭妣辛彡尤。"②

"辛丑卜,贞王宾大甲奭妣辛彡日亡尤。"③

大庚之配偶称为妣壬:

"壬寅卜,行,贞王宾大庚奭妣壬鲁亡尤。"④

此为祖庚祖甲时所卜。又有帝乙帝辛时卜辞为证:

"壬午卜,贞王宾大庚奭妣壬□□尤。"⑤

"□□卜,贞王宾大庚奭妣壬彡日,亡尤。"⑥

"壬寅卜,贞王宾大庚奭妣庚彡日亡尤。"⑦

这最后一条卜辞胡先生认为妣庚之庚字应作为壬,是因沿袭大庚之庚字而误。因为壬寅日卜,应当祭祀妣壬,决无祭祀妣庚的道理。

大戊之配偶称为妣壬:

"壬子卜,行,贞王宾大戊奭妣壬鲁亡尤。"⑧

"壬寅□,□,贞王宾大戊奭妣壬日亡□"。⑨

此卜辞为祖庚祖甲时所卜。另有帝乙帝辛时卜辞也可为证:

"壬辰卜,贞王宾大戊奭妣壬□亡尤。"⑩

---

① 《后上,24》。
② 《后上,2·5》。
③ 《前1·5·8》。
④ 《后上,2·7》。
⑤ 《后上,2,6》。
⑥ 《后上,2.2》。
⑦ 《契294》。
⑧ 《后上,2.3》。
⑨ 《后上,2.9》。
⑩ 《后上,2.6》。

"壬寅卜,贞王宾大戊奭妣壬鲁日亡尤。"①

"壬申卜,贞王宾大戊奭妣壬鲁日亡尤"。②

以上卜辞证明,自示壬至大戊期间,是殷王朝世系表的前阶段,此一时期殷王室的婚姻都实行一夫一妻制。即:示壬之妻妣庚,示癸之妻妣甲,大乙之妻妣丙,大丁之妻妣戊,卜丙之妻妣甲,大甲之妻妣辛,大庚之妻妣壬,大戊之妻妣壬。

然而,卜辞也同样显示,殷王朝世系表的后部分,自中丁以后至康丁,则实行一夫多妻制。每王少则二妻多则五妻八妻者均有之。现以卜辞说明之。

中丁的配偶有二,卜辞均为妣己、妣癸:

"己卯卜,贞王宾中丁奭妣己壹亡尤。"③

此为帝乙帝辛时所卜。又有妣癸的称谓为祖庚、祖甲时所卜,也有帝乙帝辛时所卜:

"癸酉卜,行,贞王宾中丁奭妣癸翌日亡尤,在三月。"④(祖庚、祖甲时所卜。)

"癸卯卜,贞王宾中丁奭妣癸□□□。"⑤

"癸卯卜,贞王宾中丁奭妣癸壹亡尤。"⑥

"癸丑卜,贞王宾中丁奭妣癸彡日亡尤。"⑦

---

① 《后上,21.0》。
② 《明义士藏》。
③ 《续1.12.5》。
④ 《金6》。
⑤ 《后上,2.13》。
⑥ 《后上,2.11》。
⑦ 《前181》,《后上,2.12》。

"癸酉卜,贞王宾中丁奭妣癸彡日亡尤。"①

"癸未卜,贞王宾中丁奭妣癸翌日亡尤。"②

祖乙的配偶有二,称为妣己,妣庚:

"己巳卜,行,贞王宾祖(且)乙奭妣己□□□。"③

"□卯卜,尹,贞王宾祖乙奭妣己翌日亡尤。"④

以上为祖庚、祖甲时所卜。

"于妣己祖乙奭告。"⑤

"甲午卜,祒其至妣乙祖乙奭祒正。"⑥

"囚祖乙祒妣己。"⑦

以上为祖(甲骨文作且字)辛、康丁时所卜。

"己酉卜,贞王宾祖乙奭妣己壹□尤。"⑧

"己巳卜,贞王宾祖乙妣己彡日亡尤。"⑨

"□□□,□□祖乙奭妣己□□□□。"⑩

此外,卜辞也显示祖乙另一妻子的名称妣庚。

"□□□,□□□□祖乙奭妣庚彡亡尤。"⑪

---

① 《前1.82》。
② 《明义士藏》。
③ 《后上,3.4》。
④ 《通175》。
⑤ 《明义士藏》。
⑥ 《明3288》。
⑦ 《七、W八》。转引自胡厚宣:《甲骨学商史论丛》初集,哈佛燕京学社经费印行,1944年。
⑧ 《后上,32》。
⑨ 《后上,33》。
⑩ 《后上,2.16》。
⑪ 《库1131》。

"贞王宾祖乙奭妣庚岁方于物眔兄庚岁二牢。"①

以上二条为祖庚祖甲时所卜。

"于妣己妣庚祖乙奭。"②

此条为祖辛康丁时所卜明确显示妣己妣庚均为祖乙为妻。另有帝乙帝辛时的卜辞也可为证：

"庚午卜,贞王宾祖乙奭妣庚酚日亡尤。"③

"□申卜,贞王宾祖乙奭妣庚□□□。"④

祖辛的配偶有二,称为妣甲、妣庚:称妣甲有：

"于妣甲祖辛奭。"⑤

"其祏妣甲祖辛奭祏正。"⑥

以上两卜辞为祖辛、康丁时所卜。另有帝乙帝辛时所卜：

"甲戌卜,贞王宾祖辛奭妣甲酚□□。"⑦

"甲申卜,贞王宾祖辛奭妣甲翌日亡尤。"⑧

"甲午卜,贞王宾祖辛奭妣甲酚□□。"⑨

同期还有卜辞称妣庚者。

"庚子卜,贞王宾祖辛奭妣庚彡日□尤。"⑩

祖丁的配偶有五位,称为妣甲、妣己、妣庚、妣辛、妣癸。称妣甲

---

① 《后上,3.5》。
② 《明义士藏》。
③ 《后上,3.1》。
④ 《后上,2.17》。
⑤ 《明3289》。
⑥ 《明3288》。
⑦ 《续1.17.7》。
⑧ 《珠62》。
⑨ 《明义士藏》。
⑩ 《后上,3.9》。

的有:

"于祖丁母妣甲御出屮。"①

此为武丁时所卜。另称妣已的有多条:

"□卯卜,尹,贞王宾祖丁奭妣己曾口口尤。"②

此为祖庚、祖甲时所卜。另有武乙、文丁时所卜一条:

"己亥卜,贞王宾祖丁奭妣己曾日亡尤。"③

"己丑卜,贞王宾四祖丁奭妣己彡日亡尤。"④

"己酉卜,□□宾四祖丁奭妣己曾日亡尤。"⑤

"己巳卜,贞王宾四祖丁奭妣己彡日亡尤。"⑥

"己亥卜,□□宾四祖丁奭妣己曾□□。"⑦

此上四条,为帝乙帝辛时所卜。文中均称祖丁为四祖丁。据胡厚宣先生解释,因殷人先祖以丁为名者,匚丁第一,大丁第二,中丁第三,祖丁第四,故称祖丁为四祖丁。

祖丁之妻又有称妣庚者,见于卜辞:

"庚辰卜,贞王宾四祖丁奭妣庚曾。"⑧

此条为帝乙,帝辛时卜辞,同期又见卜辞有妣辛者:

"辛酉卜,贞王宾祖丁奭妣辛袞亡尤。"⑨

又有称祖丁妻妣癸者:

---

① 《续1351》。《余101》。
② 《前1.34.3》。
③ 《后上,3.12》。
④ 《前1.17.2》。
⑤ 《后上,3.10》。
⑥ 《后上,3.11》。
⑦ 《明义士藏》。
⑧ 《续1.17.7》。
⑨ 《契274》。

"癸酉卜,贞王宾祖丁奭妣癸劦日亡尤。"①

"□未卜,贞□宾祖丁奭妣癸劦亡尤。"②

所以,就卜辞可知祖丁有五位妻子。

小乙的匹配更多,有八位。称为妣庚、母甲,母丙,母丁,母己,母辛,母壬,母癸。

"□,申卜,□,贞王宾小乙奭妣庚□日□□。"③

此为祖庚祖甲时卜。

"丁未卜,尧贞御于小乙奭妣庚其肉乡。"④

此为祖辛,康丁时卜辞。另有帝乙、帝辛时卜辞为证:

"庚子卜,贞王宾小乙奭妣庚翌□□□。"⑤

"庚午卜,贞王宾小乙奭妣庚劦日亡尤。"⑥

"庚戌卜,贞王宾小乙奭妣庚乡亡尤。"⑦

以下为武丁时卜辞,对小乙的配偶均称母,称母甲:

"囚畀(母)甲囚"。⑧

称母丙:

"其屮母丙。"⑨

"贞叀羊屮母丙。"⑩

---

① 《后上 3.14》。
② 《后上,3.13》。
③ 《粹 292》。
④ 《甲 2799》。
⑤ 《后上,4.4》。
⑥ 《后上,4.6》。
⑦ 《前 1.17.2》。
⑧ 《前 1.28.2》。
⑨ 《续 1.407》。
⑩ 《佚 143》。

"贞于母丙御帚□。"①

"贞母丙𡃣帚。"②

"贞勿㠯于母丙,㞢小宰。"③

"母丙㞢帚姘。"④

称母丁:

"告于母丁㚼"⑤

称母己:

"贞于母己御。"

"贞勿于母己御。"⑥

"贞御唐于母己。"⑦

"贞于母己御。"⑧

"于母己小宰用三。"⑨

称母辛:

"囚羿(母)辛囚。"⑩

称母壬:

"辛卯卜,₽,王㞢母壬。"⑪

---

① 《前 1.28.3》。
② 《后上,6.12》。
③ 《铁 97.2》。
④ 《铁 251.3》。
⑤ 《前 125.8》。
⑥ 《铁 1061》。
⑦ 《后上》。615。
⑧ 《前 139.1》。
⑨ 《前 1.28.6》。
⑩ 《前 1.28.2》。
⑪ 《甲 3045》。

称母癸：

"□□史于母癸。"①

因为是武丁时所卜,武丁是小乙的儿子,所以武丁称母甲、母丙、母丁、母己、母辛、母壬、母癸为母,可知都是小乙的配妻。

武丁的配妻见于祭祀的有五：妣戊、妣辛、妣癸、母己、母壬。

由武丁的儿子祖庚、祖甲祭祀的都称为母,有母己、母壬：

"戊辰□,□,贞其□□母己。"②

"王囧母壬亡□。"③

"贞囧母壬囧。"④

由后代帝王如帝乙、帝辛时所卜的,称为妣,有妣戊、妣辛、妣癸：

"戊子卜,贞王宾武丁奭妣戊壹亡尤。"⑤

"辛巳卜,贞国宾武丁奭妣辛壹亡尤。"⑥

"□卯卜,贞王宾武丁奭妣辛翌日亡尤。"⑦

"辛亥卜,贞王宾武丁奭妣辛壹亡尤。"⑧

"辛丑卜,贞王宾武丁奭妣辛壹亡尤。"

"辛酉卜,贞王宾武丁奭妣辛鲁。"⑨

"癸卯卜,贞王宾武丁奭妣癸鲁日亡囗。"⑩

---

① 《前1.31.1》。
② 《续1.41.2》。
③ 《前1.30.8》。
④ 《后上,7.3》。
⑤ 《后上,4.8》。
⑥ 《后上,4.7》。
⑦ 《前137.4》。
⑧ 《前1.17.4》。
⑨ 《明义士藏》。
⑩ 《粹298》。

"癸丑卜,贞王宾武丁奭妣癸䜅亡尤。"①

"癸亥卜,贞王宾武丁奭妣癸翌日亡尤。"②

"癸未卜,贞王宾武丁奭妣癸䜅亡尤。"③

另外,据卜辞可见武丁除五妻之外,称为"多妇"的还有六十四位妇。④

就卜辞所见,殷后期诸王则实行一夫多妻制:中丁二妻为妣己、妣癸;祖乙二妻,为妣己、妣庚;祖辛二妻为妣甲、妣庚;祖丁五妻为妣甲、妣己、妣庚、妣辛、妣癸;小乙八妻为妣庚、母甲、母丙、母丁、母己、母辛、母壬、母癸;武丁五妻,有妣戊、妣辛、妣癸、母己、母壬。此外,除妻之外,还有"多妇"。

殷代王之妻称母称妣者,在于祭祀者的身分不同,如为子辈祭上一代,称为母;如为上二代或二代以上称为妣或高妣。对先王的法定配偶称为"妻"、"妾"、"母"、"奭"。⑤ 而对非法定配偶称"妇"。⑥

(二)商后期王室与贵族实行多妻制的原因

殷代后期王室实行一夫多妻制的主要目的是为了多嗣。这也是中国自原始社会末期以来,父权制家庭形成,私有制发展的需要。《曲礼》"天子有后,有夫人,有世妇,有嫔,有妻,有妾"文下孔颖达疏引郑注"郑注檀弓云,舜不告而娶,不立正配,但三夫人;夏则因而广

---

① 《前1,17,4》。
② 《后上,4,10》。
③ 《后上,4.9》。
④ 参见胡厚宣:《殷代婚姻家族宗法生育制度考》。载《甲骨学商史论丛·初集一》胡厚宣著齐鲁大学国学研究所专刊之一。
⑤ 参读陈梦家:《殷虚卜辞综述》,第379页。中国科学院考古所编辑,科学出版社,1956年7月版。
⑥ 同上书。

之,增九女,则十二人。所增九女者则九嫔也。故郑云春秋说云,天子娶十二人,夏制。郑又云,殷增三九二十七人,总三十九人;所增二十七世妇也。周又三二十七人,因为八十一人则女御也。"① 这段注释说明了中国先秦君主婚制的发展。原始社会末期的舜只有三个夫人,而夏朝则为国君增加了九位女子为妻。为了正名分,除三夫人外所增九女称为九嫔。《春秋》因而称天子娶十二人是夏朝的制度。至商又在夏所增九女的基础上再增三倍,便增加二十七人,再承继夏的天子娶十二人制。就成了三十九位女子。除三夫人、九嫔外所增的二十七位女子的名分称世妇,地位上再较前低一级。周继承殷制,又增加了二十七位世妇的三倍即为八十一人,这八十一人在名分上称为女御地位又降前一等;另加原有的三夫人,九嫔,二十七世妇,总共周天子便有一百二十位妻子了。为什么天子要有那么多的妻子呢?是为了广子嗣承祭祀。所以《曲礼》又说"纳女于天子曰备百姓。"郑注"纳女犹致女也。婿不亲迎,则女之家遣人致之,此其词也。姓之言生也,天子皇后以下百二十人,广子姓也。"② 郑玄解释的是周礼,周的天子妻一百二十位。娶的方法,因天子地位高,诸侯们将送于天子结婚的女子亲自送去。送这么多的女子是为了"广子姓",就是广子生,广生子嗣,继承天子家业,继承祭祀祖先的灵位。

其它文献上看,殷人不仅懂得父权制的家天下要广有子嗣,还注重血缘关系不能太相近,懂得优生的生物学道理。《白虎通·嫁娶篇》说:"天子诸侯,一娶九女何?重国广继嗣也"。又说:"大夫成功受封,得备入妾者,重国广嗣也。"又说:"娶三国女何?广异类也。恐一

---

① 参见《十三经注疏附校勘记》上册,1261页。中华书局影印版,1979年。
② 同上书,第1270页。

国血脉相似,以无子也。"上述的议论虽然是评论西周的婚姻观念,但是周人的婚姻观是继承了殷商的婚姻观的。婚姻的目的既在于"广继嗣",那么,商周的统治者特别惧怕自己无子嗣,因此,他们认识到"恐一国血脉相似,以无子也",认识到血缘关系的远近直接影响到生育子嗣的多寡,他们是在这个意义上考虑到了优生学。

其实,古代东西方各国的婚姻家庭法中,对婚姻的认识首先都是从承祭祀角度去考虑的。古印度人认为死去的祖先会不断地说:"后世永久生给我们供祭饭,乳蜜的男儿那就好了!"他们又说:"家族的断绝,等于家族宗教的断绝;无人祭祀的祖先堕成不幸的鬼。"① 因此,《摩奴法典》中告诫信徒在择配时应避免择"忽视祭祀的家庭,不生男孩的家庭"。② 特别详尽地规定了关于生育的法条:"丈夫可从妻子月信来潮,所预示的适合于生育的时节接近她,而经常忠实地依恋她,除太阴禁日外,其它任何时间都可以在情欲的引诱下,含情接近她。""这最后十个夜中,偶数夜适于生男,奇数夜适于生女,因而欲得男子者应于适当时机和偶数夜接近妻子"③。

古希腊罗马人的婚姻观似乎与他们的民主政治无关,相反地,更接近于东方观念的"承继嗣"观。虽然亚里士多德说过:"监护妇女和儿童的职官以及其它类似的监护官员,对于贵族政体,比对平民政体较为适宜,平民的妻子的行为是不可能予以管理的"④,但他仍将妇

---

① 古朗士:《希腊罗马古代社会研究》,李玄伯译,商务印书馆,1938年7月版,第32页。

② 《摩奴法典》,[法]迭朗善译,马香雪转译,商务印书馆,1982年版,第54页。Ⅲ,6,7。

③ 同上书。Ⅲ,45,48。

④ [古希腊]亚里士多德:《政治学》,商务印书馆,1965年8月第1版,1996年7月北京第5次印刷,第224页。

女的地位视为低下,他说:"一个男子的勇毅倘使仅仅及到一个妇女的勇毅,人们就会说这个男子为懦夫;反之,如果一个利口的女子虽然比一个善男人的说话未必更多,就可能被讥为有伤谦德"①。柏拉图也认为"在人类事业中女性总是低于男性。"② 亚里士多德对婚姻的看法是:"互相依存的两个生物必须结合,雌雄(男女)不能单独延续其种类,这就得先成为配偶——人类和一般动物以及植物相同,都要使自己遗留形性相肖的后嗣,所以配偶出于生理的自然,并不由于意志(思虑)的结合。"③ 婚姻被视为只是传种接代,只是为了承祭祀的目的。所以,就夫妻关系而言"就天赋来说,夫倡妇随是合乎自然的",④"类似民众对那轮流担任的执政的崇敬,丈夫就终身受到妻子的尊重。"⑤ 因此,希腊的文学作品中,认为"一个自由的妇女足不能出门庭一步"、"战争、政治与公共讲演是在男人范围以内;至于女人是留在家里看守房子,好好接待她的丈夫",妇女的职责"第一哺乳儿童,第二烹饪,再其次管理家务。"⑥ 因此,恩格斯说:"在幼里披底的诗中,把妻子叫做'奥伊库来马'(oikurema),即作家务的一种物件的意思(此字为一中性名词),而在雅典人看来,妻除生育子女以外,不过是一个婢女的头领而已。"⑦ 罗马是继承了希腊的观念并通过法律明确规定了婚姻不仅是罗马公民的权利,也是他们的义务。公

---

① [古希腊]亚里士多德:《政治学》,商务印书馆,1965年8月第1版,1996年7月北京第5次印刷,第125页。
② G.Lowes Dickinson:《希腊人的生活观》,彭基相译,商务印书馆,1934版,第182页。
③ 亚里士多德:《政治学》,第4-5页。
④ 同上书,第36页。
⑤ 同上书,第37页。
⑥ 《希腊人的生活观》,第184、187页。
⑦ 恩格斯:《家庭、私有制和国家的起源》,人民出版社版,第61页。

元前 18 年到公元 9 年间,奥古斯都颁布了一系列有关的法律,其中一项称为"婚姻法"(Lex Julia de maritandis ordinibus)的,规定:25 岁到 60 岁的男子和 25 岁到 50 岁的女子必须结婚。如违反这一法律,便要失去在遗嘱上自由授予遗产之权利。相反,如结婚生婴儿后,父母便可取得新的优惠。而不出嫁的妇女,则要向国家缴纳相当于其财产百分之一的税。①

综上可知,一切古代社会婚姻的观念在于重子嗣,承祭祀,这是一种自然法的观点。而对于家天下的商王朝来说不唯不例外,相反,他们还更重视广生子,故而,商后期诸王的妻子们便愈来愈多了。

那么,我们不由得想到,婚姻的目的既然都为了子嗣和祭祀,为何中国古代之君主实行多妻多子嗣,而西方却是一夫一妻制呢?我以为,这恐怕还是宗教观念的不同所致。在中国,虽然夏、商、周时代仍有神权观念,保留对天的崇拜,甚至在司法实践中实行天罚、神判,然而在婚姻与家庭法内,它们却仅停留在思想认识上,并未上升到宗教观念上,因而中国古代法包括家庭婚姻法是完全与宗教法分离开了的。涉及婚姻家庭法的部分是完全由维护人治观的礼来调整,它要使婚姻和家族关系处于"礼治"的关系中。《周礼·媒氏》解释媒氏的职能时说"媒氏掌万民之判",判的意思,郑玄注为:"判,半也。得耦为合。主合其半成夫妇也"。意思说媒氏掌管万民的婚姻。婚姻的一方为一半,得配偶则合另一半成为夫妇。所以,理论上讲,仍是一夫一妻的观念,至于天子们的多妻制,在这诸多的妻中,名分上只有一个处于正妻的地位,其余地位则低于正妻。这位正妻被称为"后"。因而《礼记·昏仪》载"天子听男教,后听女顺;天子理阳道,后

---

① 冯卓慧:《罗马私法进化论》,陕西人民出版社,1992 年版,第 108 页。

治阴德;天子听外治,后听内职;教顺成俗,外内和顺,国家治理,此谓盛德。"婚姻是为治家治国的需要,天子与后有明确分工。至于天子以下贵族多妻,则是为了扩大统治权的广封国,广生子,广有祭祀后代,这便是前言之"重国广继嗣也","广子姓也"① 这里没有宗教法律的制约。

其余东西方国家则不然,在他们早期的婚姻家庭法中,早已受宗教观念的制约。印度《摩奴法典》中所赞颂的四种合法婚姻即梵天的婚姻,诸神形式的婚姻、圣仙形式的婚姻和造物主形式的婚姻② 都是宗教婚姻。它们都必须要求"家长要按照规定,以婚礼之火举行家庭的晨昏祭供,"③ 说明合法婚姻的均要求在家庭祭台前举行婚礼。希腊罗马人也是这样,每家都有一个祭台,在祭台的四周,全家族人聚集于此。古希腊古字称家族为 επιστcor,其意直译为"环圣火旁者"。④ 而妇女结婚以后便归入丈夫家的宗教,祭夫家的祭台,古郎士引古人语说:"结婚以后,女子与她的父亲的宗教即毫无关系;她祭她的夫的圣火"⑤。故而古希腊学者 Pollue⑥ 说古希腊人将婚姻常称为 τέλος,即"神圣的仪注"⑦;柏拉图言,婚姻"实由神也"⑧。罗马法的有夫权婚姻中,最为合法的祭祀婚,即是宗教婚,它不仅要在家族祭台前举行,"引新妇至祭台前,圣火之旁,其家神及祖先的像皆在,新

---

① 《白虎通·嫁娶篇》。
② 《摩奴法典》,Ⅲ,27—30 条。
③ 同上书,Ⅲ,67 条。
④ 古朗士:《希腊罗马古代社会研究》,商务印书馆,1938 年版,第 26 页。
⑤ 同上书,第 27 页。
⑥ 二世纪希腊文法家。
⑦ 《希腊罗马古代社会研究》,第 28 页。
⑧ 同上书,第 30 页。

夫妇乃举行祭祀奠酒祷告,然后分食精麦饼"①;而且产生了宗教的后果。如盖尤斯所说:"大祭司,即朱庇特、战神和罗马神的祭司,以及祭司王只能从通过祭祀婚形式结婚的人的子女中挑选;没有祭祀婚,他们自己也就没有祭司职务"。② 古希腊罗马的宗教婚中,宗教与家庭婚姻成了不可分离的关系。"故这种宗教不允许多妻。"③ 正因为婚姻与祭祀不可分,因而不能生子的妻必须离婚。古希腊著名历史学家 Herodote④ 曾记载,两位斯巴达王子因无子而被迫出妻的故事⑤,罗马著名文法学家 Aulu – Gelle⑥ 说到罗马最早的吕加的离婚案时说:"吕加系出大族,因其妇无子,乃与之离婚。他虽然甚爱她,且对她的品行毫无不满之处,但他只好牺牲他的爱情于誓词。因他曾宣誓(在婚礼誓辞中)娶她为了生儿子。"⑦ 此外,无子嗣的家庭还可收养子。罗马法中规定的最重要的收养方式是在民众共同体(即民众大会)上为收养行为,并明确规定这种收养行为可由男性不能生育者,或丧失生育能力者为之。⑧ 而我们知道,民众大会是家族扩展到氏族到部落的。梅因说过:"罗马人的'家族'、"氏族"和部落都……使我们不得不把它们想象为从同一起点逐渐扩大而形成的一整套同心圆,其基本的集团是因共同从属于最高的男性尊亲属而结合在一起的'家族'。"⑨ 所以,收养子是明显为解决无子者的祭祀问

---

① 《希腊罗马古代社会研究》,第30页。
② 盖尤斯:《法学阶梯》I,112条。
③ 《希腊罗马古代社会》,第31页。
④ Herodote,约公元前484—425年,希腊著名历史学家。
⑤ 《希腊罗马古代社会》,第34页。
⑥ 二世纪罗马文法家兼批评家。
⑦ 《希腊罗马古代社会研究》,第34页。
⑧ 盖尤斯:《法学阶梯》I,99,102,103条。
⑨ 梅因:《古代法》,商务印书馆1984年版,第73—74页。

题的。西塞罗说:"承嗣的权利是什么?……承嗣是向宗教及法律索要自然所不能得的"①,希腊罗马的宗教观使得他们只能实行一夫一妻制和无子嗣者的收养法。至于性生活的问题,不在古代婚姻观的范围内考虑,希腊罗马的贵族自可以用娼妓来解决这些问题。希腊人将恋爱与婚姻分开的,他们可以公开宣传他们的恋爱观。在希腊的许多庙宇中可纪念爱神阿富罗底(Aphrodite),有很多节目纪念她,她的许多塑像被保留。而在特尔斐,在两个国王之间竖起名妓芙瑞妮(phryne)的铜像。哲学家与政治家可公开与情人住在一起,而狄摩西尼则说,每人除妻子外至少有两个私通的情人。② 罗马因娼妓的滥行,使皇帝都不得不颁布诏令禁止将女奴为娼③。印度的宗教法因承认种姓制的合法性,故承认高种姓的多妻是符合宗教法的。④

除了宗教的原因之外,还有的便是政治制度的原因,无论希腊还是罗马都有过几百年的民主共和政治的时期,因而,无论执政官、将军、元老院元老都不可能形成中国式的家天下的个人专制的心态。他们的领袖均大多为民选的,领袖的权威性不能有如中国的世袭王位那样,不可能形成中国的天子的神权主义以及诸侯贵族的等级特权制。所以中国天子贵族式的等级制的多妻制在西方是没有产生的理论基础的。而古印度因为在古代到中世纪从未形成统一王国,王权是分散的且是在宗教种姓制之下,所以法律规定的多妻是依种姓而论,而非依政治身分。而构成种姓差别是一个阶级或一个等级间

---

① 《希腊罗马古代社会研究》,第36—37页。
② 见《希腊人的生活观》,第191页。
③ 哈往良皇帝禁止"没有足够理由……把女奴隶卖为娼妓"。"Scriptores ltistoral Augustae Hadridrus 18"。
④ 参见《摩奴法典》Ⅲ,12,13条。

的差别,不是几个少数极权者与广大民众的差别,法律不可能对最高种姓的娶妻数额如中国对天子或贵族规定的那么多,所以,他们的多妻比起中国古代来,自然是小巫见大巫了。

商王及贵族的多妻制除了前述为了"广子姓",承祭祀的目的,即"上以事宗庙,下以继后世"①外,还有一种扩大国力,以婚姻家庭扩大国家组织的目的,即"重国广继嗣也"。《尚书·盘庚上》云:"施实德于民,至于婚友",这婚友便是商族和后来的商王们与商族有世代婚姻关系而形成的各氏族、家族集团。他们是商代国家组织的基础,婚友愈多,国家组织的基础愈牢固,这就是"重国广继嗣"。因而,娶妻最多的商王,也是国力最鼎盛时期。武丁娶妻最多,他在位时期是商王朝国力最盛时期,他本人也被誉为"大京武丁"。②

为扩大和加强国力的婚姻是一种政治婚姻,它在商王和贵族中都盛行。商族开国的王成汤时便有过这种政治目的的婚姻。《天问》中有一节记载:

"成汤东巡,有莘爰极。何乞彼小臣,而吉妃是得? 水滨之木,得彼小子,夫何恶之,媵有莘之妇"?

旧注谓"汤东巡狩,至有莘国,以为婚姻。"成汤与有莘国的联姻既娶了有莘氏之女,促进了商族与有莘氏的友好关系,成为婚友,即所谓"古者婚姻为兄弟"③,又通过这桩婚姻巧妙地得到他早已希望得到的贤人伊尹为媵臣。这真是一宗政治婚姻。伊尹后来被"汤举任以国政"④,使商国因以壮大,早已是史界公认的佳话。《吕氏春秋·

---

① 《礼记·昏义》。
② 《屯南4343》。
③ 《尔雅·释亲》。
④ 《史记·殷本纪》。

本味》关于这一政治联姻的目的作过追述:

"(伊尹)长而贤,汤闻伊尹,使人请之有侁氏(高诱注:侁读曰莘)。有侁氏不可。伊尹亦欲归汤,汤于是请取妇为婚。有侁氏喜,以伊尹为媵送女"。

超越了氏族血缘和地域关系的族外婚的政治联姻,不仅是政治的需要,而且对于社会构成新秩序也有着更深层次的作用。《礼记·郊特性》云"娶于异姓,所以附远厚别"。说明其两方面的作用。一曰"附远",即使远方地域的方国与自己国因婚姻关系而联结为同盟的或其更亲密的扩大了的族的关系。正如《国语·鲁语上》说:"夫为四邻之援,结诸侯之信,重之以婚姻,申之以盟誓,固国之艰急是为"。《诅楚文》所谓:"缪力同心,两邦若一,绊(系)以婚姻,袗以斋盟"。二曰"厚别"。对异姓异族联姻,且特别优厚这种婚姻关系,也还是因为从原始社会发展演进以来,人们从实践中已总结出了"男女同姓,其生不蕃"[1] 这一客观事实。孔颖达疏云:"晋语曰,同姓不婚,惧不殖也"。这已经是人类从生理学上总结出的优生学观点。

从甲骨文看,商的与异族的联姻有三类情况:一是商王族主动向异族方国娶女,如:

取干女……[2]

乙亥卜,取妆女𡥍。[3]

己酉卜,贞取妇奏。[4]

上述这些卜辞中的"取"都通假于"娶"。唐陆德明《经典释文》解

---

[1] 《左传·僖公二十三年》。
[2] 《合集 21457》。
[3] 《屯南 2767》。
[4] 《合集 1994》。

释:"取一作娶"。凡说到"取女",并兼记载该女子的族国名,或于前于后如"取干女",就是娶干国的女子① "取妇奏"。即从奏国娶女。

二是各地族氏方国迫于商王朝力量之强大,主动嫁送女子与商王朝,缔结婚姻。如:

丁巳卜,㕚,贞周氏娞。②

庚寅卜,殻,贞吴氏角女。③

氏字有进贡性质。氏女、氏某女,是方国向商王朝贡纳本族国的女子,或本族国内属于某族氏的女子。

三是商王朝强制命令属国进贡女子,多用强制口气"呼取"。如:

呼取女于娈。④

呼取郑女子。⑤

除了娶女于异族,商王朝也常将本族女子外嫁他族。《易·泰卦》:"帝乙归妹,以祉元吉"。王弼注:"妇人谓嫁曰归"。孔颖达疏:"以祉元吉者,履顺居中,得行志愿,以获祉福,尽夫阴阳交配之道,故大吉也。"⑥ 这则易卦记载殷帝帝乙将其王族女子出嫁异族邦国,求得与异族邦国以婚姻关系而交好。而《诗·大雅·大明》又载:"大邦有子,俔天之妹,文定厥祥,亲迎于渭。"孔颖达疏:"文王既闻大姒之贤,则嘉美之曰大邦有子,女可求以为昏姻,媒以行纳采也。既纳采、问名,将加卜之,又益知大姒之贤。言大邦之有子,女言尊敬之。磬作是天之妹,然言尊重之甚也。卜而得吉,行纳吉之后,言大姒之有文

---

① 干国,见宋镇豪《商周干国考》,《东南文化》,1993年5期。
② 《合集1086正》。
③ 《合集671正》。
④ 《合集9741正》。
⑤ 《合集536》。
⑥ 《十三经注疏·周易正义卷二》,第28页。

德,文王则以礼定其卜吉之善祥,谓使人纳币,则礼成昏定也。既纳币,于请期之后,文王亲往,迎之于渭水之傍"。① 这样便知,帝乙归妹是商王帝乙将王族之少女远嫁给周族文王为妻。这一桩政治婚姻的目的显然是帝乙以婚姻所形成的血缘纽带维系商周两族的统治与被统治的关系。

政治联姻的目的是扩大政治者的统治版图,即"婚姻为兄弟"。如《国语·鲁语上》所说:"夫为四邻之援,结诸侯之信,重之以婚姻,申之以盟誓,固国之艰急是为",《诅楚文》所说:"缪力同心,两邦若一,绊(系)以婚姻,衿以斋盟。"

(三)商代平民的婚姻制度

商代平民的婚姻制度则为一夫一妻制,这点从商代婚制的遗存考古中可知。河北藁城台西商代中期的遗址,曾发现一些一男一女合葬墓,如第35号墓,同一棺内人架两具,男性仰身直肢,年龄约50多岁,女性侧身紧挨男性,两脚捆绑,面向男性约25岁。随葬青铜器均置于女性一侧。似为夫死而强行以妻殉葬。第102号墓,同一棺内人架两具,一具男性仰身直肢,年约30－35岁,其傍一位女性侧身屈肢面向男子约30岁左右,下肢亦被捆绑。随葬器物也主要置于女性之傍。② 另外山西灵石旌介村发现晚商墓三座,其中二号墓为一椁两棺,左棺男子仰面直肢,右棺女子侧身直肢,面向男子。两人周围均有大量铜器、玉器、骨器、陶器随葬,显然是一座夫妻合葬墓。③

---

① 《十三经注疏·毛诗正义卷十六》,第239页。
② 河北省文物研究所编:《藁城台西商代遗址》,文物出版社,1985年版,第151、154、155页。
③ 山西省考古研究所,灵石县文化局:《山西灵石旌介村商墓》,《文物》1986年11期。

河南安阳殷墟的族墓地,常见一种男女"异穴并葬"墓。约占殷墟总墓数的三分之一。"异穴并葬"的两墓均紧紧相葬,双方必为一男一女,墓室相同,头向一致,葬具相同,随葬品质量也基本相同。双墓的位置,一般男性靠前,女性错后,男左女右。男墓葬较浅,女墓较深。葬品多少不一。① 这显然是一夫一妻制婚姻在葬俗中的反映。成为族葬也正反映了血缘宗法关系。同时也印证了《周礼》有关族葬的记载其实已起源于商代。② 作为血缘亲属关系,大家仍在居所及墓地中都保持了聚族而居、而葬的习惯法,但是在生活中,已是各自家庭为独立经济单位,故死后墓葬如生时,是一家一家分开的。这便是郑玄所说"万民墓地同处,分其地,使各有区域,得以族葬,后相容"。又因族葬各墓的随葬品多寡不一,反映出各夫妻家族贫富不均故可知是平民墓,反映了平民中的婚姻制度。

(四)商代王室及贵族的婚娶礼仪

西周的贵族婚姻有六礼,即纳采、问名、纳吉、纳征、请期、亲迎。③ 商代贵族婚姻礼仪当然不如西周时完善,但从甲骨文看,已初步具有规范体系,大体包括议婚、订婚、请期、亲迎四个步骤。

(一)议婚。类似西周的纳采问名。甲骨文中有此方面记载。如:

辛卯卜,争,呼取郑女子。

---

① 安阳市博物馆:《殷墟梅园庄几座殉人墓葬的发掘》,《中原文物》1986年3期。孟宪武:《殷墟南区墓葬发掘综述——兼谈几个相关问题》,《中原文物》,1986年3期。

② 《周礼·春官·墓大夫》:"墓大夫掌凡邦墓之地域,为之图,令国民族葬,而掌其禁令。正其位,掌其度数,使皆有私地域"。郑玄注:"古者万民墓地同处,分其地,使各有区域,得以族葬后相容"。

③ 《十三经注疏·礼记·昏仪第四十四》:"是以昏礼,纳采、问名、纳吉、纳征、请期……";吕思勉:《先秦史》,上海古籍出版社,1982年,第267—268页。

　　　　辛卯卜,争,勿呼取郑女子。①

　　这种卜辞正反卜问娶女的事,"取女""勿取女","取"通娶,这是含有咨问婚事的卜辞。

　　在议论婚事时,男方或女方家都派使者(媒人)到对方家去咨商,这就如西周后来的纳采问名一样。如吕思勉先生所解释:"纳采,亦曰下达,男氏求昏之使也。女氏既许昏矣,乃曰:'敢问女为谁氏'"。谦,不必其为主人之女也。时曰问名。"纳采问名共一使"。② 而《礼记正义》孔颖达疏的解释是:"纳采者,谓采择之礼,故昏礼云下达。纳采用雁也。必用雁者,《白虎通》云雁取其随时而南北,不失节也;又是随阳之鸟,妻从夫之义也。问名者,问其女之所生母之姓名,故昏礼曰,谓谁氏,言女之母何姓氏也。此二礼一使而兼行之"。③ 这两种解释大同而小异。纳采问名,均为男方派使者(媒人)到女家求婚,如女家同意,再请问该女子的生母是何姓氏,而非吕思勉先生所说:"不必其为主人之女也"。问女子生母的姓氏也有考虑血缘关系的因素。这两个活动连在一起,由男方使者一次完成。当然,礼记所载是完善了的周礼。那么,殷商时期是否有类似的婚姻礼仪?古文籍记载传说中的成汤的婚事,便有"使人请之有侁(莘)氏,……请取妇为婚"④。甲骨文中也常见"使人于某"的涉及议婚记载的。如:

　　　　□寅卜,㱿,……使人……娞……⑤
　　　　己□卜,使人妇伯纾。⑥

---

① 《合集 536》。
② 吕思勉:《先秦史》,上海古籍出版社,1982 年版,第 267 页。
③ 《十三经注疏·礼记正义·昏头第四十四》,中华书局影印,1979 年版,第 1680 页。
④ 《吕氏春秋·本味》。
⑤ 《合集 12500》。
⑥ 《乙 9085》。

这大致是男方遣使者到女方家族,与女方家族之家长如伯纫等商议娶女事。但殷商还不如西周时那样制度化,一定要男方遣使去女家。也还可以有女方。如嫁女于商王朝时,女家派使者来说合的,例:

……来妇使……①

……归,者女来,余其比。②

这两条卜辞,第一条意思很明白,无需解说。第二条"归"字,表示女子出嫁之意。《说文》:"归,女嫁也"。《公羊传·隐公二年》的解释说:"妇人谓嫁曰归,何?云:妇人生以父母为家,嫁以夫为家,故谓嫁曰归"。因为出嫁到夫家是女子的归宿,所以嫁称归。那么,第二条卜辞的意思很明显是商议嫁女之事。第二句推测应为女方派来使者。第三句"余其比",是商王表示同意之义。"余"是商王的自称。"比",据《国语·楚语下》:"合其州乡朋友婚姻,比尔兄弟亲戚"。韦昭注:"比,亲也"。所以这里的比,表示商王愿意比亲,结为亲戚。那么,可知议婚时,商代可由男方或女方派遣使者到对方家族中商议。

(二)订婚。类似西周的纳吉、纳征。孔颖达疏曰"纳吉者,谓男家既卜得吉与女氏也。""纳征者,纳聘财也。征,成也。先纳聘财而后昏成。"③ 商的纳征还未发现卜辞,而纳吉是有的,即议婚成后,占卜,告之于祖先。卜辞有下例:

□□卜,……听竹取……占惟……④

贞王听唯女,告。

---

① 《前7.21.5》。
② 《丙25》。
③ 《十三经注疏·礼记正义·昏礼第四十四》。
④ 《合集20229》。

贞翌庚寅,王告。

贞王于甲午告。①

上面卜辞一二条中均有"听"字,"听竹取","听唯女"。听,有听闻、听治的意思。也常写为"聅""聀"字。② 于省吾先生释"聀"有听闻、听治之义。《尚书·洪范》讲"五事"时说"四曰听"。其下孔安国传曰"察是非"。孔颖达疏曰"听是耳之所闻"。③ "听竹取"指受听与竹族通婚娶女之事。"王听唯女,告",指王听治订婚并告庙纳吉。这几条卜辞说明议婚之后,还要向祖宗王室告知婚事,并求得选出吉日。

(三)请期。孔颖达疏曰:"请期者,谓男家使人请女家以昏时之期。由男家告于女家。何必请者?男家不敢自专,执谦敬之辞,故云请也"。④ 可知请期是选定结婚的吉日。但商代的请期不像周,必由男家派人去请问女家,有时女家势力强也可自行占卜选定日期。如商王室嫁女,总是由王室先行占卜,决定婚期。甲骨文有例证:

妇往,其有祸。⑤

贞女往,在正月,在𠂤休。⑥

这两条卜辞都是占卜嫁女的时间的。其卜辞中的"妇往","贞女往",往,就是出嫁。《尔雅·释诂》"嫁,往也"。另外,商娶女,请期的一般时间都在二月。

---

① 《合集 105 征》。
② 于省吾:《释职、聅、聀》,《甲骨文字释林》,中华书局,1979 年版,第 84—85 页。
③ 《十三经注疏·尚书正义·洪范》,第 188 页。
④ 《十三经注疏·礼记正义,昏礼第四十四》,第 1680 页。
⑤ 《合集 21306》。
⑥ 《合集 24262》。

丁未卜,争,贞将宋子旋女眴。二月。①

贞妹其至,在二月。②

丙午卜,今二月女至。③

王占曰:今夕其有至惟女,其于生一月。④

上面这几条卜辞,前页末条,记诸侯嫁女"将"字有嫁送的意思。本页1至3条,辞中有"妹其至"、"女至"、"有至惟女",都是说女子嫁至商。《尔雅·释诂》,邢疏:"至为嫁"。时间都在二月,唯有最末条用了"生一月"。生一月指未来一月,实指二月。这和《周礼·媒氏》"中春之月,令会男女"。在时间上完全一致,看来是周礼所规定习惯法的源起。

(四)亲迎。《礼记·坊记》云:"昏礼,婿亲迎"。亲迎是周礼婚礼中一项重要礼仪,是结婚仪式中最后一项,通过此礼,婚姻缔结的过程整个圆满结束。从甲骨卜辞看,商代婚礼的最后一项仪式也为亲迎。下面记载可以为证。

庚午卜,㱿,贞呼肇王女来。⑤

甲辰卜,㱿,贞肇我妹。

贞肇我妹。⑥

以上三条,均有"肇王女"、"肇我妹"等语。肇字在说文中解释为"始"的意思,可引申为"开启"、"导引"之义。《说文·戈部》"肇之字曰

---

① 《合集10084》。
② 《合集23673》。
③ 《合集20801》。
④ 《合集10964》。
⑤ 《丙66反》。
⑥ 《合集19139甲、乙》。

始"。并据段玉裁注,古有肈而无肇字。而后,俗乃从文作肇。① 肈字先用于称战争中之先锋,故释义为"始也,先也"。后引申为在前面开启道路或导引的行为。故上述三条卜辞中,"肈王女""肈我妹",都有男方在结婚时在前导引新娘之意,即指男方来亲迎。又有"呼肈王女",女,可知为殷王室嫁女,"呼"男方来迎接新妇。这里显示殷王室地位高于男方。又有一些卜辞也同样反映类似情况:

贞呼夗涂子妌来。

贞勿呼夗途子妌来。②

这两条卜辞是一条卜辞的正反两句设问,是贞问是否呼男方夗前来亲迎新妇。卜辞中的子妌是殷王室女子,夗为娶亲的男方。"途"字指道途,在此处用作动词。

《诗·大雅·大明》记载周作为商的方国,文王娶商王帝乙之妹,这是方国娶大邦之女,文王不仅亲迎,而且仪式极隆重:

"大邦有子,伣天之妹,文定厥祥。亲迎于渭,造舟为梁,不显其光"。

另外,不仅是地位比殷王室低的诸侯要迎娶地位高的新妇,殷商王室娶女,也要亲迎,卜辞中常见:

癸亥卜,于丁巳夕往逆。

勾,逆女。

勾,逆姗。

逆妃。

---

① 《说文解字注》,第629页。"肈"下段玉裁注。上海古籍出版社,1981年10月第1版。又徐中舒:《甲骨文字典》,第1358页"肈"下释义(1)始也,先也。四川辞书出版社,1989年5月第1版,1993年5月第四次印刷。

② 《合集10579》。

> 逆娥。
>
> 先曰：逆娥。
>
> 使人。①

这是武丁时王室娶女逆迎婚礼的卜辞，它反映了亲迎的礼仪。卜辞中的逆、屰为一字，意思就是迎接。《说文》云："逆，迎也"。其下段玉裁注认为逆迎两字通用。并列例说明，如《禹贡》中"逆河"在今文尚书中便写为"迎河"。又被后人假借为表示顺屰的屰字②，故可知逆、迎二字也通用。那么，上述几条记载武丁时婚娶的卜辞中都反映了商时，已存在亲迎的婚礼仪式。又因为是王娶亲，所以不是"婿亲迎"，而是王派遣使者前往迎亲，这样，在上述一组卜辞中便有了最后一条"使人"。

三、商代的继承法

关于商代的继承法，我们仅能考知王位的继承。从史学界的考证可知，商代的王位继承是多元化的，既有兄终弟及，又有父死子继，还有叔侄相传。自商汤至纣王，共17世，31王，因太丁"未立而卒"，实传29王。其中兄终弟及者13王（祖丁与南庚为从兄弟相传），父死子继者12王，叔侄相传者4王（其中南庚与阳甲为从叔侄相继）。③因为商代王位继承的复杂现象，在史学界很有争议，其代表性的观点有以下几种：

其一，《史纪·殷本纪》的观点，商代传位有两种法制：一是父死子继，一是兄死弟及。太史公认为，父死子继为正统的作法，而兄终弟

---

① 《合集22246》。
② 《说文解字注》，上海古籍出版社，1981年版，第71页。
③ 见郑宏卫：《商代王位继承之实质——立壮》，载《殷都学刊》1991年，第4期。

及是一种变异,且引起商代社会的动荡不安。"自中丁以来,废嫡而更立诸弟子,弟子或争相代立,比九世乱,于是诸侯莫朝。"① 太史公如是说。看来,太史公不仅认为商王位继承法的正统应是父死子继,且应是嫡长子继承王位。然而,近世史学家对此观点又有了很大的改变。陈梦家先生在《殷虚卜辞综述》中通过卜辞考证认为"就卜辞材料而言,商人有长幼之分而无嫡庶之别,所以殷本纪'中丁(应作大丁)以来废嫡而立诸弟'一语是不正确的。"②

其二,王国维的看法认为"商的继统法以弟及为主而以子继辅之,无弟然后传子。……商人……是未尝有嫡庶之别也"③。

其三,陈梦家的观点:"(1)子继与弟及是并用的,并无主辅之分;(2)传兄之子与传弟之子是并用的,并无主辅之分;(3)兄弟同礼而有长幼之别,兄弟及位以长幼为序;(4)虽无嫡庶之分,而凡子及王位者其父得为直系"。④

其四,胡厚宣先生的观点,则认为殷人有立嫡之制。他说:"所以知殷代或已有立嫡之制者,卜辞中有大子之称,当即长嫡之意。又有称小王者,疑即指此种嫡长继立之王也。"⑤ 他并且根据《吕氏春秋》和《史记·殷本纪》所述,对卜辞作了佐证:"《吕氏春秋·当务》篇云'纣母之生微子启与仲衍也,尚为妾,已而为妻而生纣,纣故为后'。《殷本纪》曰:'帝乙长子为微子启,启母贱不得嗣;少子辛,辛母正后,故立辛为嗣。'两说不同,然其以商末已有立嫡之制则一也"。⑥ 他并且

---

① 《史记·殷本纪》。
② 陈梦家:《殷虚卜辞综述》,第373页。
③ 王国维:《观堂集林》,第十卷。
④ 《殷虚卜辞综述》,第370页。
⑤ 胡厚宣:《甲骨学商史论丛》,初集、一。
⑥ 胡厚宣:《殷代婚姻家族宗法生育制度考》,载《甲骨学商史论丛初集》第一册。

否定了王国维先生的殷人不立嫡无宗法的观点,说:"然则王国维殷周制度论所谓周人制度之大异于商者,曰立子立嫡之制,由是而生宗法,并由是而生封建子弟之制,曰女子称姓同姓不婚之制者,乃弗然矣。"①

其五,近年来比较有影响的看法是"子继为常,弟及为变。"首先提出此观点者为李学勤先生,他像胡厚宣先生一样,根据文献和卜辞有太子、小王等记载,肯定了殷代的立储制度,否定了王国维先生"弟及为主"和陈梦家先生的"弟及子继并用"的主张,提出了"子继为常,弟及为变"的观点。之后,史学界的赵锡元、裘锡圭、杨升南等学者也都相继著文,肯定了商代王位继承制度的实质是父死子继,并且有嫡庶之分和宗法制度②。吴浩坤在同意了这种观点之后,又作了补充论证,指出"商朝后期传子制绝对的占了上风,且有不可逆转之势","自康丁以后连续五世传子而不再传弟"。出现这种现象的原因,其一是卜辞有立储之制,其二是以子继为主。在"一般情况下,一世之中至多一、二兄弟相继即位,等子辈已及青壮年时,必传位于下一代。"并分析了《殷本纪》的记载:"汤崩,太子太丁未立而卒,于是乃立太丁之弟外丙,是为帝外丙。帝外丙接位三年,崩,立外丙之弟中壬,是为帝中壬。帝中壬即位四年,崩,伊尹乃立太丁之子太甲。太甲,成汤嫡长孙也。"指出,太丁未立而卒,其时太丁之子可能尚未成年,比及外丙、仲壬相继及位七年后,太丁之子太甲已成年,故王位复归于汤的嫡长孙。所以,弟及是子继的变异。再从文化渊源上看,夏、

---

① 胡厚宣:《殷代婚姻家族宗法生育制度考》,载《甲骨学商史论丛初集》第一册。
② 参见赵锡元:《论商代的继承制度》,《中国史研究》1980年第4期;裘锡圭:《关于商代宗法组织与贵族和平民两个阶级的初步研究》,《文史》第17辑;杨升南:《从殷墟卜辞的"示"、"宗"说到商代的宗法制度》,《中国史研究》1985年第3期。

商、周三族同处黄河中、下游,文化上有共同的渊源,夏、周两代均是父子相传,商应与之差异不大。所以,孔子说:"殷因于夏礼,所损益可知也;周因于殷礼,所损益可知也"①。

至于为什么会出现"兄终弟及"的变异。吴浩坤认为一是母权制的遗迹。从甲骨卜辞看,殷的统治阶级中,一大批妇女活跃在政治舞台上,卜辞中妇好、妇妌等武丁时卜辞常见的名称均为女子,她们生前可参加祭祀和重要活动,可领兵打仗,有大量私有领地和私有经济;死后被厚葬、享受特有的隆重祭祀,有独立的宗庙。所以兄终弟及的母系社会旧传统的孑遗存在。另外,是游牧族的传统。商在前期自契至汤八迁,自汤至盘庚又五迁,至少说明商人秉承的游牧族习性是较深的。兄终弟及也是游牧族的习性,这原因是游牧族需要强有力的领袖。商王朝初立时,方国林立,《吕氏春秋·用民》说:"至于汤而三千余国"。卜辞所见武丁时的方国就有四十余个,② 甲骨文中,王字早期作A,也是表示主要有指挥征战的能力③。郑宏卫在谈到商的继承制时,提出"立壮"的观点,其实也是从商初诸侯林立,商王未成"诸侯之君"④,当时"国之不服者五十三"⑤,商王必须有军事才干,而这必得是成年之人才有可能达到。故如商王去世,子未成年,便会出现兄终弟及的变异⑥。吴浩坤的文章⑦ 可以说比较全面地总结出史学界一种主流观点,即商代王位继承以子继为主、弟继为

---

① 《论语·为政》。
② 陈梦家:《殷虚卜辞综述》,第269—298页。
③ 林三沄:《说王》,《考古》1965年第6期。
④ 王国维:《殷周制度论》,《观堂集林》卷十。
⑤ 《韩非子·十过》。
⑥ 郑宏卫:《商代王位继承之实质——立壮》,《殷都学刊》,1991年第4期。
⑦ 吴浩坤:《商朝王位继承制度论略》。

辅。

四、商代的物权法

（一）不动产土地的所有权与占有权。

商是中国第二个统一王朝,作为农业国家,商代最主要的物权制度,反映在其对土地的所有权,占有权制度上。

马克思和恩格斯在研究古代东方国家的特性时都强调指出东方国家的关键是不存在土地的私有制。恩格斯说:"没有土地私有制的存在,这确实是了解全东方情况的关键。政治史和宗教史的根源都在这里。可是东方何以没有进到私有制,……我以为主要原因是在于气候,且与土壤的性质有关系,尤其是与广阔的沙漠地带有关系,有些沙漠,从非洲撒哈拉起,经过阿拉伯、波斯、印度与蒙古,绵延到亚洲最高的高原。这里的农业,主要的是建立在人工灌溉的基础上的,而这种灌溉却已经是村社、地方当局或中央政府的事情。"[1] 马克思同样有过相同的论述[2]。中国不是例外,而是很典型的亚洲古代国家,也同样因为气候与土壤的原因而形成东方大农业国家。河南偃师商城、郑州商城都处于北纬34°7′,地理的气候条件十分适宜农业发展,傍依洛河,地势平坦,植被未被破坏,土壤肥沃,即使今时也是粮食高产区。殷墟王都,地处北纬36°,在豫北洹水之滨,有卫、漳、洹、滏四条黄河支流穿流而过,土壤湿润,富含腐殖质,土地肥沃,又有丰富的煤炭、铜矿资源和良好的森林植被,是发展大农业的得天独厚的地处。建立在人工灌溉基础上的土地的所有制与之相适应的

---

[1] 《马恩全集》第21卷,恩格斯1983年6月6日复马克思的信。
[2] 《马恩全集》第9卷,马克思:《英国在印度的统治》。

土地所有权都是属于中央政府的事,因此,商代的土地基本是一种国有制,也就是全国土地从理论上讲是国王所有。

甲、国王对土地的所有权表现在以下几个方面:

第一国王根据需要,可以任意派遣人到全国各地开辟土地,即垦田。卜辞中记载有:

戊辰卜,宁,贞令派垦田于卤。①

……派垦田于卤。②

癸卯卜,宾,贞令禽衷田于京。③

戊子卜,宾,贞令犬延族衷田于虎。④

戊寅卜,宾,贞王往致从黍于同。⑤

癸亥,贞王令多伊垦田于西,受禾。⑥

①至⑥条卜辞,基本上是同一格式,前面是占卜的时间,中间是占卜的贞人,末尾是占卜的内容。内容均是占卜国王要派遣商的官吏或贵族去垦田。禽、犬延、多伊均是这些贵族的名字,王派遣他们去垦田,故多使用"令"字,是表示王发布命令。其中第⑤条为王亲自率众从事种黍,该黍字为名词动化,表示种黍之意。京、虎、同、西、卤都是商王属地。③④两条卜辞未使用"垦田"一词,而使用"衷田"一词,张政烺先生解释也是垦荒造田之意。⑦ 商王命令官员去垦辟荒地,开垦出的土地,即为王室土地,收获归国王所有。例如卜辞中还见到

---

① 《前 2·37·6》。
② 《前 4·10·3》。
③ 《合集 9473》。
④ 《合集 9479》。
⑤ 《合集 710》。
⑥ 《京人 2363》。
⑦ 张政烺:《卜辞衷田及其相关问题》,《考古学报》1973 年第 1 期。

记载垦辟地农作物成熟时,商王亲自或遣令臣下收获之事:

> 庚辰卜,宾,贞惟王采南冏黍。十月。①
>
> ……贞登冏黍祖乙。②
>
> 己酉卜,贞令吴省在南廪,十月。③
>
> 己亥卜,贞惟并令省在南廪。④
>
> 癸亥,贞王令多伊垦田于西,受禾。⑤

这几条卜辞中所提到的冏、西等地,均为王畿内之地,上文已述。冏地大约在商王室之南,故称为"南冏",而在王室之南设有仓廪,称之为"南廪",可能是储存南冏地所产之谷物,故卜辞中有"南冏"、"南廪"之称。前卜辞②说明商王收获后以冏地的黍祭祀祖先。⑥

商王除直接派人在王畿内垦田、收获外,还可派人到诸侯、方国中去占田、收获。如卜辞有:

> 贞令曼衰田于先侯。十二月。⑦
>
> 贞王令黍侯受黍年。十三月。⑧
>
> 贞王令多(尹入)羊方衰田。⑨
>
> 贞令众人取(趄)入羊衰田。⑩

先侯、黍侯、羊方均是商的诸侯国与方国。故以上卜辞是商王命

---

① 《合集 9547》。
② 《合集 1599》。
③ 《合集 9638》。
④ 《合集 9639》。
⑤ 《京人 2363》。
⑥ 见杨升南:《商代的土地制度》,《中国史研究》1991 年第 4 期。
⑦ 《合集 9468》。
⑧ 《合集 9934 正》。
⑨ 《合集 33212》。
⑩ 《合集 6》。

人到诸侯国、方国垦地造田的记载。王也可直接在诸侯的土地上获得收成,卜辞③就是证明。

故据以上所引的甲骨卜辞可知,商王对全国的土地拥有完全所有权,可以在他控制的任何领土内垦田、收获。

第二、商王对诸侯、方国及贵族所占有的土地拥有处分权。这种处分权最明显地表现在两个方面,即一为王可任意下令从他们的土地上取走封邑,二可以册封的形式将土地授予贵族。

卜辞中记载商王任意取走对诸侯贵族封邑的有：

"贞呼从奠(郑)取怀甫鄙三邑。"①

"〔呼〕取三十邑〔于〕彭、龙"。②

"贞勿令师般取……于彭、龙"。③

"〔贞〕勿呼□取右邑。"④

"贞行致右师暨右邑"。⑤

"贞呼亶归田"。⑥

"令望乘归田"。⑦

以上卜辞中称"取…邑",邑与田在古代是紧密相连的。邑是居民聚居之地,田在邑外,是邑中居民生存的条件。前卜辞①是商王从自己的诸侯子郑的封国中取走三邑的记载。卜辞②③中记载要从贵族彭和方国龙方取走土地,或不取。卜辞④⑤记载王令臣下取邑,或

---

① 《合集 7074》。
② 《合集 7073》。
③ 《合集 8283》。
④ 《合集 7072》。
⑤ 《合集 8987》。
⑥ 《合集 9504》。
⑦ 《合集 665》。

贵族们亲自将邑送于王室,故用"致…右邑",致是送的意思。① 卜辞⑥⑦记载王直接令贵族亶、望乘将占田"归"于王。

卜辞中记载商王册封诸侯贵族,并予之授田的也不少见,如:

"呼从臣沚又册三十邑"。②

此条卜辞中的沚是商代武丁时的一个诸侯,又担任王室的臣,故称"从臣"。"册"字在此处是动词,有"册封"之意。这条卜辞大意是说商王让沚将三十邑书于典册,封给某一贵族。

以上多条卜辞说明商王有权在全国各地包括王畿和方国任意垦田、收获,取走对贵族的封邑或给贵族册封土田。这一切证明,从理论上看,商王(代表国家)拥有实际土地所有权。

乙、贵族的土地占有权

贵族对国王册封的土地,仅享受一种占有权,如前述,因为土地的最高处分权掌握在王的手里。但占有权也是有法律保证的。其表现为:

第一,册封有凭证,前引卜辞"册三十邑",册是书之于典册之上,即在王室登记,表明该贵族的占有权。

第二,当贵族的占有权被他人侵犯后,国家依法保护原占有人,会令侵权人将侵权所得的他人占有权归还。卜辞:"丁丑,贞王令阎归侯以田。"③ 即是贵族阎侯侵占了另一诸侯的封地,纠纷在商王处解决,王下令让侵权者将所非法占田归还。

第三,取得合法占有权的贵族,称被占有的土地为"我田",以表明自己的权益。如:

---

① 《说文》:"致,送诣也"。
② 《合集 707 正》。
③ 《屯南 2273》。

第三章 夏商的民事法律关系

"右妻竹告曰：土方侵我田十人。"①

"长友角告曰：邛方侵我示至田七十人五"。②

"长友化呼告曰：邛方征于我奠丰"。③

受封者以"我田"、"我奠(甸)"或"我鄙"来称封邑。说明土地已有因分封而占有关系。胡厚宣先生说："对殷王而自称我某人之田，则土地已为封建侯伯所有可知"。④

丙、邑人即公社社员的份地使用权。

邑人是居住在邑中的人，实际上是商代的平民阶层。甲骨文中的邑，作为地域范围，可包括几种：

第一，指商王王畿都邑，如卜辞中称的"大邑"⑤"大邑商"⑥等。商代王邑遗址，已发现有偃师商城、郑州商城、安阳殷墟三座。

第二，指方国、诸侯或贵族的封地，如卜辞中的"妇好邑"⑦、"望乘邑"⑧等。妇好是武丁之妻，有封地，称"妇好邑"；望乘是武丁时的大将，有封地。

第三，指商王室或方国内的次等政治中心，如"西邑"⑨、"左邑"⑩等。

第四，指一般居民聚居点。

---

① 《合集 6057 反》。
② 《合集 6057》。
③ 《合集 6068》。
④ 胡厚宣：《卜辞中所见之殷代农业》，《甲骨学商史论丛》二集上。
⑤ 《合集 32716，33240，33241》。
⑥ 《合集 36482，36501》。
⑦ 《合集 32761》。
⑧ 《合集 7071》。
⑨ 《合集 6165，7863》。
⑩ 《合集 6336》。

甲骨文中的邑的材料约有 200 多条,邑的规模有大邑、小邑之分。大邑当是规模大者,如商王都,卜辞有"大邑商"即是,有时也称"天邑商"①或直称"王邑"②。当然诸侯封地、方国封地规模大者也称大邑,如"方其敦大邑"③、"贞非大邑于唐土"④ 等。大邑是王国的重镇。

小邑,卜辞也常见。大体是分布于各地的小规模邑聚。卜辞有:
  戊寅小邑示二屯,岳。⑤
邑的人口有多少,没有确切记载,然而甲骨文有
  ……其多兹……十邑……而入执……鬲千……⑥
鬲千即指十邑有千户,平均当一邑为一百鬲(户)。文献记载有"十室之邑"⑦ "三十家为邑"⑧,"邑人三百户"⑨、"千室之邑"⑩。《尚书大传》以三百六十家为一邑。郑玄注《大传》云"此盖虞夏之数也"。

邑是居民聚居的小村落,故人数可多可少,犹如今时一样。《释名·释州国》:"邑,犹邑也,邑人聚会之称也。"邑也是一种行政建制,《周礼地官·小司徒》云:"九夫为井,四井为邑,四邑为丘,四丘为甸,四甸为县,四县为都"。显然,县的行政建制至少在战国以后,但邑的存在称谓则早,郑玄注云"邑方二里"。《小司徒》又说"九夫为井,四

---

① 《英 2529》。
② 《英 344》。
③ 《合集 6783》。
④ 《英 1105》。
⑤ 《合集 17574》。
⑥ 《合集 28098》。
⑦ 《荀子·大略》。
⑧ 《国语·齐语》。
⑨ 《易·讼九二》。
⑩ 《论语·公冶长》。

井为邑",则一邑为三十六家。但不论邑内人数的多寡,邑是农村公社内居民聚居点无疑。邑与"九夫为井"的井田制有关。这种井田制正是土地公社所有权的反映,因之邑人对公社土地享有的是份地的使用权,邑人所耕种的土地要定期分配,更换。

在专制主义的古代东方,公社所有的土地从理论上仍应属国家所有权,即国王所有权。因此,卜辞所见商王将邑赐与贵族、官员则不足为怪,而国王还有将邑再收归王室和重新赏赐的权利。邑人是定居于邑内的,当国王将邑赐封时是连同邑人一起赐封的。然而邑人是对国家承担义务的。在甲骨文中看,其主要义务是服兵役。卜辞载"邑人其见(献)方俘"[①] 就是例证。在武丁甲骨文中常见有"登"(征调)邑人三千、五千出征的记载[②]。因此邑人和文献中所称的"众"是一致的[③],也十分类似汉穆拉比法典中的自由民中承担军役而领有伊尔库份地之自由民。他们享有对土地的承袭性的长期的使用权,但使用权是附有对国家的义务的。土地的所有权为国有。

(二)动产的私有权。

动产的私有权归个人,由于身分等级的不同,个人所拥有的动产数量、质量差别极大。宋镇豪的《夏商社会生活史》中从商代墓葬中随葬的酒器、礼器分析了其等级制。自商王以下能享有酒器者列为八等:第一是王室最上层权贵和受宠王妃,能享有 50 套以上青铜酒器随葬;第二是商王朝的高级权贵或军事统帅及各地方国君主,能享 10 套之多;第三是王室或地方的上层贵显,能享有 6 套殉葬酒器;第四为商王朝受有封地的贵族或方国高级官员,能享有 5 套;第五,是

---

① 《合集 799》。
② 杨州南:《略论商代的军队》,《甲骨探史录》,三联书店,1982 年版。
③ 《尚书·汤诰》、《尚书·盘庚》。

商王的近卫侍从,地方强族方国高级军事将领,享有4套;第六为中等权贵,一般享有3套;第七为一般贵族,可享有2套;第八是末流贵族与中上层自由平民,享有一套酒器。在此八等之下者是广大下层平民,包括奴隶,最多在他们的墓葬中有几件陶酒器。因为商代"庶群自酒"①,故平民,包括家内奴隶的墓葬中也可有酒器,但陶制品与青铜器制品的价值等级性自然是极相有别的。②

殉葬品不仅显示了商的等级法,也显示了动产所有权归个人的物权法。

五、商代的债法

商族的商业交易活动,一直比较活跃,据说后来把做生意买卖的人称为"商人",就与商族人善于从事商业交易有关。③ 史传在夏代时,商人的祖先便"胲作服牛"④。又说"王亥托于有易,河伯仆牛,有易杀王亥,取仆牛"⑤。《尚书·酒诰》称殷人"肇牵车牛远服贾"。都是记载从商人的祖先王亥时就懂得到远地进行牛羊贩卖之事。

考古发掘也提供了可靠的资料:

首先,1975年考古工作者在河南偃师二里头遗址第三期(相当于夏朝后期)的文化中发现了二十枚海贝。

其次,历年安阳出土的文物中,40%—50%的墓葬中都殉葬有贝;不仅大墓中有多达数千枚的贝,就是一般小墓,甚至奴隶身上,也

---

① 《尚书·酒诰》。
② 见《夏商社会生活史》,第284—303页。
③ 彭邦炯:《商史探微》,重庆出版社,1988年版,第259页。
④ 《世本·作篇》。
⑤ 《山海经·大荒东经》。

带有一、两枚贝。1976年妇好墓一次就出土了近七千枚之多;山东北部益都地区,在一座商墓中出土过3790枚贝。

第三,1953年安阳大司空村发现过成堆地放在车舆中的贝正是对《尚书·酒诰》商人"肇牵牛车远服贾"的注释。

第四,出现了以赚取贝为职业的商贾之民。在商代晚期的墓中,有一种不大的墓葬,殉葬物中,仅有一、两件小的青铜器,但贝的殉葬却特别多。如1958年在大司空村发掘的34号墓,墓内仅三件玉器,四件陶器,贝却有83枚。[①] 又如殷墟西区的墓中,也有类似情况。其272号墓,只有两件小铜器,但却有350枚贝。[②] 这被史学界认为有一种经营商业的阶层产生。[③]

第五,商代不仅有实物货币海贝,还出现了原始的铸币铜贝。

第六,甲骨文中大量有赐贝,或有关贝的记载,并用"朋",表示贝的计量,如称"五朋"、"七朋",…"五十朋"、"七十朋"等[④]。

从以上史籍及考古发掘中说明商代的商品交易活动已较为发达,债法中不仅产生了交换关系也出现了买卖关系,作为买卖中计价的货币贝币已经产生。

可以作为这种商品关系发展的又一佐证是商代的牛车和平民阶层的人推拉小车已广泛使用。武乙时的甲骨文有记载:

丁亥卜,品其五十牵。[⑤]

□丑卜,品其五十牵。

---

① 《1958年河南安阳大司空村殷代墓葬发掘简报》,《考古通讯》1958年10期。
② 《1969—1977年殷墟西区墓葬发掘报告》,《考古学报》,1977年1期。
③ 彭邦炯:《商史探微》,第264页。
④ 杨升南:《殷契"七十朋"的释读及其意义》,《中国史研究》,1987年第8期。
⑤ 《合集34677》。

戌子卜,品其九十牵。①

□□□,□其百又五十牵。②

这些牛车的动用动辄就是五十、九十乃至百五十之数,当然是战争中的大量军事运输之用。但牛车之广泛为平民家庭所有也是事实,平民也可用牛以代劳动和远途运输与交易活动。考古发掘中又发现人力推拉的小车,甚至有双轮小车与独轮车的不同车辙。③ 这些平民所用之车亦可用于较远道途的商品交易中运输之用,因为商代的交通已经颇为发展了。④ 它有常设性的军事据点"㯱陲",还有旅舍"羁"、驿传制度。这种交通设置不仅有利于商王与天下诸侯方国的联系,即在平时也促进商业交易往来。

---

① 《合集 34675》。
② 《合集 34674》。
③ 中国社会科学院考古研究所安阳工作队:《1986—1987 年安阳花园庄南地发掘报告》,《考古学报》1992 年第 1 期。
④ 参见宋镇豪:《夏商社会生活史》,第四章第三节。

第四章 行政军事立法

第一节 行政管理体制

夏朝距今有4000多年历史,不仅年代久远,而且没有留下当朝文书典籍,地下遗存也是零星可见,给我们研究夏朝行政管理体制造成极大困难。商朝虽有甲骨文出土,而有关商朝行政管理制度方面的卜辞,相当零散,极不系统。尽管如此,只要对古文献记载尤其是甲骨卜辞细心钩沉,详加考稽,夏商行政法律规范的轮廓,还是可以略知一般的。

一、王权

夏商国王都是终身任职,且世袭为王的。《史记·夏本纪》:"帝舜崩,禹于是遂即天子位,南面朝天下,国号曰夏后"。"夏",国号;"后"国家之首。自启继禹为夏后起,"禅让"制废除,代之以子继父位的世袭制。从启至夏桀亡国的471年中,除三王是兄终弟及外,全是父死子继,奴隶主君权独裁政体正式确立。

商代,以商王为首的奴隶主贵族专制政体进一步加强,王权成为奴隶主专政的总体现、总代表。甲骨文王字作大或Δ形,像斧形而刃部向下,以主刑杀之斧钺,象征王之权威。在甲骨卜辞中,商王自称

"余一人"或者称"一人",与文献中称"于一人"正相吻合。中国古代,自秦始皇建立中央集权政治体制之后,历经两千年未有改变。从甲骨卜辞看,这种集权于一人的行政管理体制,溯其源,应是商代的"余一人"。所谓"余一人"者,是说普天之下,四海之内,惟王一人独尊,惟王之权至高无上。商王掌握着国家行政、军事、立法、司法等一切大权。甲骨文中的"王命"、"王令",就是商王对国家军政大事有最后决定权的记录。商代刑典称《汤刑》从一个侧面反映出商王握有立法权。《尚书·汤誓》"尔不从誓言,予则孥戮汝"和《盘庚》篇所说"听予一人之作猷"、"惟予一人有佚罚"则是商王握有立法、司法大权的有力佐证。

在商代,为了不断强化商王的行政专权,在王位继承上实行嫡长子继承制。从商的世系考察,从汤到纣共十七代三十一王,其中子继父位的有十七王(包括汤),兄弟继位的有十四王。商代前期还没有实行嫡长子继承制,因此商王的儿子原则上都有继承王位的资格,兄死后,弟或从兄弟都可继承王位,这叫"兄终弟及";与此并行的是父死子继,即传位于子的继承制。到了商代后期,从康丁,经武乙、文丁、帝乙至帝辛,则实行嫡长子继承制,就是国王生前预立嫡妻长子为王位继承人。如帝辛(纣王)有兄弟三人,长兄叫微子启,次兄为仲衍,帝辛是少弟,但他继承了王位。这是因为他的母亲是其父的嫡妻,而两位兄长的母亲为庶妻之故。嫡长子继承制的确立,减少了王位继承上的争纷,稳定了王室内部的统治秩序,使王权得到进一步加强。

二、贵族议事会和国人大会

贵族议事会和国人大会是从部落联盟时期军事民主制度下的氏

族议事会和氏族成员大会脱胎而来的一种协商国家大事的组织。早在夏代,已继承了原始军事民主制度的某些遗风,并将其转化成作为上层建筑的国家行政管理体制。这种情况,到了商代依然存在。

《尚书·盘庚》是讲盘庚迁殷时,因受到贵族臣民反对,便把他们召集到王庭开会,向他们解释迁都理由和计划的文诰。迁殷后,盘庚又把这些贵族近臣召来开会,进一步解释迁都原因,并希望他们能恭谨地办理政务,勤奋地带领大家建设家园。这种会议,就是贵族议事会。最后,盘庚还把范围更广的众人召集到王庭训话,进行大量而细致的解释说服工作,这就是国人大会。贵族议事会和国人大会的设置,说明商代王权,不仅有其专制独裁的一面,同时又受到贵族议事会和国人大会的制约,带有某些原始部落军事民主制的残迹。

商代行政管理体制中有无协商议事制度,学界认识是存在分歧的。有人认为,盘庚迁都,百官抱怨,而盘庚却一意孤行,召开群臣会议,独断专横,百般指责,并警告百官:"自今至于后日,各恭尔事,齐乃位,度乃口",否则,"罚及尔身,弗可悔!"这俨然是一副专制君主的面孔,没有半点民主协商之意。事实确乎如此。在迁都问题上,盘庚不仅警告反对派不要妄加指责,否则将"罚及尔身",更甚者,他还用灭绝人寰的残酷刑罚来恐吓、威胁反对迁都者。如《盘庚中》说:

"呜呼!今予告汝不易,永敬大恤,无胥绝远。汝分猷念以相从,各设中于乃心。乃有不吉不迪,颠越不恭,暂遇奸宄,我乃劓殄灭之,无遗育,无俾易种于兹新邑!"

这是盘庚在国人大会上对普通老百姓讲的一番话,其口气和对贵族们总是细心劝说不同,声色俱厉,杀气腾腾,一开口就警告大家:我的迁都计划是不会改变的,如果谁敢胡作非为,猖狂放肆,对我不敬,我不但要杀死他,还要灭绝他的后代,叫他断子绝孙,永远不能在新邑里蕃衍。所有这些,正是商王专制政体的体现,是商代行政管理体制中"予一人"的表现形式。尽管如此,盘庚在迁都前和迁都后,能够反复召集贵族会议和国人大会,陈述自己的迁都理由,进行耐心的说服工作,以至表示"今予其敷心腹肾肠,厉告尔百姓于朕志"。就是说,我愿意披肝沥胆,即把心肝掏出来,以表示我的真情实意,以求得大家的谅解。对一个独裁者来说,他能做到这种地步,不能不说原始民主议事遗风,在商代还是存在的。

除贵族议事会和国人大会外,辅佐大臣对王权也有一定制约作用,有时这种制约还表现得非常激烈(后详)。

三、中央行政管理机构

商代行政机构有"内服"和"外服"之分。所谓"内服",实际上就是王畿之地,即中央;所谓"外服"是指畿外之地,即地方。正如《大盂鼎》铭文所说,商代中央政府有"殷正百辟"即中央百官;地方上有"殷边侯甸"即诸侯。"殷正百辟",就是《尚书·酒诰》中说的"越在内服,百僚庶尹,惟亚惟服宗工,越百姓里居(君)";"殷边侯甸",就是"越在外服,侯、甸、男、卫、邦伯"。

卜辞中有卿事。《诗》、《书》有卿士,为商周时代中央最高执政官。古代士、事相通,故卿事即卿士。罗振玉在《殷虚书契考释》中说:"《周官》虽无卿士之名,而屡见于《诗》及周初古金文,是周官实沿殷制也"。

卜辞中又有大史即太史。从《毛公鼎》和《番生簋》等铜器铭文看,卿士和太史领导的两大行政机关卿士寮和太史寮是西周中央最高行政管理系统。甲骨卜辞无卿士寮,但有太史寮,可以推断,殷代也是有卿士寮的,而且和西周一样,卿士寮和太史寮也是殷代中央两大平行的行政机关。

卿事(士)、大(太)史和大(太)史寮的记载偶见于卜辞：

(1)卿事卜①；

(2)辛未王卜在召听，惟执，其令卿事，亡灾；②

(3)辛亥卜，争，贞廾众人，立大史于西奠，叟，□□月；③

(4)利令，其惟大史寮令。④

从这几条卜辞可以看出，卿事有权参与占卜，甚至代王主卜，其地位之显赫，可想而知。印证西周官制，卿事寮为国家最高行政机构，卿事乃卿事寮之最高行政长官，总揽国家政务。大史寮是与卿事寮平行的史官集团，行政与事务兼理，大史为大史都寮之首，总管寮务。关于卿事寮与大史寮的具体建制，官吏设备及其权限分工，由于卜辞记录不多而又零杂，很难理出头绪。但是，甲骨文有关行政百官名目的记载却相当繁多，司官职责权限也较明确，大致可分为两大类型：一类是政务部门的执政官，另一类是史官部门的宗教官吏。政务部门和史官系统很可能就是前述的卿事寮和大史寮。

政务部门的最高首领叫尹。尹是商王之下地位最高，权力最大，既能师保商王，又要总揽政务的执政官。尹字甲骨文作⑤ 或⑥。《说文》："尹，治也，从又、丨、握事者也"。印证卜辞，从( )应为从1之误。甲骨文从又从1，1象杖，表示握有权力而任事者。伊尹是商初权力很大的最高执政。伊尹名阿衡，又称保衡，经"汤使人聘迎之，

---

① 《前 2,23,1》。
② 《通 615》。
③ 《标 2.11.6》。
④ 《前 5.39.8》。
⑤ 《乙 867》。
⑥ 《人 1235》。

五反然后肯往从汤",被"汤举任以国政"①,就是任命其总管全国政务。《史记·殷本纪》"伊尹名阿衡"《索隐》:"尹,正也,谓汤使之正天下"。"正天下"即"举任以国政",就是主持全国行政事务的意思。可见,伊尹,相当于后世的宰相。后世文献也有称伊尹为"汤相"或汤设"左右相"的记载。由于有伊尹的辅佐,商初才出现了"诸侯毕服,汤乃践天子位,平定海内"的大好局面②。伊尹职责,不仅对国君起"师"、"保"作用,教导商王,决定治国安邦大政方针,甚至可以立君废君。如仲壬死后,太甲就是在伊尹辅佐下继位。太甲继位后,伊尹作《伊训》、《肆命》、《徂后》等训辞,向太甲"陈政教所当的","言汤之法度"③,教导治国为君道理。但是,太甲执政三年之后,又昏乱暴虐起来,结果被伊尹放逐于桐宫。又过了三年,太甲悔过了,于是伊尹便"迎帝太甲而授正",并作《太甲训》三篇,予以褒扬。甲骨文中还有尹负责农垦大田的记载:

"令尹乍大田——勿令尹乍大田"。这是一条贞问责令尹作大田还是不作大田的卜辞。乍,读为作。

尹之下,又有多尹、臣正、多工等一般政务官之设置。多尹名目较多,主要有多尹、右尹、施尹三种。多尹卜辞多见,如:

(1)王其出曰多尹,若④;

(2)令多尹⑤;

(3)元毁,叀多尹飨⑥;

---

① 《史记·殷本纪》及《集解》。
② 同上书。
③ 同上书。
④ 《乙876》。
⑤ 《下29·11》。
⑥ 《甲752》。

(4)乎多尹往甾①；

(5)其令多尹乍王寝②；

(6)王曰余其曰多尹其□二厌③；

(7)三尹即于西。④

从以上辞例看,多尹职责主要是为王室飨宴、作寝,也参与军事征伐。甾,征伐的意思。多尹之外,陈梦家认为,"又保自又尹"的"又尹",可能是"右尹";族邦也有尹,叫"族尹"⑤。

臣正,名目更多,陈梦家在《殷虚卜辞综述》一书中列举了三大类共20种:某臣、某正、某臣正、某元臣、某耤臣、某小耤臣、某乇臣、王臣、小王臣;臣、小臣、少臣、旧臣、旧老臣、臣某、小臣某、小丘臣;多臣、我多臣、多辟臣。兹就其职责显明的辞例列举如下:

(1)令吴耤臣⑥；

(2)令吴小耤臣⑦；

(3)子效臣田只⑧；

(4)吴弗其氏王臣⑨；

(5)令小王臣⑩；

---

① 《上 22.5》。
② 《续 6.17.1》。
③ 《别二桃山》。
④ 《拾 3.4》。
⑤ 陈梦家:《殷虚卜辞综述》。
⑥ 《前 6·17.5》。
⑦ 《前 6·17·6》。
⑧ 《铁 175.1》。
⑨ 《铁 1·1》。
⑩ 《京津 2099》。

(6) 王往逐兕,小臣甾车马①;

(7) 辛卯王……小臣酘…其乍□于东对②;

(8) 小臣墙从伐③;

(9) 贞多臣伐邛方④;

(10) 叀多臣乎比沚戓⑤。

从上述辞例看,臣正之属,主要负责王室耤田的耕种、收获和王室车马的管理,同时还兼管监狱的修造和从军征伐。辞例(1)、(2)、(3)是有关农事方面的卜问。耤字,甲骨文作⑥,像人侧立推耒举足刺地之形,会耕作之意。《说文》:"耤,帝耤千亩也。古者使民如借,故谓之耤。"所谓"帝耤千亩",指帝王亲耕于田,在这里泛指农耕。耤臣、小耤臣,当为王室负责农田耕种、收获的官吏。小耤臣是农官小官吏,则耤臣应是高一级的管理土地的官员。前页引例(3)之子效"臣田只(获)",意为卜问子效的臣负责田地收获之事。耤臣、小耤臣是由王室任命的。如辞例"己亥卜,贞令吴小耤臣"⑦,就是任命吴担任小耤臣的卜问记录。例(6)是令小臣掌管王室车马的卜问;例(7)是商王责令小臣酘在东对监造监狱的卜问;例(8)是小臣墙从王出征的卜问;例(9)、(10)是关于多臣从王或随从军事将领沚戓征伐周边方国的卜问。

多工是管理手工业的官吏。甲骨文有工、多工、我工等不同称

---

① 《前 4·27·4》。
② 《林 2·25·10》。
③ 《剑 212 刻辞》。
④ 《佚 544》。
⑤ 《佚 544》。
⑥ 《乙 8151》。
⑦ 《前 6·17·6》。

谓:

(1) 宙工又尤①;

(2) 甲寅卜,争,贞多工亡尤②;

(3) 乙未酌多工……③;

(4) 多工④;

(5) 多工令眔𢻻方⑤;

(6) □于多工⑥;

(7) 王其令山司我工——工载王事⑦;

(8) 旬㞢祟,不于我工祸⑧。

以上辞例大都是贞问有无灾祸的卜辞。其中"司我工"已类似西周"三有司"之一"司工"即司空,主管工程营造的官吏。"工载王事",说明我工主要负责王室兴造。例(3)是于酌祭卜问多工之事,则多工可能是宗庙乐工。

殷代史官,据卜辞记载,有作册、史、贞人、卜人和巫之分。

作册。作册卜辞,较完整的仅一例:

"王其宁小臣舌,虫作册商□□,王弗每"⑨

此辞例是占卜乍(作)册受王之命赏赐小臣舌之事的。此外《京津703》载武丁甲背上有"乍册"二字,也是作册之名卜辞有载之证。

---

① 《拾14·8》。
② 《粹1284》。
③ 《乙3317》。
④ 《拾14·7》。
⑤ 《金413》。
⑥ 《粹1271》。
⑦ 《掇一431》。
⑧ 《甲1161》。
⑨ 《前4·27·3》。

作册名称在晚殷铜器铭文中却常常可以见到。如《印其卣三》、《乍册般甗》和《乍册丰鼎》有作册之名,《帚𡧛鼎》有作册友史称谓。作册,官名,友史,人名。《尚书·多士》载周成王诰命说:"惟殷先人有册有典",说明殷代当有竹木册书是没有问题的,结合前引作册受王命赏赐小臣辞例综合考察,作册的职责,主要是制作典册,并根据王命,负责、传达殷王诰命的正常运行。

史。殷代史官比较复杂,名称极多,概括起来,大致有两种类型。一类是负责祭祀的官员,另一类是充当商王的使者,来往于周边诸侯方国之间,更有率兵征伐敌方的,那就成了武将了。负责祭祀的史官主要有史、大史、卿史和御史。如:

(1)才南土,告史①;

(2)丁酉史其酚告[于]南室②;

(3)大史戈先彭,其出匚于丁卅牛③;

(4)卿史于寮北宗不□大雨④;

(5)我入商,汐我御史⑤;

(6)曰:方其晶朕御史⑥;

(7)其乎北御史、卫⑦。

被王派遣出使侯国、方国充任使者,或暂时带兵征伐方国的史官有我史、车史、西史、北史、朕史:

---

① 《甲 2902》。
② 《续 2·6·3》。
③ 《前 4·34·1》。
④ 《前 4·21·7》。
⑤ 《珠 114》。
⑥ 《续 5·18·8》。
⑦ 《甲 1636》。

(1) 我史其戋方——方其戋我史①；

(2) 乞令我史步伐邛方②；

(3) 西史旨其虫祸——西史旨亡祸甾③；

(4) 东史来④；

(5) 方北史其只(获)羌——戓往来亡祸⑤；

(6) 羌弗戋朕史⑥；

(7) 五月史虫至⑦。

以上辞例中的我史、朕史指商王室和商王的史官；西史、东史、北史为王室派至西、东、北各方的使者。其中我史充当武将征伐方国，北史可能是在出使北方时就地作战而俘获了羌奴。从史官设置看，商代官司设置不太严格，职责权限分工较为杂乱，这说明商代的行政管理系统还处于雏形阶段。

贞人、卜人。贞人、卜人是中央政务系统掌管占卜权的神职官员。

"殷人尊神"，"先鬼而后礼"，国家大事，无不占卜。武丁以后，贞卜术空前发展，贞卜内容更加扩大，于是在商王室形成了一个庞大的并能左右国家政治、经济、军事、法律以至科学文化等所有部门大政方针的贞人集团，连商王、王妃、王子和大臣们都参与占卜和祭祀。贞人名称，卜辞可考者，从武丁至商末就有一百三十人左右。卜人在

---

① 《乙 2287 + 2347》。
② 《图 12—13》。
③ 《乙 4536》。
④ 《乙 3730》。
⑤ 《乙 6400》。
⑥ 《前 4·4·7》。
⑦ 《乙 5302》。

卜辞中留有姓名的不多,但也常常可以见到,如:

(1)□中午卜,卜宾贞①;

(2)丙寅卜,矣贞,卜井曰…②;

(3)壬午卜,卜即贞……③;

(4)□□王卜□多卜曰…④。

以上宾、井、即都是卜人名,名前之卜字,当为官名。多卜之后未写卜人之名,而多卜是官名当无疑问。既有多卜之称,可见卜人数量不会太少。究竟贞人、卜人是一种官名,还是两种官名,各家说法不一。从前引例(2)看,贞、卜人是两种不同的史官。矣,是贞人名,井,则是卜人名,这一卜辞是贞人矣和卜人井同时占卜后记录下来的。卜辞中不仅有贞人、卜人同占的例子,还有贞人、卜人和商王三人同占的辞例。如:

"丙午卜,矣贞,卜竹曰:其出于丁宰。王曰:弜畴,翌丁卯率若。八月。"⑤

本辞例中,参与占卜的神职官吏有贞人矣,卜人竹,还有商王。三人同占一事,《尚书·洪范》有记载:"三人占,则从二人之言"。就是说,在卜筮时,三个人同时占卜,应当听从其中两个人的判断。这是一种用投票表决定吉凶的占卜方法,原则是少数服从多数。贞人和卜人在占卜中有何分工,卜辞资料反映得不明显,无法判断。不过从卜辞书写次序看,几乎都是贞人在前面卜人在后,说明贞人的地位要

---

① 《佚527》。
② 《河519》。
③ 《别二上野5》。
④ 《甲940》。
⑤ 《录519》。

略高于卜人。

从甲骨卜辞看,贞卜史官的权力是相当大的。首先,他们能够参与甚至控制国家军事指挥权和军事行政权。如:

(1)丁酉贞,王乍三𠂤:右、中、左①;

(2)辛巳卜,贞登妇好三千,登旅万,乎伐羌②;

(3)戍马,左右中人三百③;

(4)□戍卜,争,贞令三族比沚馘伐土方④;

(5)癸巳卜,王其令五族戍甾⑤。

以上辞例(1)是商王将王室军队编成左、中、右三师组织形式前的贞问。乍,作,整编的意思。𠂤,师,军队的编制单位。三𠂤即三师,相当于后世的三军。

(2)意为,辛巳日占卜,问给妇好征兵三千,再征召军旅一万,呼唤她去征伐羌人可以吗?登即登人,征召兵源。妇好,殷王武丁妃,军事将领。

(3)、(5)是关于派遣马队、人员、三族去戍边的卜辞。甾,地名。

(4)意为□戍日占卜,贞人争问卦,问命令三族协同沚征伐土方可以吗?沚,人名,武丁时军事将领。

很明显,贞人通过占卜,已牢牢控制了商王朝的军事指挥权和军事行政权,凡是军队编制、兵源征召、发动战争以至发兵戍边,非占卜不能进行,连商王都要受其制约,任贞人摆布。

---

① 《粹1149》。
② 《库310》。
③ 《前3.31.2》。
④ 《甲948》。
⑤ 《粹1220》。

其次，贞卜史官还牢牢地控制着祭祀权。"国之大事，在祀与戎"。祀，指祭祀活动，戎是军旅，商王室始终把祭祀和军事当作国家头等两项大事，而这两项大事都被贞人、卜人直接或间接地控制着。殷代祭名，陈梦家统计有37种①，岛邦男统计达近200种②。祭祀对象有山川河岳、日月星辰、高祖先公、先王先妣、父母诸妇、先弟诸子以至有功名臣。祭祀仪式，十分隆重，祭祀次数，相当频繁。帝乙、帝辛时代，对先王轮流祭祀一周，用时长达一年，所以，祀便成为后世"年"的同义词了，祭祀也成为国家权力的象征。但是，每次祭祀活动，都得占卜，占卜之后，才能进行。占卜权掌握在贞卜史官手中，而贞卜史官正是通过手中的占卜权控制着国家的最高行政管理权。殷代不少尹官由卜巫充任，道理就在这里。

第三，贞卜史官对农垦、播种、田间管理和收获有实际管理权。从甲骨卜辞可以清楚看出，商代农业已按开荒、翻耕、播种、管理、收获五大环节向精耕细作方向发展。

(1) 戊辰卜，㱿，贞令永垦田于卤③；
(2) 丙辰卜，争，贞呼耤于㠯，受有年④；
(3) 戊寅卜，㱿，贞王往致众黍于冏⑤；
(4) 己卯，贞在冏，鬲来告芽王⑥；
(5) 贞妇井黍萑⑦。

---

① 陈梦家：《殷虚卜辞综述》。
② 岛邦男：《殷虚卜辞研究》。
③ 《南明 200》。
④ 《缀合 220》。
⑤ 《前 5·20·2》。
⑥ 《合集 33225》。
⑦ 《戬 25.1》。

以上辞例(1)意为戊辰日占卜,贞人宁问卦,问责令永在冏地去垦田开荒可以吗?冏,地名,商代农业区。这是开荒前的卜问。

(2)意为,丙辰日占卜,贞人争问卦,问呼唤某人在陮地翻耕土地是否有好收成。耤,甲骨文字似人手扶耒长柄用脚踏来刺土形,此处作动词用,指翻耕土地。陮,地名。

(3)意为,戊寅日占卜,贞人宁问卦,问商王要亲自率领众人在冏地播种黍可以吗?往,去。致,率领。

(4)意为,己卯日占卜,问在冏地,咼是否来向商王报告除草保留的事。咼,人名。荮,中间乃字,甲骨文写作像一种锄草工具。这是一条进行田间管理的卜辞。此外,浇水、施肥、防治虫害等田间管理的卜辞也常可见到。

(5)意为贞问妇井的黍能收获吗?雈,获。

从以上诸条卜辞可以看出,贞卜史官通过占卜权也牢牢获得农业生产的行政管理权。由于占卜范围广泛,从农耕、下种、尤其是田间管理直到粮食的丰收,几乎无事不卜,无事不管,所以,贞卜史官与农业的密切关系,对商代农业的发展起了积极作用。

第四,在法律领域,贞卜史官更是起着举足轻重的作用。商王立法,要占卜决定,修造监狱,非占卜不行,刑罚能否执行,只能由贞人占卜定夺。所以,贞人、卜人,实际上是没有法官之名的法官。

巫。巫人是商代与贞人、卜人同样握有实权、地位显赫的神权史官。武丁卜辞就有"周氏巫"[①] 的记载。巫即筮,名词,可指供占卜用的蓍纸,也可指用蓍纸占卜的人。氏,读为致,奉送、贡献的意思。"周氏巫"就是指周人向商王进献巫人或筮占所用的蓍草。卜辞"周

---

① 《乙7801》。

氏巫"是商代确有巫占和巫人的可靠证据。这说明商代是卜巫并行的,卜占用龟甲,筮占用蓍草。《吕氏春秋·勿躬》和《世本·作篇》都说"巫咸作筮"。巫咸,从《尚书·君奭》"大戊时……巫咸乂王家"看,应是商氏前期大戊时代人。可见,大戊时代已有筮占。筮占还没有和《周易》那样用阴(——)、阳(—)符号组成卦形进行占卜,而是用数字通过数学逻辑推演来定吉凶。所以,筮占的数占法当为《周易》的阴阳八卦法的雏型或前身。两者都有辩证法的运算规律。作为沟通神人的媒介——巫,在原始社会末期就已产生,到了商代,巫不仅是神事的总管,也在行政管理部门发挥着重要的支柱作用。大戊时的巫咸,祖乙时的巫贤,都是有名的巫职史官,他们既是筮占的主持者,又是商王身旁充当师保的执政大员,对商代行政职能的正常运转发挥着积极作用。在巫之下,设有祝、宗、卜、史等各种专职官员,分管占卜、祭祀和记事等事宜。

综上所述,殷商实行的是殷王专制政治体制。由于殷代从原始社会脱胎出来的时间还不太久远,因此,这个政权还带有较为鲜明的原始军事民主政治残迹。贵族议事会和国人大会的存在并对商王以一定的制约是这种原始遗风的具体表现。在中央,实行商王领导下的卿士寮和大事寮分工行政的管理体制。卿士寮是政务部门,大事寮是史官系统,两者既有分工,又有相互兼任,职责混杂之弊病。卿士寮、大事寮共同行使中央行政职能,并以师保名义和占卜方式对王权给予一定牵制。所以,从总体上考察,殷商政体应是有限制的殷王专制政体。不过这种限制性越来越小,王权也越来越集中,到殷末帝辛时期达到独裁地步。以占卜权为例,本来占卜权是完全掌握在贞人、卜人和巫人手中的连商王都要唯命是从的一种制约王权的工具,但到商代中后期,商王参与占卜之后,情况就大为改变了。占卜是有程序的,其法定程序表现在卜辞体例上,就是一条完整的卜辞,常由叙辞、命辞、占辞和验辞组成。叙辞记叙占卜时间、地点和占卜者;命辞即命龟之辞,就是向龟陈述所要贞问的事情;占辞即因兆定吉凶;验辞,即占卜之后记录应验的事实。自殷王参与占卜之后,卜辞中便经常出现"王占曰"三个字。"王占曰"就是由商王在贞问之后视察卜兆以定吉凶,这就是占辞。商王通过占辞"王占曰"实际上控制了占卜权,取得了最终判断权、裁决权,贞人、卜人由此而徒有虚名了,神权至上也就让位于王权至上。

四、地方行政管理机构

殷代地方行政管理机构叫诸侯。古代官司不分,诸侯既是殷代的地方官司机构,又是地方官司机关的职官。《尚书·酒诰》称作"越在外服;侯甸男卫邦伯";《大盂鼎》叫"殷边侯甸"。"外服"即商王直辖区(王畿)之外的地方,甲骨文称作东、南、西、北四土:

"己巳王卜,贞□岁商受□。王占曰:吉。东土受年,□,南土受年,吉。西土受年,吉"①

商,指以王的都邑为中心的王畿之地,称之为商,或大邑商、天邑商。四土,陈梦家说,商都四郊曰奠,四郊之外为东、南、西、北四土。四土,就是诸侯所辖之地。这条卜辞是商王亲自向上帝祖先神祈求畿内外获得丰收的占卜记录。

据卜辞记载,殷代的地方行政组织,主要有侯、田(甸)、任(男)三种。

分封诸侯在夏代就有了,相传夏王少康将其幼子曲列封于缯,其

---

① 《粹907》。

后裔直至商、周还继续为侯。商代,随疆土的扩大,这种分封制度有了进一步的发展。商代诸侯的分封主要有以下两种方式:

第一,异姓分封。从甲骨文看,异姓封侯主要有三种人,即功臣名将、诸妇和被臣服的周边方国。其中被臣服的方国为侯占绝大多数,因此,王国维才说"殷之诸侯皆异姓"①。见于卜辞的方国异姓侯,有犬侯、周侯、先侯、竹侯、攸侯、九侯、鄂侯、侯喜、侯光、侯虎等二三十种。如:

(1)乙卯卜,允,贞命多子族比犬侯扑周,叶王事。五月②;

(2)命周侯,今夕亡祸③;

(3)壬戌卜,争,贞乞命夏田于先侯。十月④;

(4)甲午王卜,贞乍(作)余酒,朕来酉余步从侯喜正夷方⑤;

(5)丙午卜,王,贞侯光若,□往⑥;

(6)戊戌卜,殻,贞王曰侯虎毋归。戊戌卜,殻,贞王曰:侯虎往,余不来(急)⑦;

(7)戊…屮侯…⑧。

功臣名将封侯的有沚馘和望乘。沚馘,卜辞中常见,是殷王室统兵征伐周边方国累建战功的一名军事将领,被商王分封一定地盘称侯。诸妇受封的有妇好、妇妌等。妇好,武丁的妃偶,甲骨文称"妣

---

① 王国维:《殷周制度论》。
② 《续5·2·2》。
③ 《甲436》。
④ 《前2·28·2》。
⑤ 《前4·18+3·27·6》。
⑥ 《前4·41·6》。
⑦ 《菁7》。
⑧ 《南明253》。

辛"。1976年在安阳小屯村西北,发现了妇好的坟墓。墓中出土许多带有"妇好"铭文的青铜器,证明墓主人就是妇好。墓中殉葬武器多达120多件,表明妇好生前是一个统兵征战的巾帼英雄,与甲骨文记载相吻合。正因为妇好征战有功,才被商王分封为侯,死后以侯厚葬。

第二,同姓封侯。商王子孙,除继承王位和在朝廷任职者外,也大都被封为侯。据《史记·殷本纪》记载,"契为子姓,其后为封,以国为姓,有殷氏、来氏、宋氏、空桐氏、稚氏、北殷氏、目夷氏"。这是太史公的话,限于史料缺乏,这些"以国为姓"的同姓诸侯,很难一一考证清楚。甲骨文中,同姓为侯者,屡见不鲜。如商末的小臣舌,是商王之孙,本在朝中任小臣之职,后来被封到"外服"为侯,其名便"以国为姓"叫"侯"了。卜辞中的子禽、子宋、子妣等,都是这类情况。他们和舌侯一样,均属"王族"或"子族"或"多子族",名叫禽、宋或妣,一旦外封为侯,便称"子禽"、"子宋"或"子妣"了。这些同姓子孙,可以封于"外服"独立为侯,也可以被殷王派到被臣服的侯服地去监视或管理地方的行政事务。有人说卜辞中的子宋就是《殷本纪》中的宋氏,似有一定道理。所谓"公侯伯子男"五等爵说,固不足为信,但卜辞中的子某,属于被商王分封的子弟亲属却是没有疑问的。

《大盂鼎》"殷边侯甸"的"甸",甲骨文金文均作田。田,也就是《尚书·酒诰》"侯甸男"的男,男字从田从力,写作𤰰,丫象原始耒形,从田从力会以耒于田中从事农耕之意。所以,甲骨文中的田和文献上讲的甸,当为男字的简体。《酒诰》把侯、甸、男并列为三种称谓是错了。甸即男即卜辞中的田。甲骨文中有关"田"、"多田"的记载偶有所见:

(1)丁卯王卜…余其比多田(甸)于(与)多伯,征盂方白炎①；

(2)……朕比多田于……盂方白…②。

以上两辞例都是商王要求"多田"首领方伯跟从他一起征伐盂方的卜辞。比，召集的意思。方伯，田(甸)的首领。看来，甸服的地方官吏称作伯。甸服首领从王出征，当为地方官吏为殷王室承担的义务。

除侯、田(甸)外，甲骨文还有"任"的称谓。任、某任、多任，卜辞中常见，如：

(1)□□卜，㱿，贞呼吴取囚任伐氏③；

(2)贞，命爯以文取亦任亚④；

□丑……多任……⑤。

取，彻取贡物。囚，方国名。囚任，囚方首领。以上三例均为方国首脑为殷王室贡纳的卜辞。方国首脑称"任"，说明该方国已臣服殷王室并受殷王室之封成为"任服"地方官吏了。其实，任，就是男的别称。《禹贡》伪孔传："男，任也"。

总之，殷代地方行政组织，从甲骨文记载考察，有侯、田、任等不同称谓。而田即甸即男，任亦即男，可见，殷代地方行政组织只有侯、甸两级。如果从《矢令彝》"诸侯：侯田(甸)男"记载角度考虑，殷代地方行政组织就只有侯一级了。殷代的侯同西周的侯一样都是分封建立的，但两者有很大的区别。西周分封制的纽带是宗法制，其核心是

---

① 《甲2416》。
② 《后上20.9》。
③ 《续4·28·4》。
④ 《甲零49》。
⑤ 《京799》。

嫡长子继承制。而殷代基本实行的是"兄终弟及"和"父死子继"继承制,有史可查的只有帝辛(纣)等几代王位,才实行嫡长子继承。所以,殷代分封诸侯,还未达到嫡承王位,庶封诸侯的地步。尽管为此,殷代分封,已有"其后分封,以国为姓"① 的制度了,这就给西周宗法分封制的进一步完备打下了基础。

无论同姓异姓,一旦分封为侯,就要承担助王耤田、从王征战和缴纳贡赋的义务,正如《诗·商颂·殷武》所说:"昔有成汤,自彼氐羌,莫敢不来享,莫敢不来王,曰商是常"。甲骨文中记载耤田的辞例很多,而明确记载诸侯派遣力役助王耤田的卜辞仅见一例:

"小告攸侯耤"②。

很显然,这条卜辞是商王室负责耤田的官吏"耤臣"或"小耤臣"传达王命,告知攸侯征发劳力,为王耤田。

侯国接受商王调遣从军作战的辞例比比皆是,如:

(1)己卯卜,允,贞令多子族比犬侯寇周,叶王事。王月③;

(2)王虫侯告比征夷④;

(3)王命妇好比侯告征夷⑤。

比,协同、配合的意思。以上辞例(1)是商王命令多子族与犬侯相互配合征伐周侯的卜辞;(2)和(3)例是商王命令侯告与王室军队或妇好军队协同作战,征伐蛮夷的卜辞。

地方侯国向商王室贡纳的范围很广,诸如贡赋、奴隶、龟甲、马匹

---

① 《史记·殷本纪》。
② 同上书。
③ 《丙52》。
④ 《丙52》。
⑤ 《乙2948》。

以至珍禽异兽,无奇不有。甲骨文把贡纳的方法叫做"见"(献)、"氏"(致)、"来"、"至"、"取"或"入"。

(1) 贞,乎取夨臣廿①;

(2) 妥来羌二人②;

(3) 犬只羌其氏③;

(4) 周入十④;

(5) 妻来卅⑤;

(6) 贞…来王…惟来五…允至以龟黾八鼋五百十。四月⑥;

(7) □辰卜,㞢,贞呼取马于甫,致⑦;

(8) 贞呼取羊⑧。

以上辞例(1)是向商王室贡纳奴隶臣二十个的卜问;

(2)、(3)是妥和犬两侯向商王室贡纳羌奴的卜问;

(4)是说周诸侯国向商王室缴纳贡品的数目是十;

(5)意为妻向殷王缴纳龟版三十版。妻,方国邦族名。此辞例为契刻在龟腹甲和背甲相连的甲桥部位上的甲桥刻辞。甲桥刻辞多为记事刻辞。本篇仅三字刻于龟腹甲反面,钻凿两两相对,共五组,未灼,当为妻向殷王贡奉的加工制成供占卜用的龟版。

(6)辞例是迄今发现的地方侯国向王室进贡供占卜用的龟版数

---

① 《乙 2373》。
② 《存 2·340》。
③ 《乙 6215》。
④ 《乙 5452》。
⑤ 《京 2》。
⑥ 《合集 8996 正》。
⑦ 《合集 8997 正》。
⑧ 《合集 8813 反》。

量最大的一条卜辞,数额达五百一十版,而且在数词前加一"允"字,说明这次贡纳的龟版已经到位。《合集》第8995正至9001片都是武丁时期各候国向中央献纳龟版的记录,说明殷代占卜之频繁,龟版需要量之大。

(7)、(8)是武丁卜辞,是殷王武丁派人到甹地摧收贡赋马羊的记录。此辞例表明侯国贡纳负担相当沉重,欠贡现象时有发生,殷王不得不派人去摧收。

侯国有向王室缴纳贡品的义务,而殷王也须在侯国遭受外敌入侵时承担助征解围的义务。此类例子卜辞中很多:

(1)……侯来告,马〔方〕……①;

(2)沚聝告曰:土方征于我东鄙,戈二邑,舌方亦侵我西鄙田②;

(3)□戌卜,争,贞命三族〔比〕沚馘伐土方③。

告,报告敌情。辞例(1)意为某侯前来向殷王室报告马方入侵的消息,请求王室派兵援救。(2)、(3)是沚馘报告土方侵犯东部疆土,舌方侵犯西部土地的消息,于是殷王便命令三族部队和沚馘协同作战,抗击土方。

---

① 《乙192》。
② 《菁2》。
③ 《甲948》。

第二节 职官管理制度

一、官学养士制度

据文献记载,夏商二代,为使王族及其支系、旁系等大小贵族子弟能够学习文化,接受教育,充当国家各级官吏的后备力量,而设置庞大的各级各类官学。如《孟子·滕文公上》说:

"夏曰校,殷曰序,周曰庠,学则三代共之,皆所明人伦也"。

三代学校名称,《汉书·儒林传》序记载与《孟子》又有差异:

"三代之道,乡里有教,夏曰校,殷曰庠,周曰序"。

关于三代学校名称,由于年代久远且事过境迁是不能苛求古人的。甲骨文出土后,这一矛盾已迎刃而解。卜辞中有不少关于"庠"的记载:

(1)令皋庠射;

(2)令皋庠三百射——勿令皋庠三百射[①]。

以上辞例(1)意为令皋教射手以射术;(2)意为令皋教三百个射手以射术。皋,人名,教官。庠,学校名。射,名词,射手。可见,殷代学校应称庠而不称序,《孟子》有误。

夏代学校的教学内容,因无可靠佐证资料不得而知,大致情况是,培养贵族子弟的伦理观念、道德规范以及祭祀知识和军事技能,以提高他们参与祭祀和带兵打仗的能力。商代学校无论在建制规模、办学形式及教学行政管理等方面,均较夏代有了新的发展。

---

① 《乙 4299》。

甲骨文有学和教二字。学字写作 ☒①、☒② 和 ☒③ 等形。☒是前两字之繁体,从臼从爻从宀。爻,像两根棍相交即算筹相交形,以表示数的概念;加手则表示以手进行运算;宀,屋形,表示教学在屋内而有了固定场所。仅学字字形,已看出商代学校进入集中办学的正规教育阶段,较之商代以前的游离式教学形式是个很大的进步。甲骨文教字写作 ☒④、☒⑤ 和 ☒⑥ 等形,从爻(学)从攵(文)。《说文》:"教,上所施下所效也";又"爻,放也"段注:"放、仿古通用"。说明教有两层意思:一是"上所施下"的教诲之意;二是学生仿效教师之教的学习之意。一旁所从之☒,从又(手)从丨(教鞭),表示以手持鞭笞挞"不帅教者",这可能就是《尚书·尧典》所说的"扑作教刑"。

从甲骨卜辞看,庠当为商代学校的总称。而卜辞又有"大学"记载,那么,商代有无"小学"称谓呢?甲骨文尚未见到,但《礼记·王制》说:"有虞氏养国老于上庠,养庶老于下庠";西周金文也有"大学"⑦、"小学"⑧ 称谓,以此推论,商代肯定有"小学",并和"大学"组成高低两个档次的学校类型。"大学"是殷代最高学府,是培养王室子弟的高等贵族学校,校址很可能设在王宫或王宫附近。甲骨文有这么一条卜辞:

"乍学于入,若"⑨。

---
① 《乙 753》。
② 《京 641》。
③ 《京 4836》。
④ 《前 5·8·1》。
⑤ 《前 5·20·2》。
⑥ 《甲 206》。
⑦ 《静簋》"王令静司射学宫"。学宫即大学。
⑧ 《盂鼎》"余惟即朕小学"。
⑨ 《京人 60》。

乍即作,兴建的意思。学,名词,指学校,于,介词,介处所。入,该辞例写作∧,下部已残,印证《甲骨文合集》8304"…学于入…若",该残字当为入字无疑。入,读为内,古入、内同形。《说文》:"入,内也",又"内,入也"。内指皇帝宫殿。白居易《长恨歌》:"西宫南内多秋草"。这条卜辞的意思是在国都(或王宫)内修建学校顺利吗?可以肯定,设在王宫或王宫近旁的学校只能是培养高等贵族子弟的大学。大学设在王宫,还可以下列卜辞作佐证:

(1)勿勞;

(2)王惟癸勞;

(3)于甲勞;

(4)于祖丁旦勞;

(5)于厅旦勞;

(6)于大学勞[①];

(7)王其勞二方伯于㠯辟[②];

(8)王于门勞;

(9)于㠯辟[③]。

以上辞例(1)意为卜问不举行勞祭可以吗?(2)、(3)是占卜祭祀日期的;(4)、(5)、(6)是占卜祭祀地点设在祖丁神坛前、宗庙中庭原神坛和大学里可以吗?勞,祭名,勞礼之祭。旦,读如坛。(7)、(8)、(9)三辞均为献俘祭祖的卜问,即在"㠯(师)辟"以二方伯为牺牲品祭祀祖先。从以上9条卜辞可以看出,在献俘祭祖时,其祭祀场所可以在祖丁旦,也可以在厅旦、大学或㠯辟。把大学和祖丁旦、厅旦并列,

---

① 《屯南60》。
② 《合集28086》。
③ 《怀特1391》。

说明大学必在王宫或王室宗庙附近。而(7)、(9)例中的"自(师)辟"和大学一样用于同一祭祀场所,再印证西周大学名"辟雍",为"天子之学"①。可以推论,甲骨文的师辟,很可能就是西周辟雍的前身。

在大学里就学的是什么人?甲骨文记载不多,仅见一例:

"丙子卜,贞:多子其延学版,不遘大雨②"。

多子,王室贵族子弟,延行走,此处作往、去讲。这条卜辞是卜问王室贵族子弟,每天上学在返回时会不会遇雨。联系卜辞内容,可以看出,大学数量不多,因此,生员赴学尚须步涉较长路程,故每日上学之前,还要预卜会不会遇雨;在大学求学者都是王室贵族子弟。

在大学任教的教师叫"万"或"多万":

(1)丁酉卜,今日万其学?于来丁乃其学?③

(2)丙戌〔卜〕,……多万…入学…若④。

卜辞中教、学相通,此辞例之学字作教讲。前辞例"万"字,单数,指一个人;后辞例"多万",应为万之群体,指多人。"万其学"、"多万…入学",意为万或多万去大学教学。辞例(1)意为丁酉日占卜,让万今日即丁酉日去教,还是到下一个十天丁未日去教?(2)意为丙戌日占卜,让多万去大学执教顺利吗?

万教的是什么课程?万是什么身分的人?有的同志依据卜辞推论,万是教乐舞的巫卜人员⑤。

(1) 王其呼万雩…⑥;

---

① 《文献通考·学校一》。
② 《龟 2·25·9》。
③ 《屯南 662》。
④ 《金 36》。
⑤ 王贵民:《从殷墟甲骨文论古代学校教育》,《人文杂志》1982 年第 2 期。
⑥ 《京人 1954》。

(2)万其乍(作)庸(镛)①。

雩,舞名。雩舞具有巫术性质。既然商王能呼唤万作舞,可见他必为王室的舞师。镛,大钟,乐器。万能作镛,他也是一名乐师。以此而论,万,多万"其学(教)"、"入学(教)",意为去大学里教乐舞。大学教师由巫卜人员兼任,乐舞是学生的必修课程之一。甲骨文还有贞卜人员教多子写字、学干支、记日月、辨方名的记载。据《礼记》记载,周制,大学课程是,春夏学干戈(舞),秋冬学羽籥(乐),兼学书、礼。依据"周因殷礼"原则推论,学书学礼也应是殷代大学的必修课程。

二、职官选任考绩制度

我国古代,对官吏的选任及其政绩的考核是相当重视的。相传在尧舜时代已建立了官吏考核制度。《尚书·尧典》说:"三载考绩,三考黜陟幽明"。就是说,虞舜时,每三年要对部落首领考核一次,经过三次考察,凡是政绩卓著的人,便提拔表彰他们;凡是有过错的人,便用罢免其职的办法来惩罚。就连虞舜继"天子"位,也是经过了三年的考察,在确认他"底可绩"即确系取得了卓越成绩之后,尧才让位的。

夏商二代,在总结历史经验基础上提出了选官任人的标准:三宅、三俊。《尚书·立政》对此有过详细记载:

"古之人迪维有夏,乃有室大竞,吁俊,尊上帝迪,知忱恂于九德之行。乃敢告厥后曰,拜手稽首后矣,曰:宅乃事,宅乃牧,宅乃准,兹惟后矣。谋面用丕训德,则乃宅人,兹乃三宅无义民;

---

① 《京4352》。

"示越成汤陟,丕厘上帝之耿命。乃用三有宅,克即宅,曰三有俊,克即俊。严惟丕式,克用三宅三俊。其在商邑,用丕式见德"。

这两段话的大意是:古人传说,在夏朝的时候,诸侯竞相招徕贤人,按照上帝的意旨行事,经过考查他们的作为,相信他们能够按照一定的道德标准行事,才敢向他们的国王说,王啊,请接受我们的礼拜吧!据说,官员们各司其责,负责管理政务的能够认真地考虑臣民是否能够安居乐业,负责司法的能够认真考虑执法是否公平得当,由于他们名副其实地履行了职责,因此得到国王信任。假如在选官上不这么做,而是以貌取人,不根据德行而是根据个人喜好去用人,那么,就得不到贤能的人为官了。

及至成汤登上帝位,极大地得到了上帝的明命。于是成汤便从政务、理民、执法三个方面考核官吏的政绩,结果证明官吏们都能忠于职守。又从这三方面选拔人材,结果证明那些得到任用的贤人,确是些真有实才而不徒具虚名。从此,商朝便严格地遵从这三条选官标准。由于坚持这些正确的用人标准,那些被选入商邑任职的官吏,都能很好地尽职尽责;那些选入地方任职的官吏,也能依法办事并表现出好的德行。

《立政》的这些话,印证《史记·鲁周公世家》记载,是周公还政成王之后教导成王如何行政的肺腑之言,是可信的。夏代提出的"三宅"选官之法,是指从事(政务)、牧(理民)和准(执法)三个方面去考查人才,属于选官范畴;而商代的"三俊"则是从事、牧、准三个方面考核官吏的政绩,决定升降,是任官范畴。无论是选官、任官或对职官的考核,能够坚持这三条标准,说明我国的职官管理制度已达一定成熟程度。

在商代,除运用"三宅"、"三俊"之法选拔、任用、考核官吏外,一些开明君主,往往还不拘一格,大胆启用各种有用人才,这一做法,对商代职官管理制度的进一步完善起了积极作用。如成汤任用伊尹为相是其典型例子。伊尹原名伊挚,因其母家住伊水之滨,故以"伊"为姓。他一直有志于辅佐成汤,但得不到机会。适逢成汤要娶有莘氏之女为妃,伊挚便以媵臣(陪嫁奴仆)身分来到成汤身边。他借机多次向成汤进献灭夏建国大计,因而受到成汤重视并任命为"尹",成了成汤的执政大臣。因此人们便叫他伊尹,又名阿衡。与伊尹同时被重用的还有出自于"车正"后代的仲虺以及女鸠、女房两位贤人。成汤在这些贤才辅佐下,终于灭掉夏桀,建立商朝。殷王武丁更是个不拘一格,任用贤才的开明君主。当时有个名叫说(音悦)的贤人,隐居民间,因其善长版筑技术,在一次傅险建筑工地上被主管该项工程的官吏发现,并推荐给了武丁。武丁接见了说,果然是个有用之才,便破格任命为相。由于他是在傅险工地上被发现的,故叫他傅说。除傅说外,被武丁破格重用的贤臣还有甘盘、祖已等人。这批贤臣贤相帮助武丁大力振兴商政,使商代的政治、经济得到空前发展,出现了史称"武丁中兴"的盛世时代。

重视对职官政务的考绩和对官罪的惩罚,是商代职官管理制度的突出特点之一。政务考核,一般三年实行一次,由师、保主持,按照统一的法定标准,从政务业绩、管理水平和司法能力三个方面,全面考查,从中突出优劣,予以奖惩。以"三风十愆"为内容的"官刑",则是商代严惩官吏违法犯罪的最典型的单行刑事法律规范。

上述行政管理体制和职官管理制度,大都是甲骨文所反映的商代晚期行政法律规范,远远不能概括商代行政法规的全貌。商代早、中期的行政立法,史料极其贫乏,已无法考其究竟。不过,仅从前述各项行政管理制度可以清楚看出,商代的行政法律规范比之于夏代,已经初具规模,一定程度上规范着商代行政职能的正常运转,并为后世各代行政立法的进一步完善奠定了基础。

第三节　军事立法

一、军事法律形式

夏商军事法律形式主要有誓、征、诰和王令等四种。

誓。誓是夏商最主要的军事法律形式。如夏启在征伐有扈氏之前给"六事之人"发布的军令《甘誓》和商汤在灭夏战争开始时,为取得人民支持,反复阐明"吊民伐罪"道理而发布的军法《汤誓》,是夏商时期两部最典型的单行军事成文法规。《礼记·曲礼下》:"约信曰誓"。《经典释文》引马融语:"军旅曰誓"。《周礼·秋官·士师》也说:"以五戒先后刑罚,……一曰誓,用之于军旅"。可见,誓的本意在于"约信",即制定能够约束人们行为的规范以求得人们的信守。这种人们生活中的一般性"约信"一旦用于军旅,便成为战争之前用以警戒将士的人人必须遵守的战争动员令。作为军法最主要的形式誓,一般都由国君亲自发布,强制执行。《尚书》共载誓五篇,其中夏书一篇《甘誓》由夏启发布;商书一篇《汤誓》由商汤发布;周书三篇:《牧誓》是武王伐纣的誓辞;《费誓》据说是周公之子伯禽于鲁即位之后,为讨伐管蔡淮夷之乱而发布的誓辞;《秦誓》是秦穆公出师郑国惨遭失败之后亲自发布的一道自责自悔辞。

征。征是夏商时期重要的一种军法形式。夏代的《胤征》和商代的《汤征》是留传至今的唯一的两篇军事法令。《史记·夏本纪》:"太康崩,弟仲康立,是为帝仲康。帝仲康时,羲、和湎淫,废时乱日。胤往征之,作《胤征》"。胤,国名。胤侯,夏帝仲康的大臣,掌管军事。由于掌管天地四时的官吏羲氏、和氏严重失职,嗜酒荒乱,于是夏王仲康命令胤侯率兵征讨。《胤征》是胤侯出兵前夕给军士们发布的一篇战斗檄文。这次征伐的时间,据《竹书纪年》记载,在仲康五年秋天。《汤征》,《史记·殷本纪》也有记载:"汤征诸侯。葛伯不祀,汤始伐之。汤曰:'汝不能敬命,予大罚殛之,无有攸赦',作《汤征》"。葛是夏朝的盟国,地处商都亳邑附近,可以说是夏王安插在商人身边的一颗钉子,因此要灭夏首先须拔掉这颗钉子。适逢葛伯放纵无道,不祭祀祖先,于是成汤便以此为借口去质问。葛伯推诿说没有牛羊做牺牲,没有粮食做祭品。成汤便派人送去牛羊,送去粮食,结果,这些牛羊粮食都被吃掉还是不祭祀,甚至肆意杀戮商族老弱妇孺。葛伯所为大大激怒了商族人民。于是成汤发布军令《汤征》,率大军出征,一举消灭了葛,揭开了灭夏序幕。可见,作为军事法律形式的"征"不像誓那样必须由国王发布,并由国王亲自率兵采取大规模的军事行动。"征"可以由国王发布、实施,如《汤征》,也可以由军事长官代王发布、实施,如《胤征》。无论由国王亲自发布、实施、或由军事长官代王发布、实施,"征"这种法律形式所规范的军事行为,都是以国王为代表的国家对臣下不轨行为进行军事讨伐的战斗命令。所以,《孟子·尽心下》才说:"征者,上伐下也"。

诰。诰的本意为上级对下级所发布的指令性文告。《说文》:"诰,告也"。《韵会》:"告上曰告,发下曰诰"。在商代,凡是由上而下所发布的诰,均与军事有关,所以,商诰仍是军事法律形式之一。商诰和商誓、商征的区别在于:誓和征是战前发布的战争动员会,旨在数说敌方罪状罪名,给自己的出征将士立下以重奖重罚为内容的军令状；而诰则是战争取得胜利之后，为了安抚人心，反复阐明发动战争的必然性、重要性，并以军令形式警诫将吏在战争结束之后，要努力于民事，否则，同样军法惩处。因此，这种文告也带有军令状的性质。如《史记·殷本纪》载《汤诰》内容时说："维三月，王自至于东郊。告诸侯群后：'毋不有功于民，勤力乃事。予乃大罚殛汝，毋予怨'"。真是杀气腾腾，好似战争烟云还未散尽。

今文《尚书》仅《周书》有诰五篇，而《商书》无诰。古文《尚书》《商书》有诰两篇：《仲虺之诰》和《汤诰》，《周书》诰同于今文《尚书》。考这七篇诰，除周诰《召诰》、《洛诰》外，全是以最高军事统帅身分出现的国君，或当朝起国君作用的重臣对臣下发布的训诫辞。《仲虺之诰》司马迁《史记》无诰的内容，但有诰名，说明《仲虺之诰》不是伪造而确有其事，只是诰的具体规定已很难考释清楚了。《汤诰》，《史记》不仅有其名，而且有其内容之节文，只是《史记》所载内容与古文《尚书·汤诰》全然不同，这只能说明梅氏古文《尚书》是伪造的。尽管如此，商代的《仲虺之诰》和《汤诰》依《史记》之说，应是确有其事的，其中《仲虺之诰》发布于商汤灭夏"归至于泰卷"，而《汤诰》则发布于"还亳"，均为战后为巩固战争成果要求将士勤政于民的动员令。《周书》中的《大诰》、《康诰》、《酒诰》也是武王死后，管、蔡叛国，周公率兵东征，历时三年，在平定三监及武庚叛乱之后而作的训诫勉励之辞。诚然，有些誓是与军事活动无关的，如《费誓》和《秦誓》，这些誓则不能被视为军事法律形式。

王令。王令或王命是商代军事行动中法律效力最高的一种军法形式。军队出征，要听从王令调遣；不准某某部队出征，商王也要发布"王母（毋）令"的文告。擅自行动则构成犯罪，军法严惩。甲骨文中有关王令、王命、王其令、王母（毋）令的辞例比比皆是。如：

(1)癸卯卜,王其令王族伐样甾①;

(2)王叀令王族伐羌②;

(3)王母(毋)令王族伐羌方③;

(4)贞王命仓侯伐…④;

(5)贞王命〔尹〕〔于〕羊褱田⑤;

(6)王命妇好比侯告征夷⑥;

(7)…命多子族比犬扑周,载王事⑦。

以上辞例(1)是关于命令王族部队征伐甾的卜辞。(2)是命令王族征伐羌方的卜辞。(3)是不准王族伐羌的命令。(4)命令仓侯征伐某方国的卜辞。(5)是商王命令尹到羊方营造新田的命令。褱田,张政烺解释为"是捋田,是造新田"⑧,极是。殷商征伐战败某方国后,被战败者并非全部臣服,时而反抗的现象不断发生。因此商王便采取在被占领土地上褱田的办法,以求永久占领被征服的土地,使战败国真正臣服商王朝的统治。(6)是商王命令妇好与侯告相配合征伐东夷的卜辞。比,多数学者释从,林沄释比,协同、联合、配合的意思⑨。(7)是商王命令王室部队多子族配合犬侯征伐周国,以完成时王交办的军事任务。载王事,卜辞成语,即行王事。

---

① 《粹1149》。
② 《后下42.6》。
③ 《后下42.6》。
④ 《金368》。
⑤ 《粹1222》。
⑥ 《乙2948》。
⑦ 《续5·2·2》。
⑧ 张政烺:《论卜辞褱田及其相关诸问题》,《考古学报》1973年第1期。
⑨ 《诗·大雅·棫朴》"六师及之"孔疏引。

二、军事统帅指挥系统

夏代,从《尚书·甘誓》看,尚未形成全国最高的武装力量统帅机关,军队的指挥权、带兵权、调遣权以及军事奖惩权全集中在国王一人手中。国王之下设"六卿",即"六事之人",具体负责军队的征战。什么是"六卿",各家说法不一,郑玄的解释是"六军之将"①。郑玄说:"《周礼》六军皆命卿,则三代同矣"。周代天子有六军,《周礼·夏官·叙官》、《诗·大雅·常武》、《小雅·瞻彼洛矣》和《大雅·棫朴》均有记载,可资参证。而把夏代的"六卿"说成是"六军"或"六军之将",显然论据不足。《甘誓》"六卿"之说,很可能是周人在写定《甘誓》时借周制假托夏制之伪说。所谓"六卿",是指带兵作战的军事将领。"六",在这里非实指,乃泛指多数的意思。

商代,随右、中、左三师建制单位的形成,在中央,以商王为核心的军事统帅系统已见雏形。在军事统帅机构中,商王是握有军队最高指挥权,其下属,"师"(或称"马"、"多马")具体负责和管理军事训练、国防建设,同时兼理指挥作战。从甲骨卜辞考察,商王对军队的指挥权,主要表现在:

第一,亲自带兵作战或监临高级将领出征。凡遇到强大之敌,往往由商王亲自出马,带兵作战,或派遣名将指挥出击,商王坐阵同行,监临指挥。

(1)己卯卜,㱿,贞舌方出,王自正(征),下上若,〔受〕我〔又〕②;

---

① 《礼记·曲礼下》"五官教责曰享"孔疏引。
② 《七、B30》。转引自胡厚宣:《甲骨学商史论丛》初集,哈佛燕京学社经费印行,1944年。

(2)贞勿隹王正(征)舌方,下上弗若,不我其受〔授〕又①;

(3)己酉卜,□,〔贞〕叀(唯)王正(征)舌方,下上若,受(授)我又(祐)一月②;

(4)贞〔隹〕王往伐舌方③;

(5)乙巳卜,㉁,贞叀(唯)王往伐舌方,受(有)又(祐)④;

(6)舌方其来,王逆伐⑤;

(7)贞舌方其来,王勿逆伐⑥;

(8)贞王正(征)羌⑦;

(9)叀(唯)王戋羌⑧;

(10)□〔今〕告(春)叀(唯)王比𡒉乘伐舌〔方〕,受出(有)又(祐)⑨;

(11)贞汕〔戓〕再(称)册,〔王〕比伐舌方□⑩。

以上辞例(1)至(5)是贞问商王是否亲自带兵征伐舌方的卜辞。(6)、(7)是舌方来犯,商王是否需要率兵迎击的贞问。(8)、(9)是商王亲征羌方的卜辞。(10)、(11)是贞问商王监临坐阵,与军事将领𡒉乘和汕戓相配合,征伐舌方的卜辞。

第二,命令军事将领出征。遇有一般中小型战役,则责令其它部

---

① 《佚 18》。
② 《铁 244.2》。
③ 《粹 1085》。
④ 《后上 17.2》。
⑤ 《金 508》。
⑥ 《契 71》。
⑦ 《燕 650》。
⑧ 《甲 3366》。
⑨ 《佚 20》。
⑩ 《粹 1090》。

队出征,商王不必亲自应战。此类卜辞较多如：

(1)贞王勿令㠱氏众伐舌方①；

(2)壬戌卜,㱿,贞三令我吏(使)步伐舌方受〔㞢〕〔又〕②；

(3)壬子卜,宍,贞㠱三步伐舌方受㞢〔有〕又(祐)。十二月③；

(4)王令亚其比叙白(伯)伐方④；

(5)□戌卜,争,贞命三族〔比〕沚馘伐土方⑤。

以上辞例(1)意为卜问商王不命令㠱率领他的众仆去征伐舌方可以吗？(2)、(3)是关于贞问只派遣步兵出征能否受到祖先神护祐的卜辞。(4)、(5)是贞问商王命令亚与叙伯、三族与沚馘协同作战征战土方的卜辞。

第三,商王对诸侯国的军队有调动权、指挥权：

(1)癸亥,贞,王命仓侯伐……⑥；

(2)王曰余其曰多尹其命二侯上丝暨仓侯其……周⑦；

(3)戊午卜,宍,贞王比沚馘伐土方受㞢(有)〔又〕⑧；

(4)丁巳卜,㱿,贞王叀〔唯〕沚馘比伐土〔方〕⑨；

(5)…〔王〕〔比〕沚馘伐䚄⑩。

---

① 《后上 16.10》。
② 《图 1·2·13》。
③ 《粹 107·2》。
④ 《前 2·8·5》。
⑤ 《甲 948》。
⑥ 《金 368》。
⑦ 《通别二·5》。
⑧ 《后上 17.5》。
⑨ 《续 6·16·7》。
⑩ 《续 5·27·6》。

以上辞例(1)、(2)是商调动仓侯的部队出征作战的卜辞。(3)、(4)、(5)是商王调遣沚馘的部队征伐土方和呩方的卜辞。沚馘,据唐兰考证,是殷西部边境的一个方国,被殷征服后被封为侯伯。沚,国名;馘,沚国之君名。呩,也是殷西北一方国名①,此字当释为巴②。

军队最高指挥权集中在商王手中,还可以从其它考古资料得到佐证。安阳西北岗殷墟1004号商王大墓中,曾发掘出集中堆放的、成捆的铜予约七百件,带柲(兵器的柄)的戈六十九件,铜盔(胄)六七种达数十具。这种现象表明,商王在生前直接掌握着大量的军队。

商王之下,中央军事最高指挥机关叫"师"。甲骨文有"丁酉贞,王乍三(师):右、中、左"③的记载。根据古代官司不分惯例,"(师)"既是军队建制单位名称,也是该建制单位军事长官的名称。《尚书·洪范》"八曰师"郑注:"师,掌军旅之官,若司马也"。《周礼·夏官·司马》大司马郑注:"夏官之长,掌武事,统帅军队。"可见,殷代的"师",如西周中央机关掌管军政并统帅军队的司马。殷代无司马之名,但甲骨卜辞中却有"马"、"多马"之称。

(1)(唯)马乎射④;

(2)其令马、亚射鹿⑤;

(3)叀(唯)多马乎射,阜一叀(唯)马、小臣乎射⑥;

(4)来告大方出伐我自(师),叀(唯)马、小臣⑦。

---

① 唐兰:《甲骨学商史论丛》初集。
② 唐兰:《天壤阁甲骨文存考释》。
③ 《粹597》。
④ 《金401》。
⑤ 《甲2695》。
⑥ 《粹934》。
⑦ 《粹1152》。

从以上四条辞例可以看出,马是武官名称,其职责是受王命征伐和射猎。陈梦家据此推断,卜辞的马官,很可能就是马师,后世的司马之官当殷代的马师发展而来①。此说很有道理。就是说马和师是殷代同一职官的不同称谓,在中央职官体制中叫马,主管军政,也带兵打仗;卿士寮的下属。马官一旦带兵出征,便按军队的建制单位称作"师"了。多马,乃马的副官。

卜辞常见一员猛将叫师般:

(1)贞乎(呼)[自]般[伐]舌方②;

(2)[贞]乎[自]般伐舌。③

这个自(师)般,据不少学者考证,就是《尚书·君奭》中所说的武丁时期的六贤臣之一甘盘。《汉书·古今人表》"甘盘"师古注:"武丁师也"。因甘盘为武丁之师,故又称师盘,即卜辞中之师般。今本《竹书纪年》有"武丁元年,命卿士甘盘"的记载,可见殷代的"师"不仅马官可以兼任,甚至连卿士寮的最高长官卿士也可兼任。这足以说明殷代对军队体制建设的重视,说明作为最高建制单位的"师"在中央军事统帅指挥系统中的重要地位;同时也反映出殷代在职官设置中,还存在着作战指挥系统、军事行政机构、国家政务机关严重混杂和职司不分现象。

三、军队组织编制

编制就是法律。军队组织编制,是国家和军队的一项重要法律制度,属于军事的行政法的范畴。它是根据平时管理和战时指挥实

---

① 陈梦家:《殷虚卜辞综述》,科学出版社,1956年7月,第509页。
② 《铁172.4》。
③ 《前6·58·4》。

际需要,对于包括整个军事系统及其机构设置、人员和武器装备进行编配的组织管理活动。夏代军队,有无建制单位,因史料贫乏无法考证。《尚书·甘誓》只有"左不攻于左"、"右不攻于右"、"御非其马之正"的记载。这里所说的左、右、御不是军队的建制单位,而是指战车上的左、右、御三个战士。《史记·夏本纪》集解引郑玄云:"左,车左;右,车右"。《诗·鲁颂·閟宫》"公车千乘"郑玄笺云:"兵车之法,左人持弓,右人持矛,中人御"。《说文》彳部:"御,使马也"。可见,古代战车上的左、右、御三名战士,左主射,右主击刺,御居中驾车使马。这是兵卒所驾之战车,将帅的指挥车又当别论。夏代战车编制已有相当规模,以此推论,其军队体制,不会没有建制单位。

商代军队的组织编制,甲骨文已有较为详细的记载。从甲骨卜辞看,商代的军队体制,已编制成师、旅、戍马和戍等若干个建制单位。

师。甲骨写作ᔕ①、ᔕ②等字形,即𠂤字,罗振玉首次释𠂤即古文师字③,之后各家从。𠂤本义为旅途中坐卧止息及止息之处,而行旅人数以军事征伐所集者为众多,故军旅止息驻扎之𠂤则引申为师旅之师。师是商王和诸侯直接掌握的常备军:

(1)贞,方来入邑,今夕弗戥王师④;

(2)贞叀(唯)𠂤(师)般乎(呼)〔伐〕〔舌〕⑤;

(3)令仓侯师……⑥。

---

① 《铁207.2》。
② 《粹1206》。
③ 罗振玉:《增订殷虚书契考释》中。
④ 《粹89》。
⑤ 《前4·3·3》。
⑥ 岛邦男:《殷墟卜辞综类考释》中。

以上辞例(1)意为,问有方邦入侵城邑,今晚王师没有受到惊震吗？这个师就是商王直接控制的师,所以叫"王师"。跟、跟字。跟、震同声,其义也通,是震惊的意思。(2)是关于呼唤师般(甘盘)征伐舌方的卜辞。这个师不是"王师"之师,而是王师之军事长官,官名。般,人名,私名前面冠以官名,是古代职官称谓的惯例。师般即甘盘指挥的师,也是商王的直属部队。辞例(3)的师则是仓侯的部队。这一辞例表明,诸侯有权组建自己的建制师,但商王却享有对诸侯建制师的调遣权,所以,卜问时才称呼"令仓侯师"做什么。

王师由右、中、左即右师、中师、左师共三师组成：

(1)丁酉贞,王乍(作)三𠂤(师):右、中、左①；

(2)行以㞢(又)𠂤(师)及㞢(又)邑②；

(3)行弗其以㞢(又)𠂤(师)及邑③；

(4)乙亥卜,争,贞(唯)邑并令葬我于(又)邑④。

以上辞例(1)是商王于丁酉日占卜组建王师部队的一条卜辞。这条卜辞说明王师部队由三师组成,即右师、中师、左师。辞例(2)、(3)、(4)有"㞢𠂤"。㞢,即又,通右,可见,"㞢𠂤"即右师。殷代以师为建制单位的军队体制,至西周还在沿用。殷商叫"殷三师",西周则称"殷八师"。如《小臣𧛅簋》："白懋父以殷八师征东夷"；《成鼎》："杨六师,殷八师"；《禹鼎》："王乃命:六师殷八师"。所谓"殷八师",是指商代灭亡之后,周人将其殷遗民改编成八个师,驻守殷商故地朝歌,镇压殷顽。殷代的一个师有多少人,甲骨文没有记载。西周每师二

---

① 《粹597》。
② 《乙7385》。
③ 《丙500》。
④ 《粹1213》。

千五百人,以此推论,殷师人数不会太少。

旅。甲骨文写作〒①,简体作〒②,像旗下两人形,意为聚众人于旗下。《尔雅》:"旅,众也"。很显然,旅和师一样也是一种军队建制单位。按周制,一旅五百人,所以,旅当为师的下属建制单位。殷代的旅究竟有多少人,甲骨文也没有记载,但卜辞中却有"旅"、"右旅","左旅"的记载:

(1)辛巳卜,贞登妇好三千,登旅万,乎(呼)伐羌③;

(2)己未卜,㱿,贞岳其齒我旅。一月④;

(3)…王其令右旅及左旅甫见[方],戈,不雉众⑤;

(4)…王其以众合右旅[及][左]旅甫…戈…⑥;

(5)…右旅…[雉]王众⑦;

(6)隹从上行左旅,王受又(祐);

(7)隹左旅,王受又(祐)⑧。

旅有"右旅"、"左旅",已无疑问。旅有无"中旅"?从比旅更小的建制单位"戍马"也分右、中、左看,旅同样有"中旅"。

马。甲骨文仅见一例:

"丙戌卜,贞:戍马,左、右、中,人三百。六月⑨。

戍马和师、旅一样有左、中、右之分,肯定是军队的建制单位。三

---

① 《前4·31·7》。
② 《甲2647》。
③ 《库310》。
④ 《合301》。
⑤ 《屯南2528》。
⑥ 《屯南2350》。
⑦ 《屯南2064》。
⑧ 《欧亚美二》。
⑨ 《前3·31·2》。

队共三百人,则每队不过百人,这种建制单位,相当于周代的卒。从人数上考察,戍马在建制单位上的位次,当在旅之下。

安阳小屯商代后期宗庙(乙七)前发现了一群象征军队阵式的祭祀坑,其中有两个按当时作战部署而摆下的方阵。前一个方阵为步兵,在近百个长方形的葬坑中,共有步卒三百人左右,和卜辞"戍马,左、右、中,人三百"正相符合。这个方阵是否就是殷代左、右、中三个戍马的再现,尚待进一步研究。

戍。甲骨文写作 ᠴ①、㐅②和 㐅③ 等形。从戈从人,像人立于戈下之形,会戍守之义。《说文》:"戍,守边也,从人持戈"。卜辞中,戍也可作为一种军队的建制单位,其职能是戍守边防。此类卜辞习见:

(1)右戍不雉众;

(2)中戍不雉众;

(3)左戍不雉众;

(4)中戍有戋;

(5)左戍有戋④;

(6)□丑卜,五族戍弗雉王⑤。

从以上辞例(1)至(5)看,戍和师、旅戍马一样也有右戍、中戍和左戍之右、中、左之分,可见戍肯定也是个建制单位。但是,戍这种以戍守边疆为职责的部队,由于环境、条件物特殊,和常备军不同,须定期轮换,不做兵源固定编制之规定。例(6)就是调遣王家部队王族充

---

① 《甲 3510》。
② 《人 2129》。
③ 《甲 1526》。
④ 《屯南 2320》。
⑤ 《邺 3·39·10》。

任戍职的卜辞,意思是,□丑日占卜,五族充任戍边部队,王室不会受到伤害吗？㛀,伤害、伤亡的意思。

四、兵役制度

从前述殷代军事组织编制看,军队体制已有相当规模,国家已拥有一支庞大的武装部队,但是,由于战争频繁,每有战事发生,商王还要发布战时王令,另外"登人",即征召兵源,以补充常备军力量。每次"登人",少则几百人,多则三千五千,最多达到万人,这在当时世界征兵史上还是少见的。武丁时,为了征战土方、舌方,仅七、八、九三个月就"登人"二万三千多。兹录"登人"辞例于下,以窥殷代征兵制度之一般。

(1)贞勿登人乎(呼)塁(望)舌方①;

(2)戊辰卜,宄,贞登人乎(呼)往伐舌方②;

(3)贞勿登人乎(呼)伐舌方,弗其受屮(有)又(祐)③;

(4)贞〔登〕〔人〕三千〔乎〕〔伐〕舌〔方〕受〔屮〕〔又〕;

(5)贞勿登人三千;

(6)贞登人三千④;

(7)贞登人三千乎(呼)伐舌方受屮(有)又(祐)。贞勿乎(呼)伐舌方⑤;

(8)庚子卜,宄,贞勿登人三千乎(呼)〔伐〕舌方,弗〔其〕〔受〕

---

① 《前5·20·7》。
② 《续3·4·4》。
③ 《续3·5·7》。
④ 《库1649》。
⑤ 《续1·10·3》。

〔屮〕(有)又①；

(9)戊寅卜，㱿，贞勿登人三千乎(呼)伐舌方，弗〔其〕受屮〔有〕又②；

(10)□三千乎(呼)伐舌□③；

(11)贞舌方亡㞢。贞登人五千乎(呼)见舌方，贞勿登人④；

(12)辛巳卜，贞，登妇好三千，登旅万，乎(呼)伐羌⑤。

以上辞例表明，登人不是国家的常备部队，而是战时临时征召用以征伐舌方和羌方的特种兵。这种部队，战事一旦结束很可能便解散重归于农。因为它的兵源，从卜辞"贞王勿令皋氏众伐舌方"⑥看是众。众，即众人，农业生产的主要劳动力。这种人，平时耕作，战时则应征入伍，这可能就是我国古代寓兵于农制度的开端。殷代如此大规模地征召兵源，说明征兵制度在当时已成定制。

五、军事刑罚制度

《尚书》中的两篇军法文献《甘誓》和《汤誓》告诉我们，夏人、商人已经有了罪与刑，即犯什么罪，处什么刑的刑法概念了，这两篇珍贵文献，可以说是我国古代两部最初的带有原始遗风的军事刑法。遗憾的是，甲骨卜辞关于刑罚的规定比比皆是，而有关犯罪的记载却很少见到，这就使得我们对夏商军事刑法不能做深层次的研究。这两篇军法文献还告诉我们，对军事犯罪的惩罚，要比对其它犯罪的惩罚

---

① 《前7·1·3》。
② 《龟2·27·6》。
③ 《粹1078》。
④ 《续1·13·5》。
⑤ 《库310》。
⑥ 《后上16·10》。

重得多。同样是违抗君命罪,常刑处刑最重是死刑,而在战场上一旦"弗用命",不仅本人要"戮于社",还要"孥戮汝",连及子孙。

与从重处罚军事犯罪相适应,夏商军法还实行对战地立功者重赏的制度,这就是《甘誓》、《汤誓》所说的"用命赏于祖"。这一制度已被甲骨卜辞所证实。帝乙、帝辛时期有一则卜辞,该辞例在详细记述一个叫小臣墙的军官的辉煌战绩之后说:"又(祐)白(伯)麟于太乙,用雉(伯)印……讯于且(祖)乙,用美于且(祖)丁。僼曰:京易(赐)"。就是说用方伯麟祭祀先王太乙,用祐方伯印祭祀……,审讯并杀死俘虏祭祀先王祖乙,杀死狉狁首领美祭祀先王祖丁。在审讯并对敌囚处刑祭祀祖先之后,有个叫僼的官员宣布:"京易",即赏赐重奖作战有功将吏。这一切都在宗庙祭坛面前进行,可能就是《甘誓》、《汤誓》所说的"用命赏于祖,弗用命戮于社"吧!

其实,军事刑罚种类馘刑本身就含有奖励军功的意思。甲骨文馘字写作或,商器金文馘字写作或,均从耳之象形,取"军战断耳"之义,就是说,以截获敌之左耳多少以记军功,在祖庙面前受赏。

第二编 西周法律制度

第一章 立法思想

我国奴隶制社会(夏、商、西周、春秋)立法思想的发展,大致经历了三个阶段:第一阶段为夏商神权立法时期,以"天罚"、"神判"为制定刑事政策的依据;第二阶段为西周时期,以周公为代表,提出"明德慎罚",奴隶主阶级立法思想发展到一个新阶段;第三阶段为春秋时期,孔子对夏、商、西周的立法思想、立法原则进行全面总结,提出并建立起一套较为完整的立法理论,至此,奴隶主阶级立法思想才日臻完备和成熟。纵观奴隶制社会的立法思想和立法理论,西周的"明德慎罚",至为重要。它的产生,使夏商的"天罚"和"神判"基本上退出法律领域,又为孔子的"宽猛相济"奠定了理论基础。贯穿我国封建社会两千年间的"德主刑辅"思想,其源也是西周的"明德慎罚"论。

第一节 "天罚"、"神判"法律思想的动摇

一、"天罚"思想在周初的动摇

纣王亡国的历史教训,极大地震动了周王室,使他们懂得,以"天罚"作为立法指导思想和制定刑事政策的依据,绝非在任何情况下都能奏效。要想在殷亡废墟上建立起牢固的姬周政权,必须对夏商的这种神权理论进行一次较大程度的修正和改造。周人确乎在这一尝

试中付出了巨大努力并取得了众所公认的成功。

周人对夏商"天罚"思想的改造,主要表现在以下三个方面:

第一,帝祖分离。帝是殷人的称谓。殷人讲帝,讲帝祖结合,不大讲天。天,在商代是大的同义词。卜辞中有"天邑商"①记载,这个"天邑商"就是周人自称的"大邑周",②卜辞天字作大字解。帝、上帝、皇帝或皇上。帝在周初铭文中还能见到,大约自西周中期以后,帝、上帝之称谓便消失了,代之而起的是"天"。"天"的出现,标志着帝祖结合的结束。周人在废弃了殷人帝祖合一说之后,对帝、祖即上帝崇拜和祖先崇拜的位次作了新的安排。排在第一位的是帝,祖先神放居第二。

《诗·大雅·文王》:文王陟降,在帝左右。

《宗周钟》:其严在上。

《𤌾钟》:先王其严,在帝左右。

严,《释名·释言语》:"俨也,俨然人惮之也。"严即祖先的灵魂,它处在帝之"左右",其地位便自然而然地降格在第二了。就是说位居上帝之下,但在众神之上。周人如此安排帝、祖位次的目的,在于加强姬姓对异族的统治。既然周人祖先在帝之下而居异姓祖先之上,那么,异族理所当然地要接受周人的统治;否则,就是越祖越位行为,要以越祖罪予以惩罚。至于把帝和祖分开并称帝为天,也是周人为其统治所设的圈套。天与帝比,相形之下显得不那么不可捉摸,令人生畏,具有相对的可知性,容易被人接受,同时还能一定程度上消除人们对殷帝的厌恶心理。

---

① 《前》2·3·7。
② 《孟子》引遗书。

第二,德祖相配。周人神权思想的独到之处,不仅把帝、祖分离成为两个既有联系又有区别的概念,还在于把祖和德紧紧地连接在一起,使祖先神这个落后的观念从而具有积极、进取的意义。金文中的"德",几乎直接或间接地和祖先神都有关系,凡有"德"的铭文大致可分为这样几种类型:一是颂扬祖德的①;二是效法祖德的②;三是讲先祖文王、武王有德而得天下的③;此外,还有周王要求或表彰臣下勤于德政和大奴隶主贵族要求小奴隶主贵族修德治民的④。只须略加分析就能看出,无论哪种类型的铭文,都贯穿着一个精神,就是祖与德配,祖得天命;后代如能继承祖德,天命便可永存,政权方能永固。像《大盂鼎》、《史墙盘》说的那样,文王之所以"戾和于政",是由于他有"懿德",武王能够"匍有四方,畯正厥民",是因为他"嗣文作邦","型宪于文王正德"。经过周人的改造,从上帝神中分离出来的祖先神,已和"天罚"完成脱离关系而变成一尊专门给人赐福,护佑后代功名成就,并在周人现实生活中发挥实际作用的偶像。这尊偶像能够在现实生活中发挥积极作用,在于它把"有德"和"无德"与国家的兴亡、政权的得失联系在一起了。王国维在《殷周制度论》一文中说:"周自大王以后,世载其德……皆克用文王教至于庶民,亦聪听祖考之彝训。是殷周之兴亡,乃有德与无德之兴亡"。这一见解是有道理的。

第三,弗念天威。这是周人继帝祖分离、祖德相配之后对"天罚"思想的再改造。周初,尤其在兴兵讨罚或镇压殷遗民时,周统治者也

---

① 见《师望鼎》、《大克鼎》、《叔向文簋》、《虢叔旅钟》、《井人妄钟》等。
② 见《见痶钟》、《单伯钟》、《番生簋》等。
③ 见《大盂鼎》、《毛公鼎》等。
④ 见《班簋》、《善鼎》等。

高喊过"天罚"口号。如武王伐纣时,在其誓辞中罗列殷纣王听信妇人之言、不祭祖宗上帝和任用四方逃亡奴隶而不任用同宗兄弟三条罪状之后,大声疾呼:"今予发,惟恭行天之罚"①。殷亡之后,周公向殷遗民发布诰令时也说,如果你们不敬顺周王朝的统治,"予亦致天之罚于尔躬"②。此外,西周金文中也有"畏天畏(威)"③ 和"天疾畏降丧"④ 的记载,以示天威可畏、祸乱、刑杀自天而降。

但是,自从周王朝吸取"殷鉴"教训,对天有了新的认识之后,"天罚"思想在周人心目中动摇了。这一新的法律观是由疑天开始的:

天畏(威)棐(非)忱(诚),民情大可见⑤。

肆汝小子封,惟命不于常,汝念哉⑥!。

若天棐忱,我亦不敢知曰其终出于不祥⑦。

天不可信,我道惟宁王德延,天不庸释于文王受命⑧。

上引第一、二条史料是周公对康叔的训辞,要求康叔要懂得天不可信,天命不可能长久地掌握在一姓手里的道理,在统治殷遗民时,切切不可迷信天威,要关注人民的情绪。后两条史料是周公给召公讲天不可信道理的。周公认为,既然"天不可信",天命也"不敢知",那么,问题的关键不在天,而在"人"。"我亦不敢宁于上帝命,弗永远念天威。越我民罔尤违,惟人"⑨。这句话包含三层意思:一、不敢轻

① 《尚书·牧誓》。
② 《尚书·多士》。
③ 《大盂鼎》。
④ 《师訇簋》。
⑤ 《尚书·康诰》。
⑥ 同上书。
⑦ 《尚书·君奭》。
⑧ 同上书。
⑨ 同上书。

信天命;二、不要常去考虑天威天罚;三、一切都取决于人为。不轻信天命是"天罚"思想动摇的前提,重视人力是"天罚"思想动摇的基础。轻天、重民相结合,便铲除了"天罚"思想赖以生存的土壤。如果说周初"天罚"思想还隐约可见的话,那么,自穆王之后①,"天罚"思想基本上在西周绝迹。在中国历史上整整沿袭一千余年的"天罚"思想的动摇和灭绝,为西周创立自己的立法理论——"明德慎罚"铺平了道路。

二、"神判"思想在周初的动摇

过去,由于得不到地下资料的证明,有人认为周人已经摆脱宗教思想的束缚。继山西洪洞坊堆村、陕西长安沣西和北京昌平白浮考古发现之后,1977年陕西岐山凤雏村一万六千多片周代卜甲的出土,说明周人和殷人一样也搞占卜。但是,周人占卜,与"神判"没有关系。截止目前,我们从周原卜甲中还没有发现任何与"神判"有关的记载。除祭祀、征伐、方国名、人名、官名、渔猎、月象和用数组成的八卦符号外,找不到一条卜问定罪、行刑的卜辞。周原卜辞是文王至昭、穆时期的遗物,卜辞中没有"神判"痕迹,可以反证"神判"思想在周初人们头脑中的淡薄,和"神判"法在西周初期司法实践中的消失。那么,我们对《周易》中不少与法律有关的筮辞应作何解释呢?《周易》由《易经》和《易传》两部分组成,其中《易经》是商末至周初的作品。《周易》中的卦辞和爻辞是《易经》的经文部分,是周人零散筮辞的汇编。《易经》六十四卦有不少关于犯罪与刑罚或其它法律规范的记载。那些记载从表面看好似与商代"神判"没有二致,其实不然。

---

① 自《吕刑》"天罚不极"之后,史籍再未见过天罚记载。

商代的龟卜"神判",是奴隶主贵族借助占卜任意刑杀人民的一种手段,一经"神判",即刻行刑。而周人发明的筮辞,则是已经编纂好了的供占卜者求神卜卦以定吉凶的文字记录,不是统治者借占卜之名实施刑事镇压的工具。同时,卜官在编选这些筮辞时,又有意无意地根据周初的社会现实,把自己的法律思想注入进去,这就使得周代筮辞在某些方面反而突破了神权色彩并带有积极进取的非宗教精神。如:

《讼六三》:食旧德,贞厉、终吉。

意思是:如果对原有的道德规范有所侵害的话,必将受到控告,遇有讼事,不会是好兆头;不过,受控告是坏事,倘若从中吸取教训,则"终吉",坏事就将变成好事。很显然,德教法律思想已经进入占卜领域。德、筮相配,以德制筮,这就荡涤了以占卜神判指导司法实践的可能性。此外,明察用人、宽和使民、重以教化、明德慎罚等法律思想和立法原则在筮辞中均有反映,这都是些与夏商"神判"格格不入的新思想、新理论。

总之,作为夏商立法思想和司法原则的"天罚"、"神判",在周初随周人天道观的转变而动摇、解体了。"天罚"、"神判"法律思想的动摇和解体,必将预示着与"天罚"、"神判"相对立的一种新的立法思想将要来临。这种新的立法思想,就是周初法律学家周公旦等人提出、倡导并付诸实施的"明德慎罚"。

第二节 "明德慎罚"立法思想

一、"明德慎罚"思想的产生

"德"和"罚"的思想,早在西周之前已经产生,但是把两者结合在一起称作"明德慎罚"并建立起一套完整的法律思想体系,则是周初完成的。

刑罚,作为一种虐杀手段,在原始社会就已经存在。不过那种虐杀手段并不是法律,也不经过国家强制力保证其执行。它只是以全体氏族成员的共同意志履行其职能,惩罚氏族或部落内部侵害公共利益的行为,刑戮氏族与氏族、部落与部落之间进行同态复仇格斗中的异族成员或俘虏。自从进入阶级社会以后,刑罚才和阶级压迫联系在一起,成为反映少数剥削阶级意志、惩罚犯罪的手段。德是何时产生的?大家的看法很不一致。西周金文中有大量的德字,容庚在他的《金文编》中就收录了十五个不同形体的德字。这说明西周时期不仅产生了德字,而且在周人头脑中已形成牢固而成熟的德的观念。那么,周以前有无德字呢?有无德的思想呢?有人说,周以前无德字,德字始见于周文①。有人同意罗振玉在《殷契考释》中把 彳直 释为德字,认为商代已有德字。还有人从德的图腾性质出发,根据《晋语》"异姓(性)则异德,异德则异类"说法,推出德有性的意义,而提出早在氏族公社时代就有了德的思想②。究竟德字何时产生,尚有待于

---

① 郭沫若:《金文丛考》,《郭沫若全集·考古篇·第六卷》,科学出版社,2003年版。
② 李玄伯:《中国古代社会新研》,开明书店,1948年版。

进一步研究。但是,从金文中出现大量德字和金文德字所反映的丰富的法律思想推断,最晚在殷商时期人们已经有了德的观念。不过,在"天罚"、"神判"统治的时代,不可能把"德"与"罚"结合起来。

"明德慎罚"是由"明德"和"慎罚"两个词组组成的一个联合词组,这个联合词组见于典籍者,最早的是《尚书·康诰》:

王若曰:孟侯,朕其弟,小子封。惟乃丕显考文王,克明德慎罚,不敢侮鳏寡,庸庸,祗祗,威威,显民。

其次,《多方》也有"明德慎罚"的提法:乃惟成汤克以尔多方简,代夏作民主。慎厥丽,乃劝。厥民刑,用劝。以至于帝乙,罔不明德慎罚,亦克用劝。

《康诰》是周公平定三监及武庚叛乱之后,封康叔于殷地以统治殷遗民,康叔上任之前,周公给康叔讲的训诫之词。周公在这篇诰辞中,告诫康叔一定要把"明德慎罚"作为自己立法、司法以至处理政务时的指导思想和行动准则,去统治、分化、怀柔以至于刑事镇压殷遗民。《多方》是周公代表成王以殷人为主要对象发布的一篇诰令。前边引文的大意是,成汤能够受到四方诸侯的拥戴,代替夏桀做了人民的国王,主要原因是他能谨慎地运用刑罚,把人民引上正道。从成汤到纣的父亲帝乙没有不以"明德慎罚"去治理国家的。周公给殷遗民讲这些话,无非是以古喻今罢了,是要殷遗民相信,"明德慎罚"不仅是周统治者立法、司法以至治国安民的指导思想和司法原则,也是殷代有作为的君主的大政方针、执法准则,从而促使殷遗民恭顺地服从周王朝的统治。

对照周初的立法、司法实践,"明德慎罚"确乎被周王室用为指导思想和立政的基本原则。可是,"明德慎罚"作为一个词组是否在西周初期就有了?

印证金文资料,不仅周初,就是在西周的全部铜器铭文中,都不曾见到过这一词组。西周铜器铭文只有"明德"、"明刑"之类的单称词组。"明德"又写作"敬德"、"懿德"、"哲德"、"元德"、"雍德"、"弘德"等等。如:

《虢旅叔钟》:丕显皇考惠叔,穆穆秉元明德。

《班簋》:允才(哉),显惟敬德。

《单伯钟》:朕皇且(祖)考懿德。

《师望鼎》:克盟(明)厥心,哲厥德。

《番生簋》:番生不敢弗井(型)皇祖考不杯元德。

《大盂鼎》:今余唯命汝盂绍荣敬雍德。

《毛公鼎》:丕显文、武,皇后弘猷厥德。

关于金文中"明德"的这些不同称谓,《尚书》、《周书》中也大都可以见到。如《召诰》、《多士》中的"明德",《君奭》中的"敬德",《酒诰》中的"元德"、"逸德"等等。称谓虽不同,"明"、"敬"、"元"、"懿"、"弘",其义却一样,均为修德之褒美词。"慎罚"却不同,金文中无"慎罚"字样,只有"明刑"、"怀刑"铭文。如:

《牧簋》:女(汝)毋敢弗帅先王作明井(刑)。

《班簋》:文王孙亡弗怀刑。

金文中出现"慎罚"铭文,大约是在春秋战国时代。如春秋时期《叔夷钟》有"慎中厥罚"铭文。中,意为适中、恰当、不偏不倚,是"慎罚"的标准。所以,"慎中厥罚"即"慎罚",也是前引《牧簋》、《班簋》中之"明井(刑)"或"怀刑"。因为明、怀与慎三字相通[①],刑与罚通。又如战国时期《秦公钟》有"帅秉明德,叡尃明井(刑)"铭文,"明德"、"明

---

① 明通"敬",敬又通"慎",所以明即慎。

刑"两词排比对偶,说明战国时期,"明德"与"慎罚"两词已在人们头脑中形成一个完整的概念。

从金文资料看,"明德慎罚"一词约为战国时期的产物。可是,《周书》是公认的比较可靠的周人作品,《康诰》、《多方》所说"明德慎罚"是否有战国文人的附会,这点还有待于今后证实。可以肯定的一点是,即使"明德慎罚"真是后人的附会,这个附会却完全符合周初实际,用它来概括周统治者的立法思想,不仅符合西周金文"明德"、"明刑"的本意,而且在表意方式上能收到更为准确、清晰的效果。

"明德慎罚"法律思想是周公等人在系统总结夏商一千多年来统治经验,特别是夏桀、殷纣亡国的历史教训基础上提出的。

帝祖分离、祖德相配是周人法律思想的一大进步,但这不能说周人已从神权桎梏中解放出来了。周统治者和夏商统治者一样,也把神权作为巩固奴隶主阶级专政的精神支柱。"丕显文王,受天有大命"①;"昊天有成命,二后(文王、武王)受之"②,王权是天授的。周人眼中的天和殷人眼中的帝没有本质差别,都能给人"锡(赐)之福"③,又可"降丧"④ 于人,"天畏(威)可畏"⑤。但是,前车之鉴使周统治者不得不对"受命于天"的君权神授说进行重大修改。周公认为,"天命"不是不能改变的,"天命"只能授予有德者,所谓皇天无亲,惟德是辅"⑥。商汤能够克夏得"天命","代夏作民主",就因为他无"不明

---

① 《大盂鼎》。
② 《诗·周颂·昊天有成命》。
③ 《曾伯箓簠》。
④ 《禹鼎》等。
⑤ 《大盂鼎》。
⑥ 《左传·僖公五年》引《周书》。

德慎罚"①。周也一样,因为"文王克明德慎罚",才缔造了一个小小的周国,逐渐扩大到天下的三分之二,并进而统治了中国②。那么,夏桀、殷纣为什么会被"上帝""改厥元子"而"坠厥命"呢?根本原因在于他们的无德:"洪舒于民","劓割夏邑"③,这是夏桀的无德;"于先王勤家诞淫厥佚,罔顾于天显民祇",这是殷纣的无德。因此,"上帝不保","不畀不明厥德"④,便亡国了。周公等人的这种"以德配天"思想,在金文中也到处可见,如:

《毛公鼎》:丕显文、武,皇天弘猒厥德,配我有周,膺受大命。

《宗周钟》:我惟司(嗣)配皇天王。

以德作为维系天、人(周王)的纽带,对天对君都产生了约束力:天无权授命于无德者,无德之君也无权受命于天;即使有德者获得了"天命",其继承人一旦中断德行,"天命"即随之消失,国家便要衰亡。为了不使"天命"丢失或中途转移,统治者必须时时注意"聿修厥德,永言配命,自求多福"⑤。"以德配天"的这种积极意义,才促使周初几代君主比较开明,出现了被人称颂的"成康之治"。

周公等人的"明德"思想,不仅表现在他的"惟德是辅"、"以德配天"上,还表现在他们以此为出发点,提出了"保民"主张。西周统治者十分清楚,夏殷亡国的根本原因,不在"天",而在"民";激怒人民,什么"天命"都无济于事。"不可不监于有夏,亦不可不监于有殷"⑥,

---

① 《尚书·多方》。
② 《尚书·康诰》。
③ 《尚书·多方》。
④ 《尚书·多士》。
⑤ 《诗·大雅·文王》。
⑥ 《尚书·召诰》。

更应"无于水监,当于民监"①。看来,他们懂得了"民主"是治国的一面镜子,是政权能否巩固的基础。"民之所欲,天必从之"②,君主一旦失掉"民主",人民就要顺应天意革掉他的天命。这就是《尚书·多士》和《多方》中所说的"革命"思想,即殷革夏命,周革殷命。要使人民不起来革自己的天命,最重要的是"先知稼穑之艰难,乃逸则知小人之依","能保惠于庶民"③。所以"保民"思想不仅反映出周人法律思想的飞跃,它也是周统治者"明德"思想的核心。王国维对此也有较为切中要害的评价:"祈天永命者,乃在德与民二字。"④

周统治者并没有把德看成是包医百病的万应良药,他们在提倡德教的同时,从来没有放弃刑罚。例如周初武庚与管叔、蔡叔、霍叔发动反周叛乱时,周公以三年时间进行东征。叛乱平定后,周公便处武庚与管叔死刑,处蔡叔流放刑,并对跟随武庚叛乱的东方各国大加挞伐。《尚书·康诰》中,周公还借成王之口诰诫康叔,要对"寇贼奸宄,杀越人于货"的贼盗劫掠行为和"不孝不友"的"元恶大憝",按文王的法律,"刑兹无赦"。但是,桀、纣"重刑辟"导致亡国的教训,使周统治者认识到,严刑峻法不足以平息奴隶和平民的反抗,一味的"乱罚无罪,杀无辜"⑤,人民积怨成怒,就会起来把你推翻掉。当然,像《易经·萃六五》说的"匪孚(罚),吉",就是说,不使用刑罚而达到天下大治,将是最大的福祥,但这决不可能。周人懂得,治国安民不能不要刑罚,关键是怎样使用刑罚。《易经·大有六五》:"厥孚交如威如,

---

① 《尚书·酒诰》。
② 《左传·襄公三十一年》引《泰誓》。
③ 《尚书·无逸》。
④ 王国维:《殷商制度论》。
⑤ 《尚书·无逸》。

吉。"交,借为皎,引申为明察,就是说刑罚因明察而得当,便可收到刑威民畏而民服的效果。同时,当权者还要做到不是为了刑罚而刑罚,要把刑罚当作"劝民从善"的手段:"厥民刑,用劝";"开释无辜,亦克用劝"①。只有这样,才不致因刑滥而招来"民怨";即使有了"民怨"也是不可怕的。"怨不在大,亦不在小。惠不惠,懋不懋"② 就是说,"民怨"的可怕不在大,也不在小,如果能够谨慎地使用刑罚,认真对待,"民怨"虽大也不可怕;否则,"民怨"虽小,也是可怕的。只有"明德慎罚",才能使不顺从的人,顺从我们,使不努力为我们服务的人,努力为我们服务。

由此可见,所谓"明德慎罚",就是教化和刑罚相结合,即从德治主义出发,先德后罚,先教后杀,以刑事镇压达到德治目的。周人重视犯罪的预防,强调教化的作用,以"明德慎罚"指导立法和司法活动,比之于夏商的"天罚"、"神判",无疑是古代立法史上的一大进步。

二、"明德慎罚"的原则和内容

"明德慎罚"总的原则是:"庸庸,祗祗,威威,显民。"③ 庸,用。前一庸字,动词,任用的意思。后一庸字,名词,指应受任用的人。祗,敬。威,罚。显民,即显示于民,让庶民了解的意思。"庸庸,祗祗"和"显民"是"明德"范畴,"威威"是"慎罚"范畴。意思是:任用那些应当受到任用的人,尊敬那些应当受到尊敬的人,镇压那些应当受到镇压的人,并让庶民知道这种治国之道。实践证明,这些原则在周初的司法实践中都有所兑现。例如,周统治者在制定行政法规时,重

---

① 《尚书·多方》。
② 《尚书·康诰》。
③ 同上书。

视选贤荐能,通过选士制度,把有德之士,推荐到上级部门择优录用。周统治者甚至敢于吸收殷贵族中的贤能者进入自己的政权机构中来任职。据《史记·周本纪》记载,早在文王"翦商"的时候,由于文王能够"礼下贤者","辛甲大夫之徒皆往归之","文王亲自迎之,以为公卿,封长子(今山西长子县)"。武王克殷后,又"释箕子之囚,封比干之墓,表商容之闾",对殷贵族作了大量的分化瓦解工作。周初甲骨文还记录了纣的庶兄微子降周的经过。微子降周时,周统治者以礼相待,让南宫郜大备酒食接待微子及其史官一行。武庚叛乱平定后,微子又被封于宋称侯。对于不肯顺从的殷贵族,周王室总是按照"明德慎罚"原则,首先立足于教。"肆王惟德用,和怿先后迷民"①,耐心地、和颜悦色地开导他们。倘若"迷民"——殷遗民中的顽固派,执意不服教化而进行破坏活动,那就要按照"威威"原则"大罚殛之。"②可见,周统治者把"明德"与"慎罚"巧妙地结合起来了,并寓"德"于刑罚之中,使其相辅相成,融为一体。

"明德慎罚"思想的具体内容,从《尚书》、《周书》、《礼记》、《易经》和金文资料看,主要有以下两个方面:

第一,从"德"的方面讲,就是以教为先。《周书》各篇既讲教,又讲刑,重点是讲教。《周书》篇章以"诰"为名的有《康诰》、《酒诰》、《召诰》、《洛诰》四篇,"诰"字本身就包含着教的意义。

邦君、御事、小子尚克用文王教,不腆于酒③。

庶士、有正、越庶伯、君子,其尔典听朕教④。

---

① 《尚书·梓材》。
② 《尚书·多方》。
③ 《尚书·酒诰》。
④ 同上书。

古之人犹胥训诰,胥保惠,胥教诲,民无或胥诪张为幻①。

"训诰"即"教诲",就是说要用教育的方法治理人民,人民就不会弄虚作假,进行欺骗了。当然,这里所谓的教,指的是"朕教"、"文王教",即统治者按他们的意志施行的教,目的在于防止人民反抗。周统治者重视德教的典型例子是"酒诰":

> 厥或诰曰:群饮。汝勿佚,尽执拘以归于周,予其杀。又惟殷之迪,诸臣惟工,乃湎于酒,勿庸杀之,姑惟教之。有斯明享,乃不用我教辞,惟我一人弗恤,弗蠲乃事,时同于杀②。

周公给康叔的这段诰辞说明,一般人群饮酒,格杀勿论。由于周公深知殷纣亡国的重要原因之一是殷王室当权者的淫乱狂饮和官纪败坏。为了笼络殷遗民,周公制定了灵活的刑事政策:殷商旧臣和掌管手工业的百工"湎于酒",则"勿庸杀之","姑惟教之",教劝他们不要纵酒就是了。当然,这种劝教是有限度的,倘若殷人不听"教辞",一意孤行,那就要和一般人一样,把他们杀掉。

《易经》中也有不少反映德教的筮辞:

《临六四》:至临,无咎。

《临六五》:知临,大君之宜,吉。

《临上六》:敦临,吉无咎。

《临六三》:甘临,无攸利,既忧之,无咎。

至,读为质。质,《尔雅·广言》解释为"信也";《左传·襄公九年》注:"诚也"。至临即质临,以诚信临民。以诚信临民,自无咎。知,读为智。《临六五》爻辞的意思是说,以智临民,就能明察万机,曲应咸

---

① 《尚书·无逸》。
② 《尚书·酒诰》。

当，国君若能如此，便是大吉。敦，厚的意思，统治者以敦厚临民，便吉而无咎了。那么，怎样在司法过程中实现诚信临民、以智临民和敦厚临民呢？关键还是教化而不是严刑。《临六三》讲的就是这个道理。甘，即严。严，《说文》解释为"教命急也"，含有强制之意。忧，《说文》解释为"和之行也"，宽和之意。此爻辞意为：以严临民，必然政急刑酷，民有怨心，是没有好处的；若能宽和代替严酷，就能无咎。可见，周统治者在强调以教为主的同时，对教化的方式是有要求的，那就是在教化的过程中切不可操之过急。急于求成，教令严急，就会适得其反，和严刑一样，要引起民怨。

第二，从刑的角度讲，周统治者为实现"慎罚"而制定了一系列指导司法活动的刑罚原则和狱政措施。如区分故意和过失、一贯和偶犯原则，量刑灵活性原则，疑罪从轻原则，上下比罪原则，罪与刑相称原则等等。狱政管理上，实行感化教育，并追究司法官故意出入人罪的刑事责任。这些问题，将在下面刑法和狱政章节中详述。

三、"明德慎罚"思想在西周的三次兴起

《周书》十九篇，大都是周初作品，人们研究西周统治者的立法思想，引用的资料基本上限于《周书》。基于这一原因，加之西周自穆王之后政治上开始走下坡路，因而不少人认为，"明德慎罚"只是周初统治者而且主要是周公的立法思想，在西周历史上不过昙花一现而已。考察金文资料，我们就会发现，"明德慎罚"不仅指导着周初的立法、司法活动，西周中、晚期也一样，它是整个西周时期统治者一贯的立法指导思想。金文中，凡载有"明德慎罚"的铭文，几乎相当集中地汇聚在三个时期：成康时期、共王懿王时期和宣王时期，也说成是西周历史上所谓"盛世"、"安下"和"中兴"时期。西周历史大约经历了三

个阶段：文、武、成、康为第一阶段，昭王、穆王至厉王之前为第二阶段，厉王至平王东迁为第三阶段。联系西周历史的这一发展规律，可以清楚地看出，凡载有"明德慎罚"的铭文，大都在每一历史阶段的社会动乱之后。就说明，大凡经历一次大的或比较大的社会动乱，必将伴随着出现一次"明德慎罚"法律思想的活跃和飞腾，而这次"明德慎罚"思想的活跃和飞腾，反转过来又通过对立法和司法活动的调整，促进了社会的复苏、稳定。

西周"明德慎罚"法律思想的第一次兴起是在文、武、成、康时期。这一时期，既是"明德慎罚"的开创期，也是"明德慎罚"法律思想的繁荣期。周初"明德慎罚"思想的内容，前已提及，不过前引资料大都出自《周书》和《易经》等史籍。印证金文资料，反映周初"明德慎罚"思想的铭文，有代表意义的有三件：成王时期的《班簋》、《师旅鼎》和康王时期的《大盂鼎》。文王、武王主要精力用于"翦商"事业，他们的生涯可以说是在戎马倥偬中度过的。作为西周的开国君主武王，在位也不过三个年头。因此，文、武时期记载"明德慎罚"的青铜器，目前尚未发现。但这并不意味着文王、武王就不重视"明德慎罚"。不少成、康以至西周晚期的铜器铭文表明，"明德慎罚"是文、武、成、康统治时期一贯的法律思想。例如《班簋》就有"惟显敬德"和"亡弗怀刑"的铭文，这是迄今出土铜器铭文中第一次把"德"和"刑"联系在一起的铭文。铭文还称这种"敬德"、"怀刑"思想就是文王的思想，要求子孙切切不可忘记。《大盂鼎》则进一步提出"敏谏罚讼"的主张。谏，即谏，急促的意思。"罚讼"敏捷急速，是说决讼断狱要有期限，不得滞留，以防滥狱、滞狱。周初，由于以"明德慎罚"作为立法、司法指导思想和治国安民的大政方针，所以，殷末大动乱的社会秩序很快就稳定下来，社会经济迅速得到恢复、繁荣，出现了史称"成康之治"的盛世局面。

"明德慎罚"的第二次兴起在共王、懿王时期。反映这一时期"明德慎罚"的铜器铭文极多，主要有共王时期的《师望鼎》、《牧簋》、《师虎簋》、《史墙盘》、《师𩰫鼎》和懿王时期的《㝬钟》、《𧽙匜》[①] 等。"明德慎罚"思想的第二次兴起是由穆王的败德引起的。

穆王即位，西周建国已经百年，"明德慎罚"观念开始淡薄。他一方面穷兵黩武，远征犬戎，"得四白狼、四白鹿以归，自是荒服者不至"[②]；另一方面，"欲肆其心，周行天下"[③]，耗尽民脂民膏，国家财政陷于困境，阶级矛盾尖锐起来。为了镇压人民反抗，穆王又步夏桀、殷纣之后尘，实行高压政策，仅酷刑就增加磔、辜、焚、磬等多种；为了增加财政收入，供其享受挥霍，命吕侯作《吕刑》特作赎刑，以金代罚。穆王时期西周历史的逆转，标志着第一次"明德慎罚"的高潮已经过去。直到穆王晚年，像《诗·周颂·小毖》说的"予其惩而毖其患"，才有点惩前毖后而自责的意思，但为时已晚，困境已难挽回。

穆王死后，共王即位，局面有所好转。大量金文资料表明，共王是个颇重德政的较为开明的君主。1974年陕西扶风强家村出土的《师𩰫鼎》，记载共王对贵族师𩰫的训诰，诰辞中一连用了六个"德"字。"德"出现之多，在迄今出土的铭文中实属仅见。其主要内容是，共王叮嘱师𩰫，要努力以先祖为榜样，为政不可忘德，用刑务须谨慎。1976年扶风法门公社庄白大队出土的《史墙盘》，则更是颂扬文、武、成、康、昭、穆六王的丰功伟绩，强调文王、武王的德政，是研究西周中

---

① 有人将此器断代在宣王时期。
② 《史记·周本纪》。
③ 《左传·昭公十二年》。

期"明德慎罚"思想的难得铭文。引人注意的是,讲穆王德政时,用了"刑率于海,缦宁天子"八个字。这八字的意思是:(穆王)用型范表率来教诲,安定了当今的天子(共王)。唐兰认为,这是讲穆王对共王的教诲,包含着穆王晚期"惩前毖后"的自责。① 共王时期,统治阶级敢于在礼器上大书先祖穆王的自责之辞,其用意是十分显明的。他们之所以这么做,和周初的"殷鉴"一样,是在借共王之口,总结穆王丧德的历史教训。当然,这种姬姓统治者内部的"自鉴",不可能和"殷鉴"一样表现得那样激烈而有深度。正因为如此,共王虽然较为重德,而政治上却始终平平,没有多大起色,西周中期"明德慎罚"的第二次兴起,也就不可能产生像周初那样的社会效果,出现一个所谓的"共王之治"的盛世局面。尽管如此,西周中期社会秩序基本稳定,穆王时期的社会逆境没有急剧逆转下去,与共王重德是有一定关系的。

"明德慎罚"的第三次兴起在西周末期的宣王时期。这次"明德慎罚"之风的兴起与厉王的暴德虐民有关。厉王时期,各种矛盾汇集在一起,社会危机空前严重,所谓"殷鉴"已经被遗忘得一干二净,"明德慎罚"观念则更显得模糊不清了。《史记·周本纪》说,厉王重用荣公,大搞专利,霸占山林,又"得卫巫,使监谤者,以告,则杀之","国人莫敢言,道路以目"。厉王的暴政和刑事高压政策,终于激起人民反抗。公元前841年国人暴动,厉王被逐,逃奔于彘(今山西霍县),其统治宣告结束。厉王的垮台,是周王朝内部最大的一次社会动乱,给周王室的打击也最为严重。所以,宣王即位后,不得不吸取厉王被逐的沉痛教训,努力修德,法文、武、成、康之风,以图维持摇摇欲坠的西

---

① 唐兰:《略论西周微氏家族窖藏铜器群的重要意义》,《文物》1978年3期。

周统治。西周历史上第三次"明德慎罚"思想兴起了。反映宣王"明德慎罚"法律思想的铭文,最典型者是《毛公鼎》和《䢅盨》。

《毛公鼎》是周宣王赏赐毛公厝的一篇命辞。命辞的开头是宣王对文王、武王因与德配而"膺受大命"的追述,接着谆谆告诫毛公厝不可"雍律庶民"、"乃侮鳏寡"和"泐于酒"。这些铭文和《尚书·酒诰》的精神完全一致,无疑是在以厉王被逐而"自鉴"。《䢅盨》是宣王赏赐司法官吏䢅时发布的一篇命辞,文中直接了当地点出厉王被逐事件,告诫奴隶主贵族以此为鉴,修德慎刑,免遭灭亡的命运。命辞的意思是说,上级有司平时怠于政事,不善检束,等到要进退僚属,或民众有罪过时,才派属员去告诉䢅,而自己却照旧淫怠,终于酿成下级僚属和群众驱逐国君和官长的事件。执法者是不能"暴虐纵狱"、随便"钦讯人"的,那样天要降罚我们的。

"明德慎罚"思想的第三次兴起,对于收拾厉王被逐后的残局起了一定作用,使西周历史在内忧外患中又沿续了半个多世纪,并出现了西周历史上又一次所谓的"宣王中兴"。

"明德慎罚"第二三次兴起的主要特点,就是在周初刑事政策基础上,进一步提出"刑中"原则,并将其广泛运用于司法实践之中。

刑中,就是刑罚要适中、恰当,符合法律规定。金文中,"刑中"原则最早见于《牧簋》。该簋是共王册封贵族牧提任司士之职时的一篇命辞。司士,是仅次于司寇的"察狱讼之辞"的司法官吏。西周已建立了较为完备的诸如判决书之类的司法文书制度,司士职责发挥得如何,直接关系着定罪量刑的正确与否。所以,宣王在册命牧任司士之职时,一再叮咛在司法过程中要努力做到"不中不井(刑)"、"不明不中不刑",千万不可"多虐庶民",以致招来"多乱"。

"刑中"是"明德慎罚"法律思想的核心。春秋时期,孔子的"礼乐不兴,则刑罚不中,刑罚不中,则民无所措手足"①,就是"刑中"思想的继承。到了战国,子思写《中庸》一卷,"中"、"德"完全结合,成为儒家道德观念的精髓和立法准则。

总之,"明德慎罚"作为立法指导思想,在不断完善西周的法律制度,促进西周社会的发展、繁荣方面,起了积极作用。这一思想和在其指导下制定的一系列司法原则,在当时的世界立法史上都是无与伦比的,它对我国后世的立法活动以及亚洲各国的立法活动均有深远影响。

春秋时期,孔子提出"道之以政,齐之以刑,民免而无耻;道之以德,齐之以礼,有耻且格"②,主张"不教而杀谓之虐"③,就是周公"明德慎罚"思想的发展。而孔子的这一思想,又萌发了沿续我国封建社会两千多年的立法思想——"德主刑辅"。同时,孔子在"明德慎罚"基础上,又倡导"宽以济猛,猛以济宽,政是以和"和"一张一弛,文武之道"的主张,为我国古代"礼主刑辅"、礼刑并用法律思想增添了新内容。唐代定律,则一准乎礼,于礼以为出入,正如李世民所说的"失礼之禁,著在刑书"④,儒家经典于是法典化了。当时的亚洲诸国,均仿照唐律制定自己的法典。在这些法典中,无一不体现以礼入律的精神。如日本成文法之始祖《宪章》十七条,就是"取法于儒佛二教之旨,斟酌隋朝法制"⑤ 而成的。日本历史上影响最大的法典《大宝律令》,从体例到内容近似唐律,篇篇体现着"德主刑辅"的立法精神。

---

① 《论语·卫君》。
② 《论语·为政》。
③ 《论语·尧曰》。
④ 《全唐书·薄葬诏》。
⑤ 富井政章:《开国五十年史》(汉文本)。

新罗自真德王三年(公元649年)起,根据唐朝法制,改造自己的礼制法规;高丽李氏王朝时期,仿照《周礼》六官,参酌唐朝律令和唐、明行政法典制定自己的法律。所有亚洲各国立法的指导思想,无一不是渊源于西周的"明德慎罚"的。

第二章 立法活动

第一节 立法

一、文王的"有亡荒阅"和"罪人不孥"

周统治者深知法律在国家政治生活中的重要作用,非常重视立法活动。早在文王建国之初,为了巩固、发展奴隶制度,加速"翦商"大业,便"改法度,制正朔"①,制定并颁布了"有亡荒阅"和"罪人不孥"等民事、刑事法规。据《左传·昭公七年》记载:

> 周文王之法曰,"有亡荒阅",所以得天下也。……昔武王数纣之罪以告诸侯曰:"纣为天下逋逃主,萃渊薮。"故夫〔人〕致死焉。

又《孟子·梁惠王下》:

> 关市讥而不征,泽梁无禁,罪人不孥。

"有亡",指逃亡奴隶。荒,大;阅,搜捕。"有亡荒阅",就是对逃亡奴隶进行大搜捕,并物归原主,以维护奴隶主对奴隶的所有权。逃亡,是奴隶反抗奴隶主阶级的重要方式之一。作为一种财富,奴隶逃

---

① 《史记·周本纪》。

亡就意味着奴隶主丧失其财产。周文王制定"有亡荒阅"这一民事法规，和殷纣王"为天下逋逃主,萃渊薮",形成显明对照,因而体现了奴隶主阶级的根本利益,安定了奴隶制统治秩序,得到奴隶主贵族的普遍拥护。"罪人不孥"是文王针对殷朝"罪人以族"[①] 而制定的一条刑事单行法规。"关市讥而不征,泽梁无禁"是周文王为放宽对商贾禁令而制定的一条经济法规。此外,他还制定过《伐崇令》:毋杀人,毋坏屋,毋填井,毋伐树木,毋动六畜,有不如令者,死无赦。所有这些立法,对松弛人们因殷纣王"重刑辟"而形成的对严酷刑罚所产生的畏惧心理,争取民心,安定社会秩序,发展社会经济,均有积极意义,因而得到了周人的支持。

印证地下资料和其它史籍,周文王制定的以上法规大都是付诸于司法实践的。周原卜辞就有两辞记载了周初司法机关捕捉逃奴的情况：

用由逋妾

此由亦此亡

"逋妾",即逃亡女奴,和《尚书·费誓》"臣妾逋逃"是一个意思。《易·比九五》也记载有捕捉逃奴的筮辞：

孚于嘉,吉。

孚,通"俘",引申为捕捉。"孚于嘉",是说在嘉那个地方捉获了逃奴,所以是吉兆。

周文王制定"有亡荒阅"、"罪人不孥"等一系列单项法规,在与殷对峙中"三分天下有其二",并进而为灭殷建周起了重要作用。他的立法活动,虽然和"翦商"事业紧紧连结在一起,带有鲜明的权宜之计

[①] 《尚书·泰誓》。

的色彩,但是,他制定的法律,为武王尤其是周公开展大规模地立法活动奠定了基础。"继文王之体,守文王之法度"①,"乃其速由文王作罚"②。周初立法,其基本精神来自于文王,连定罪处刑都要以文王之法为依据。因此,周文王制定刑事、民事和经济等单行法规,可以看作是周王朝立法活动的开端。正如《公羊传·文公九年》何休作注时说的那样:"文王始受命,制法度。"

二、《九刑》的制定和重修

武王建周之初,立即开始了全面的立法活动。与奴隶制鼎盛王朝的政治经济制度相适应,西周的立法活动自周初以至周末,从未间断过。接立法范围和性质区分,西周立法,大致可分为两大阶段:周初武、成、穆王时期,为立法第一阶段,是西周立法活动的高潮期。这一时期制定的法律,以刑书——《九刑》、《吕刑》为主,还有一些单行土地法规。第二阶段,从西周中期开始至周末,为立法活动的发展变化期。这一时期立法的特点,表现在反映契约债务等民事法规逐渐增多起来。

《九刑》是西周制定的第一部成文刑书。"夏有乱政,而作《禹刑》,商有乱政,而作《汤刑》,周有乱政,而作《九刑》"。究竟《九刑》是何时制定的? 有哪些内容? 由于该刑书早已佚失,现在要作出确切的答复已相当困难。幸好关于《九刑》的记载不独《昭公六年》一处,《左传·文公十八年》引史克的话中也有如下记载:

先君周公制《周礼》,曰:"则以观德,德以处事,事以度功,功

---

① 《公羊传·文公九年》。
② 《尚书·康诰》。

以食民"。作《誓命》曰:"毁则为贼,掩贼为藏,窃贿为盗,盗器为奸。主藏之名,赖奸之用,为大凶德,有常无赦。在《九刑》不忘。"

这一记载已初步涉及到《九刑》的内容和成书概况,如果再印证其它古籍,这一刑书的性质、体例、制定经过和重修概况是可以知其大概的。

首先,《九刑》是一部规定犯罪与刑罚的成文刑书。周公作《誓命》所引的"毁则为贼,掩贼为藏,窃贿为盗,盗器为奸"四句话十六个字,虽然字数不多,在《九刑》内容中只不过是片言只句,而它却明确地表示出这十六个字是《九刑》刑书关于犯罪的规定。它反映的罪名分别是:

贼罪。"毁则为贼"就是毁礼败法。则,指礼仪法则。毁弃礼仪、败坏法纪谓之贼。《孟子·梁惠王下》:"贼仁者谓之贼。"郑注:"毁则,坏法也。"

藏罪。藏,读为"赃"①。掩,藏匿② 的意思。"掩贼为藏",即犯有隐庇贼人而谋取赃物之罪,简称窝赃罪。

盗罪。"窃贿为盗"。贿泛指财物。"窃人财贿谓之盗"③,盗即盗窃罪。

奸罪。"盗器为奸",指犯有盗窃宝器罪。器,指玉器、重器和礼器等贵重之物。《九刑》把盗窃罪分为盗罪和奸罪两种,盗窃一般财物谓之盗,盗人宝物以奸论。奸罪等于战国时李悝《法经》中所说的"大盗"。盗和大盗,处刑轻重有别。

---

① 藏与赃通。
② 《左传·文公十八年》杜注:"掩·匿也"。
③ 《左传·文公十八年》孔疏。

这四种犯罪,其中贼、赃二罪属于毁礼弃法的国事罪,盗和奸是保护奴隶主贵族政治、经济权益的法律规定,都是些"为大凶德"的重大犯罪,要按《九刑》所定之刑罚,"有常无赦"。周公作《誓命》时只引了这四种重大罪名,由此推论,《九刑》关于犯罪的规定一定不止如此四项,在贼、赃、盗、奸之外,还会有其它轻于"大凶德"的一般罪名。

有犯罪就有刑罚。对贼、赃、盗、奸诸罪"有常无赦",就是按常刑惩罚之。那么,《九刑》规定有哪些常刑呢? 这是个已经争议了几千年的历史悬案,因史籍中找不到任何第一手资料,现在只能从《九刑》的篇章结构上去推断。《九刑》,顾名思义,就是有九种刑罚。至于是哪九种刑罚,历来说法也不一样。一种说法,九刑包括"正刑一"和"议刑八"①。"正刑一",指墨、劓、刖、宫、大辟之一种;"议刑八",即《周礼》所载"八辟":议亲、议故、议贤、议能、议功、议贵、议勤、议宾。五刑和八辟即后世的八议,是两种性质截然不同的法律制度。前者是刑罚种类,后者为刑法原则,将此二者混为一谈而统统归之于刑罚,是绝对无法令人信服的。另一种说法是,所谓九刑,当指墨、劓、刖、宫、大辟奴隶制五刑和流、赎、鞭、扑四刑②。这一说法比较切合西周实际。因为这九种刑罚无论前五刑或后四刑,都是周统治者用以惩罚犯罪的法定刑。前五刑已为众所公认无有疑义,后四刑,金文资料均有记载,也是司法活动中依法惩罚犯罪的重要手段。从这九种刑罚的适用范围看,虽然前五刑和后四刑的惩罚对象各不相同,但是在惩罚犯罪这点上则是一致的,而且都被国家法律所认可。前五刑,据《周礼·司刑》记载,主要用以"丽万民之罪",后四刑,见于《尚书·

---

① 《周礼·司刑》疏引贾逵、服虔语。
② 见《汉书·刑法志》、《尚书·吕刑》郑注和《周礼·司刑》疏引郑注《尧典》。

尧典》:"流宥五刑,鞭作官刑,扑作教刑,金作赎刑",是用以"怙终贼杀"的。由此可见,所谓九刑,是指墨、劓、刖、宫、大辟和流、赎、鞭、扑九种刑罚。周初定律,以这九种刑罚定篇名,确定刑书体例,因此把这部刑书叫做《九刑》。如果这一推论能够成立的话,那么,《周礼》所载"墨罪五百、劓罪五百、宫罪五百、刖罪五百、杀罪五百"的二千五百条细目和《吕刑》的五刑三千条细目,也就不难理解了。此两刑书所说的墨、劓、刖(剕)、宫、大辟(杀),是刑书的篇名,其五百条、二千五百条或三千条,当指适用于各种刑罚的犯罪类别。以刑罚种类定篇名,是刑书结构不完备的表现。大约到战国时期的李悝,他改革刑制,制定《法经》,才改变了这种简陋的法典编撰形式,使法典在篇章结构上由以刑种定篇名发展成为以犯罪和刑罚定体例。此后,整个封建社会各个朝代的法典,基本上均沿用《法经》的编撰形式。

其次,关于《九刑》的制定时间,大约在周公制礼之前。从《左传·文公十八年》史克的话可以看出,那四种罪名,出自周公《誓命》的引文。《誓命》已经散失,无法考知其写作年代,但文中把周公作《誓命》和周公制礼在时间上列为并列成分,又说周公作《誓命》时引用了《九刑》规定的四种罪名。由此推论,《九刑》的制定肯定在周公制礼之前,即武王建周之初。正因为《九刑》是一部建国之初草草而成的急救章,因此,周统治者在以后的年月里又作了两次重大的修订。第一次修订《九刑》在成王四年:

> 维四年孟夏,王命大正正刑书。太史策刑书九篇以升授大正,大正坐举书乃中降,再拜稽首。太史乃藏之盟府,以为岁典①。

---

① 《逸周书·尝麦解》。

沈家本说:"此成王之四年,大正,盖司寇也。正者,盖修改之。曰授、曰举、曰藏,实有书在,是周之律令有书矣。"① 沈家本把第一次修订《九刑》定为成王四年,并反证出西周确有《九刑》之类的刑书存在,是完全正确的。根据这一记载,我们还可以了解到周初第一次修订《九刑》的大致经过。

成王四年,正值周公摄政时期,说明这次立法活动是在周公主持下进行的。"王命大正正刑书",实际上是受周公之命。但是,这次立法,看来绝非出自一人之手,而是一次大规模地运用了司寇和太史两大官僚机构的集体活动。司寇,中央最高司法长官,也是中央司法机关的名称。"大正正刑书",说明这次修律由中央司法机关总领其成;"太史策刑书九篇以升授大正"并"藏之盟府",说明重修《九刑》的具体事务由史官太史承担。

《九刑》的第二次修改在西周晚期。《左传·昭公六年》:"周有乱政,而作《九刑》,三辟之兴,皆叔世也"。有人据此断定《九刑》作于西周晚期②,这是误解。"叔世",即末世,指的是西周晚期所谓"乱政"时期。从文意上解释,《九刑》作于西周晚期是讲得通的,但它与西周立法实际并不符合。既然《九刑》作于西周"叔世",则周初周公作《誓命》引《九刑》原文和《逸周书·尝麦解》"王命大正正刑书,太史策刑书九篇以升授大正"等记载就无法解释了。其实,《汤刑》也不是殷代晚期才制定的。《竹书纪年》祖甲二十四年"重作《汤刑》",说明《汤刑》早已制定,祖甲时期又作了一次重修。和祖甲"重作《汤刑》"一样,《左传》所说的"作"不能理解为制作的"作",而是"重作"的"作","作"

---

① 沈家本:《历代刑法考》。
② 同上书。

当重新修订讲。那么,西周晚期,特别是厉王暴政之后,阶级矛盾尖锐,"乱政"了,为了镇压人民反抗活动,根据刑罚"世轻世重"原则,再次修订《九刑》就很易理解了。当然,这次修订《九刑》,并没有能够挽救周王室岌岌可危的残败局面,很快,姬周政权在"乱政"中被倾覆了。

三、周公的土地立法

分封制的主要内容是分封土地于邦国诸侯。西周封国当中,最重要的有卫、鲁、齐、宋、晋、燕等国,他们绝大多数原来都处在殷王朝统治之下,为了减少他们与周王朝的对立情绪,保证分封制度的顺利进行,周公便制定了既尊重他们的旧有习惯同时又有背离周人法律轨迹的新的土地法令。这点,《左传·定公四年》有一段详细记载:

> 昔武王克商,成王定之,选建明德,以蕃屏周。故周公相王室,以尹天下,于周为睦。分鲁公……殷民六族,……使帅其宗氏,辑其分族,将其丑类,以法则周公……;分康叔……殷民七族,……皆启以商政,疆以周索;分唐叔……怀姓九宗,……启以夏政,疆以戎索。

这段话明白地告诉我们,所谓"启以商政,疆以周索"、"启以夏政,疆以戎索"是成王时期"周公相王室,以尹天下"之际颁布的"以法则周公"的周公之法。周公的这一法令表现在施政方针上,无论鲁、卫或晋地,均可采用"商政"或"夏政",具体地说,就是对"殷民六族"、"殷民七族"及"怀姓九宗","使帅其宗氏,辑其分族,将其丑类",即允许他们保留各自原来的社会组织不变,并由他们自己的首领去统帅他们。但是,对土地这一关系着分封制命运的问题,周王室则不实行一刀切式的所谓"商政"或"夏政",而是根据不同情况有选择、有针对性地在有的地区"疆以周索",有的地区"疆以戎索"。

疆,就是按照法律规定划定土地疆界;索,法律①。晋国,是夏人的故里,那里夏遗民与戎人杂居,与周人敌对情绪不大,因此,周统治者不仅对其"启以夏政",还允许"疆以戎索"。鲁、卫二国就不同了。那儿尤其是卫国,地属商人故里,武王灭商后殷遗民的复国情绪一直十分强烈,因而对他们一方面在政治上"启以商政",作适当让步,以实现以夷制夷的目的;另一方面,制定新的土地法规,"疆以周索",在土地这一根本问题上,用周公之法去约束他们,使其慑于法律威力而归服。

贯穿于"启以商政,疆以周索"、"启以夏政,疆以戎索"土地法令的总精神,是"选建明德,以蕃屏周"。"德"是制定这一法令的出发点。"商政"、"夏政"、"周索"、"戎索",充分体现出德治的灵活性和在具体运用中的区别对待。德又不排除灵活政策中的法治原则。无论"周索"、"戎索"都必须以"索"——法律为准绳。换句话说,就是通过不同的统治政策,以"商政"、"夏政"、"周索"、"戎索"等各种渠道,把各不相同的诸侯国最后拉入一条轨道——"经蕃屏周"。可见,周公的土地法令是他"明德慎罚"立法思想的有机组成部分,是这一立法思想在土地立法中的具体运用。

周公土地法令的内容是什么呢?《左传·定公四年》没有详细记载,它仅仅提到"分之土田陪敦"一句话。我们依据这一片言只语,寻根求源,还是可以知其一鳞半爪的。"土田陪敦"就是《诗·鲁颂·閟宫》诗中的"土田附庸",《䪫生簋》称作"仆墉土田"。仆墉或附庸或陪敦,是奴隶;土田,在这里指份地。土地和附庸合在一起,指的是分封

---

① 《左传·定公四年》杜预注。

给各级奴隶主贵族的份地及其在份地上耕作的奴隶。"疆以周索",是说在给奴隶主贵族分封土地(包括土地上的耕作奴隶)时,要按西周的法律划定疆界,以确认奴隶主贵族对所封土地和奴隶的占有权、使用权。《诗·小雅·信南山》"我疆我理,南东其亩"似乎就是这一制度在人民歌声中的反映。郑玄给这首诗作注时说:"疆,划经界也;理,分地理也",其意正好吻合。西周实行的是方块井字田,而且还要三年一换主,使人人耕作能够脊肥平均。所有这些制度,更需疆理地界必须严格、及时,成为定制。由此推论,所谓"疆以周索"、"疆以戎索",实际上就是一种规定土地分配制度的单行土地法规。这一制度实行的前提是周王掌握大量公田——藉田,因而,韦昭给《国语·鲁语下》"周公之藉"作注时说:"藉田之法,周公所制也。""藉田之法"即公田分配的法律规定,也就是周公的"疆以周索"、"疆以戎索"土地法令。周初,周公制定土地法令,完全出于分封制的需要,与井田制、藉田制亦密切相关。在当时,只有推行这种法令,才是实现"各安其宅,各田其田,毋故毋私,唯仁之亲"① 政治局面,稳定社会秩序的大政方针之一。实践证明,周公的土地法令,在周初对维护周王土地所有制,保证分封制的顺利进行,争取、团结各封国拱卫周室均起了重要作用。尽管殷人因以"周索"疆理土地可能会有所不满,但周统治者对他们实行"启以商政",这比之以单一的武力镇压要好得多。

四、《吕刑》的制定和内容

穆王时期,西周建国已经百年,当时财政空虚,阶级矛盾尖锐起来。穆王为了稳定政局,增加财源,任命吕侯为司寇,对周初的各种

---

① 《尚书大传·大战篇》。

法律法令,损益详定,制定了继《九刑》之后的又一部比较成熟的成文刑书——《吕刑》。吕侯,《史记》、《诗经》均作甫侯,受封于南阳宛县西郊(今河南省南阳县),因此,《吕刑》又称作《甫刑》。

《吕刑》是不是穆王时期吕侯所作,学者们作过大量探究。有的学者把《吕刑》的成书年代断在春秋时期的吕国:

> 《吕刑》旧说作于周穆王末年,不可靠。春秋时中国始有成文的刑律,《吕刑》一篇,由其文体而言,以作于春秋时代为宜。文中尊崇伯夷,在禹与后稷之上。伯夷是吕国的祖先,可见《吕刑》当是吕国的刑书。①

这一论断是有一定道理的。诚然,"由其文体而言",《吕刑》确乎不像是一部成文的结构谨严的刑法典,其中肯定有后人的附会。究竟是不是吕国刑书,姑且不去论它。这儿需要补充的是,今本《尚书·吕刑》和周穆王命令吕侯制定的《吕刑》是两码事,《尚书·吕刑》有后人的附会并不能否定吕侯制定过《吕刑》这一历史事实。简而言之,《吕刑》共分三大部分,一、三部分,其中心思想强调德、刑二字,这和周统治者的立法思想——"明德慎罚"完全一致。其第二部分记载的不少刑罚原则、审判制度,无一不是"明德慎罚"思想在司法实践中的具体运用。尤其引人注目的是,大量青铜器铭文特别是解放后出土的不少铜器铭文所载司法判例,如《㺇匜》、《曶鼎》等等,所反映的诉讼程序、刑罚原则、量刑标准以及刑罚种类和《吕刑》第二部分内容几乎完全符合。这点以下各章还要详细阐述。司马迁是一位现实主义史学家,他学识渊博,绝不武断,在鉴别史料、考证旧事上更富有疑古精神,但他在《史记·周本纪》中却基本上照录了《吕刑》第二部分原

---

① 郭沫若:《中国古代社会研究》。

文,这绝非没有道理。因此,在考古事业兴旺发达,地下遗存大量出土的今天,我们有充分的根据对《吕刑》作一重新评定:周穆王责令司寇吕侯制定成文刑书《吕刑》是历史的存在,今本《尚书·吕刑》虽有后人附会,其基本精神和已经佚失的吕侯《吕刑》是一致的,其中第二部分——《吕刑》的主体内容和吕侯制定的《吕刑》完全一致,是今天研究穆王立法活动的可靠资料。

《吕刑》共三部分二十二目。第一部分(自文首至"其宁惟永"):介绍《吕刑》制定经过和立法指导思想。这部分包括两层意思:

第一层(自文首至"作刑以诘四方"):叙述吕侯制刑的缘由和时代背景。穆王在位,周王朝已经"享国百年",当时因为穆王的好大喜功、穷兵黩武和周游天下,财政困难,阶级矛盾尖锐,国力开始衰败。为了扭转这一政局,"吕命穆王"而"度〔时〕作刑"①。就是说吕侯受命于穆王担任司寇之职,度量时世的变迁,应时而作《吕刑》。所谓"度时",其中一个主要的方面,就是"训夏赎刑"。赎刑,以财赎罪的一个刑种。吕侯在夏代赎刑基础上改革赎刑。说明吕侯制刑,把通过赎刑增加政府收入当作一项重要的渠道。当然,其主要目的还在于"作刑以诘四方",就是让四方诸侯再度归服,以图恢复周初的天下大治的政治局面。

第二层(自"王曰:若古有训"至"其宁惟永"):从总结蚩尤重刑暴虐而遭上帝惩罚的历史教训入手,提出"惟敬五刑,以成三德"的主张。由于"苗民弗用灵,制以刑,惟作五虐之刑曰法,杀戮无辜",触怒了上帝,上帝便"报虐以威,遏绝苗民",严厉惩罚了蚩尤的倒行逆施行为。接着,上帝"乃命三后,恤功于民:伯夷降典,折民惟刑"。就是

---

① 《汉书·刑法志》作"度时作刑"。

说上帝命令伯益、禹和稷三位大臣,重新慎重处理治民大事,并责令伯夷改革法制,制定新的律令,教民知礼,然后用刑。吕侯在这里借神话传说而道出了自己的立法主张:"惟敬五刑,以成三德"。谨慎地使用刑罚是手段,成就"三德"——正直、刚克、柔克① 是目的。在周统治者眼里,只有实行德治,人民才能心服意服,他们的社稷就可"其宁惟永"。以德治民,绝非放弃刑罚,只是要求用刑时能够做到"中"——公正不阿,刑如其罪。周穆王的这一立法思想和文、武、成、康的立法思想毫无相异之处,可是,纵观周穆王其人,他的政治活动几乎和这一立法思想没有任何共同之点。一方面肯定《吕刑》的制作年代在穆王时期,另一方面又承认穆王的法律思想与"明德慎罚"格格不入,这不就成为矛盾了吗?其实这一矛盾并不难解决。前面在第一章里已经说过,穆王晚期对其周游寻乐,崇信武力导致政局危机的作法是有一定的反省自责的,因而总想推行一些政治改革,谋图扭转残局。制定《吕刑》就是他进行政治改革的一个重要方面。由此而论,《吕刑》的制定年代不仅可以定在这一时期,甚至还可以比较准确地把《吕刑》的成书断在穆王晚期。

第二部分(自"有邦有土"至"有并两刑"):规定了一系列刑罚种类,适用刑罚的原则和其它一些司法制度。这部分可分为五层意思:第一层(自"有邦有土"至"非及"):从总体上提出所谓"祥刑"的标准——"何择?非人;何敬?非刑;何度?非及"。"祥刑","善用刑之道也"②。善于用刑的标准就是:选择贤人,掌握刑罚,谨慎使用,轻重有别。以下三层分别叙述实现这一标准在刑罚适用上的具体措施。

---

① 《尚书·洪范》。
② 《史记·周本征》注引孔安国语。

第二层(自"两造具备"至"具严天威"):讲述刑书规定的诉讼程序和审判制度。所有刑书规定的诉讼程序和各种审判制度,贯穿着一个总精神,那就是法官在诉讼过程中处处要注意两造言辞神情的细微变化,核实口供,查清案情,"其审克之"。最值得注意的是,刑书在这部分提出"疑案有赦"、"疑罪惟轻"和"无简不听,具严天威"的审判原则。他们从"明德慎罚"思想出发,认为即使疑案赦免、疑罪从轻,也不能枉杀无辜,无罪处刑。"无简不听,具严天威"更是罪刑法定主义在《吕刑》审判制度中的萌发。简,简册,这儿可引申为刑书。无简,刑书无明文规定。周统治者借助天帝威严推行罪刑法定主张,不仅在当时具有进步意义,对后世法典的编撰也产生了深远影响。《晋律》规定:"断罪皆当以律令正文,若无正文,……勿论"[①];《唐律疏议·断狱》:"诸断罪皆须引律令格式正文,违者笞五十"。

第三层(自"墨辟疑赦"至"阅实其罪"):规定了赎刑制度。其制度主要包括赎的范围和赎金数额。按规定,只要"阅实其罪",就是在核实确定罪行之后,从墨辟直至大辟,都可以纳金(铜)赎罪,以免肉刑和死刑。五刑的赎金数额分别是:

墨辟——罚铜六百两;

劓辟——罚铜一千二百两;

剕辟——罚铜三千两;

宫辟——罚铜三千六百两;

大辟——罚铜六千两[②]。

第四层(自"墨罚之属千"至"五刑之属三千"):规定五刑名称、位

---

① 《晋书·刑法志》。
② 此处采用一锾(锊)六两之说。另外还有一锾(锊)六两大半两等说法。"墨辟疑赦,其罚百锊","百锾"即六百两。锾,金文写作锊,货币单位。

次和细目。五刑名称和位次是：墨、劓、剕、宫、大辟，其罚罪时的具体细目，从墨至大辟分别为一千、一千、五百、三百、二百，总共三千条。

第五层（自"上下比罪"至"有并两刑"）：列述刑罚原则和其它审判制度。《吕刑》规定的刑罚原则，主要有"上下比罪"的比附类推原则，"有并两刑"的并合论罪原则以及"上刑适轻下服，下刑适重上服"的灵活性原则等等。在审判制度上还第一次提出判例的可适用性。《吕刑》说：在审判时，"有伦（判例）有要（法律条文）"，即判例和法律条文同等重要，均有法律效力。对于司法官，《吕刑》规定："非佞折狱，惟良折狱，罔非在中"，要求不要让那些佞臣污吏去审理案件，要选择公正不私的良人充任司法官，只有这样，审理案件才能中正不阿，刑罚恰如其罪。

第三部分（自"呜呼！敬之哉！"至完）：照应第一部分，再次强调择人掌刑、兼听两辞、求实避虚以及杜绝贪赃枉法的重要性。刑书以"受王嘉师，监于兹祥刑"而结束，要求所有善良的人们都要接受王的教训，认真对待善于用刑的道理。

从上述《吕刑》内容看，《吕刑》的制定，主观上，完全出于统治阶级的需要，客观上，却对奴隶制刑制进行了不少有益的改革。

第一，对奴隶制五刑的名称、次序和细目作了较大幅度的改动。《周礼》五刑的名称为墨、劓、宫、刖、杀，《吕刑》改刖为剕，改杀为大辟。在五刑排列次序上，《吕刑》把刖和宫两种刑罚换位了，宫刑代替刖形成为仅次于死刑的最重刑种。这点对后世刑罚制度有较大影响，西周以后历代王朝在五刑位次排列上一直沿用而未有改动。五刑细目改动颇大。在总条目上，变原来的五刑各五百共二千五百条为墨、劓各千，剕五百，宫三百、大辟二百，共三千条。改革后的五刑细目，死刑、宫刑等重罚条目显明大大减少。统治者这么做的原因，固然与松弛人们对重刑、酷刑的畏惧心理,缓和日益激化的阶级矛盾有关,而更重要的原因还在于他们的政治和经济的需要。当时,财政收入大减,奴隶来源日少,但奴隶和自由民在生产中的作用反而越来越大,减少对作为生产力主要对象的奴隶和平民的大量杀戮和严重伤残,对于提高他们的生产积极性,增加财政收入无疑是有好处的。主要愿望不可能一一变成现实。奴隶主阶级的伪善"恩赐"决不可能彻底遏制住奴隶的逃亡和平民的反抗,这就是周统治者减少死刑、宫刑条目而又成倍增加墨、劓轻刑条目的根源所在。墨、劓刑罚经常、广泛地使用,一方面便于及时镇压奴隶和平民的反抗活动,另一方面,对奴隶和平民施加刑罚又不会使劳动力受到过大影响。解放后陕西岐山出土的西周刖刑骨架和多次发现《刖刑奴隶守门鬲》,说明刖刑在西周被普通使用。刖刑细目《吕刑》、《周礼》未变,在五刑中位居轻重之间,这种刑罚能广泛使用,墨、劓轻刑在司法实践中定会更加经常地用于残害人民。

第二,制定了旨在搜刮民脂民膏的赎刑制度。《吕刑》规定,不仅墨、劓可以以铜赎罪,就是死刑也允许铜赎。周统治者把赎刑的范围扩大到如此地步,足以说明周王室的财政困境已到了何种地步。周穆王扩大赎刑范围,不外乎两个目的:其一,搜刮民财,充实国库,解决财政危机;其二,为奴隶主贵族和官吏犯罪大开绿灯。

第三,穆王的刑制改革,制定了不少周初法律不曾具备的有利于法律制度进一步完善的司法原则和审判制度,这些原则和制度在后来的封建法典中大都被沿用并以此为基础作了进一步的发展。如果说《唐律疏议》是中华法系发达时期的具有代表性的法典的话,《吕刑》则是早期中华法系的典型。《吕刑》很似今日刑法和刑事诉讼法之雏形,它在中国法律发展史上占有相当重要的地位。

五、西周中晚期立法活动的发展和变化

在所有权上,周初实行的是国家所有权即周王所有权,而事实上,随私田的增多,这种所有权在逐步地发生变异。私田,周初已经萌发,从西周中期共王时起,其数量已相当可观。这种新的孕育在奴隶制母体内的封建生产关系的萌芽,不仅冲刷着奴隶制国有制的经济基础,还将引起旧有法律关系的变化。西周中晚期法律关系变化最显著的标志,就是反映物权转移的民事立法活跃并增多起来。截止目前,能被金文资料证实的民事方面的立法,见于史籍的主要有"八成"和"六约"。与之相适应,财政、商业、税收以及行政立法,在金文资料中亦见端倪。

所谓"八成",指涉及民事、民讼、行政等方面的八种单行法规。其内容见于《周礼·天官·小宰》:

> 以官府之八成经邦治。一曰听政役以比居,二曰听师田以简稽,三曰听闾里以版图,四曰听称责以傅别,五曰听禄位以礼命,六曰听取予以书契,七曰听买卖以质剂,八曰听出入以要会。

这段话的大意是:小宰的职责是以八项成事品式治理邦国。第一,老百姓之间发生赋役力役的争讼,则根据户籍去断决;第二,考核军旅、田猎,决定黜陟,首先要查实兵器,核计人数;第三,闾里间的各种纠纷,按户籍地图断决;第四,债务纠纷,根据契约、卷书听断;第五,禄位之争,按礼籍策命听断;第六,官民间的贷款纠纷,按书契券书断决;第七,买卖交易争端,以契约断决;第八,官府财物出入方面的争纷,依会计簿书断决。这八条当中,第二条属于军事行政法规,第五、八条为行政法规,其它五条均属民事立法和民事诉讼立法。从八条的性质分析,无论赋役、版图、债务、借贷、买卖哪方面的纠纷及

其听断的规定,都可划归诉讼法,具体地说可划入民事诉讼法的范畴。因为在西周,行政与民事,军政与民事常常出现混杂现象。民事诉讼法的发达,能直接或间接地反映出民法、行政法、军法以及经济法律规范的水平。

"八成"所构成的诉讼,一般属于轻微诉讼案件,因此,将这类案件的裁决权从立法的角度划归行政官吏小宰,实际上以调解裁定方式而息讼。倘若民事诉讼超越其范围转化成为刑事问题,小宰则无权过问,便要转归司寇去解决。所谓"六约"法规就是为适应这种情况而制定的。"六约"包括"治神之约"、"治民之约"、"治地之约"、"治功之约"、"治器之约"、"治挚之约"等六种契约的管理规定和因违反契约誓言而酿成的诉讼的审理和惩罚的法律规定。"治神之约"包括对祭祀神明活动的管理和处罚一切违背祭祀命约的行为。"治民之约"包括对买卖、赊欠、纳税等契约券书的管理和惩罚违约者。"治地之约"包括土地使用、转让契约的管理和对违约者的惩罚。"治功之约"是关于记功方面的要约管理,"治器之约"是关于礼器使用、转移和赠与方面的要约管理,"治挚之约"指相见时礼仪制度的管理。所有这六种要约券书由中央司法机关属吏司约管辖,并由其依法对各种违约行为,分别处以从墨刑直至死刑的刑罚[①]。沈家本在论述《周礼·司约》有关规定时说,《司约》中所载对违约者分别处以"一墨一杀,乃周时刑书(《九刑》)之仅存者"[②]。沈家本运用史籍互相印证的方法意识到西周法律对违约者处以墨刑或死刑,是能够见到的西周刑书的残断律文,对清末学者来说的确是件不容易的事。事实上,西

---

① "六约"内容见《周礼·秋官·司约》。
② **沈家本**:《历代刑法考》。

周刑书之幸存部分,何止"一墨一杀"?"八成"、"六约"。有关田土、财产所有权及赋役、租赁、买卖、奖惩等各种法律规定,金文资料均有不同程度的反映,有的简直就是西周法条的再现。这点下面民事法规一章将详细叙述。

反映"私田"势力的民事立法的活跃,标志着西周立法活动进入一个新阶段。它还说明刚刚出现的新的封建法律关系在其孕育阶段,就已表现出必将战胜旧的奴隶制法律制度的不可抗拒性和强大的生命力,周统治者从中期开始被迫重视民事、经济等方面的立法,就是这种力量最好的反证。

六、西周立法特点

成文刑书与单项法规并行是西周立法的第一个特点。周初制定的《九刑》和穆王制定的《吕刑》是成文刑书,"八成"、"六约"和其一些法律令为单项法规。凡成文刑书均为刑事,其中包括刑事诉讼方面的典章,而单项法规基本上限于民事方面。成文刑书比较稳定,适用时间长。一部《九刑》,从周初开始,成王时期修订后一直沿用到周末。单行法规则不同,大都是些临时制作,非长久使用的应时之作。有的单行法规甚至带有地域限制,一旦离开特定环境,这种法规便失去法律效力。如"启以商政,疆以周索"只能适用于鲁、卫侯国而不能在晋地使用;"启以夏政,疆以戎索"则相反,晋国适用,鲁、卫则不适用。但是,作为刑事镇压暴力工具的刑书《九刑》和《吕刑》,无论鲁、卫或晋国,其法律效力等同,只要侵犯奴隶主阶级权益,都须依据刑书规定,严刑惩处。周统治者采用成文刑书和单项法规分别制定而并行的立法形式,充分反映出他们在立法活动上的灵活性。单项法规,一般用来调整民事关系,这种法规制定起来简便,修订也不困难,大量运用它只能促进奴隶制经济的发达,对奴隶主贵族有利。所以,两种立法形式,其目的是一致的,那就是使法律通过多种渠道为统治者服务。

西周立法的又一个特点,就是立法机构民刑有所区分。沈家本在《历代刑法考·律令》中说:

> 大宰之六典曰建,小宰之宫刑亦曰建,是大宰为立法官而小宰佐之者也。大司寇之三典亦曰建,则立法之事大司寇亦与闻之。至小司寇以下,则皆奉行之人,不得干与立法之权矣。自来立法之权统于一方无纷歧之弊。大宰为执政之人,大司寇为刑官之长,故任立法之事者仅此数人,未闻筑室道谋而能有成者也。

沈家本把大宰按《周礼》说法定为百官之长,尚无包括金文资料在内的可靠史料作旁证,而他把立法实际权力掌握者归在中央行政和司法最高长官少数人身上是有道理的。不仅如此,民事立法和刑法立法其立法机构还有区别。原则上,民事法律的制定由行政机构负责,而刑事方面的立法由司法机构负责。周公制定"疆以周索"、"疆以戎索"土地法规时,其官职为太师兼理宰职,"相王室以尹天下",总揽国家一切政务,是中央最高行政长官,这点和《周礼》记载的"八成"、"六约"立法由中央最高执政长官负责是一致的。这说明民事方面的立法权在中央行政部门,由最高行政长官总其成。《吕刑》的制定者是司寇吕侯,《九刑》也是"王命大正(司寇)"修订的,可见刑书立法权在司寇手中,由中央最高司法官总负其责。司寇有立法权和法律行使权,但刑书收藏权则在太史——史官之长手里,由太史"藏之盟府",用以监督司寇法外用刑。

西周立法的第三个特点,是以"象魏"形式公布单行法规法令或其它政令。"象"、"魏"是有区别的。"象",指象形、图画;魏,又称"阙"或"观",是天子、诸侯宫门外边一对高高耸立的建筑物。这对建筑物巍然而立,因而"魏"和"阙"、"观"亦可连称谓之"魏阙"、"魏观"。"魏阙"、"魏观"是用来公布国家法令、政令的场所,久而久之,"魏阙"、"魏观"便成为法令、政令的代名词了。因为在其上面公布的法令、政令采用图画形式,故谓之"象魏"。"象魏"上公布的法令,叫做"刑象",由大司寇负责发布:"正月之吉,始和,布刑于邦、国、都、鄙,乃悬刑象之法于象魏,使万民观刑象,挟日而敛之"。"挟日而敛之"①,就是公布十天便收藏起来。"象魏"上公布的政令叫做"治象",由大宰负责发布:"正月之吉,始和,布治于邦、国、都、鄙,乃悬治象之法于象魏,使万民观治象,挟日而敛之。"②

西周公布"治象",不会引起什么争议。公布法令却很难被人们接受。因为《左传·昭公六年》曾有过"昔先王议事以制,不为刑辟,……民知有辟,则不忌于上"的记载。按《左传》说法,西周时期不但不公布法律,甚至连成文法都没有,显然,这和西周的实际情况是不相符合的。西周是否公布成文刑书,目前还没有见到可靠的佐证资料,而单项法规的公诸于众,金文、史籍均有实例可寻。《兮甲盘》就记载着两道兮甲奉周王之命到南淮夷地区征收成周及东方诸侯委积时发布的法令:

> 淮夷旧我帛贿人,毋敢不出其责(积)、其进人。其贾毋敢不即次,即市。敢不用命,则即刑,扑伐;
>
> 其唯我诸侯、百姓,厥贾毋敢不即市,毋敢或有入蛮宄贾,则

---

① 《周礼·秋官·大司寇》。
② 《周礼·天官·大宰》。

亦刑。

第一条法令的大意是：淮夷本是我周王室的贡赋臣民，不敢不缴纳贡赋和派送力役，商贾们不敢不缴纳关市之税。谁敢不服从这一法令，则即以刑罚惩处，甚至发兵镇压，大刑殛之。第二条法令的大意是：诸侯、百姓如有不缴纳关市之征，或为逃避征税而潜入蛮夷地区从事奸商活动的，也要处以刑罚。这是周王室给诸侯方国公开发布的单项法令。另外，《尚书·费誓》还有关于惩罚盗窃、越城、拒纳军赋的单项法规的记载：

马牛其风，臣妾逋逃，勿敢越逐。祗复之，我商赉汝。乃越逐，不复，汝则有常刑；

无敢寇攘，逾垣墙，窃马牛，诱臣妾，汝则有常刑；

鲁人三郊三遂，峙乃刍茭，无敢不多，汝则有大刑。

周统治者向诸侯、百姓、商贾公布这些临时制定的有针对性的单项法令，其目的是让人们知法守法，"无敢越逐"、"无敢寇攘"，及时地向周王室纳贡进役，充当顺服臣民；同时要让大家懂得，"敢不用命"，"则有常刑"而待之。公布单项法规法令，只能增强刑罚的震慑力，使统治者得到好处，他们何乐而不为？当然，他们给平民百姓公布的"刑象"，只是将一般法令图形化而已，好让许多不识字的平民百姓能够看懂其内容。这里也并不包括犯什么罪处什么刑的具体条文，这么做，对奴隶主贵族对广大奴隶任意用刑，肆虐无辜没有任何妨碍，至于奴隶主贵族，根本不存在法律的公布与否问题。金文中记载的大量判例，都是奴隶主贵族亲自铭刻在青铜器上的司法实践。那上面犯什么罪，处什么刑以及量刑原则等等都记录得清清楚楚。单项法规法令的公布，只适用于普通老百姓。

以上单项法令的公布，有的没有时间限制。如《兮甲盘》所述的以向侯国征收贡赋为内容的法令,随时可以颁布。西周有无在"正月之吉,始和"季节里定期公布法令的制度,现在已难以搞清楚。如果有的话,《尚书·费誓》所载有普遍适用性的禁盗等方面的法规有定期公诸于众的可能。因为这种法令,虽有专指,内容单一,但在适用范围和对象上,带有普遍意义,不和《兮甲盘》一样,受地区和对象的限制。

民事单项法规是否公布于众呢?因为民事法规一般用以确定有产者之间的权利、义务关系,民事争讼,大都在有产者之间进行,所以这种法规没有秘密的必要。每年定期公布的"治象"很可能包括这些方面的内容。

第二节 制礼

一、礼的产生和发展

礼早在原始社会末期就有了。那种礼,仅仅是一些简陋、朴素而不成文的礼节仪式和风俗习惯。它虽为人们共同遵守,对人们的行为有一定强制力、约束力,但无阶级压迫性质,不经国家机关强制执行。作为阶级统治工具的礼,是从夏商开始的。"殷因于夏礼,所损益,可知也"[①],这说明夏代有礼,而且对殷代的礼有其历史的影响。夏礼的内容已无法考证清楚。殷代的礼,历史记载就比较多了。《尚书·君奭》:"故殷礼陟配天,多历年所"。这句话的意思是:殷的统治能够维持得那么长久,是因为他们对礼的讲求,能和上天相参配,享

---

① 《论语·为政》。

受同样的祭祀。又《尚书·高宗肜日》:"王司敬民,罔非天胤,典祀无丰于昵。""无丰",《史记·殷本纪》作"无礼"。丰即礼字。昵,父庙。古制:生称父,死称考,入庙称昵。这句话的意思是:王啊,要恭恭敬敬地对待上天赐给你的臣民,他们都是上帝的后代,祭祀的时候,给自己父庙中的祭品不要过于丰盛。仅这两条记载说明,殷代的礼,和统治权已经连接在一起了,而连接礼和统治权的纽带则是祭祀——祭天、祭祖。《礼记·祭仪》:"礼有五经,莫重于祭"。礼是祭祀的形式,而祭祀是礼的内容。

甲骨文礼字写作豐①、𣪘②或𣪘③。王国维在《释礼》一文中对甲骨文礼字作过详尽而很有见地的说明:

《说文》示部云:礼,履也,所以事神致福也。又丰部,丰,行礼之器也,从豆,象形。按殷虚卜辞有豐字,其文曰:"癸未卜,贞醴"。古珏、玨同字。卜辞珏字作半、半、𥏫,三体则豐即丰矣。又有𣪘字及𣪘字,𣪘、𣪘、又一字,此二字即小篆丰字。所从之曲,古凵、凵一字。卜辞出或作凶,或作凶,知曲可作𣪘、𣪘矣。丰又其繁文,此诸字皆象二玉在器之形。古者行礼以玉,故《说文》曰,丰,行礼之器,其说古矣。丰,从玨在凵中。从豆乃会意字,而非象形字也。盛玉以奉神人之器谓之曲④。

王国维从甲骨文礼字的字形结构——盛二玉于一器皿之中,而释出了礼字求神致福、以示诚意的原始本义,为人们研究殷礼的内涵找到了证据。但是,王国维还没有能够进一步揭示出殷人给礼字赋

---

① 《殷虚契后编》卷下。
② 《殷虚书契前编》卷六。
③ 《殷虚契后编》卷下。
④ 《观堂集林》卷六。

予事神致福内涵的潜在本质。殷人祭礼,在帝祖合一的时代,祭神就是祭祖,祭祖又是祭天,祭祖、祭天,意味着祈天而永命,让已经到手的王位、社稷永远牢固地保存下去。这就是殷统治者融礼与祭祀为一体的真正用意。尽管殷人的礼还残存着原始社会遗留下来的祭祀仪式的痕迹,但是,作为规范人们生活行为的准则,殷代的礼已以显明的阶级色彩开始深入到社会生活和政治制度的不少领域,这就为周公制周礼奠定了基础。"周因于殷礼,所损益,可知也"①,说明周公制定的周礼,是在殷礼基础上发展而来的。

二、周公制礼

《周礼》原名《周官》,是记载古代设官分职的一部政典,其中包括刑法、民法、诉讼法和行政法等一切政治制度、法律制度和典礼规范,相传为周公所作。"周公居摄而作六典之职,谓之《周礼》"②。也有《周礼》为成王所作的说法:"成王既黜殷命,灭淮夷,还政在丰,作《周官》"③。《周官》出自伪作,已被大家所公认。今存《周礼》,从其文体结构的严密性上去考察,绝非周人所能为。早在汉代,就有林孝存、何休等人怀疑其真实性,称其为末世渎乱之书。有人甚至指名西汉末年的刘歆是《周礼》的伪造者。自郑玄对林、何等人论点一一答辩之后,《周礼》为周公所作的说法又似乎确定无疑了。把《周礼》定为周公的作品显然难以信服,而将其推在刘歆身上,也未免把成书的时间拖后了。南宋洪迈作《容斋续笔》时已提出这种论点,清代学者毛奇龄则进一步在否定《周礼》非周公所作,亦非刘歆伪造之后,断定其

---

① 《论语·为政》。
② 《周礼》郑玄注。
③ 《尚书序》。

成书于战国①,这是比较公正的。郭沫若在研究金文基础上以金文资料证实了毛奇龄论点的正确性,基本上为今人所接受。

那么,应当怎样理解周公制礼和周公制周礼与今存《周礼》一书之间的关系呢?必须肯定,今存《周礼》,其内容在很多方面能反映西周的制度,但它不出自周公之手是毫无疑问的。否定周公编订《周礼》一书并不意味着要否定周公制礼的历史事实。而周公制定的礼仪制度,不少内容恰恰就包含在《周礼》一书之中。除此之外,《仪礼》和《礼记》也记载着周礼的丰富内容。《仪礼》是夏、商、周三代礼制的集成,《礼记》则叙述了人们修养德性即所谓格物、致志、修身、齐家、治国、平天下的要义。我国历史上的礼,就包括在《周礼》、《仪礼》和《礼记》这三部巨著之中。《仪礼》的可信程度较大,《礼记》的不少篇章也是西周的制度。我国历史上萌发于原始社会的礼,经夏、商二代的发展,至周公制礼后才基本成形,达到系统化、制度化的程度。《礼记·明堂位》"(周公)制礼作乐"和《左传·文公十八年》"先君周公制周礼"的说法是可信的,在西周,"礼乐征伐自天子出"②。周初,周公辅佐武王,接着又代成王行政七年,周公制礼,符合立法程序。

周公为什么要主持制定礼制呢?这和周人的天道观有关。在西周历史上,周人关于天的观念越来越淡漠。最初疑天,西周晚期,甚至怨天、咒天。说什么上天刻毒呀③!上天作恶呀④!上天残忍得失去理性呀⑤!等等。天的观念的动摇,统治阶级的统治方式则再也

---

① 见《经问》。
② 《论语·季氏》。
③ 《诗·小雅·节南山》:"昊天不惠"。
④ 《诗·小雅·节南山》:"不吊昊天"。
⑤ 《诗·小雅·雨无正》:"天疾威,弗虑弗图"。

不能寄寓在"天罚"、"天威"身上了。因而,周统治者一方面大讲其"德",用"明德慎罚"对付人民;另一方面,在周公支持下,以周人原有的习惯法为基础,参照夏商二代的礼乐制度,制定出一套巩固奴隶主阶级专政,调整社会关系而主要用以加强统治阶级内部团结的典章制度。这就是后世所说的"先君周公制周礼",简称为周公制礼。

三、礼的内容和作用

周礼的内容非常广泛、庞杂,大至国家的政治、经济、军事、文化制度,小到个人言行视听,以及社会风俗习惯、礼节仪式,无不包括其内。据史书记载,西周礼的名目,归纳起来大致有五种:

吉礼。用于祭祀,要求虔诚敬侍鬼神,包括禋祀(祀天帝)、实柴祀(祀日月)、血祭(祭社稷)、肆献祼(享先王)等十二种形式;

凶礼。用于丧葬凶荒,要哀痛、忧思,包括丧礼(哀死亡)、荒礼(哀凶荒)等五种形式;

宾礼。用于朝聘会同,要礼貌和节,包括春见(朝)、夏见(宗)、秋见(觐)、冬见(遇)等八种形式;

军礼。用于征伐,要求兴师动众要果毅,包括大师礼(用众)、大均礼(恤众)、大田礼(简众)等五种形式。;

嘉礼。用于吉庆活动,讲饮宴婚冠的繁琐仪式,包括饮食礼(亲宗族兄弟)、婚冠礼(亲成男女)、宾射礼(亲故旧朋友)等六种形式①。

从礼的这些内容可以看出,经过周公等人汇集、增删、厘定的礼,已不再专指祭祀时的礼仪制度,而成为维护分封、宗法、继承制度,调

---

① 关于礼的分类,除"五礼"外,还有"礼经三百,威仪三千"及"六礼"、"九礼"等说法。

整政治权力、经济利益、婚姻家庭等各种规范的准则。这种礼,大都具有法律效力,由国家机关强制执行,不少原则,起着管理国家事务,调整社会关系,规范人们行为的法律作用。

因此,周礼把维护宗法等级制,调整奴隶主阶级内部的关系,作为其首要任务。"礼,经国家,定社稷,序民人,利后嗣者也"[1];"礼者,所以定亲疏,决嫌疑,别同异,明是非也"[2];"故制礼义以分之,使有贫富贵贱之等"[3]。可见,礼是统治者用来区分贵贱、尊卑、长幼、亲疏之别的一种统治工具。社会等级不同,宗法地位不同,礼则因人而异了:贵行贵的礼,贱行贱的礼,尊行尊的礼,卑行卑的礼,长行长的礼,幼行幼的礼,亲有亲的礼,疏有疏的礼,礼的规范作用从社会各个角落无一遗漏地表现了出来。以祭祀而言,周人重祭,但和殷人不同,他们把祭祀不看作是单一的"事神致福"的一种形式,而作为区分等级名分和确立各阶级在祭祀活动中的阶级地位:"天子祭天地,诸侯祭山川,大夫祭五祀,士祭其先"[4]。周统治者正是通过这种建立在宗法等级制基础上的礼,建立起以周王为中心,包括诸侯、卿大夫等各级贵族在内的金字塔式政权组织机构,实现了族权与政权的结合。周王是全国政治上的共主,又是名义上的所有家族的最高族长,集行政权、主祭权、生杀权和财产权于一人之手。在这种政权统治下,不仅等级森严,贵贱分明,奴隶和奴隶主之间的鸿沟不可逾越,就是奴隶主阶级内部,也不许越等僭位;否则,就要构成犯罪,受到刑事惩罚。周礼把"亲亲"、"尊尊"作为两条贯穿于整个礼制中的基本原

---

[1] 《左传·隐公十一年》。
[2] 《礼记·曲礼》。
[3] 《荀子·王制》。
[4] 《礼记·曲礼》。

则,道理就在于此。所谓"亲亲",简言之,就是要父慈、子孝、兄友、弟恭;所谓"尊尊",就是下级贵族必须服从上级贵族,各级贵族皆听命于周王。"亲亲"的核心是孝,"尊尊"的核心是忠,两者相为里表,彼此交融而为一体。提倡孝,为的是忠;提倡忠,为的是把四方诸侯纳入周王的统治轨道。"礼经三百,威仪三千,其致一也"。"致一",就是《周书》中经常出现的"余一人",一切权力归周王。

周礼的第二大职能,是以根本法的形式,调节上层建筑各个领域的正常运转。周统治者始终把礼作为治世治民的根本。在他们眼里,"揖让而治天下者,礼乐之谓也"[①]。治国需要礼,如同"衡之于轻重也,绳墨之于曲直也,规矩之于方圆也"[②];治国离开了礼,如同"无耜而耕"[③]一样,就会无所措手足。所以,"安上治民,莫善于礼"[④],"治人之道,莫急于礼"[⑤]。从法的角度考虑,礼很像今天的根本法,它是西周国家一切政治生活规范的根本,是政治、军事、经济、司法、教育、道德等上层建筑领域行动的准则。"道德仁义,非礼不成;教训正俗,非礼不备;分争辩讼,非礼不决;君臣上下,父子兄弟,非礼不定;宦学事师,非礼不亲;班朝治军,莅官行法,非礼威严不行"[⑥]。由此可见,制礼,是西周一次重要的立法活动。

礼的第三大职能,在于预防犯罪。《礼记·经解》:"礼之教化也征,其止邪也于未形,使人日徙善远恶而不自知"。礼可以教化人心,使其避恶而归善,消除犯罪于"未形"。相反,倘若"败礼"、"废礼",那

---

① 《礼记·乐记》。
② 《礼记·经解》。
③ 《礼记·礼运》。
④ 《孝经》。
⑤ 《礼记·祭统》。
⑥ 《礼记·曲礼》。

就要招致祸乱：

> 以旧礼，为无所用，而去之者，必有乱患。故婚姻之礼废，则夫妇之道苦，而淫辟之罪多矣；乡饮酒之礼废，则长幼之序失，而争斗之狱繁矣；丧祭之礼废，则臣子之恩薄，而倍死忘生者众矣；聘觐之礼废，则君臣之位失，诸侯之行恶，而倍畔侵陵之败起矣。①

只有坚持礼，才能"明君臣之义"，"明臣子之恩"，"明长幼之序"，"明男女之别"，按宗法伦理道德稳定社会秩序，节制人们的行为，消除犯罪于萌动之中。

礼的第四个职能是遏制人民的反抗活动。"礼者，因人情而为之节文，以为民坊。"② "以为民坊"，即《左传·哀公十五年》所说的"以礼防民"。坊，即防，防止人民反抗。所以，在镇压人民反抗活动上，礼和刑是一致的，只不过方式有所不同罢了。刑，立足于罚，即刑事打击；礼，则强调防，防即教，就是以教化而预防犯罪。《周礼·大司徒》："以五教防万民之伪，而教之中"。就是以礼节制人们的行动，使其履行"中正"之道而不起来造反。

第三节　礼法关系

一、德与礼

德和礼，具有各自不同的内涵和表现形式。一般情况下，属于社

---

① 《礼记·经解》。
② 《礼记·坊记》。

会制裁、道德谴责以至法律约束时则为礼,如若重点放在修身上便是德。德字,金文写作德。郭沫若说,通观金文中的德字,均是从徝若道,从心,以省心为德。省者,视也,故明德在乎明心。明心,意味着重视内心的修养,即所谓德教或古书上常见的"修德"。周初大讲"殷鉴",就是指统治者的修德和以德政治民。礼也重视教化,但它的作用主要用以规范人们的行动,属于社会生活的准则。如果要讲德和礼的关系,那就是:德为礼赖以维持和付诸实行的力量和前提,礼,则是以德为政的保证。周人在"殷鉴"中发现了德并由此而提出"以德配天"和"明德慎罚"法律思想,在周初稳定政局,巩固周王室统治的所谓德治中确乎起了重要作用。不难设想,如果没有礼,也就是说没有作为规范性质的由国家机关制定并强制执行的礼去协调上层建筑各个领域的正常运转,周初的德治政治只能是一句空话。即使收到一些成效,也不可能维持多久。由此可见,德和礼,二者的内涵和作用虽有不同,其目标是一致的。德治是走向礼治的开端,礼治是实现德治的动力。周公制礼,算是完成了德治与礼治的统一。换句话说,就是以礼治——运用法律的力量求其德治。

德重视内心的修养,并不是说德不具有强制性的一面。金文德字右上角的𠂇像似绳索,⊘即臣,是奴隶。有人因此而训德为得,说奴隶主用绳索捆绑奴隶谓之得。这说明德和礼一样包含着强制性的功能。但是,德字又加心表示德教,更说明周统治者所谓的德治的欺骗性:一方面是暴力的刑事镇压,另一方面则是小恩小惠的拉拢和软化。

二、礼与法

从礼与德、礼治与德治的统一性上看,礼治就是德治;若从二者的效力作比较,礼治则首当其冲地占据着主要地位。没有礼治就无所谓德治。周公等周初统治者总是把礼治作为第一需要,当作治世之本。周公重礼,但又不放弃法,在实现礼治与德治统一的同时,使礼和法也统一了起来。

这里所说的法,是法律的法,在奴隶制社会,是指体现奴隶主阶级意志,由奴隶主贵族的国家强制执行的行为规则的总和,而不是古书上所写的我国古代的那个法字。古法字,和刑、罚是一个意思。《说文》:"法,刑也";又井部:"刑,罚罪也"。古代,法字不表示法律的一般意义,专指刑罚或杀戮。因此,谈论礼法关系,决不可和古法字混为一谈。若以古法字谈论礼法关系,至多只能涉及到礼刑关系。我国传统的研究礼法关系的方法,在"以刑为主"思想桎梏下,只囿于礼刑范畴之中而无法解脱。大量地下文物资料证明,西周法律和其它朝代的法律一样,刑,的确占有很重要的地位,奴隶主及其以后的封建主总是把刑罚作为其统治的重要手段。但是,西周法律,除刑之外,民法、军法、行政法、诉讼法等各个部门的法律规范都比较发达。基于此,研究西周礼法关系,就不能只限于礼刑之内,还应兼及礼与其它部门法规的关系。

以民事法规为例,礼已深深地渗入其中,礼和法同为解决民事纠纷的依据。如《曶鼎》所载曶和限因买卖五名奴隶而酿成的一起争讼案,违约一方是限,按西周法律,违约要处刑的,而司法官井叔的判决却是:"限啊!你是王室之人,王室之人买卖成契就不应悔约,快把五个奴隶交给曶吧,不要叫你的部下再有贰言了"。多么清楚,作为执法者的井叔,不是以法律为准绳,而是以贵族的身分在说教。王室之人只要承认一下错误就可以置法律而不顾,这不正说明礼在解决民事争纷中的特殊地位?当礼和法发生矛盾时,如果当礼足以规范人们的行为时,法律制裁便退居次要地位。那么,当礼教达不到预期效果,也就是说对诉讼之一方礼教无法制约时怎么办?金文中不少判例表明,为了维护奴隶主阶级统治秩序,即使是贵族,也要受到惩罚,有时甚至是相当严厉的刑罚。总括起来,西周时期礼、法关系的总原则,就是以礼为主,以教为先,同时辅之以法律的制裁。

三、礼与刑

礼和刑的关系,如同《尚书大传》说的那样,是"防未然"和"禁已然"的关系。"礼者,禁于将然之前,而刑者,禁于已然之后"。礼是积极地有组织地制裁,刑则是消极地被动的处罚。同为行为规范,礼和刑既有分司分治的一面,又存在着相为里表、互相补充的一面。《后汉书·陈宠传》说:

> 臣闻……《甫刑》大辟二百,五刑之属三千,礼之所去,刑之所取,失礼则入刑,相为表里。

陈宠是东汉有名的律学家,成帝、哀帝时期,专主律令,任尚书之职,他的话不会没有根据。陈宠的话,恰如其分地概括出西周时期在刑法适用过程中礼与刑的地位和"相为表里"的关系。《甫刑》三千条,无论墨、劓、刖、宫、大辟五种刑罚中之任何一种所"取"的,就是礼之所"去"的那些失礼行为,这就叫做"出礼则入刑"。用现代汉语解释陈宠的话,意思为:凡礼所不容的,必为刑所禁止;礼所不禁的,刑亦不禁。一言以蔽之,违礼即违法。《尚书·康诰》称"不孝不友"为"元恶大憝",则"刑兹无赦",正是西周时期"出礼则入刑"在司法实践中的具体运用。《周书》中常常见到"彝教"、"民彝"、"非彝",这个"彝"不指法律,而指常规、礼制。"彝教"就是对人民进行遵守礼制的教育。"民彝"是要人民遵守礼制。人民一旦"非彝",违背礼制,"非彝者,礼之所去,刑之所加也。"① 周统治者重视礼刑的结合,大概从周初就开始了,所以《唐律疏议》序开门见山地说:"周公寓刑于礼"。

礼和刑作为奴隶主阶级的两种统治手段,在适用对象上因阶级的不同又有所侧重,这就叫做"礼不下庶人,刑不上大夫"②。

所谓"礼不下庶人",主要包括两种涵义:一是礼主要用来调整统治阶级内部的关系,使各级奴隶主贵族充分享用周礼规定的各种特权;二是周礼为各级奴隶主贵族规定的权益,奴隶和平民无权享受,也不准僭越,如有越礼行为,即以违礼罪惩处。周统治者宣扬"礼不下庶人"的目的,是要在保障奴隶主贵族特权前提下,给奴隶主贵族和庶人之间划定一条"贵贱有别"、"尊卑有序"的永远不可逾越的鸿沟。《礼记正义》:"礼不下庶人者,谓庶人贫无物为礼"。"贫无物"则无礼,那么,礼就只能为富贵者所专有了。其实,所谓"贫无物为礼"实际上是指庶人不能享受富贵而"有物"的贵族的礼。西周的礼,贵族有贵族的礼,庶人有庶人的礼。庶人无权享受贵族的礼,并不意味着他们就可以逍遥于礼制之外而不受礼制的束缚。周统治者给庶人也制定了种种规范庶人生活行为的礼。例如:在执挚(见面礼)上:"凡挚,天子鬯,……庶人挚匹(鸭)";在称谓上:"天子之妃曰后,……庶人曰妻;天子死曰崩,……庶人曰死"③;在殡葬上:"天子七日而殡,七月而葬,……庶人三日而殡,三月而葬";在祭祀上:"天子七庙,三昭三穆,与大祖之庙而七,……庶人祭于寝"④。庶人的这种礼和贵族的礼有着本质的区别,既无荣誉,亦无特权,是强加于庶人的精

---

① 王国维:《殷周制度论》。
② 《礼记·曲礼》。
③ 同上书。
④ 《礼记·王制》。

神枷锁,又是辨明身分,让其做牛做马,只尽义务而无做人权利的桎梏。

所谓"刑不上大夫":第一,就是说刑罚的锋芒所向,是专指劳动人民的。《尚书·召诰》:"小民乃惟刑"就是这个意思。第二,奴隶主贵族为所欲为,也能逍遥法外。正如郑玄给"刑不上大夫"作注时说的那样:"不与贤者犯法,其犯法则在八议,轻重不在刑书"。后世的"八议"即西周的"八辟"。《周礼·秋官·小司寇》:"以八辟丽邦法,附刑罚。一曰议亲之辟,二曰议故之辟,三曰议贤之辟,四曰议能之辟,五曰议功之辟,六曰议贵之辟,七曰议勤之辟,八曰议宾之辟"。奴隶主贵族犯罪,有权享受"八辟"特权,"轻重不在刑书","从而议之,可赦则赦,不可赦亦为之末减焉"①。孔颖达给《礼记》作注时也说:"五刑三千之科条,不设大夫犯罪之目也"。

诚然,"不设大夫犯罪之目",并不意味着贵族犯罪就绝对不使用刑罚。在西周,对于背离宗法制度,僭越礼仪,犯上作乱,尤其是危及周王室安全的犯罪,无论庶人、贵族,一律严刑惩处。"放弑其君则残之,贼杀其亲则正之"②。《左传·襄公十年》所载"王叔与伯舆讼焉!王叔之宰与伯舆之大夫瑕禽坐狱于王庭",由于"王右伯舆",王叔被迫逃亡,是贵族犯罪受审和受罚的例证。金文判例中,贵族受审受罚的例子更多。周统治者之所以这么做,为的是在统治阶级内部维护礼的尊严,维护宗法制,巩固奴隶主阶级政权。总之,周统治者规定"礼不下庶人,刑不上大夫"的立法原则,是为了按礼的规定,对奴隶主和奴隶两大对立阶级分而治之,前者用礼,后者用刑;前者受保护,

---

① 《周礼精华》附注。
② 《周礼·夏官·司马》。

后者则镇压之。奴隶主贵族犯罪，只要不是侵犯王室罪，一般可以按"刑不上大夫"的原则减免其刑罚。

第三章 刑事法规

第一节 犯罪

犯罪,是阶级社会的一种社会现象,是阶级压迫和私有制度的产物。西周刑律关于犯罪的概念及其具体规定,从《周书》、《易经》、《周礼》以及铜器铭文看,是比较严密的。周统治者为了维护他们的统治,通过法律把一切危害本阶级利益和社会秩序的行为均宣布为犯罪,尤其加强对广大人民反抗斗争的镇压。所谓五刑之属三千或二千五百条,虽不能肯定西周刑律关于犯罪种类的规定就有三千条或二千五百条,而西周刑律关于犯罪种类规定之细密,已为大家所公认。归纳起来,西周刑律关于犯罪种类的规定,大约有以下九个方面:

一、反对王权和奴隶制国家的犯罪

在西周,王权是国家权力的象征,反对王权,就是反对奴隶制国家,就能构成最严重的国事犯罪。因此,西周刑律的锋芒,首先指向侵害奴隶制国家,尤其是侵害周王权力的行为。据记载,有关这方面的罪名主要有:

违反王命罪。《国语·周语》:"犯王命必诛,故出命不可不顺也。"

《周礼·夏官·司马》所载"犯令陵政"和《秋官·士师》规定的"犯邦令",均指违反王令的犯罪行为。

谤君罪。《国语·周语》:"国人谤王。"谤王,指批评、非议周王。周厉王为了禁止人民批评、非议自己,设"卫巫,使监谤者,以告,则杀之"①。

拚邦罪。《周礼·秋官·士师》贾疏:"拚,诈也,谓诈上命营构伪物之类也。"拚邦,指诈称王命而擅自行事的犯罪行为。

放弑其君罪。《周礼·夏官·司马》:"放弑其君则残之。"放,放逐。弑,臣杀君。残,裂割身体。是说对侵害君主人身的犯罪,要分身裂尸而处死。

天子棺椁违制罪。《礼记·檀公》:天子崩,"虞人致百祀之木可以为棺椁者,斩之,不至者,废其祀,刎其人。"虞人,山林之官。祀,年。刎,杀。是说山林之官为天子制做棺椁,如使用百年朽木,或使用生长年代不足,木材质量不合标准的,处以死刑。

暴乱力正罪。《周礼·秋官·禁暴氏》:"庶民之暴乱力正者,拚诬犯禁者,作言语而不信者,以告而诛之。"暴乱力正,指奴隶起义或平民的暴动活动。

变革制度罪。《礼记·王制》:"革制度衣服者为畔,畔者君讨。"畔,通"叛"。变革王命制度就是叛君行为,则大刑征讨杀戮之。

变礼易乐罪。《礼记·王制》:"变礼易乐者为不从,不从者君流。"流,流放刑罚。擅自变更礼乐制度者,君主要对其处以流刑。

破坏法制罪。《礼记·王制》:"析言破律,乱名改作,执左道以乱政,杀。"凡以不轨行为破坏法制、扰乱政事者,处死刑。左道,非正

---

① 《史记·周本纪》。

道。

聚众出入罪。《周礼·秋官·禁暴氏》:"凡奚隶聚而出入者,则司牧之,戮其犯禁者。"奚隶,奴隶。司牧,纠察。是说奴隶聚众出入,要纠察禁止,以防其反抗,如发现违犯禁令的,处死刑。

朝聘后至罪。《易·比》卦:"不宁方来,后夫凶"。方,邦,指邦国诸侯。不宁方,指不安宁之邦即好乱之邦。不宁方也称"不宁侯"。《说文》:"侯,春飨所射侯也。其祝也:'毋若不宁侯,不朝于王所,故伉而射汝也'。"不宁方来,指不宁之邦的首领朝拜天子;后夫至,迟到了。邦国诸侯不按时朝聘天子,要处以刑罚,故曰"凶"。

不贡罪。《史记·周本纪》:"伐不祀,征不享,让不贡。"让,责罚。诸侯不缴纳贡赋的,要处罚。

阿党罪。《礼记·月令》:"是察阿党,则罪无有掩蔽"。郑注:"阿党,谓治狱吏以私恩曲挠相为也"。西周刑律对阿党罪的处罚是相当严厉的。《易·比六三》:"比之匪人,〔凶〕"。又《易·比上六》:"比之无首,凶"。是说诸侯臣下倘若朋比为奸,结党营私,危及王室安全,一律处以斩刑。无首,引申为斩刑。

二、侵害奴隶主贵族人身安全的犯罪

西周刑律不仅保护周王的人身安全,也把侵害各级奴隶主贵族人身安全的犯罪,作为打击重点。为保护贵族人身安全而规定的罪名主要有:

杀人罪。《周礼·秋官·掌戮》:"凡杀人者,踣诸市,肆之三日。"意为:对杀人者,要刑杀于市,并陈尸三日以示众。

伤人罪。伤人分两种情况,一是过失伤人,二是故意伤人,性质不同,处罚则不同。《仪礼·乡射礼》:"射者有过,则挞之。"郑注:"有过,谓矢扬中人。凡射时矢中人当刑之。今乡会众,以礼乐劝民,而射者中人,本意在侯,去伤害之心远,是以轻之,以扑挞于中庭而已。"可见"去伤害心远"的误伤他人,为过失伤人。过失伤人,轻罚,仅扑挞而已。故意伤人就不同了。故意伤人即有"伤人之心"的犯罪,故伤人,重罚。无论过失伤人或故意伤人,均以殴击他人见血为伤人的标志。殴击他人出血为伤人,否则,不以伤人罪论处。凡故意击人出血的犯罪,即使被害人以种种原因没有或不敢上告,击伤他人的罪责也不能因此而解脱,一经查明,严惩不贷。《周礼·秋官·禁杀戮》:"凡伤人见血而不以告者,……以告,而诛之。"

交害罪。《易·大有初九》:"无交害,匪咎。"彼此贼杀相害谓之交害。爻辞意为:如果双方不是贼杀相害,便不为咎。以此而论,倘若彼此相杀,便能构成交害罪,要承担刑事责任,因而是有"咎"。

寇攘奸宄罪。《尚书·康诰》:"凡民自得罪,寇攘奸宄。"《尚书·费誓》:"无敢寇攘。"寇,抢劫,攘,夺取。奸,在内为乱。宄,在外作恶。寇攘奸宄,是指强盗劫略行为。这种犯罪,虽出于劫货目的,但因劫略者为实现劫货目的常常要行诸暴力,往往导致杀人伤人。为此,西周刑律对寇攘犯罪处罚极重,一般均为死刑。《易·屯六二》、《蒙上九》和《需九三》多处出现"寇至"记载。寇至,就是指寇贼前来抢劫。寇和贼即抢劫和杀人往往是一起进行的,所以《尚书·尧典》"寇贼"注说:"劫货曰寇,杀人为贼"。西周刑律对寇攘罪和杀人罪的处刑是有区别的。寇攘罪可能导致杀人,也可能没有导致杀人后果,因此,对此犯罪,原则上处以死刑。若是单一的以杀人为目的的犯罪,则处以死刑最重刑。

斗殴伤人罪。《易·兑九五》:"孚于剥,有厉"。孚,读为浮,罚的意思。剥,击也。爻辞意为,因搏击斗殴而伤人,"有厉",是说处罚是严厉的。不过,西周刑律对斗殴伤人的犯罪,在处罚时,要论其情节,区别对待。《易·小畜六四》:"有孚,血去,惕出,无咎"。血去,殴击他人出血。惕,惧怕。是说斗殴伤人是要受罚的,倘若因击人出血产生惧怕心理而中止犯罪,其处罚要有所减轻。

杀人越货罪。杀人越货和寇攘有所不同。寇攘可能杀人,也可能不杀人;而杀人越货则以杀人手段达到劫货目的。所以,《尚书·康诰》说:"杀越人于货,暋不畏死,罔弗憝"。是说对那种以杀人劫货、强横而不怕死的强盗,没有人不为之痛恨的。对这种人不能不以罪大恶极而杀之无赦。杀人越货类似后世的图财害命罪。

三、侵犯奴隶主贵族财产安全的犯罪

"窃贿为盗","有常无赦,在《九刑》不忘"。西周刑律把侵犯奴隶主贵族财产安全的盗窃行为也视为重大犯罪之一。西周刑律有关盗罪的规定,除"寇攘罪"和"杀人越货"罪外,还有以下一些名称:

窃诱牛马臣妾罪。《尚书·费誓》:"窃牛马,诱臣妾,汝则有常刑"。是说偷窃他人牛马,拐骗他人奴婢,要按常刑惩处。

有主物拾得罪。《尚书·费誓》:"马牛其风,臣妾逋逃,勿敢越逐。祇复之,我商赉汝。乃越逐,不复,汝则有常刑"。就是说马牛因放牧而走失的,奴隶有逃跑的,不要去追逐它。凡是拾得走失的马牛和逃跑的奴隶,要恭恭敬敬地归还原主,谁不这么做,要按常刑处罚。

盗窃罪。《易·小畜九五》:"有孚挛如,富以其邻"。孚,罚。挛,系;拘捕。爻辞意为,有人被囚禁起来受罚,是因为他以窃盗邻人的财物富了自己。

被盗罪。建立在分封制基础上的财产关系,所有权属于周王,奴隶主贵族只有财产的占有权、使用权。因而,盗窃他人财产有罪,而

被本人占有、使用的财产被盗也有罪。《易·泰六四》:"翩翩不富以其邻,不慎不孚"。不富,即贫穷。如果有的人贫穷,是因为他的邻人盗窃了他家的财物,那么,这种因不慎而被盗也要构成犯罪,要受处罚的。又《易·巽上九》:"巽在床下,丧其资斧,贞凶"。巽,伏。丧,失去。资斧,钱财货币。是说盗贼来窃,主人因惧怕而藏于床下,结果钱财被盗走。这是被盗罪的另一种表现。盗贼行窃,他不但不予反击,反而畏惧躲藏起来,任其作恶,这种人也要以被盗罪论处。财物被盗受罚,奴隶童仆丢失也一样。《易·旅九三》:"丧其童仆,贞厉"。

侵夺山林薮泽罪。《礼记·月令》:"山林薮泽,有能取蔬食田猎禽兽者,野虞教导之;其有相侵夺者,罪之不赦"。山林薮泽所有权属周王,凡不听野虞教令而侵夺其利者,重罚而不赦免。

伺机盗窃罪。按西周刑律,只要产生盗窃之心,即以盗罪论处。《周礼·秋官·野庐氏》:"若有宾客,则令守涂地之人聚柝之。有相翔者,诛之"。意思是如有宾客,便征召宾客所宿馆室附近的人民击柝(木梆)守卫。发现在馆室外边徘徊观望企图乘机行窃的,加以诛杀。

奴隶逃亡罪。奴隶逃亡,意味着奴隶主财产的丧失,是绝对不能允许的。《易·遁九三》:"系遁,有疾厉,畜臣妾吉"。遁,逃亡。爻辞意思是,奴隶逃亡,对主人来说,如同大疾缠身一样,十分不利。所以,逃奴一定得捉捕回来。奴隶主畜养奴婢能做到不逃亡,便是吉兆。反之,假若奴隶一味地"好遁",则"小人否"[①],其主人将有杀身之祸。

伤害牛马罪。《尚书·费誓》:"今惟淫舍牿牛马,杜乃擭,敜乃阱,无敢伤牿。牿之伤,汝则有常刑"。淫,游。舍,放置。淫舍,《孔传》:

---

① 《易·遁九四》。

"言军所在,必放牧也"。牿,为了防止牛触人在牛角上系置的横木,叫做牿,此处泛指牛马头部所置的枷锁。全句大意为,现在要放牧那些头戴枷锁的牛马,臣民们要把柞鄂收拾起来,把陷阱填平,不准伤害它们,假若伤害了它们,要受刑事惩罚。

四、破坏家庭婚姻的犯罪

婚姻是家庭构成的基础,而家庭又是社会的基本单位,婚姻家庭的稳定直接关系着社会秩序的安定。因此,西周刑律严格维护奴隶制婚姻制度和建立在宗法制基础上的父权、夫权在家庭中的统治地位,并规定种种罪名,严厉惩罚破坏父权、夫权以及家庭关系的违礼行为。

不孝不友罪。西周刑律把不孝不友罪视为最严重的犯罪而严惩不贷。《尚书·康诰》:"元恶大憝,矧惟不孝不友。子弗祗服厥父事,大伤厥考心;于父不能字厥子,乃疾厥子。于弟弗念天显,乃弗克恭厥兄;兄亦不念鞠子哀,大不友于弟。惟吊兹,不于我政人得罪,天惟与我民彝大泯乱。曰:乃其速由文王作罚,刑兹无赦"。据此可知,凡不孝敬父母,不友爱兄弟的人,都是罪大恶极者。"五刑之属三千,而罪莫大于不孝"①。对这种人,要按照文王制定的刑法,"刑兹无赦"。不孝罪,一般处以流放刑,重则杀或处以焚刑。《易·离九四》:"突如,其来如,焚如,死如,弃如"。高亨《周易古经今注》引《音训》说:"突,晁氏曰:京、郑皆作㐬。《说文》:古,不顺乎出也,从到子。《易》曰:突如,其来如,不孝子突出,不容于内也"。据此,突借为㐬,㐬本字。㐬者,逐不孝之子也,即对不孝子处以流放刑。"其来如",是说不孝子

---

① 《孝经·五刑篇》。

被逐而擅自回家,那就要罪上加罪,或活活烧死,或杀而弃之。

不睦不姻罪。指族内或亲戚间的不友不敬行为。据《周礼·地官·大司徒》,西周刑律把不睦不姻列为仅次于不孝的重大犯罪,说明周统治者不仅把对直系尊亲属的不孝看作是最大犯罪,就是在族内和亲属之间不相亲睦,不尊其长,也要重罚。

不敬宗庙罪。《礼记·王制》:"宗庙有不顺者为不孝,不孝者,君绌以爵"。郑注:"不顺者,谓若逆昭穆"。不孝敬活人,是"元恶大憝",要"刑兹无赦";不孝死人,也能构成犯罪,要罢绌其爵。西周刑律维护宗族权益的本质多么显明!

违反婚礼罪。六礼——纳采、问名、纳吉、纳征、请期、亲迎是婚姻关系成立的法定程序。凡不按六礼程序成婚者,以"不以义交"论处。《周礼·秋官·司刑》:"宫罪五百"。贾疏:"以义交,谓依六礼而婚也"。"不以义交",就是不按六礼程序成婚。犯此罪,处宫刑。

杀亲罪。卑幼谋图危害尊亲属,则处以火刑。《周礼·秋官·掌戮》:"凡杀其亲者,焚之"。

内乱罪。为了维护宗法制家族秩序,西周刑律严禁家庭内部悖乱人伦的不正当行为。《周礼·夏官·司马》:"外内乱,鸟兽行,则灭之"。郑注:"悖人伦外内,无以异于禽兽,不可亲百姓,则诛灭去之也"。贾疏:"外乱,谓若齐襄公淫于外鲁桓夫人文姜之等是也;内乱,谓家内若卫宣公上烝父妾,下纳子妻之等是也"。可见,家族内部卑奸尊、尊奸卑,均为悖乱人伦的鸟兽行为,按刑律规定,一律处以死刑。

容奸罪。指包庇、放纵家庭内部乱伦行为的犯罪。《易·蛊六四》:"裕父之蛊,往见吝"。裕,《广雅·释诂》:"容也"。蛊,《左传·昭公元年》:"女惑男,风落山,谓之蛊"。父之蛊,指父亲的淫妾。裕父之蛊,是说儿子如果包庇、宽容父妾的淫乱行为,必将招来灾祸。儿子包庇、容忍长辈的淫乱行为,为法律所不容,相反,如果儿子干涉长辈的淫乱行为,却为刑律所认可。《易·蛊初六》:"干父之蛊,有子考,无咎,厉终吉"。干,《广雅·释诂》:"正也"。考,《释名》:"成也"。儿子干涉、匡正父妾的淫乱行为,不但不为犯罪,反而被看作是有成于德,开始是"厉",结局都是"吉"。西周刑律允许卑幼干涉尊长的淫乱行为,并非没有任何界限。倘若干预父母闺房私事,亦为法律所不许。《易·蛊九二》:"干母之蛊,不可贞"。

五、妨害社会秩序的犯罪

社会秩序的稳定与否,是一个朝代兴旺衰败的重要标志。因此,西周刑律严禁不利社会安定的行为发生,并规定了不少罪名,打击破坏社会秩序的犯罪。

酗酒罪。为了防止人民聚众闹事,西周刑律不准聚众酗酒,犯者,处死刑。《尚书·酒诰》:"群饮,汝勿佚,尽执拘以归于周,予其杀"。这是专对周人而言的。殷人则不同。为了分化、拉拢他们,刑律规定,殷人"湎于酒","勿庸杀之,姑惟教之"。对周人的酒罚,也不是一概而论,还须区别其饮酒的场合和程度,不同对待。假使不是经常性的饮酒或者只是在祭祀时饮酒,则不为罪。《尚书·酒诰》:"文王诰教小子有正有事,无彝酒。越庶国,饮惟祀,德将无醉"。超出这一界限就要重罚了。《易·未济上九》:"有孚于饮酒,无过。濡其首,有孚失是"。就是说有罚于饮酒,本不为过;倘若饮得酩酊大醉,淋得满头都是酒,那就要按失礼行为重罚了。宣王时器《毛公鼎》有"毋敢湎于酒"等记载,说明禁酒令至周末还在适用。

淫声、异服、奇技、奇器惑众罪。《礼记·王制》:"作淫声、异服、奇技、奇器以疑众,杀"。意为作淫邪之乐、奇异服装,或玩弄奇技,制作奇器,均为违礼惑众行为,不利于社会秩序的安定,要处以死刑。

言行惑众罪。《礼记·王制》:"行伪而坚,言伪而辩,学非而博,顺非而泽以疑众,杀"。是说用歪门邪道、胡言乱语、恶意妄行而蛊惑群众的,处以死刑。

假借鬼神惑众罪。《礼记·王制》:"假于鬼神、时日、卜筮以疑众,杀"。是说假借丧葬、嫁娶、天象、占卜等活动,诱骗群众违背礼制者,处以死刑。

井收勿幕罪。《易·井上六》:"井收,勿幕,有孚"。收,"谓以辘轳收缳也"①,这儿指汲水完毕收缆其绳索。幕,覆,引申为井盖。此爻辞意为:打完水,不收缆绳索,不盖井盖者,要处以刑罚。这是维护公共秩序和纪律的法律规定。

言语不信罪。《周礼·秋官·禁暴氏》:"作言语而不信者,以告,而诛之"。是说造谣生事,散布不实之辞,扰乱社会秩序者,一旦告发,即诛杀之。

晨行、宵行、夜行罪。为了防止人民闹事或暴乱,严禁晨行、宵行和夜行。为此,司法机关专设司寤氏负责夜禁:"御晨行者,禁宵行者、夜游者"。②

冯弱犯寡罪。《周礼·夏官·司马》:"冯弱犯寡则眚之"。冯,凌,冯弱,以强凌弱。眚,借为省,《释名·释言语》:"省,瘦也",这儿指削减诸侯的份地。诸侯间弱肉强食,互相残杀,不利于王权的巩固。因此,西周刑律规定,冯弱犯寡者,要给以削其地的处罚。

---

① 《周易》集解引虞翻语。
② 《周礼·秋官·司寤氏》。

奸宄罪。《尚书·吕刑》:"罔不寇贼鸱义,奸宄夺攘矫虔"。《说文》:"在外曰奸,在内曰宄"。奸宄,泛指邪恶诈伪、犯法作乱者,对此,西周刑律将严厉惩罚而不赦免。

诬告罪。从《𰀀匜》判例看,下级奴隶主控告上级奴隶主,无论有理无理,都要定为犯有对上不忠的诬告罪。西周刑律关于诬告罪的规定,完全是为了维护等级制度。诬告罪,处以鞭刑一千。

六、违反祭祀礼制的犯罪

国之大事,在祀与戎。周统治者把祭祀和征伐看作是国家的两件头等大事。《毛公鼎》铭文中国王也是一再告诫毛公厝"用岁用政"。岁,就是祭岁;政,读为征,征伐。西周的祭祀活动,除祭宗庙(祖先)外,还有祭天、祭地、祭山、祭川等多种形式。不祭祖,要"绌以爵";不祭天地山川,亦要追究刑事责任。古籍中,违反祭祀礼制的罪名尚多,如:

不祭山川神祇罪。《礼记·王制》:"山川神祇,有不举者为不敬;不敬者,君削川地"。举,郑注:"祭也"。诸侯贵族违背礼制,不祭山川,则以不敬罪削减其份地。据《史记·周本纪》记载,无论哪一级贵族,都须按礼制规定进行祭祀活动,否则,首先要让其"修意"(自责),"修意"不成,则"修言"(传讯)①,"修言"仍不见效的话,那就要"修刑"了。所谓"修刑",即刑不祭,伐不祀,征不享。换言之,小则动以常刑,大则兴师征讨。

祭祀不敬罪。据《礼记·王制》和《周礼·夏官·祭仆》记载,周王室设专职官吏,奉周王之命,往返于祭祀活动之中,窥察祭祀不敬行为

---

① 《史记》集解:"言,号令也"。号令,从司法角度考虑,含有传讯之意。

的蛛丝马迹,一旦有所觉察,即以不敬罪诛杀之。

祭祀不信罪。诸侯间在祭祀活动中发生冲突,则由官方出面以礼法断决。断决后任何一方不执行判决,便以不信罪处以死刑①。

祭祀怠慢罪。周王室设置肆师职官,负责国中的祭祀仪式、程式和祭品的陈设,如果发现百官群吏在祭祀活动中有怠慢行为,便立刻纠举,并依法处以死刑②。

七、官吏在履行职责上的违法犯罪

历史上比较开明的君主都懂得"治民"与"治吏"的关系。要"治民",必须"治吏",不"治吏",则难以"治民",那样,他们的政权就会垮台。周统治者正是从这一目的出发才比较重视国家政治体制的建设和加强对国家职官的管理的。《吕刑》明确规定了司法官的责任,《周书》和其它先秦古籍也有关于追究官吏犯罪刑事责任的记载。西周刑律为官吏犯罪规定的罪名颇多,较为典型的有以下几种:

五过之疵罪。《吕刑》规定:"五过之疵,惟官,惟反,惟内,惟货,惟来。其罪惟均,其克审之"。所谓五过之疵,是指司法官吏在审理案件中的五种弊病。官,权势,即依仗权势而不是按照法律断决案件。反,挟怨,即利用职权而私报恩怨。内,内谒,即暗中牵制而违法断案。货,财货,即勒索财物徇私舞弊。来,亦作"赇"③,即贪赃枉法。克,亦作"核"④,核实的意思。这句话的意思是,司法官在审理案件中的五种弊端为依仗权势、私报恩怨、暗中牵制、敲榨勒索、贪赃

---

① 《周礼·夏官·大史》。
② 《周礼·夏官·肆师》。
③ 马融本《吕刑》,来作赇。
④ 《汉书·刑法志》克作核。

枉法。一个司法官如果犯有这五种罪过,则与罪犯同罪,也就是以对罪犯所应科之刑罚处罚司法官。因此,审理案件一定要根据事实,依法断决。可见,西周刑律在追究司法官的责任时,对其故意出入人罪,应罚不罚,或不应罚而罚的渎职行为处刑是很重的。

有罚不终罪。司法官执法有始无终,半途而废,也为刑律所不容。《易·萃初六》:"有孚不终,乃乱乃萃"。爻辞意为,司法官受罚,是因为他执法时没有坚持到底,才招来了祸乱。"有孚不终"的规定对司法官依法办事有一定积极意义。但是,西周刑律要求司法官执法要有始有终,其根本用意还在于严厉镇压人民的反抗活动。否则,"乃乱乃萃",人民就会有机会起来暴乱,反对周的统治。

攘狱罪。指司法官拖拉积压案件的渎职行为。《周礼·秋官·禁杀戮》郑注:"攘狱者,距当狱者也。攘,犹却也;却狱者,言不受也"。是说被害人提起诉讼,司法官有意不予受理,则罪其执法者。

不永所事罪。这是对政务官员轻怠政事、失于职守规定的一种罪名。《易·讼初六》:"不永所事,小有言,终吉"。不永所事,指为官者履行其职责时不能坚持到底。小有言,是说对这种行为要给予斥责的轻微处罚。如果官员们能从中吸取教训,改正错误,结果还是"吉"的。

侵削众庶罪。《礼记·月令》:"水虞、渔师收水泉池泽之赋,毋或敢侵削众庶兆民,以为天子取怨于下,其有若此者,行罪无赦"。是说掌管山泽的水虞、渔师,收取赋税时,如果无休止地敲榨百姓,从中渔利,使人民报怨于天子,对这种官吏,将以侵削众庶兆民罪,严刑而不赦免。西周刑律的这一规定,不可能是出于对人民的宽容和爱护,而是为了防止官逼民反,维护自己的统治。

八、破坏国家经济政策的犯罪

周统治者颇为重视农业生产，尤为重视荒田的开垦和利用。为此，西周刑律对农耕、手工业生产和商业贸易等经济活动均有详密的规定，并规定种种罪名，严惩破坏国家经济政策的犯罪。

有失农时罪。《礼记·月令》："仲秋之月，乃劝种麦，毋或失时；其有失时者，行罪无赦"。

土不备耕罪。《国语·周语》："宣王即位，土不备耕，辟在司寇"。注："垦，发也。辟，罪也。在司寇，司寇刑其罪也"。这是宣王时期制定的一条关于农事方面的刑事禁令。宣王时，日趋衰败的政局有所好转，农业生产开始回升，因此，国家比较重视恢复农业生产的立法。根据这一法令，荒田应垦而不垦，土地不能充分利用，司寇要依法追究怠慢农事者的刑事责任。

功有不当罪。《礼记·月令》："工师效功，陈祭器，按度程，毋或作为淫巧，以荡上心。必功致为上，物勒工名，以考其诚；功有不当，必行其罪"。手工业是西周重要的生产部门。西周时期，政府对百工制作的手工器具，从规格到图案，均有严格规定和要求。有的珍贵手工业产品，还要在器皿上刻铸工官姓名，作为考核百工功绩和鉴定产品质量的依据。主管手工业生产的官员每年要对手工产品作一次总考查，奖励成绩优异者。如发现弄虚作假，报功不当者，则按刑事规定，分别情节轻重，给以处罚。

饰行卖慝罪。这是关于市场管理的一条禁令。《周礼·地官·胥师》："掌其次之政令，而平其货贿，宪刑禁焉。察其诈伪饰行卖慝者而诛罚之"。行，《说文》段注："今俗所谓行货不精也"。货物质量低劣而不牢固称为行。慝，本意为"恶"，指劣质货物冒充优质产品。全句意为,胥师主管所辖市场贸易的禁令,控制货物价格,检查并惩罚以劣质产品冒充正品,扰乱市场秩序的违法者。

违约不信罪。为了保障债权人利益,西周刑律严禁债的不履行,并严惩债务人违约不信的行为。《周礼·秋官·司约》:"凡大约剂书于宗彝,小约剂书于丹图,若有讼者,则珥而辟藏,其不信者,服墨刑。若大乱,则六官辟藏,其不信者,杀"。违约受罚的判例,金文中屡见不鲜。

过限取息罪。西周刑律一方面严禁债的不履行,保障债权人利益;另一方面,又不准过限取息,以保障债务人不受超经济剥削。《周礼·秋官·朝士》:"凡民同货财者,令以国法行之,犯令者刑罚之"。郑注:"谓同货财者,富人畜积者,多时收敛之,乏时以国服之法出之,虽有腾跃,其赢不得过此。以利出者与取者,过此则罚,若今时加贵取息坐赃"。是说民间赊贷钱物,应按国法规定利息取息,如果腾跃过限,加倍取息,侵害债务人权利,则以坐赃论罪。

山川专利罪。据《史记·周本纪》记载,山川百物公有,不准专利,"匹夫专利,犹谓之盗",以盗罪论处。

九、军事上的犯罪

"师出于律,否臧凶"①。军事行动没有严明的军法,即使是强兵也会出现凶兆。周统治者相当重视军事立法,奖励军功,惩罚有罪。关于军事方面的犯罪,史籍、金文均有记载。

不从王征罪。据《师旅鼎》,周王出征,无论军队将领或士兵,有不从王出征或怠慢者,一律受罚。兵士临阵脱逃,统帅还须承担间接

---

① 《易·师初六》。

逆军犯师罪。指兵士违抗将令、扰乱军心的犯罪。《周礼·秋官·士师》:"大师,帅其属而禁逆军旅者与犯师禁者而戮之"。是说每逢大的军事行动,士师则以司法长官名义,率领他的部属执行军中的禁令,诛戮那些违抗军令和扰乱军阵的将士。

军需不逮罪。《尚书·费誓》:"甲戌,我惟征徐戎,峙乃糗粮,无敢不逮,汝则有大刑"。是说甲戌那一天,我要出征讨伐徐国,你们不把粮草准备好,并及时送到,就对你们以大刑殛之。

出征后至罪。武王第一次伐纣时,随军将领师尚父颁布了一条军法:"总尔众庶,与尔舟楫,后至者斩"。意为现在我要渡河讨伐殷纣了,士兵们必须准时出发,谁若逾时迟到,一律处以斩刑。

泛军兴罪。指不按官府或军事当局规定及时供应军需物资的犯罪。据《史记·鲁周世家》和《尚书·费誓》记载,每次大的军事行动,都要进行大规模的征兵活动,新兵到达之前,国家要向"三郊三遂"颁发命令,责令人民做好交通、粮草等一切准备。"峙乃刍茭,无敢不多",否则,"汝则有常刑"。

嚣喧罪。《周礼·秋官·士师》"五禁"注:"今军有嚣喧之禁"。嚣,同喧。喧,《说文》:"哗也"。《左传·成公十六年》"在陈而嚣,合而加嚣,各顾其后,莫有斗心"。据此可知,西周军法严禁战地喧哗,扰乱军心,违者,以军法论处。

第二节 刑罚

刑罚,是犯罪认定之后用以惩罚犯罪的强制手段。它是阶级社会的产物。大约在原始社会末期,随私有制、剥削和阶级的出现而萌芽。原始社会的刑罚,不带有阶级烙印,实际上是部落与部落、氏族与氏族之间所采取的一种虐杀手段,也不经国家机关强制执行。从夏朝开始,刑罚才和阶级压迫连接在一起,充当统治阶级维护其阶级权益的暴力工具。夏商特别是商朝刑罚的特点,具有残酷性,而且愈演愈烈。墨、劓、刖、宫、大辟奴隶制五刑,是夏商刑罚的主体部分,此外,还使用若干惨绝人寰的酷刑。甲骨文中已发现劓、刖、宫、杀等字,是夏商使用奴隶制五刑的佐证。西周刑罚制度是在夏商刑罚基础上发展起来的。在继承五刑的基础上,对刑种的设置、刑等的使用、刑具的改进以及量刑制度、刑罚原则均作了大幅度的改革,使西周的刑罚制度远远超过夏商而有较大程度的发展和进步。

西周刑罚种类的主体仍为墨、劓、刖、宫、大辟五刑,五刑之外,又辅之以其它刑罚。五刑之中,大辟为死刑,其它四种是肉刑。

一、死刑

死刑,是剥夺生命的最重刑罚。西周死刑,《周礼》称作杀罪,《吕刑》称作大辟。和殷代相比,西周死刑在行刑手段上的残酷性、野蛮性,有所减弱。但是,奴隶制度所固有的特性,决定其刑罚手段和中外所有奴隶制国家的刑罚差别不大,名目仍然繁多,性质亦颇残酷。据史籍记载。西周死刑名目主要有以下几种:

斩。斩刑名称早在西周以前已经出现。据说蚩尤就是被黄帝斩于涿鹿之野的。西周斩刑,最初见于《周礼·秋官·掌戮》:"斩杀贼谍而搏之"。郑注:"斩以鈇钺,若今腰斩也;杀以刀刃,若今弃市也"。弃市,即断首刑罚。根据郑玄《周礼》注可以推断,西周斩刑,已开始区分刑等:腰斩(西周称斩),身分异处,是斩刑最高刑罚等级;杀,包括弃市,身首异处,斩刑次等刑罚。西周斩刑又叫"灭顶"。《易·大过上六》:"灭顶,凶"。顶,颠;头。灭顶,就是去首斩刑。西周军法,又称斩首为"折首"。《易·离上九》:"王用出征,有嘉折首"。意为出军作战,按斩敌首个数记功嘉奖。金文中折首记功行赏的铭文甚多。斩刑刑具,按郑玄说法为鈇钺。鈇就是横斧。鈇钺,即斧钺。郑玄说法是比较可信的。武王伐纣时,武王就是"以黄钺斩纣头"的。《汉书·刑法志》也说:"大刑用甲兵,其次用斧钺"。韦昭注:"斧钺,斩刑也"。商周铜器铭文有不少徽号,是今天可见到的西周斩刑最形象的描绘。《三代吉金文存》二、四有一徽号,形象地绘制出一斧砍下,一直立人的头早已不见踪影的情景,看后令人生畏。又于省吾《商周金文录遗》三〇四有一斩刑徽号,左侧一刽子手一手执一把大钺砍下,右立囚徒的头落地了。这些都是西周斩刑执行现场在地下文物中的再现。

焚。又名火刑,将罪犯活活烧死的一种酷刑。西周焚刑源于殷代炮烙之刑,原则上只适用于杀亲犯罪。《周礼·秋官·掌戮》:"凡杀其亲者,焚之"。焚刑至汉代还在沿用。桓谭《新论》:"男子毕唐杀其母,诏焚烧其尸,暴其罪于天下"。大约从三国时期开始,焚刑的适用范围除杀亲罪外,又波及到奸罪。《吴志·阚泽传》:"初,以吕壹奸罪发闻,有司穷治,奏以大辟,或以为宜加焚裂,用彰元恶"。看来,焚刑主要是用来惩罚杀亲和奸淫等违犯礼制的重大犯罪的一种刑罚。这点,古代其它各国大都相同。古埃及,杀亲者,则以草裹身,活活烧死。古印度,凡贱民诱奸贵族之妻者,处以焚刑。《汉穆拉比法典》规定,子淫母,子与其母均处焚刑。

烹。烹刑最早见于《史记·殷本纪》"纣囚西伯羑里"注:"《帝王世纪》云,囚文王,文王之长子曰伯邑考,质于殷,为纣御,纣烹为羹,赐文王,曰:'圣人当不食其子羹'。文王食之。纣曰:'谁谓西伯圣者?

食其子羹尚不知也'"。纣王烹伯邑考迫使文王食其肉,只能暴露殷纣王的残暴非人行为,尚不能肯定这就是殷代的一种法定刑罚。烹作为正式刑种是从西周发端的。《史记·齐太公世家》和《周本纪》正义注引《纪年》,均有周夷王三年,齐哀公不尊重夷王,夷王遂召各国诸侯于镐京,"烹齐哀公于鼎"的记载。自从商鞅制定"凿颠、抽胁、镬烹"之法后,烹刑被广泛运用于司法实践之中。西周烹刑刑具为鼎,"鼎大而无足曰镬,以粥人也"①。镬,鼎的一种形式。

搏。即"膊",磔刑之一种。《左传·成公二年》:"齐侯伐我北鄙,围龙。顷公之劈人卢蒲就魁门焉,龙人囚之。杀而膊诸城上"。孔颖达疏:"膊,谓去衣磔之"。《释文》:"膊,磔也"。《方言》:"膊,曝也"。可见搏(膊)刑是将罪犯去衣肢解后而曝晒其尸的一种酷刑,它类似殷代的脯刑。据《周礼·秋官·掌戮》记载,此刑一般适用于对"贼谍"(间谍活动)犯罪的惩罚。

辜。磔刑之另一种称谓。《周礼·秋官·掌戮》注:"辜,言枯也,谓磔也"。《说文》:"磔,辜也"。所以,辜刑又称作辜磔。《韩非子·内储说上》:"采金之禁,得而辄辜磔于市"。辜和搏同属分裂肢体磔刑的酷刑,它们之间的区别在于,搏为肢解后并曝其尸,而辜则为先杀而后磔。

踣。西周死刑比较常用的一种执行方法。《周礼·秋官·掌戮》:"凡杀人者,踣诸市,肆之三日"。郑注:"踣,僵尸也;肆,犹申也,陈也,凡言刑盗罪恶莫大焉"。踣刑主要用于惩罚盗罪,其行刑方法,首先将罪犯击毙于市,然后陈尸三日以示众。

---

① 《汉书·刑法志》师古注。

弃。秦汉弃市刑的原型。西周弃刑,起源于"刑人于市,与众共弃"①之意,它既是一种死刑,又可作流放刑使用。《易·离九四》:"焚如,死如,弃如",从句式结构分析,死刑即杀,轻于焚刑,弃自然要轻于斩杀作流放理解。《散氏盘》铭文矢方宣誓要誓守诺言时说,如果他们有违誓行为,就处以弃刑。这个弃刑一般指流放刑。《鬲攸从鼎》的"我弗具付鬲从其租,谢分田邑,则放"即是佐证。到秦汉时,弃市刑才失去流放含义成为死刑专用的一种执行方法。

磬(经)。对王的同族或有爵贵族执行死刑的一种刑罚手段。《周礼·秋官·掌戮》:"王之同族及有爵者,杀之于甸师氏"。甸师氏,郊野地区专设的负责死刑执行的官吏。凡王的同族或有爵位的贵族犯死罪,经司寇判决后,便送往边远郊野由甸师氏负责执行。执行方法和"踣诸市,肆之三日"的一般死刑执行方法不同。据《礼记·文王世子》记载:"公族其有死罪,则磬于甸人"。磬,郑玄的解释是:"县(悬)缢杀之曰磬"。《释名》也是说"县绳曰缢"。可见,磬,就是用绳索把罪犯缢死,后世发展成为绞刑。《说文》:"绞,缢也"。春秋时期,缢(磬)刑被广泛使用,仅见于《左传》的就有莫敖缢于荒谷,申生缢于新城,以及夷姜缢、楚成王缢②等多起。至北周、北齐二律,绞刑正式代替缢(磬)成为死刑法定刑。磬,又称作经。《史记·周本纪》:"武王至纣之嬖妾二女,二女皆经自杀"。经,即上吊自缢。

车辕。后世车裂酷刑的原型。《说文》:"辕,车裂人也"。《周礼·秋官·条狼氏》:"凡誓,执鞭以趋于前,且命之,誓仆右曰杀,誓驭曰车辕"。西周有无车辕酷刑,因先秦典籍尚未见到类似记载,还无法得

---

① 《礼记·王制》。
② 分别见《左传》桓十三年、僖四年、桓十六和文元年。

出可靠结论。不过,据《淮南子·汜论训》:"昔者苌弘,……不能自如车裂而死",西周使用这种刑罚,也有可能。

二、肉刑

奴隶制肉刑主要有墨、劓、刖、宫四种,是断肢体,刻肌肤,使犯人终身不息的残酷刑罚。施用肉刑,几乎是所有奴隶制国家的司法特点,其刑种表现形式亦彼此相类似。《罗马法》有截开人背、以石击杀。日尔曼时代的肉刑,劓、刖、宫、断舌、断齿、断手足、剥皮、不计其数。《摩奴法典》所载肉刑,更是数不胜数。肉刑作为法定刑从夏商开始,直至汉文帝十三年才被诏废。汉文帝废肉刑,是中国历史上上层建筑领域里清除野蛮刑罚的一次重大行动,是封建社会上升时期新兴地主阶级改革刑罚制度的一次大胆尝试,也是中国古代刑罚制度由残暴、野蛮走向相对文明的开端,对后世各朝的法制建设产生深远影响。此后,奴隶制肉刑一直被视为非法,没有写进任何一部封建法典之中。

墨刑。在犯人面部刺其肌肤并涂之以墨的刑罚,这是奴隶制五刑中的最轻刑罚。《周礼·秋官·司刑》:"墨罪五百"。郑注:"墨,先刻其面,以墨窒之"。墨刑又可称作天刑。《易·睽六三》:"其人天且劓"。《释文》:"天,黥也。马云:'黥凿其额曰天'"。《集解》引虞翻语也说:"黥额曰天"。墨刑也称黥,金文中的黥黥,黜黥即墨刑的不同等级。

劓刑。割去犯人鼻子的刑罚。在奴隶制五刑中重于墨而轻于刖。甲骨文有劓字,写作𠂤,左为鼻之象形,右为刀,取以刀割鼻之意。《易经》中劓刑记载较多,除前述"其人天且劓"外,还见于《困九五》:"劓刖,困于赤绂"。《释文》:"劓,截鼻也"。《噬嗑初六》直呼劓刑为灭鼻:"噬肤灭鼻"。灭鼻,即截鼻、割鼻。

刖刑。砍掉犯人脚趾或手脚的刑罚,重于劓而轻于宫。甲骨文刖字写作㓝。所从之⺄(又)即手,像以手持锯之形。一旁从人形"大",一足长,一足短。整个字形,像以手持锯,截断人的一足。西周刖刑有三种称谓:第一称刖。《易·困九五》:"劓刖,困于赤绂";《周礼·秋官·司刑》:"刖罪五百"。第二称剕。《吕刑》:"剕罚之属五百"。第三称趾。《易·噬嗑九五》:"屦校灭趾"。三种不同称呼,实际上都是一个意思:断足。所以,剕、趾只不过是刖的别名。有人要把刖、剕、趾区分为三种不同的断足方法①,是没有充足论据的。剕刑又可写作腓刑或中跀刑,剕、腓、跀也是一个意思,即断足刖刑。《说文》踦字下说:"腓与剕通"。《吕刑》"剕辟疑赦"传云:"刖足曰剕"。《尔雅·释言》:"跀,刖也"。趾,又称止,取受过刖刑的人走路一个足前进另一个则停滞不前的意思,同样是刖刑之意。《释名》:"趾,止也,言〔行〕一进一止也"。除剕、腓、跀、趾、止之外,中国历史上的刖刑,还有过兀、趽、髌、膑等多种称呼,这些称谓和刖的意义亦同。如膑,由于历史上有过"孙子膑脚"的故事②,因此长期以来被大家认为那是一种去膝盖骨的刑罚③。其实,膑(髌)和刖其意亦无差别。就连司马迁自己,在讲"孙子膑脚"故事时也说,膑,乃是"以法刑断其两足"④ 的刑罚。殷代刖刑的刑具是锯,西周刖刑发展成为斧钺刀剑。《三代吉金文存》有一辥的徽号,描写了一幅施行刖刑的可怕场面。在一把长柄大钺面前,一个受刑囚犯的一条腿被大钺砍断两截,倒在大钺旁

---

① 黄以周:《礼书通故》。
② 《史记·报任少卿书》。
③ 见《说文》髌字段注、《尔雅·释骨》和《大戴礼记》等。
④ 《史记·孙子列传》。

边,惨状异常。《吕氏春秋·音初篇》有用大斧施行刖刑的记载:"斧斫断其足"①。刖刑自汉文帝十三年诏废后,并未彻底绝迹,下至明清两千年间,断断续续,时用时废。

宫刑。又称腐刑、阴刑,为男子去其势,女子闭于宫(幽闭),即破坏人的生殖机能的残酷刑罚。传说苗民已使用宫刑,叫做椓刑。椓刑,"去阴之刑也"②。甲骨文宫字写作⊙⋏,似以刀割去人的生殖器,因此,宫刑又称淫刑。《吕刑》"宫辟疑赦"传:"宫,淫刑也,男子割势,女子幽闭"。大约从汉代开始,其适用范围逐渐扩大,成为以宫代死的一种刑罚③。宫刑,汉文帝诏废后,不久又恢复,直至北齐后主天统五年,才真正结束了其罪恶的历史。

肉刑,是周统治者惩罚犯罪的重要手段,也是西周刑罚制度的主要内容。周统治者为了肆虐百姓,但不因此而使自己的劳动力过分损伤,又给肉刑受害者制定了一系列附加刑罚。

第一,沦为奴。凡是受过肉刑的人,一般都要沦为奴隶,终生供奴隶主贵族役使。1963年陕西扶风法门公社齐家村出土一件西周晚期珍贵青铜器《它盘》。该盘圈足下有四个受过刖刑的裸体男子作小足。人作跪坐式,曲腿臀下,双手扶膝,肩负重盘,右足完好无损,左足被砍。毫无疑问,这是四个受过刖刑的囚徒,充当奴隶,供作器主人役使。这一地下资料说明,受过刖刑的人要沦为奴隶,终身不得自由。1976年12月陕西扶风法门公社庄白村出土一件《刖刑奴隶守门铜方鬲》。鬲,古代炊器,似鼎而足空。这种青铜器流行于商代和

---

① 《易·咸六三》:"咸其腓,凶。"咸字从戌,灭也。戌,戊义同,大斧。"咸其腓",用大斧砍足。这是刖足用斧的又一例证。
② 《说文》。
③ 《汉书·景帝纪》:"死罪欲腐者,许之。"

春秋时期。《刖刑奴隶守门铜方鬲》是在商代鬲的基础上发展而成的一种特殊形式的鬲。这种鬲分上下两层,下层改足为炉膛,用以置火烧煮。周统治者精心设计出这种特殊鬲,并在炉门上铸一刖人守门,是有其特殊用意的。郭沫若讲《大盂鼎》"人鬲"时说,鬲,本是一种炊具,那时的奴隶主贵族用鬲来称呼奴隶的原因,大概是取其黑色。在烈日下劳动的人被阳光晒黑了,就像鬲被火烟熏黑了一样①。鬲,就是奴隶。《刖刑奴隶守门铜方鬲》以地下实物资料证明郭沫若的推断是正确的,也说明罚刖人为奴是西周刑罚的一项重要制度。铸刖人于鬲门之上,取其义,刖人即奴隶。《易·睽六三》:"见舆曳,其牛掣,其人天且劓,无初有终"。那些受过墨刑和劓刑的人,艰难地拉动着牛车,为主人卖命,这些人的身分不可能高于奴隶。这是墨、劓刑的受害者沦为奴的历史记录。

第二,供役使。受过肉刑的人罚服役刑,这是西周刑律为肉刑受害者规定的又一条附加刑罚。《周礼·秋官·掌戮》说,西周刑律为肉刑受害者规定的附加役刑是:"墨者使守门,劓者使守关,宫者使守内,刖者使守囿,髡者使守积"。墨者守门,劓者守关,宫者守囿,髡者守积,这种标准化、公式化的规定,肯定有后人的附会,不可能是西周肉刑犯者服役刑的原型。例如"刖者使守囿",郑玄的解释是:"断足,驱卫禽兽无急行"。颜师古又说:"驱御禽兽,于无足可也"。这些说法都不确切。囿,帝王畜养禽兽、狩猎行乐的场所,汉代叫苑,或苑囿。守囿者叫"囿人"。囿人掌囿游之兽禁,牧百兽,祭祀丧纪宾客时,负责贡献生兽或死兽之物。如此艰辛的工作,无足(无手)刖人无论如何也承担不了,怎能说让其守囿无须"急行"、"无足可"呢? 如遇

---

① 郭沫若:《奴隶制时代》和《中国史稿》。

"文王之囿,七十里;天子之囿,百里,并是田猎之处"①,百兽驰骋,地处旷野,刖人更是无能为力,无所济事。况帝王苑囿,乃卫禁圣地,罪人是难以出入的。从《刖刑奴隶守门鬲方鬲》看,刖人沦为奴之后,不是"守囿",而是"守门",烧火煮饭,干罪隶苦役。《太平御览》就有"刖者使守门"的记载②。《韩非子》也说,孔子"弟子子皋为卫狱吏,刖人足,所刖者守门。"③刖人守囿不可信,守囿门是完全可能的。"囿是大苑,其门皆使阍人守之也";"阍者,守门之贱者也"④。"阍者何?门人也,刑人也"⑤。刖人守炉门,取罪隶(鬲)之意;守囿门,与禽兽为伍,取人身侮辱之意。确切地说,西周刑律给刖人的附加刑,应该是贬为奴,服苦役。《它盘》下面那四个充当盘足,裸体负重的刖刑受害者,正是这一刑罚制度的真实写照。刖刑附加刑罚如此,墨、劓,宫刑不会例外。

第三,徙远方。班固在《白虎通·五刑篇》中说:"古者刑残之人,公家不出,大夫不养,士与遇路不与语,放诸砠确不毛之地,与禽兽为伍"。《礼记·王制》也说:"刑人……屏之四方,唯其所之,不及以政,亦弗故生也"。把肉刑犯者,"屏之四方","放诸砠确不毛之地",是西周刑律给受过肉刑的人规定的另一严酷制度,即肉刑又一附加刑——流放边远。这一制度被历代统治者所采用,成为古代统治阶级残害、镇压人民的重要手段之一。秦朝就有"断足盈车,举河以西"⑥的记载。云梦《秦简》也有"某里士五(伍)甲告曰:谒鋈亲子同

---

① 《周礼·地官·小司徒》贾疏。
② 《太平御览》卷648。
③ 《韩非子·外储说左下》。
④ 《礼记·祭统》。
⑤ 《公羊传·襄公二十九年》。
⑥ 《盐铁论·诸圣篇》和《秦会要补》。

里士五(伍)丙足,迁蜀边县,令终身毋得去迁所。敢告"① 的判例。鋈,《广雅·释诂》:"折也"。鋈足,刖足。这一判例是说,某甲向官府控告,请求将其亲生子丙断足流放蜀郡边远县份,并叫他终身不得离开流放地点。南宋还推行"投畀四远"、"徙闪远方"的肉刑徙边政策②。唐太宗废"断趾法"后,也改断趾为"加役流三千里,居作两年"③。

三、赎刑、罚金

赎刑,用钱财代替或抵销其刑罚的一种制度。《吕刑》和金文判例均有赎刑记载。《吕刑》说:"五辞简孚,正于五刑;五刑不简,正于五罚"。辞,讼辞;口供。简孚,核实;验明;正,治罪。是说五辞核实了的,就以五刑治罪;五辞不能核实的,则按五罚治罪。这个罚,不是罚金的罚,而是以钱财赎罪的赎。郑康成说:"罚,罚赎也,《书》曰:金作赎刑"。孔安国传:"五罚,出金赎罪"。西周赎刑,基本上是以金(铜)赎罪。《吕刑》赎的对象只限于疑案,即犯罪事实无法核实的案件。凡是能够核实的,不能赎,按五刑中之相适宜的刑种惩处。赎金数额是:

墨刑,收赎一百锊,即铜六百两;

劓刑,收赎二百锊,即铜一千二百两;

剕刑,收赎五百锊,即铜三千两;

宫刑,收赎六百锊,即铜三千六百两;

死刑,收赎一千锊,即铜六千两。

---

① 《秦简·封珍式》。
② 《宋书·明帝纪》。
③ 《旧唐书·刑法志》。

这就是《吕刑》所说的"墨辟疑赦,其罚百锾①,阅实其罪;劓辟疑赦,其罚惟倍,阅实其罪;剕辟疑赦,其罚倍差②,阅实其罪;宫辟疑赦,其罚六百锾,阅实其罪;大辟疑赦,其罚千锾,阅实其罪"。疑赦,指疑案可赦,改用赎金。《吕刑》的赎金,从墨罪一百锊至死刑一千锊,已经大得惊人,而金文判例中的赎金反而更大。以墨刑为例,《吕刑》是一百锊,《𠨞匜》判例中却为三百锊。这说明西周刑律在不同时期所规定的赎金数额随刑书的改动各不相同。无论一百锊或三百锊的墨赎,直至死刑的一千锊,如此巨大的数额,在铜还很贵重的西周,庶民百姓是缴纳不起的,只有贵族们才有以钱赎罪的希望。这说明西周赎刑的对象只能是有钱的贵族官吏。平民们犯罪,非死即刑,没有别的出路。人们把古代的赎刑称作特权法,可谓一语道破了这一制度的阶级本质。因此,后世历代的封建法典,如《唐律》,开宗明义,律文篇首就是五刑名称及其各种刑罚的赎铜金额,宋、元、明、清律亦未改变。赎刑制度经历奴隶社会、封建社会,整整沿用几千年。

罚金的性质和赎金不同,它是司法机关强制罪犯缴纳一定数量钱财的刑罚。《师旅鼎》因师旅的"众仆"没有听从王命跟从王征伐于方,经司法官判决,处罚金三百锊。《散氏盘》的"隐千罚千",也是指罚金。是说隐瞒多少过错,就罚多少铜。千,不是实指,泛指多数,而罚却是专指罚金的。

四、其它刑种

(一)流(放)刑。流刑是将有罪者放逐鄙野并限制其自由的刑

---

① 锾即锊,货币单位。有说一锊六两。有说六两大半两,此处用分说。
② 倍,指劓刑二百锾的一倍即四百锾。差,再加二百锾的一半就是倍差,为五百锾,合三千两。

罚。周厉王严刑峻法，肆虐百姓，"国人莫敢言，三年，乃流王于彘"①。这是人民造反流放君王的例子，虽然不能看出是法定的流刑刑种，其执行方法与法定流刑没有两样。其它典籍"君流"② 的记载甚多，意为君主对有罪者处以流刑，这是典型的流刑。西周流刑尚处于发展阶段，其主要含义为流放，也就是放逐，所以，流刑多称放刑。放刑的起源不在周代，可以追溯得更早。《尚书·尧典》和《竹书纪年》所说的"放欢兜于崇山"、"五十八年，使后稷放帝子朱于丹水"，是传说时代的放刑记载，不足为信。《史记·殷本纪》"太甲既立，三年，不明，暴虐，不遵汤法，乱德，于是伊尹放之于桐宫"，应为信史，是可靠的放刑最早记载。西周放刑，见于史籍的，有《史记·殷本纪》周公东征胜利后，"伐诛武庚、管叔，放蔡叔"；见于金文的有《禹攸从鼎》的攸卫牧誓辞：我如果不再付给禹从田租，就处我流放刑罚。从金文资料看，西周流放刑已发展成一个固定刑种，和相应犯罪结合使用了，而不是单纯的用于惩罚敌对分子的放逐报复。西周流放刑惩罚的犯罪主要有三种：变礼易乐罪、拒绝从征罪、故意违约罪。

（二）拘役。对轻罪犯人短期监禁罚服劳役的一种剥夺其自由的刑罚。《易·困初六》："臀困于株木，入于幽谷，三岁不觌"。意为：罪犯受杖刑之后，幽进监狱，三年不能与外人见面。"入于幽谷，三岁不觌"，既是拘禁，又带徒刑性质。西周拘役刑，主要有两种形式，一是圜土制度，二是嘉石制度。《周礼·秋官·大司寇》：

> 以圜土聚罢民。凡害人者，置之圜土而施职事焉，以明刑耻之。其能改者，返于中国，不齿三年。

---

① 《国语·周语》。
② 《礼记·王制》等。

又《秋官·司圜》：

> 掌收教罢民。凡害人者，弗使冠饰，而加明刑焉，任之以事，而收教之。能改者，上罪三年而舍，中罪二年而舍，下罪一年而舍。

这两条记载，大意为对那些已经触犯刑律的罪犯，监禁起来，然后按其所犯罪行为为上罪、中罪、下罪，分别罚服三年、二年或一年劳役。圜土制度是对已经判决的在押犯人强制其从事劳役催其改过自新的刑罚制度，而嘉石制度却是对虽有罪过但未触犯刑律的"罢民"所采取的一种刑罚手段。《秋官·大司寇》说：

> 以嘉石平罢民。凡万民之有罪过而未丽于法而害于州里者，桎梏而坐诸嘉石，役诸司空。重罪，旬有二日坐，期役；其次，九日坐，九月役；其次，七日坐，七月役；其次，五日坐，五月役；其下罪，三日坐，三月役。使州里任之，则宥而舍之。

这段话的意思是：用嘉石来感化不良顽民。凡有罪过但还未触犯刑律但其行为有害于乡里的人，加上脚镣手铐，命令他们坐在嘉石上。然后，把他们交给司空，罚作劳役。重罪，坐嘉石十二天，罚作一年的劳役；比较轻一点的，坐嘉石九天，罚作九月的劳役；再轻一点的，坐嘉石七天，罚作七月的劳役；再轻的，坐五天，罚作五月役；最轻的，坐三日，罚作三月役。之后，经当地人担保方可释放。可见，坐嘉石，带有拘禁性质，坐过之后的服役，类似后世的劳动改造。嘉石犯比圜土犯罪过稍轻，因而服役时间短得多。

《周礼》所载圜土、嘉石制度是比较可信的。《易经》中的"幽谷"即《周礼》中的圜土，《易经》中的"困于石"①，和《周礼》的坐嘉石完全

---

① 《易·困六三》。

一致。石,即嘉石,坐嘉石带有强制性,因此,《易经》便改"坐"为"困"了。从这两种制度看出,拘役,已经成为一种独立的惩罚犯罪的刑种,同时,圜土和嘉石还带有显明的有期徒刑性质。作为徒刑的执行机构,以圜土主要用于拘禁触犯刑律的轻罪犯,有罪过而未触及刑律者,则不入圜土而坐诸嘉石。

(三)鞭刑。用荆条或株木痛击犯人背部或臀部的一种刑罚。鞭,《𣄰匜》写作𩰶,便字,像以手持鞭挞人之背①;《曶鼎》写作𩰶,便字多加一"𠂆"旁,鞭的原始字。便,从人从攴。攴,古鞭字,加人旁以示鞭打部位——背部。"𠂆",刑具象形,荆条、楛枝之类。《礼记·学记》:"夏楚二物,以收其威也"。郑注:"夏,楛也;楚,荆也,二者所以扑挞犯礼者"。以荆条鞭背的制度,大约从西周开始,至战国秦汉还在沿用。有名的廉颇负荆谢罪故事,是战国时期鞭背的记载。秦朝鞭刑制度,《说苑》有过记载:"秦始皇取太后,迁之咸阳宫,下令曰:以太后事谏者,蒺藜其脊"。到了汉代,除继续使用荆条鞭背制度外,又进行刑制改革,鞭刑刑具开始改用皮革制作而成。

西周鞭刑,一般用于对贵族犯罪的惩罚。金文中仅见两个用鞭判例,鞭打对象都是贵族。《曶鼎》中的匡季,能一次指使自己的"众仆"二十人去行劫,事败之后又能轻而易举地拿出"七田"(七百亩)和"五夫"(五个奴隶)进行损害赔偿,此人一定是个很有财产的大贵族。《𣄰匜》判例中鞭打的牧牛,也是个给大贵族𣄰主管放牧的小贵族。周统治者懂得,官僚贵族的胡作非为,败坏法纪,是政治腐败,阶级矛盾尖锐的主要根源。要想维系统治阶级内部的团结一致,强化奴隶

---

① 《说文》:"挞,乡饮酒罚不敬,挞其背。"

主阶级专政,制止、惩处官僚贵族犯罪是一个重要的方面。"鞭作官刑"①。因此,西周制律继续以鞭刑为"官刑",用以"治吏","所以纠慢怠也"②,"扑挞犯礼者"。

适用刑罚时,鞭刑既可以作为一个刑种独立使用,或用于刑讯拷囚,又能够与其它刑罚并合使用,以从刑形式出现。《曶鼎》判例中的鞭刑是单独用于拷囚的;而《倏匜》判例中的鞭刑则是从刑。对牧牛的处罚,使用了两种刑罚,一是墨刑,一是鞭刑。墨刑,为奴隶制五刑法定刑即所谓"正刑",也就是主刑。主刑可以赎,从刑则相反。牧牛出铜三百锊,被免除了墨刑,说明墨刑可赎。鞭刑在牧牛案中是墨刑附加刑,所以只能加减鞭打数字,而不是赎。对牧牛的判决,最初是鞭一千下,最后减为五百,始终没有免除。这说明赎金与鞭刑没有发生关系。

(四)杖刑。用株木扑挞犯人臀部的一种刑罚。西周杖刑,《易经》记载最为详细。《困·初六》:"臀困于株木,入于幽谷,三岁不觌"。株木,就是杖刑刑具。《庄子·列御寇篇》:"为外刑者,金与木也"。金,指刀锯斧钺等金属刑具;木,即株木,用于棰楚的木制刑具。此爻辞意为:罪犯臀部受过杖刑之后,被抛入监狱,三年不准与外人接触。"三岁不觌",就是前引《周礼·秋官·司圜》所说的"上罪(重罪)三年而舍"。《夬九四》和《姤九三》同说:"臀无肤,其行次且",这是对受过杖刑的惨状描述。"臀无肤",是说臀部被打得皮开肉绽。"其行次且",描述其行路之艰难。次且,《说文》写作"趑趄","行不进也",走不动路了。

---

① 《尚书·尧典》。
② 《魏书·明帝纪》。

杖刑又称扑刑。《左传·文公十八年》杜注："扑,杖也"。杖刑和鞭刑有其相同和相异之处。相同点为两者在适用刑罚时,均用来扑挞"犯礼者",就是说惩罚官僚贵族的犯罪。不同之处有二,一是刑具制作不同,杖刑用株木,鞭刑用荆条;二是鞭刑侧重于惩罚,而杖刑重点在于教化,适用于犯有轻微罪过的贵族。

(五)收奴。没收罪犯为奴的一种刑罚。西周时期,凡受过肉刑的人全都沦为奴隶,令其去守囿、守边、守积、守内,这实际上就是一种收奴政策。没收未受肉刑的罪犯为奴,为的是供官府奴役。《周礼·秋官·司厉》记载:"其奴,男子入于罪隶,女子入于舂槁"。是说作为盗贼而收为奴者,分别男、女送至罪隶和舂槁,充当官府奴婢。西周刑律又规定,有爵位的人和年龄在七十岁以上、七八岁以下的,可以免除收奴处罚。周统治者用这种所谓"恤刑"政策美化自己的德政,其实,这种"恤刑"是对庶民百姓的欺骗。七十以上,七八岁以下的人不具有劳动能力,把他们没收为奴已没有任何实际意义。有爵位的贵族免罚收奴,才是他们的真正用意,也反映出西周收奴刑罚的阶级本质。西周建立之前曾经颁布过"罪人不孥"的法律,可以说它是西周法律发展史上的一颗灿珠;建国之后,又反过来推行收奴政策,残害广大庶民,这是姬周政权对"罪人不孥"政策的一次大的反动,因此被后世不少统治阶级制定法律时所承袭。商鞅制定过"相收司连坐"之法,秦始皇有收奴之令,《汉书·高帝纪》郎中田叔、孟舒等十人,自髡钳为王家奴。至《唐律》,谋反罪犯,其十五以下之子,及母、女、妻、妾、祖、孙、兄、弟、姊、妹,一律没官。

(六)髡刑。剃掉头发的刑罚,侮辱刑。《周礼·秋官·掌戮》"髡者使守积"。郑注:"髡者,必王之同族。不宫者,宫之为翦其类,髡头而已。守积,积在隐处宜也"。这说明周代髡刑实际上是宫刑代替刑,是西周法律为王之同族规定的一项特权。尽管如此,凡受过髡刑的人和受过肉刑的人一样要罚作奴隶,并使其守积服役,终身不得自由。孟舒、田叔被称为王家奴,正因为他们受过髡刑。秦汉时,髡刑的适用对象才逐步越出宫刑代替刑的范围,开始使用于不孝罪等各种犯罪。

(七)聝刑。割掉罪犯耳朵的刑罚。《说文》:"聝,军功断耳";《玉篇》:"聝,截耳也"。聝,也可写作刵,取以刀割耳之意,主要用于惩罚轻微犯罪。《尚书·康诰》传:"刵,截耳,刑之轻者"。行刑时,首先给犯人戴上刑具校,然后割断其耳,《易经》称作"何校灭耳"①。何通"荷";校,束缚颈、手的刑具,类似后世的木枷。灭耳,即《玉篇》所说的"截耳",《说文》所说的"断耳"。

聝刑除用以惩罚轻微犯罪外,还可以作为军法的一个刑种,供作战将士向周王请功行赏。那时,每当一次战役结束,周王要在周庙举行盛大的献聝仪式,根据军功将士所报斩敌首级的多少,论定军功之大小,以资赏赐。最初,军功大小是以敌人首级多少计算的,所以金文全都称作"折首",聝字也写作"聝",从首不从耳。如《小盂鼎》记载贵族盂受命征伐鬼方告捷归周后所得的战绩是:"(执兽)三人,只(获)四千八百口二聝,孚(俘)人万三千八十一人,孚(俘)马口口匹,孚(俘)车十两(辆),孚(俘)牛三百五十五牛,羊二十八羊"。这是盂第一次战役的战果:抓到敌军将领三人,斩敌首四千八百口二个,俘虏敌兵一万三千八十一人,还有牛、羊、战车等大量战利品。《虢季子白盘》记载,虢季子白征伐猃狁的战绩是:"折首五百,执讯五十"。是说斩敌首五百,抓活的五十。周统治者很重视武功,鼓励将士奋力作

---

① 《易·噬嗑上九》。

战,镇压异邦封国的反抗,巩固周王室的统治。不努力作战的,军法处罚极重;努力作战的,一旦战果辉煌,不仅能得到大批财物的奖赏,还能加官进爵,获得更大的政治权力。因此,不少军事将领,像盂和虢季子白那样为周王卖命出征。军功将领献馘是要以实物为凭的。盂一次斩获敌首四千八百多个,那么多人头,周庙是不可能放下它的。就是虢季子白的战功"折首五百",一个周庙也是无可奈何的。可能就是这个原因,献馘活动才慢慢地由最初的进献敌首改为进献敌耳。也就是说,在战场上杀掉敌人后,只要取下其耳就可以拿来请功了。馘字亦逐步由原来的馘,演变成为从耳之聝。《字林》说:"截耳则作耳旁,献首则作首旁",这一解释,基本上符合西周馘刑实际。西周馘刑,最初是断首献馘,写作馘,后来,才改首旁为耳。金文中的字大都从首,说明两种馘刑,或断首,或断耳,在西周并用了很长一段时间。

断耳馘刑是断左耳还是断右耳?这是个长期争论的问题。一般地说,断左耳之说比较可信。《诗·鲁颂·泮水》:"在泮献馘"注:"馘,所格者之左耳"。《大雅·皇矣》"攸馘安安"注也说:"不服者,杀而献其左耳"。据此,馘刑执行方法,是杀死敌兵之后再截下左耳以请功。以刖刑处刑方法来说,西周时期,最初也是先砍左足的。当时尚右,砍左足是刖刑最轻刑罚,馘刑也是轻刑刑种,截左耳符合当时习惯。

军法截耳,可以在战场执行,也可以在战后执行。战后执行馘刑,主要对象是活捉到的俘虏,经军事审判,如果战虏不认罪自新,继续与周人为敌,那就要处以死刑,或馘刑,或先杀后馘。《小盂鼎》记述盂在周庙请功时有一段铭文,大意是,盂将生擒的三个敌军首领押进周庙大庭,王即令另一名叫癸的大臣就地进行"讯兽"。讯,吴大澂说:"古讯字,从系从口,执敌而讯之也"①,在这里作审讯讲。兽,读为酋,敌军酋长,首领。讯兽,就是审讯敌首。在审讯中,责问敌酋为什么要侵犯西周?敌首顽固不化地回答:不是他们要来犯周,恰恰相反,是周人侵犯了匈奴,匈奴才使其所属还报周人,从商叛周,不服周的统治。那三个敌军首领死不低头,继续顽抗,因此被判处死刑,当即"折兽"(斩敌酋首),并截其耳进献于王。《小盂鼎》判例说明,战后执行聝刑,要履行司法程序,据律论罪,审讯之后方可行刑。我国古代兵刑不分,此即一例。

献聝形式一般有两种,一种是军功将领直接向周王报功求赏,《小盂鼎》《虢季子白盘》就是这种形式;另一种叫做"告聝"。军功将领因种种原因在战场上斩了敌首但又拿不到凭证,遇到这种情况,允许他们口头陈述战功,无需交出实物,叫做"告聝"。② 赏赐方法也有两种,一是奉周王之命出征的高级将领,由周王亲自赏赐;一是随高级将领出征的下级军官,则由上司负责赏赐。赏赐之物有兵器、钱财、田土、马牛、臣妾、礼器,无所不包。一般情况下,赏赐物的同时,还要加官进爵。

聝刑,自西周始,后世又沿用了一段时间。春秋战国时期,使用聝刑比较普遍。后来,在聝刑基础上衍生出一种聅刑。《说文》:"聅,军法,以矢贯耳也。"《左传·僖公二十七年》记载,子玉治兵时,一天就贯了三个人的耳朵,以严饬军纪。贯耳,即聅刑,用箭戳穿战士的耳。据《司马法》记载:"小罪聅,中罪刖,大罪剄"。聅刑是处罚轻微罪过的,只适用于军事犯罪。

---

① 《说文古籀补》。
② 见《敔簋》。

（八）扑伐。也属于军法范畴，指大的军事行动。中国古代，兵和刑往往是混为一体的。《国语·鲁语》臧文仲给僖公讲五刑时说："大刑用甲兵"，他把大刑——军事征伐称作五刑之首，其它刑罚归入小刑。西周时期，兵刑不分现象开始有所改变，兵和刑初步有了分职。国家设立司马之职，负责军政，又设司寇，分管司法，这是兵刑分离的开端。但是，司马、司寇两大部门在职责上仍有混杂现象。司马主军政，有些大的刑事案件，他也常常参与审判。司寇主司法，其首要职责却是"刑邦国，诘四方"，对叛乱之邦，施以重典，兴兵讨伐。西周刑律把兴兵讨伐称作"刑（罚）"或"扑伐"。前引《兮甲盘》兮甲给淮夷邦国颁布的一道命令："敢不用令，则即刑，扑伐"，即此一例。西周刑律，把"扑伐"当作一种刑罚，可见，扑伐也可以算作为一大刑种。

第三节 科刑制度

作为奴隶制发达时期的西周刑法，不仅犯罪种类和刑罚种类的规定，已达到相当水平，在处理罪与刑的关系上，也就是说在定罪量刑上，犯什么罪，处什么刑，怎样才能实现罪与刑相称，从立法到司法，均较夏商有显著进展。前述违约不信服墨刑，大乱约剂者杀，不敬者削以地，不孝者绌以爵，不从者君流，畔者君讨，等等，都说明西周时期对犯罪者科刑是有章可循的。所谓罪刑分离、刑不可知、不豫设法等传统说法，均不能反映西周法律制度的实际。不仅如此，为了不断健全科刑制度，西周刑律对刑罚等级、刑之加减以及主从刑结合等直接关系定罪量刑的重大问题，也作了较为严密的规定。反映这些制度的金文资料尚多，最为典型的，是1975年陕西岐山县董家村出土的《朕匜》。

一、刑事附带民事判例——《俴匜》

《俴匜》,西周晚期夷王、厉王时器,腹底和盖部合铸一篇长达157字的罕见判例,完整地记载着两个奴隶主贵族为争夺五名奴隶所有权而争讼的过程。这一判例本是一个民事案件,但因讼案是由小贵族牧牛提起的,小贵族控告大贵族,违反了宗法等级制,本身就构成诬告罪,因而案件性质发生了变化,由原来的民事变为刑事附带民事案。这一判例的大致情节是:

三月下旬的一天,周王正在芽京的上宫,有一个小小的奴隶主,名叫牧牛的前来告状,控告他的上司大奴隶主俴依仗权势霸占他的五名奴隶。

原来,这是一起不服判决的上诉案。牧牛曾向司法机关控诉过俴,司法官判决牧牛败诉,并责令其将五名奴隶交付给他的上司,牧牛不服,重新提起诉讼,结果,牧牛以诬告罪再次败诉。

司法官伯扬父在判决辞中说:喔!牧牛,你的诬告行为必须受到法律制裁。你,一个小小的贵族,竟敢控告自己的上级,竟敢违背前次判决时立过的誓言!不过,你这次又重新宣誓,表示要信守前约,服从法庭判决,那么,按法律规定,你应亲自到你的上司那里去谢罪,讲信修睦,求得谅解,并立即将那五名奴隶归还给他。你已宣了誓,也已经遵从法庭的判决,鉴此,对你的惩罚可以从轻宽宥。按原判,应对你处以黥䟴之刑,并附之以鞭一千;现在,我宽赦你,改判为黜䟴之刑,附之以鞭一千;现在,我再次大赦你,处你出赎金铜三百锊,附之以鞭五百。

……牧牛缴了赎金铜,审判结束。俴用牧牛缴的铜,铸了一件供自己家族使用的礼器,并在腹底和盖上镌刻了文字,记载自己胜诉的经过,以确认自己对那五名奴隶的所有权。

《朕匜》是迄今出土的第一件能够自始至终直接或间接记载一次诉讼全过程的金文判例。它的出土,对研究四周的诉讼制度尤其是刑罚制度,具有重大价值。

二、刑罚等级

从《朕匜》判例看出,西周刑罚已有刑等之分。伯扬父给牧牛判决的刑罚,最初是鞭一千,鬃䵨;赦减后,改为鞭一千,黜䵨。很显然,鬃䵨和黜䵨是两种等级有差的刑罚。

䵨,是墨刑的别称。《广韵》:"䵨,墨刑"。鬃,黑巾蒙面的一种刑罚,耻辱刑。古人很重视人格的侮辱,甚至幪巾都可以挡墨。就是说,给犯人头部蒙盖一块黑巾,就能免去墨刑处罚。鬃䵨,实际上就是将犯人刺面涂墨之后再在面部蒙上一块黑巾。从伯扬父的判辞分析,这是墨刑之中最重的一个刑罚等级。

黜䵨,则为墨刑中次于鬃䵨的刑罚等级。黜,《说文》解释为"贬下";《玉篇》亦相同:"退也,贬也,下也,去也,减也",即废除、罢免,引申为免去官职。黜䵨,就是既处墨刑又罢官的一种刑罚。牧牛一次能拿出三百锊铜,并蓄养着不少奴隶,还负责管理朕的牲畜放牧,定是个有产者贵族小官吏,对他处以黜䵨刑,与其身分正相符合。

由此可见,西周墨刑,起码有三等之分:第一等级,鬃䵨,墨刑最重刑;第二等级,黜䵨,墨刑次等刑;第三等级,䵨,即最轻墨刑,也是墨刑常用刑。

西周刖刑也有刑等之分。从现有考古资料考察,起码分二等:刖一足,刖手足。刖一足的考古资料有《刖刑奴隶守门铜方鬲》和《它盘》。《铜方鬲》除1976年12月陕西扶风出土一件外还有珍藏在故宫博物院的西周时代鬲,其造形结构和扶风《铜方鬲》基本相同,也在鬲炉右扇门近合扇处铸有一个断足奴隶守门。唯一不同的地方,就是守门刖刑奴隶稍大而高出了门扉。刖手足的考古资料有"刖刑奴隶骨架"。这是周原出土首具也是我国目前出土文物中仅有的一具反映西周刖刑断手足的难得骨架。近年来陕西岐山京当公社贺家村西周墓葬群内发现,单身俯首直肢葬式,两腿骨上放有一个绳纹陶罐(陪葬品),两臂向后,略呈向内弯状,似受刑时被缚,无双足、双手,现存周原文管所。其一下腿骨上,明晰可见被刀砍过的痕迹。第一刀,斜砍未断,第二刀,横砍下去,腿断了。

这几件周原文物说明,西周前期的刖刑,为断一足(左足),不分刑等。这是殷代刖刑的沿用。《尚书·康诰》:"罚蔽殷彝,用其义刑义杀"。"殷彝",指殷代法律。这是周公告诫诸弟如何统治殷民的训辞。周统治者颇为重视吸取、借鉴殷代法律可适用的部分。《铜方鬲》为昭王到懿王时器,正好符合这种历史背景。穆王之后,西周开始步入下坡路,刑罚日益繁苛,夷、厉时期,达到登峰造极地步。因此,除继续施行刖一足的刖刑政策外,又实行断手足的最高刑等。岐山刖刑奴隶骨架展现的惨象,令人发指。从独身葬并有陪葬物分析,死者受刖前属于自由民。这具尸骨呈受缚状,说明受刑时当即死亡。死后,家人埋葬时,还要遵循刖人沦为奴的惯例,和奴隶一样,让其面目朝地,灵魂入地狱,永远做奴隶。关于刖刑断手足的记载,也偶见于史籍。慧琳《一切经音义》引《说文》:"刖,绝也;绝也,截手足也"。

到了春秋时期,刖刑刑等在西周刖一足,刖手足基础上发展成为刖左足、刖右足两个等级。《韩非子·和氏》载:"楚人和氏得璞玉于楚山之中,献于武王。武王使玉人相之,曰:'石也'。王以和为谩,刖其左足。及文王即位,又奉其璞玉。又使玉人相之,又曰:'石也'。文王又以和为诳而刖其右足"。这一记载不仅说明春秋时期刖刑有刖左足、刖右足之别,而且还建立了初犯刖左,再犯刖右的左轻右重刖刑制度。这一制度经秦至汉,到汉文帝时才被诏废。

刑罚等级的建立,对科刑制度的完善确有重要意义。只有这样,量刑才能日趋准确,刑罚才会用得得当,冤滥现象也会因此而有所减少。

三、刑之加减

西周刑罚带有强烈的等级性、特权性,官僚贵族犯罪,不仅减刑,甚至可以免刑。但是,这并不意味着西周刑律在科刑制度上就没有加减的一般规定。《朕匜》判例说明,西周在刑之加减的刑罚制度上已作了很大的改革。伯扬父在判决辞中宣布,对牧牛作了两次减刑。司法官为什么要一连两次对牧牛宽宥减刑呢?从判辞中可知,唯一原因是因为牧牛有悔罪表现。判决书在诉说牧牛两大罪状之后,没有直接书写判决结果,而是列举了牧牛的三条悔罪表现——再次起誓,愿守前约;主动谢罪,请求朕的谅解;主动归还五名奴隶。接下去,才是对牧牛的原判和改判。这种判辞形式,一方面反映西周司法文书的严密性、进步性和程式性,更重要的是,它反映出西周在司法实践中已贯穿着一条重要原则,即赦免原则。只要犯罪人能够认罪悔改,且有悔改行为,量刑时就可以从宽减刑,宽大处理。诚然,这种减刑是有前提的,那就是不损害宗法等级制。判决书说,对牧牛的减刑,必须得到朕的同意。假若前来抗告,则维持原判,改判自行无效。

和区分刑罚等级一样,刑罚有加有减,也有利于定罪量刑的准确适当,即所谓罪刑相称。必须指出,在宗法制社会里,罪刑相称——犯什么罪,处什么刑,对贵族而言,只能是法律条文而已。西周社会,等级森严,奴隶主与奴隶之间,大贵族与小贵族之间,绝无罪与刑相称之可能。奴隶主阶级的意志就是法律,法律唯特权者利益是从。一旦宗法与国法发生矛盾,国法必须服从宗法。牧牛是不是犯了诬告罪呢?只要推敲一下伯扬父的判辞,帷幕即可撕去。如果五名奴隶的所有权真的属于㝬,作为小贵族出身的牧牛,他是深知"犯上"将会招来什么结果的。既然如此,牧牛还敢于冒人身安全之危险,去控告他的上司,这说明五名奴隶的所有权未必不属于牧牛,牧牛上诉不应判为诬告罪。既然牧牛不是诬告罪犯,对他的两次减刑还有什么实际意义呢?纵然如此,西周在定罪科刑时能注意依法定罪,依罪科刑,重视悔罪表现,宽宥赦减,比之于殷末酷刑、滥刑,无疑是一大进步,对后世法制的不断完善和健全,也有其深远影响。

《㝬匜》判例还说明,使用刑罚时,坚持着主从刑结合的原则。对牧牛的处罚,黥䵣、劓䵣、赎金,均是主刑,鞭刑,则为附加刑,从刑。主从刑结合使用,对于量刑的准确、适中,也有好处。西周主从刑的区别在于,主刑可赎,从刑则不能。牧牛缴纳了赎金铜后,墨刑被赦免了,但鞭刑始终没有免除。从刑不能赎,但可以加减。给牧牛最初的鞭刑是一千下,结案时减成五百了。当然,从刑的赦减,也取决于犯罪者的悔罪表现。

第四节 刑罚原则

中国奴隶制刑法,从夏商到西周,已逐步形成了一套指导认定犯罪和确定刑罚的基本原则,和西周刑法的特权法特色相适应,"八辟"

是其最基本的一条原则。"八辟",即后世的"八议"。"以八辟丽邦法"①,就是说官僚贵族中有八种人犯罪,则"无一定之制"②,可以通过特别咨议而临时制法,对其宽宥减免刑罚。东汉末年,"八议"之说已颇盛行,三国魏律,"八议"正式入律,此后,"八议"便成为我国封建法典中最重要的一条刑罚原则。除"八辟"外,西周刑法确定的刑罚原则还有:

一、定罪量刑区分故意与过失、一贯与偶犯

《尚书·康诰》:"人有小罪,非眚,乃惟终,自作不典,式尔,有厥罪小,乃不可不杀;乃有大罪,非终,乃惟眚灾,适尔,既道极厥辜,时乃不可杀。"眚,过失。非眚,非过失即故意犯罪。终,始终;一贯。惟终,坚持不改,贯犯。典,法。不典,违法。自作不典,故意违法犯罪。式尔,有意那么做。适,偶然。这段话的意思是,一个人犯了小罪,不是过失而属于故意,而且坚持不改,一贯犯罪,这种人犯的罪虽小,不能不杀;反之,一个人犯了大罪,但属于过失偶犯,又不坚持,这种人,在按刑法研究他的罪过时,是不应当把他杀掉的。西周刑律把犯罪者对自己所犯罪过有无认识,并区分过失和故意,一贯和偶犯,作为定罪量刑的标准,在我国奴隶制刑法史上有进步意义。

二、刑事责任年龄

《礼记·曲礼上》:"八十、九十曰耄,七年曰悼,悼与耄,虽有罪,不加刑焉。"就是说,七岁以下,八十、九十岁以上的人犯罪,不给刑罚。

---

① 《周礼·秋官·小司徒》。
② 《周礼》郑锷释。

另外,史籍还有以八岁以下,八十岁以上作为划定刑事责任年龄的记载。如《周礼·秋官·司刺》郑司农给幼弱、老耄作注时说:"若今律令,年未满八岁,八十岁以上,非手杀人,他皆不坐"。西周刑律把刑事责任年龄定在七岁、八岁和八十、九十岁之间,是无任何实际意义的。因为那样年幼、老弱之人,已不可能给周统治者造成任何威胁。西周刑律规定的刑事责任年龄,只是周统治者为美化自己、麻痹人民斗志而推行的一种所谓矜老怜幼的恤刑政策而已。

三、依法定罪、罪刑相当、因时而异、世轻世重

依法定罪,罪刑相当,就是说定罪量刑要得其"中"。"兹式有慎,以列用中刑"①。"中罚",即用刑"不过"又无"不及",做到罪与刑相称,刑罚恰如其罪。西周刑律强调刑"中",而又主张用刑时要灵活掌握。所谓"刑新国,用轻典;刑平国,用中典;刑乱国,用重典"②,正是周统治者刑事政策灵活性的集中表现。对待新征服的国家,要以安抚为主,因而用轻典去治理。一般诸侯邦国,以常刑对待。如果是反叛的"乱国",那就要动用"重典",大刑殛之了。在量刑上,"上刑适轻下服,下刑适重上服"③,即罪在上刑而情有可原的,可改服下刑;反之,罪在下刑而情节恶劣的,则改服上刑。刑罚的灵活性还表现在定罪处刑要因时而异,不为法律条文所约束:"轻重诸罚有权,刑罚世轻世重,惟齐非齐,有伦有要"④。权,权衡;灵活掌握。世,社会。世轻世重,即根据各个时期社会的不同状况,权衡并决定判刑的轻重。也

---

① 《周礼》郑锷释。
② 《周礼·秋官·大司寇》。
③ 《尚书·吕刑》。
④ 《尚书·吕刑》。

就是说,要分别各种犯罪对社会的危害程度,并根据各时期的社会特点,灵活地掌握刑罚应该从轻还是从重。当然,刑罚的灵活掌握,决不是说可以灵活到没有边际的不要法律的地步。齐,即等齐划一。伦,判例。要,法律条文。就是说一方面要注意世轻世重,另一方面还须注意法律规定,遵守法律判例和法律条文。

四、罪疑从轻、众疑则赦

《吕刑》规定:"五刑不简,正于五罚;五罚不服,正于五过。……五刑之疑有赦,五罚之疑有赦,其克审之"。就是说,凡是按"五刑"规定去惩罚其罪而感到有疑问的,便可减等按"五罚"规定去处理;如果按"五罚"规定去处理仍有疑问的,则再次减等按"五过"规定去处理。一定要做到核实案情,判之有据。《礼记·王制》进一步提出"附从轻,赦从重"和"疑狱,氾与众共之;众疑,赦之"的赦免原则。是说即使犯罪事实已经核实,而行刑时还有可轻可重的余地,亦从轻;纵然已经定为重罪,倘若遇到赦免机会,也可以从重罪之上而赦免之。对案情不实的可疑案件,应广泛征求群臣意见,"氾与众共之"。大家一致认为其案不实时,则赦免其罪。

五、数罪俱发、以重者论

《吕刑》"轻重诸罚有权"孔疏:"下刑适重者,谓一人之身,轻重二罪俱发,则以重罪而从上服,令之服上罪"。又《吕刑》"其刑上备,有并两刑"曾运乾注:"两罪俱发,则但科以一罪,不复责其余,皆取宽厚之意也"。西周这一刑罚原则,汉、唐律均沿用了下来。汉律规定:一人有数罪,以重者论。唐律:二罪以上俱发,以重者论;等者,须从一而断。

六、罚不连坐、罪不相及

《尚书·梓材》:"奸宄杀人,历人宥"。历人,过路的人。宥,宽恕;赦免。句意为,歹徒杀人行凶,过路人不受牵连。《易·讼九二》:"不克讼,归而逋,其邑人三百户无眚"。是说大夫败诉,即将获罪,因而逃跑,他的邑人是没有过失的。此外,西周刑律还有"父子兄弟,罪不相及"[①] 等规定。这些规定,说明西周刑法已注意到罚不连坐,罪不相及刑罚原则的。这一原则是对夏商"孥戮汝"和"罪人以族"的否定。

七、重视犯罪意识和犯罪后果的一致性

《礼记·王制》说:"司寇正刑明辟,以听狱讼"时,要坚持"有旨无简不听"的原则。旨,意;意识。简,诚。就是说只有犯罪动机而无诚实之状,也没有造成犯罪后果,不为罪,不受罚。西周不以思想定罪,为我国古代刑法史增添了异彩。不过,从秦汉开始,随中央集权制的加强,出现了所谓"腹诽"罪名,只要产生犯罪意识,即可定罪处刑。

八、上下比罪、类推定罪

类推,指法律上无明文规定的犯罪,则以相类似的条款比附定罪。我国古代的法律,始终承认并运用类推原则。《荀子·大略》:"有法者以法行,无法者以类推"。《唐律·名例》:"诸断罪而无正条,其应出罪者,则举重以明轻;其应入罪者,则举轻以明重"。溯其源,所谓

---

① 《左传·昭公二十年》。

类推,就是西周的"上下比罪"①。《尚书正义》注:"上下比方其罪"。《礼记·王制》"凡听五刑,必察小大之比以成之"。郑注:"小大犹轻重,已行故事曰比"。由此可知,上下,是指重刑轻刑;比,即成例。在法无明文规定情况下,司法官可以用比附类推的方法,或用成例比附而定罪科刑。类推原则不少国家都采用过,直至资本主义制度建立初期,资产阶级刑法学家如贝卡里亚等人为反对封建的罪刑擅断主义,才提出"法无明文不为罪"的"罪刑法定主义",类推原则开始遭到反对。

九、同罪不同罚

同罪不同罚是西周奴隶制刑法最基本的原则之一。这一原则在西周刑法中,从诉讼的提起,案件的审理,刑具的使用等各个方面,均充分地表现出来。按照这一原则,奴隶主贵族犯罪,可以不亲自出庭受审,不受宫刑,不加刑具,即使犯死罪,也不公开行刑。这是不同阶级之间同罪不同罚的适用。在奴隶主阶级内部,等级高下不同,刑罚的适用亦不一样。同样的违约罪,给小贵族牧牛的处罚是墨刑,而对所谓"王室之人"的大贵族限,却未追究任何刑事责任。

十、正当防卫不为罪

《周礼·地官·调人》:"凡杀人而义者,不同国,令勿仇。仇之则死"。所谓"杀人而义者",指因正当防卫而杀人。这种杀人行为,不以杀人罪论处。又《周礼·秋官·朝士》:"盗贼军乡邑及家人,杀之无罪"。郑司农注:"谓盗贼群辈若军,共攻盗乡邑及家人者,杀之,无

---

① 《尚书·吕刑》。

罪。若今时(汉朝)无故入人室宅、卢舍,上人车船,牵引人,欲犯法者,其时格杀之,无罪"。看来,西周刑法的所谓正当防卫原则,主要矛头是指向劳动人民的。《易·蒙上九》"击蒙,不利为寇,利御寇"爻辞,也包含有正当防卫的因素。就是说攻击愚昧无知的人,是寇贼行为;如果因对方攻击自己而进行反击,那就是另一回事了。

　　以上十条刑罚原则表明,我国西周时期的刑事法规已达到相当可观的水平,就是和当时最为先进的罗马法的诉讼原则相比较,不少原则,诸如区分故意和过失,一贯和偶犯,罪不相及,疑罪惟轻,比附类推等等,都闪烁着中华民族古代文明的灿烂火花。这些原则对后世封建法律的影响也很深远。秦、汉、唐诸律不少认定犯罪、确定刑罚的原则,均渊源于西周。如果说《唐律》是中华法系繁荣时期的代表法典的话,那么,西周的刑罚原则却为早期中华法系增添了不少光彩。

第四章 民事法规

第一节 社会各阶层的法律地位

西周是奴隶制等级制社会,在这个社会里,社会各阶层因其法律地位不同而享受民事权利的能力和具有的民事行为能力亦不同。国家法律制度的特征之一,就是公开确认这种人和人之间不平等的法律地位。

一、社会各阶层的法律地位

西周社会的基本等级为奴隶主贵族等级、自由民等级和奴隶等级。

西周初期,政治上实行分封制,即所谓封土建邦。据文献记载,周初共分封七十一国。武王、成王之后,分封仍在实行,直到平王东迁时还在关中分封了秦国。这样,在奴隶主贵族内部,周天子与被他分封的诸侯之间,便形成了上下不同的等级。诸侯在封国内再分封,实行采邑制,受他们分封的人称为卿大夫。采邑地内也如封国一样形成了阶梯式的政治组织和上下等级关系。分封制与采邑制形成了奴隶主贵族内显明的等级划分。正如《礼记·礼运》所说:

天子有田以处其子孙,诸侯有国以处其子孙,大夫有采以处其子孙,是谓制度也。

卿大夫还在自己的采邑内设立职官"宰",那是一种更细微的奴隶主内部等级制。周初又实行世卿制,即天子或诸侯之下的大贵族世袭享有卿的政治地位,这使得奴隶主内部的等级制被进一步地长期巩固下来。

奴隶主内部的等级制分为五等爵和六等爵两种。在王朝内部,周天子之下分为五等爵。《礼记·王制》记载,天子以下有公、侯、伯、子、男五等贵族。《孟子·万章下》却说:"天子一位,公一位,侯一位,伯一位,子男同一位,凡五等也"。诸侯国内实行六等爵制,即:"君一位,卿一位,大夫一位,上士一位,中士一位,下士一位,凡六等"[1]。

这种封爵等级制,金文和其它典籍均有记载。关于公一级的,有周公,见于《周书》各篇、《矢令彝》;毛公,《顾命》、《毛公鼎》;召公,《顾命》[2]、《诗·江汉·召旻》;毕公,《顾命》;丁公,《矢令簋》;虢公,《班簋》等。

关于侯的记载,有卫侯、齐侯、吕侯,《顾命》;韩侯,《诗·韩奕》;噩侯,《噩侯鼎》、《成鼎》;邢侯,《麦鼎》等。

关于伯的记载,有芮伯、彤伯,《顾命》;申伯,《诗·崧高》;召伯,《诗·崧高》、《稠生簋》;羌伯、益伯,《羌伯簋》;焚伯,《卯簋》;楚伯,《矢令簋》;吴伯、毛伯、吕伯,《班簋》等。

关于子的记载,有录子,《太保簋》;及子,《宗周钟》。

关于男的记载,有许男,《许男鼎》。

自由民为社会上最广泛、人数最多的劳动者阶层,他们包括自由

---

[1] 《孟子·万章下》。
[2] 召公即《顾命》中的太保奭。

农民、自由牧民、自由商人及其家属。其中最大量的是自由农民,他们在冬月农闲季节也可充当自由牧民或猎人,或自带一点手工产品进行商品交换和买卖。文献中称自由民为庶人和农夫。他们的身分地位远远低于公、大夫、士,但因"庶人食力"[1],就是说他们能够自食其力,所以是有自由身分的人。

《诗·豳风·七月》是一首著名的反映西周自由民生活的诗篇,诗中称自由民为农夫。根据《七月》的描述,我们可以看出当时自由民"食力"的状况。

当时的自由民主要从事农业生产,是农业劳动的主力军。周代是农业国家,农业生产为国家头等大事。每年正月,周天子要亲自象征性的组织大规模的农业生产活动,叫做"藉田"。《礼记·月令》载:

> 是月也,天子乃以元日,祁答于上帝。乃择元辰,天子亲载耒耜,措之于参保介之御间。帅三公、九卿、诸侯、大夫、躬耕帝藉。天子三推,三公五推,卿诸侯九推。

就是说,正月里,春气萌动,严冬已去,天子便选择一个吉日,到南郊去祁求上帝赐给一个好收成。这是组织农事的开始。这天,天子乘坐御车出发,并把农具放在车子右方守卫武士和御车人的中间,自己坐在左方。天子率领三公九卿、诸侯大夫,躬耕帝藉,举行"藉田"仪式:天子推三下,三公推五下,卿诸侯推九下。仪式举行完毕,周王下令布置农事。接着,春耕生产便开始了。古代农业国里,"藉田"被认为是最重要的大事之一,如果天子不躬耕帝藉,就不是好国君,要受到臣民的劝谏和非议。金文中也有天子藉田[2] 和天子命令

---

[1] 《国语·晋语》。
[2] 《令彝》。

司徒管理藉田活动[①]的记载。

天子藉田是象征性的仪式，真正从事农业生产的则是广大的自由农民。根据《七月》诗的描述，他们一年十二个月都要拼命地去劳动，向国家纳贡、服役，苦度生活。

"三之日于耜"。正月里，天子藉田之后，农夫们赶忙修理农具，准备下田。"四之日举趾"。二月里，农夫们举足到郊外去耕种。"同我妇子，馌彼南亩"。紧张的劳动，迫使农夫举家出动，连老婆孩子都到田头去送饭。"田畯至喜"。田官到地头来督促、检查。当田官来到地头时，农夫们还要摆设酒饭款待他们。

"四月秀葽，五月鸣蜩，八月其获，十月陨萚"。四月里播下的谷子莠成了穗，五月里蝉儿鸣叫，天气变暖，八月里庄稼成熟收割忙，十月里已经落叶遍地黄。这时节，地里的农活便要收拾干净了。"九月筑场圃，十月纳禾稼"。九月里开始碾场打谷，十月里粮食都要入仓。

在长达十月之久的农事劳动中，农夫们又是怎样生活的呢？"六月食郁及薁，七月亨葵及菽。八月剥枣，十月获稻；为此春酒，以介眉寿！七月食瓜，八月断壶，九月叔苴。采荼薪樗，食我农夫！"六月里梅子、李子、山葡萄熟了，便采些来吃；七月里冬葵豆角结成了，也采来充饥；八月里枣子成熟了，打枣儿吃；十月稻禾熟了，便收稻禾，酿醇酒，祝须眉老人长寿。可是，一般的农夫，七月吃瓜菜，八月吃葫芦，九月拣麻子，一旦断粮，便采苦菜充饥。

十个月的农事刚一结束，农夫们又要从事其它劳动。首先要修葺公私房屋，准备度过严冬："嗟我农夫！我稼既同，上入执宫功；昼尔于茅，宵尔索绹。亟其乘屋，其始播百谷！"此外，农夫们还要在冬

---

① 《彧簋》。

月岁末农闲之时,上山打猎,坏的兽皮留给自己御寒,好的献给贵族老爷作皮裘,他们还要随贵族们打猎练武,获得的小兽不中吃,留给自己,大的也要献给贵族。这就是《七月》所说的"一之日于貉,取彼狐狸,为公子裘;二之日其同,载缵武功,言私其豵,献豜于公"。

自由民的妻女要从事家庭手工业,纺麻,织帛。"春日载阳,有鸣仓庚。女执懿筐,遵彼微行,爰求柔桑";"蚕月条桑,取彼斧斨,以伐远扬,猗彼女桑。七月鸣鵙,八月载绩;载玄载黄,我朱孔阳,为公子裳"。妻女们从养蚕、结茧、抽丝、纺帛、染色到成衣,全是手工劳动。它占去农家妇女一年的大部分时间。织出的麻布,只能织成毛边的褐,供农夫和家人穿戴;而织出的丝帛,染上鲜亮的朱红色,作成祭祀用的礼服,专门献给贵族。

从《七月》所反映的自由民的生活来看,他们的人身是自由的,有自己独立的小家庭,有茅草的家室庐舍,有自己的农具和纺织工具。男的从事农业生产,女的从事家庭副业,辛勤劳动,艰苦度日。但是,在土地国有的西周,他们必须向国家承担缴纳贡赋和服力役、兵役的义务。

贡赋,指各诸侯国对周王、自由农民对诸侯大夫的无偿献纳。《七月》所载农夫、农妇向贵族进献的兽、皮、帛、衣实际上就是贡赋。金文中也有不少诸侯国和被征服的四方邦国向周王室缴纳贡赋的记载。《兮甲盘》称贡赋为"积",委积的意思,包括进献奴隶(劳力)、赋税和其它贡物。《毛公鼎》称贡赋为"楚赋"。铭文记载着周王对毛公厝的训诫辞,命令他"执小大楚赋",就是说要管理好贡赋的征收。楚,指徒役;赋,即贡献、田赋,两者合在一起,叫做楚赋。《尚书·多方》又称贡赋为"胥伯":

王曰:呜呼!猷,告尔有方多士暨殷多士,今尔奔走,臣我监五祀。越惟有胥伯小大多正,尔罔不克臬。

这是周公替成王发布的诰令,大意是:成王说,告诉你们四方诸侯和殷的长官们,现在你们臣服我们周国并为我们效劳已经五年了。我向你们征用力役,征收田赋,数量的大小多寡,完全合乎法律规定,你们不要不遵守法规。可见,文中"胥伯"就是指力役和田赋。因此,《尚书大传》引此文时,把"胥伯"写作"胥赋"。总之,金文中的"积"、"楚赋",《周书》中的"胥伯"和《尚书·大传》中的"胥赋"是一回事,都是指庶民向国家承担的包括力役和田赋的贡赋。

贡赋的种类很多,据《周礼·太宰》记载,有"九贡"之称。九,泛指多数,指贡赋种类之多。大抵说,有金玉布帛和各地土特产两大类。《夰伯簋》记载的少数民族邦国向周天子献的"狊",就是金玉布帛之类;《诗·大雅·韩奕》说的韩侯朝觐时"献其貔皮、赤豹黄罴",即土特产之类。种类繁多的贡赋,统统压在自由民身上,使他们负担沉重。因此,周王室如《毛公鼎》说的那样,才告诫官吏们不敢过分地勒索庶民,以致逼得庶民铤而走险,从而激化社会矛盾。尽管如此,由于贡赋是周王室的重要财源,因而周王对贡赋的征收十分重视。《颂鼎》详细地记载了周王举行盛大的册命仪式,任命颂主管贡赋,负责成周地区贡赋的征收。周初营建洛邑,其重要原因之一,在于洛邑地处"天下之中,四方入贡道里均"①。

力役负担也很繁重。妇女们给诸侯贵族织帛染锦制礼服,农夫们修公房、田猎,实际上都是力役。另外,《诗·王风·君子于役》对农夫承担的力役及在繁重力役压榨下经受的苦难作了详尽的描述:

君子于役,不知其期。曷至哉?鸡栖于埘,日之夕矣,牛羊

---

① 《史记·周本纪》。

下来。君子于役,如之何勿思?

君子于役,不日不月,曷其有佸?鸡栖于桀,日之夕矣,牛羊下括。君子于役,苟无饥渴。

这首诗反映的是平王时的社会生活,讥讽当时官府对自由农民的劳役盘剥。平王时西周刚刚结束,而其许多制度仍承袭西周,故诗中描写的情景,能反映西周自由农民承担劳役的社会现实。诗篇借农家妇女之口,淳朴、真切、沉痛地唱出了劳役之苦。诗中称男主人公为"君子",可知是指自由农民。诗的大意是:男人抓去服役,不知何时是归期?鸡上了架,日已落西;牛羊都已返回,服役的人却遥遥无期。男人去服役,怎能叫人不思呢?男人去服役,没日没月,不知何时能相会?鸡儿归了窝,太阳落了坡;羊下了坡,牛下了坡,服役的人无归落。男人抓去干活,千万别受饥渴!

兵役带给人民的负担更为沉重。西周时期,经常要和四边各少数民族作战,对猃狁、荆蛮、徐国,对南淮夷,对东夷,对鬼方,战争几乎连年不断。即使在不发生战争的年月,也派大量兵民去戍边。连年的战争,使得每个年轻力壮的男子都成了服役的对象。《诗经》中反映自由农民被抓去服兵役并饱受征战之苦的诗篇很多,如《小雅》的《出车》、《六月》、《采薇》、《采芑》、《渐渐之石》;《大雅》的《江汉》、《棫朴》、《常武》等篇都是。《采薇》诗中说:

日归日归,岁亦莫止。靡室靡家,猃狁之故。不遑启居,猃狁之故。昔我往矣,杨柳依依。今我来思,雨雪霏霏。行道迟迟,载渴载饥。

战争是没有限期的。出征的人儿思念家乡,总盼着归去吧,归去吧,已经到了年终,还是不见归期。一个好端端的家庭,现在变得无家无室,家人不能团聚,这都是与猃狁作战的缘故。即使是刚刚归家,还来不及待上几日,又得出征,这还不是与狁作战的缘故……想想当初到边疆参战时,正是杨柳依人的春天,而今却雨雪纷飞,还不得转回。在战场上,行路艰难,饥渴难忍啊!诗篇把"岁亦莫止"的兵役加在自由民身上的苦难,描写得淋漓尽致。

金文中有关力役、兵役的记载也能经常见到。铜器铭文把力役叫做"其进人"①,把兵役叫做"从王征"②,即替周王出征卖命。总之,自由民是贡赋、力役、兵役剥削、役使的主要对象,是周统治者能够生存,周政权能够巩固的主要支撑者。

自由民的人身地位是自由的,但是,西周法律赋予他们的人身自由,却不像原始公社时期的那种人身自由,也不和封建制时代农民的自由一样。"普天之下,莫非王土;率土之滨,莫非王臣"③。在西周,最高土地所有权属于周王,只有周王,才有权任意处分土地。所以,他们虽是自由人,然而对周天子来说,都是王臣;他们对自己从事农业生产的土地,仅仅有使用权,而无处分权。当周王对诸侯贵族分封土地时,自然便无法将土地上原居住的自由民一律迁走,而是将他们随土地一起分封给诸侯贵族。自由民虽然常常被以这种形式成为封赐的对象,但他们还是自由人,不同于同时封赐的奴隶,不能任意杀戮、买卖;他们也不同于后世的农奴,因为他们与王、诸侯的法律关系,不是建立在地租剥削基础之上的领主与农奴、地主与农民的关系。他们缴纳的贡赋,不是地租,而是自由农民在土地国有制下向国家尽的义务。事实上,不唯西周的自由农民如此,所有东方奴隶制国家的自由农民都如此。由于土地国有制的限制,他们的人身在某种

---

① 《兮甲盘》。
② 《师旅鼎》。
③ 《诗·小雅·北山》。

程度上都须依附于国有土地;脱离了国有土地,他们就会立刻丧失自由民的法律地位。《汉穆拉比法典》规定,自由民如离开公社土地逃亡,将丧失家室妻子,就是说他们将被公社所抛弃[1]。古印度的《阿帕斯檀跋》法经规定,领取田地而不耕作的农夫要向国家预交收成价值,或对不努力从事农业、牧业的自由民处以鞭刑及剥夺财产刑[2]。这些都说明自由民的人身地位受国有土地的制约。《阿帕斯檀跋》法经还规定,自由民如无继承人,其财产则由国王继承[3]。这一法律规定进一步说明,在古印度,自由民是王的臣民,其人身地位、财产都要依附于国王。由此可见,古代东方,中国、印度和其它国家,土地国有制决定了自由民的法律地位不完全如同西方的希腊、罗马那样自由,这就是金文中为什么会出现庶民被天子封赐给贵族的原因。《大盂鼎》载:

易(锡)汝邦司四伯,人鬲自御至于庶人六百又五十九夫。

这是康王对大臣盂的赏赐,其中有"庶人"。庶人,亦即庶民,自由民。《诗·大雅·灵台》:"庶民攻之,不日成之"。王既可以赏赐庶民于诸侯大臣,也有权从诸侯那里削地削民,把庶民和土地一起再从诸侯那里夺回来。《诗·大雅·瞻卬》:"人有土田,女反有之;人有民人,女复夺之"。诗中把土田和民人放在一起,削地时连同土地上耕作的庶民一起削掉了。以上记载说明,西周自由民的法律地位没有越出古代东方奴隶制国家自由民社会地位的范畴,他们的人身和土地国有紧紧连接在一起。

奴隶阶级,是西周社会中地位最低贱的阶层。他们无人身权和

---

[1] 《汉穆拉比法典》第36条。
[2] 《阿帕斯檀跋》Ⅱ.11,28:1—4条。
[3] 《阿帕斯檀跋》Ⅱ.6,14:5条。

财产权,可以被任意虐待、买卖和杀戮。奴隶们有的来源于战俘,有的靠买卖取得。奴隶名称很多,较常见的有臣、妾、鬲、众、仆等。臣是男奴,多用于农业生产,故以家来计算数量。妾是女奴。鬲与隶同音,奴隶之称谓。仆,指家内奴隶。众为农业奴隶。反映奴隶人身地位的记载,累见于文献和金文。

《尚书·费誓》"马牛其风,臣妾逋逃,勿敢越逐";"窃马牛,诱臣妾,汝则有常刑",把臣妾与马牛并列在一起列为奴隶主的私有物,如其逃失,任何人不得据为己有,否则,以刑罚惩处。

《诗·小雅·正月》"民之无辜,并其臣仆",指西周末年,政治失道,王对无辜之民,滥用刑罚,甚至没收其财产臣仆。诗中臣仆也是以奴隶身分作为民的私财提出的。

《麦尊》:"侯易(锡)赭𢑥臣二百家剂"。这是康王一次赏赐给一个大贵族二百家赭衣踝跣臣的券书。此外。《不娶簋》有赐臣五家的记载,《𩰲簋》有赐夷臣十家的记载,《大克鼎》有赐田及臣妾的记载,《耳尊》有赐臣十家的记载,《大盂鼎》有"赐尸司王臣十又三伯、人鬲千又五十夫"的记载,《令簋》有赐贝十朋、臣十家、鬲百人的记载,《曶鼎》中把众作为侵权行为赔偿的对象。

这些记载都说明把奴隶视为物,他们没有独立人格,不是法律的权利主体,和其它物处于均等地位,与牛、马、贝同列。他们可以被残酷虐待,赭衣踝跣,身着囚服,赤脚行走,随时以罪犯身分被杀戮处死。奴隶被杀戮的记载尚不多见,而受酷刑或因酷刑致死的倒有不少实例。扶风出土的《它盘》、《刵刑奴隶守门鬲》和岐山出土的刵刑奴隶骨架,以血淋淋的事实,再现了奴隶被处以酷刑和因酷刑致死的情景。奴隶可以被买卖,只是由于当时劳动力缺乏其卖价不低而已。

二、社会各阶层的民事权利能力和行为能力

民事权利能力,指在法律上享有民事权利、负担民事义务的资格。只有具有法律上的人格,才能具有权利能力。享有民事权利能力者,必然具有民事权利主体的资格。奴隶制社会,在法律上享有独立人格,具有权利主体资格的只是奴隶主贵族和自由民,奴隶被视为物,自然不能成为权利主体。在奴隶制社会里,国家法律所赋予的民事权利又往往与所要求履行的民事义务相分离,所以,有时非权利主体却要承担民事义务。

西周奴隶制社会,社会各阶层的法律地位不平等,因此,各阶层享有的民事权利迥然不同。

周天子是奴隶主贵族中最高等级,因而享有完全财产权,有权任意处分、封赐或收回土地、奴隶和臣民,享受各地诸侯给他进献的贡赋。在政治上,他居于最高统治者的地位,掌握最高立法权、审判权、军事权和其它政治权力。他个人的至尊地位,个人的人身、名誉及其家属的地位,均神圣不可侵犯。天子的地位、权力是世袭的。

诸侯中的公、侯、伯、子、男及诸侯国内的卿、大夫、士,依其不同的社会地位,分别享有不完全的财产所有权。即他们在自己的封地内拥有对土地、奴隶和其它财产的所有权,拥有对人民的管辖权、收取贡赋权。但是,他们的这种所有权又要受制于天子或上级奴隶主贵族。当天子收回他们的封地、奴隶和人民时,他们便丧失了这些权利。他们的贵族地位、人身权利都特别受法律保护,但又受辖于天子。天子既可对他们"授民授疆土",又可撤销他们的封地、封民以至进行军事法律制裁。他们所享受的权利和应尽的义务是联系在一起的。

奴隶主贵族各等级间的权利和义务的关系是：上下级之间是君臣关系，人身隶属关系，上级对下级有封赐的权利，下级则有享受这些封赐物所带来的经济上、政治上、人身上利益的权利，但必须履行义务。诸侯对天子要履行朝聘、贡献的义务。《礼记·王制》："诸侯之于天子也，比年一小聘，三年一大聘，五年一朝"。朝聘不仅表现了天子与诸侯间的上下君臣关系，也表现了诸侯对天子的人身隶属关系。这种人身隶属关系，包括纳贡赋，随天子出征、狩猎，为天子治理封地人民。不履行朝聘义务，就意味着诸侯闹独立，企图摆脱这种人身隶属关系，或不承认君臣关系。这时，天子便要对其进行法律制裁："一不朝则贬其爵，再不朝则削其地，三不朝则六帅移之"①。金文中记载不纳贡赋的诸侯邦国，受到周王室兵刑扑伐的记载更是比比可见。《伯簋》记载共王时边远邦国眉敖不纳贡献，王命益公征伐之，眉敖只好重新朝聘天子，并献了帛。《驹父盨》记载南淮夷被军事征讨之后，不敢不敬畏周天子，于是缴纳贡献。南淮夷拒纳贡赋遭到警告或惩罚的铭文还有《兮甲盘》、《帅𡊄簋》等。除邦国少数民族要朝聘、纳贡外，内地诸侯同样要朝聘天子，缴纳贡赋。《诗·大雅·韩奕》所载"献其貔皮，赤豹、黄罴"即是。

除朝聘、贡赋外，诸侯还要担负随天子出征或替天子出征的义务，接受诸侯封赐的卿大夫及更下级的士，有向诸侯贡赋和出征的义务。逃避军役或抗拒出征要受罚。②

为了区分社会各阶层权利能力的差异，西周法律依据等级界限，在朝聘、祭祀、丧葬、衣服、车马、宫室、器物、乐舞、田猎等各方面，均

---

① 《孟子·告子下》。
② 《师旅鼎》。

规定了各阶层所能享受的权利,违犯规定,就是僭礼越位,要受到礼制的制裁直至刑罚惩处。例如,祭祀祖宗的家庙,天子有七庙,诸侯五庙,大夫三庙,士一庙,庶人则无,只能在居室祭祀。宫室修建规格也不同,天子之堂九尺,诸侯七尺,大夫五尺,士三尺。古人以高为贵,故等级身分不同,宫室建筑的高度亦不同。礼服穿着上也有明显区别,以示等级差异。天子着绣有龙卷曲花纹的丝帛礼服,诸侯则着绣有黑白相间的斧形花纹礼服,大夫着黑青色相间的亚字花纹礼服,士着无花纹礼服,用黑红色帛作上衣,绛色帛制裳。庶民只能穿青麻织成的毛边褐衣。凡此等等,都是为了区别社会各等级的身分地位。

广大的自由民是社会主要劳动阶层。他们有人身权,又不是完全的人身权,因为他们可以随国有土地被王封赐给诸侯,但他们不像奴隶那样被任意买卖、租赁、赠予。所以,除对土地有一定依附关系外,他们的人身是自由的。因此,在权利能力上,他们有独立的人格,有自己的家室儿女,也有财产权。但在西周中期以前,这种财产权不包括对土地的所有权。他们在民事上有独立行为能力;在职业上,可以从事农业、牧业、商业以及家庭副业。他们是自食其力者。自由民的民事权利能力和行为能力除前引《七月》之外,《易经》中有不少自由民"肇牵车牛远服贾"[①],车运、肩挑、牛驮、船载经营商业,养活妻儿老小的记载。仅此一例,就可说明他们有独立的人格,能独立行使自己的权利,并且成为民事诉讼的主体。《诗·召南·行露》所载一位坚强的女子,为反抗一个有家室的男人强迫成婚,她在法庭上慷慨陈词,抨击恶棍,为捍卫她独立的人格和自由而斗争的行为,就是自由民有独立权利能力和行为能力的最好证明。

---

① 《尚书·酒诰篇》。

奴隶是物，自然不可能成为民事权利的主体，其人身可以被其主人任意处分。由于奴隶社会民事权利和民事义务的分离，奴隶虽无权利，却须尽其义务。他们要为奴隶主无偿劳动服役（包括兵役），当奴隶主贵族随其上级出征时，他们是当然的随征者。因为西周家内奴隶占很大比重，有的奴隶主也派奴隶替自己经商。奴隶参与商业，并不意味着他们有行使此种民事权利的能力，他们只是奴隶主行使自己权利的工具。奴隶无权利能力，就不可能成为诉讼的主体，即使因奴隶的行为触犯了刑律，奴隶也不可能成为诉讼的主体，被告、原告，只能由其主人充当。《曶鼎》中的匡季寇攘案，抢劫他人禾谷的直接肇事者是"众仆"——匡季的奴仆，但因奴隶不能成为诉讼的主体，所以，受害人控告的对象，不是"众仆"而是"众仆"的主人匡季。诉讼结束，受罚的也不是"众仆"而是匡季。

第二节 物法

民法研究的主要对象，是民事法律关系中的主体、内容和客体。民事法律关系的主体，指参与民事关系的当事人。民事法律关系的内容，即民事法律关系参与人的权利和义务，西周奴隶制社会民事法律关系的主体和内容，即社会各阶层的法律地位及其权利义务。这点，上节已叙述。

民事法律关系的客体，是权利和义务所指向的事物。民事法律调整的对象，主要是以物质资料的占有、交换为基础的社会关系。所以，物法是民法研究的一个重要方面。古代罗马法的物法，包括物权、继承、债权三个部分。西周民事法规，虽然还看不出物法的明确概念，然而，也有不少有关物法的规定。

一、物的概念

西周奴隶制法中所谓的物,是指可供人力支配利用的有经济价值的生产资料和消费资料。它包括自然物、劳动创造物、有固定形状物、无固定形状物等。换句话说,不仅包括物质,也包括行为。这种物,必然能用金钱作为衡量价值的尺度。所以,奴隶不能被看作是法律上的人,而是一种物;奴隶主对奴隶的所有权和使用权属于物权。

二、物的分类

为了促进和保障社会经济的发展,繁荣和调节商品经济,现就西周时期的物作了如下分类:

(一)流通物和限制流通物。流通物,是国家允许在权利主体之间依照民事程序自由流转的物。限制流通物,指依据国家法律规定在民事流转范围、程度方面受限制的物。西周时期的限制流通物,就是那些"不粥于市"即不能在市场上出卖的物;反之,允许"粥于市"即能在市场上出卖的物,称之为流通物。限制流通物主要有以下几种:

国家专有的自然资源。法律明文规定,山林、川泽、矿藏为国家所有,国家设立专门机构负责管理。山虞掌山林之政令,林衡掌巡林麓之禁令,川衡掌巡川泽之禁令,丱人、职金掌金玉锡石之地而禁守之。所有这些管理山林、川泽、矿藏的职官,金文中几乎都有记载[①]。对于自然资源,自由民可以根据法律规定享有一定使用权,但任何人不能转移这些物的所有权。

土地。土地是奴隶制农业国最重要的生产资料。西周中期以

---

① 《免簋》。

前,土地所有权属国有,禁止买卖流通,史书上称作"田里不粥,墓地不请"①。这说明田地不能据为私有,充当买卖的对象;墓地的大小也有常法规定,民不得私下扩大或购置。中期以后,奴隶主贵族有的驱使奴隶去开荒,有的私下交换、买卖田土,私田出现了。这部分私田可以交易甚至出卖,但在形式上,它仍然受国家法律的限制。西周中后期出现的私田,其数量还不很多,大量的土地和周初一样为禁止或限制流通物。

贵族身分标记的特有物。为了防止普通老百姓僭越等级地位,凡圭璧金璋、命服命车之类的贵族特有物不得流通②。

神法物。宗庙之器、祭祀牺牲供献之物,非一般庶民能使用,禁止流通③。

兵器。为防止人民反抗,兵器严禁流通④。

不合规定的手工产品。凡用器、布帛的精粗、宽窄、长短不合法度禁止买卖。例如布匹的法定宽度为二尺二寸,帛的宽度为三尺四寸⑤,不足此限的,不许上市。

不成熟的农产物、林产物、水产物。这是为防止滥伐山林、过度捕捉鱼鳖和把不能食用的农产品推入市场而规定的。凡不成熟的农、林、水产品,一律不准流通⑥。

(二)动产和不动产。现代民法将物分为动产和不动产。动产指

---

① 《礼记·王制》。
② 同上书。
③ 同上书。
④ 据《礼记·王制》,戎器在禁售之列,而《周礼·地官·质人》却说允许流通。后说有讹。
⑤ 《礼记·王制》孔疏。
⑥ 《礼记·王制》。

可以移动的物,如牛马布帛;不动产指不能移动或移动就会损失经济价值的物,如土地、房屋。西周民法固然没有动产和不动产的概念,而类似的概念在周人头脑中已经形成。周人称动产为"财"、"货"或"货财"以及"器"等等。如《礼记》中规定,子妇不得有私货、私畜、私器、私财①。这里的财、货、器、畜均指动产。不动产中,土地称作"田"、"土",房屋称为"宫室"、"室"、"庙"。家庭关系建立时,动产为次,不动产为主。例如,继父和继子的亲属关系的确定,要看其是否同财共居,也就是说继父是否以自己的财货为继子筑宫庙,使之有居室和祭祀的地方。如果继父为继子以货财筑宫庙,亲属关系即被确定;否则,则两人的关系如路人②。可见,不动产是最重要的物。西周中期以前,不动产禁止买卖,不仅土地,房屋也一样。中期以后,情况才有所改变。奴隶、牛马、弓矢等为动产。

(三)可有物和不可有物。可有物指可以为个人所有之物,或可以为个人占有之物。不可有物指非经法律允许不得为个人占有使用之物。不可有物均不得流通于市。不可有物中,又分神用物和贵族特用物两种。宗庙之器和牺牲之物,都是祭祀神灵祖宗所用的神用物,不仅一般庶民不能保存,贵族中也只有宗子才有保存权、使用权。另外,标志贵族官爵身分等级的圭璧金璋、命服命车,均按国家法律规定,由天子赐予,为贵族特有物。这两种物,称作"尊物","非民所宜",一般人不允许使用,故禁止流通。

(四)原物和孳息。原物是产生收益之物,孳息是由原物所产生的收益。关于孳息所有权归属问题,西周时期的规定比较特殊。原

---

① 《礼记·内则》。
② 《礼记·丧服小记·继父同居》。

物为国家所有的,孳息物所有权归国家。如山林、川泽为国家,则山林、川泽孳息的林木、水产、矿藏也为国家所有。但是,西周法律规定,在法律允许范围内,人民也可以得到一定的孳息权。例如,春秋季节,经国家法律许可,"斩木不入禁";反之,不在春秋两季,"凡窃木者,有刑罚"①。如果原物为私人所有,则孳息所有权就归私人了。如《九年卫鼎》记载裘卫和矩伯的交易活动时,矩伯"乃舍裘卫林䇂里",就是说矩伯把一块林地的所有权转让给了裘卫,转让林地所有权时,连同林地上的孳息物——林木一起转让了。《荍鼎》记载,王姜把"田三"和待收割的禾苗均赏赐给贵族荍,这也是原物与孳息物所有权一并转移的例证。

(五)有主物与无主物。有主物是已经为人所有之物,无主物为所有权尚未被人取得之物。"无妄之灾,或系之牛,行人之得,邑人之灾"②,是说邑人不慎发生火灾,他的牛受惊而逃,被路人牵走,邑人(牛主人)认了倒霉,所以称作"邑人之灾"。在这里,逃失的牛已变成无主之物,行人发现无主之物,可以根据先占原则据为己有。《礼记》、《周礼》也都提到对无主物、货贿、奴隶、家畜的取得方法③。

(六)有价证券。它是设定并证明某种财产权利的文书,是一种特殊物。《麦尊》所载周王赏赐给井侯的那份记录着赏赐内容的"剂",就是有价证券。这份"剂"能起到证明井侯对所赐之物享有所有权的作用。

---

① 《周礼·地官》、《山虞》、《林衡》。
② 《易·无妄六三》。
③ 《礼记·月令·仲冬之月》和《周礼·秋官·朝士》。

第三节 所有权

所有权是物权最重要的组成部分,是一切财产权利的核心和基础。所有权和所有制密切相关,是一定历史时期所有制形式在法律上的表现。因此,不同的所有制形式就决定了不同的所有权形式。在奴隶制社会,奴隶主阶级的所有权是建立在奴隶主私有制基础上的。西周奴隶制社会,所有权的最基本的表现形式,是对土地的所有权。

一、所有权的种类

所有权的内容,包括权利和义务两个方面。就权利而言,指所有人在法律规定的范围内对其财产的占有、使用、处分权。

西周的所有权,分为完全所有权和不完全所有权两种。

(一)完全所有权,指所有人对其财产包括动产和不动产有完全的占有、使用和处分权。这种所有权,其实就是建立在土地国有制基础之上的国家所有权。从严格意义上来说,这种所有权人,只能是以周天子为代表的国家,或周天子一人,其他任何人不能享有这种完全所有权。

这种完全所有权的主体,是周王代表的国家,其客体,包括动产(奴隶、牛马、财物)和不动产(土地、房屋)等。任何农业国家,对土地的所有权是所有权中最重要的一方面。古代东方农业国家,土地是国家的命脉,国王的权力,最早就是从管理农业土地开始的。中国也不例外。古文献和金文记载西周土地国有即王有的很多,如:

《尚书·梓材》:皇天既付中国民,越厥疆土于先王肆;

《大盂鼎》:丕显文王,受天有大命,在武王嗣文作邦,辟阙匿,匍有四方,畯正厥民;

《师訇簋》:丕显文武,畯受天命,奕则殷民。

这些记载,都强调了一个共同思想,那就是:周天子治理中国臣民是上天交付的大命,因而,土地、臣民都应属于以天子为代表的国家;周天子可以任意开拓自己的疆土,四方疆土自然属天子为代表的国家所有。

周天子对土地拥有完全所有权,即通常所说的土地公有权或王有权。周天子对土地的完全所有权,其最主要的表现特征,就是对土地的处分权。因为在所有权的诸要素中,处分权为最重要的权力。西周的土地国有制,使土地成为禁止流通物,因而,王对土地的处分权不是表现在土地的买卖上,而是表现在对土地的封赐上。周王封赐土地,常常连同土地上的居民一起封赐,这在文献上叫做"封邦建国"或"封诸侯,建藩卫",金文称作"授民授疆土"① 或"仆庸土田"②。周王赐田,一般是赐给三种对象:

第一,诸侯或勤政有功的贵族。周王分封诸侯,就是把土地、臣民和统治权力分割给大小诸侯。《诗·大雅·崧高》:"王命申伯,式是南邦,因是谢人,以作尔庸。王命召伯,彻申伯土田,王命傅御,迁其私人"。这首诗讲的是周宣王为了嘉奖有功的申伯,另赐了他封土。王对申伯说,封你去治理南邦,先在那里给你修建起谢邑作为邦国国都。接着又命令大贵族召伯替王前去给申伯划定土田范围,又命令臣子傅御帮助把申伯的私人臣仆迁到新的封国去。《诗经》还有不少

---

① 《大盂鼎》。
② 《駒生簋》。

篇章也记载周宣王分封诸侯土地的事。如《韩奕》篇,说:"王锡韩侯,其追其貊。奄受北国,因以其伯"。韩侯的祖先曾接受过分封,后来衰败了,现在韩侯因得到宣王的欢心,便重新封赐给他王畿以北的北国,让他继受祖先的荣光。

1954年江苏丹徒烟墩山出土的《宜侯夨簋》,是周王徙封诸侯的记载。本来,虞侯地处西部地区,后来,周王又把他改封在东部的宜国,因而称作宜侯。改封时给他赐了"川三百"、"宅邑卅又五",即包括土地上的河流三百余条,以及供居民居住的城邑。据分析,该封邑的居民约达3300多家①。此外,《中鼎》有周王分封土地于大贵族中,"作乃采"的记载;《趞尊》有周王"锡趞采"的记载;《鄂簋》有周王"命女(汝)作邑"的记载。这些铭文把分封的土地称作"采"、"邑",和史籍所载封国采邑完全吻合。

《蔡簋》是对勤政有功贵族赏赐的典型例子。该簋是夷王时器,讲的是夷王赏赐勤政有功的内宰蔡的事。夷王命令蔡说,过去,先王已经任命你任内宰一职,管理王室事务。现在我任命你分掌王室内外事务,你不敢不报告各种情况。你管理百工,一定要听从王后命令。你不敢不效忠王后,不要让你的下属胡作非为。因此,现在我赏赐你玄色礼服、礼器,希望你恭恭敬敬,昼夜小心勤政,千万不可废弃我的命令!此外,《师晨鼎》、《伯晨鼎》、《谏簋》、《扬簋》、《单伯钟》等,均为此类赐封。

第二,立有战功者。《敔簋》载有军事将领敔,在与南淮夷作战中,斩敌首一百,俘敌四百,执讯敌人四十,立了战功,被周王赏赐一百田的经过。《大保簋》记载成王时,诸侯录子造反,成王命召公奭前

---

① 李学勤:《宜侯夨簋与吴国》,《文物》1985年第7期。

去平叛。随召公出征的贵族休,因立战功而"锡休佘土",就是在佘国赐给休土田。

第三,地位显赫的贵族。据《荋鼎》记载,王姜代周王赏赐荋三个田及其待收稻禾。此人受王姜赐田时,同时还接受了另一位地位很高的大贵族师栌的厚赠①。师栌地位几乎与王后同列,荋能从他手中得到赠品,可知其地位之显赫了。

除封赐权外,周王对土地的处分权,还表现在收回封地上。《大簋》中,周王把封赐给贵族嬰的土地改封给大,当嬰听到这一王命时,不但不敢反抗,反而恭顺地说:"我不敢贪夒"。接着,他又亲自和周王派来的官员一起勘察了封地田界,办理了移交手续。《大克鼎》中周王赐给克的田地中,其中一块就是原先赐给井家的封地,现在也收回来转赐给克。

封赐土地,仅仅是周王表现其完全所有权的一个方面;另一方面,其它物,如贵族使用的尊物、金璋璧圭、命服命车、奴隶、货币、马牛、武器以及贵族身分标志的特权,也在封赐之列。从金文资料看,土田的封赐反而不大多见,大量的、俯首可见的封赐物,不是不动产土地、房屋,而是前列动产物。郭沫若《两周金文辞大系》所收铭文,从武王至共王共收 83 铭,其中反映周王分封的有 45 铭。在这 45 铭中,土田封赐仅四例,其余全为动产封赐。就在那四例不动产田土封赐中,大都还同时带有动产封赐。

动产封赐,首先是贵族尊物。前已叙述,尊物是贵族身分等级的标志。周代礼制,详尽地规定了各级贵族使用尊物礼器的差别。尊物为非流通物,贵族们不可能从市场上获得,得到尊物的主要来源,

---

① 郭沫若:《关于眉县大鼎铭辞考释》,《文物》1972 年第 7 期。

除西周中后期奴隶主贵族内部的交换外,便是周王的赏赐。周王赏赐,是贵族得到尊物礼器的最主要的来源。金文中,凡贵族任职或立功受奖,大都要进行尊物赏赐。赏赐的尊物,有贵族使用的朝服、朝靴、礼服、佩带,有贵族乘坐的命车及车上不同等级使用的各种车饰,有贵族专用的玉圭金璋等礼器。如《大盂鼎》有朝服、朝靴和车马的赏赐;《师遽彝》有圆形玉圭和玉瓒璋的赏赐;《庚嬴鼎》、《献彝》、《令彝》有邕金小牛、酒尊、瓒璋的赏赐;《颂鼎》、《师虎簋》、《吴彝》、《牧簋》、《师毛父簋》、《豆闭簋》、《走簋》、《望簋》、《麦尊》等器有礼服、绉旗、金车及车马器的赏赐。值得注意的是,尊物赏赐中,不仅有有形物,还包括无形物,即权利和特权。这说明周人关于物的概念的外延比较大,把法律关系中的权利也包括进去了。譬如,《大盂鼎》中周王对盂的赏赐,其中一项内容,就是允许盂在自己氏族旗帜上画兽纹①。金文中,贵族均有自己宗族的族徽或族旗,这是一个族精神特权的标志。盂得到周王认可,在本族族旗上再画兽纹,将是获得更大特权的凭证。这种精神特权的物,不是一般概念的物,其法律效力远远超出实体特权物——有形尊物。当然,所有尊物,包括有形的、无形的,它们在法律上的价值均高出生产资料土田、奴隶、牛马。所以,周王赏赐时,尊物总要放在土田之前。

其次是武器。武器为禁止流通物,但可以用作动产赏赐。赏赐的对象,一是军功将领,二是随王出征的贵族。《小盂鼎》记载,康王时,贵族盂受命攻克鬼方,他前后发动过两次大战役,规模都很大,仅第一次战役就俘虏敌兵一万三千八十一人,并生擒了敌军酋首。战争结束后,为了表彰盂的战功,康王在周庙举行盛大庆功仪式,赏赐

---

① 《两周金文辞大系考释》。

盂一只弓,矢百束,还有甲胄、干、戈等。《虢季子白盘》也因子白抗击
猃狁有功,赐之弓彤、箭彤。随王出猎赏赐弓矢等武器的事例,还见
于《趞曹鼎》和《师汤父鼎》。

其它动产赏赐还有奴隶、货币、牛马等等。奴隶作为一种物是西
周最重要的生产工具,常常和其它生产工具马、牛一起充当周王对贵
族的赏赐物。《大盂鼎》记载,周王一次赐给盂各种奴隶千人以上。
《令簋》中王后代王赐给令人鬲百人以上和五家臣。《麦尊》赐臣二百
家。《周公簋》"赐臣三品",就是把被征服的三个部落的人全部沦为
奴隶赏赐给贵族。西周货币主要是贝币。《献彝》、《小臣静彝》、《庚
赢鼎》、《吕鼎》、《剌鼎》、《令簋》、《禽簋》等铭文均有赏赐货币的记载。
这些货币中,多为贝币,也有金(铜)①。1980年陕西长安出土的《多
友鼎》,宣王时器,铭文记载多友因战功卓著一次被赏赐的动产中仅
铜就有"百钧",即三千斤。赐马的记载有《作册大鼎》、《牧簋》、《吴
彝》、《小臣宅簋》、《虢季子白盘》等。西周中期以后,除赐马外又出现
赐牛的记载。如《卯簋》赐卯的有马十匹、牛十头。《大鼎》赐大的有
骊白杂毛的牡马三十二匹。

从实际意义上说,诸侯、贵族也是完全所有权人。诸侯贵族在法
律关系上对周王封赐给自己的土地只有占有权、使用权,而无处分
权。然而,这种占有实际上是占有人对物有事实上的管领力,即对物
的实际控制权力。"私有财产的真正基础,即占有,是一个事实,是不
可解释的事实,而不是权利。只是由于社会赋予实际占有以法律的
规定,实际占有才具有合法的性质,才具有私有财产的性质"②。西

---

① 《献彝》、《禽簋》。
② 《马恩全集》第一卷,382页。

周奴隶制社会特别重视占有这个事实,并从法律上保护实际占有,使它变成所有权的一种职能。中期以后,随着奴隶制商品经济的发展,诸侯贵族的这种占有权,逐渐扩大以至和所有权几乎无多大差异了。

诸侯贵族对土地占有权的逐渐扩大,便是对土地的实际处分权。其表现主要有两个方面:一是诸侯贵族可以把自己的封地再赐给他的部下;二是可以私扩土地,并进行土地交易。

懿王时期的《卯簋》说,诸侯荣伯的封邑在丰京附近。他命令自己的部下卯主管丰宫丰京人民。这是一个十分重要的官职,所以他对卯进行了赏赐,共赏赐包括四块四百亩田地。《不娶簋》是夷王时器,记载不娶因战功受赏经过。而给他赏赐的人就是称公的大诸侯虢季子白。夷王时,国力较弱,狎狁入侵,夷王便命虢季子白统率六师之众前往抵抗。当虢公出征抵达太原时,狎狁又窜至高陵。不娶以偏师歼敌,表现得勇武非常,结果擒敌众多而致胜。战后,虢公受到周王大赏,而虢公又对他的部下不娶进行了赏赐。虢公受赐的全是动产,但他对不娶的赏赐物中却有"田十田"即一千亩田。这说明虢公把自己的受封之地又转给了部下。

中期以后出现的私田,有的为开荒取得,有的是交换、买卖所得。私田非周王所赐,其所有权自然属于私田主人。1975年陕西岐山董家村出土的共王时三器《卫盉》、《五祀卫鼎》、《九年卫鼎》的器主裘卫,是个主管裘皮的官员,本人又兼营工商业,为工商奴隶主大贵族。他三次与人交换田地。《卫盉》是裘卫与矩伯进行买卖交易。矩伯原是庶人出身,缺少朝觐用的朝服礼器,于是,他以"田十田"、"田三田"共一千三百亩田地作代价,买得裘卫的朝服礼器。《五祀卫鼎》、《九年卫鼎》也是田土交易,田土能够交易,其自身已带有私田性质。

贵族对动产更拥有无限制私有权,这在周初金文中已大量出现。

贵族给自己的臣下和作战有功者赏赐动产或贵族把受封于周王的动产再转赐予他的部下,都说明动产是允许任意处分、转移的。动产所有权转移的标志,周初为武器、奴隶、马牛、铜、贝、车,中期以后,尊物也在其内。动产转移,无限制私有,在铭文中到处可见。此外,动产中的青铜器钟鼎盘盂,也常常作为赔嫁品转移其所有权。

(二)不完全所有权。这种所有权指对土地仅有占有使用权,而无事实上的处分权。西周不完全所有权的权利主体是庶民。从先秦文献和金文资料看,他们是社会上最大的劳动阶层,享有基本政治权利,对国家土地拥有占有权、使用权。《诗·小雅·信南山》:"信彼南山,维禹甸之。昀昀原隰,曾孙田之。我疆我理,南东其亩"。又《小雅·甫田》:"倬彼甫田,岁取十千。我取其陈,食我农夫,自古有年"。诗中说,广大的南山田土是大禹修治好的。田地分为高地低地,成王时分给农户。每户农夫的田地有田界,都在田亩之中。国家把土地分给农夫,每年再征收贡赋力役。生产出的谷物,黍是珍贵物,供士大夫享用,农夫们自己吃陈稷。这样的生活自古如此。从这两首诗的片断可以看出,农夫耕种的土地是国家分配的,他们耕种国家分配的土地,要向国家负担赋税和力役。他们对这些土地没有处分权,不能转让赠予,更不能买卖,也不能作为遗产留给子孙。因为土地授给之后每三年还要重新分配一次①。农夫们对授予之田只有占有、使用权和收益权,所以说是一种不完全的土地所有权。

西周中期以后,私有土地出现,但从目前见到的金文资料看,私有土地仅掌握在奴隶主贵族手中。农夫由于人力和劳动工具的限制,不可能也没能力去开荒占有私田,和贵族一样去取得对私田的完

---

① 《左传·宣公十五年》何休注。

全所有权。不过,这时由于私田的出现,土地国家制和建立在土地国家制基础上的土地定期分配制度开始遭到破坏。"三岁更耕之,自爰其处"①,就是说国家给农夫分配土地之后,不再定期重新分配了,而由各家根据土地的脊肥,自行调整份地的种植和休耕。土地定期分配制度的破坏,说明庶民对土地的私有权有所扩大,然而,它仍非完全所有权。

庶民对自己的动产却有完全所有权。有的"贩夫贩妇",实际上就是出卖自己剩余农产品和手工产品的庶民,这说明庶民对自己的动产农产品和手工产品在法定范围内有处分权,他们是这些动产的主人,完全所有者。

二、所有权的取得

现代民法规定,所有权的取得有两种途径,即原始取得和继受取得。原始取得,指一个人取得对物的所有权要符合法律规定,而不是以原所有人的所有权和意志为转移。如对物的改造、添附、收益、先占等,就是此类情况。继受取得是指一个人通过某种法律行为从他人处进行财产转移而取得所有权,如根据买卖、赠予、继受取得的所有权属于此类情况。

西周民事法规中,关于所有权的取得也有类似的规定。现摘要如下:

(一)分封。即诸侯贵族依法律规定从周天子或上级贵族那里取得对分封土地的实际控制能力、占有权和对动产的完全所有权。这是贵族土地占有权获得的最主要的办法。

---

① 《汉书·食货志》。

(二)先占。指一个人因占有无主物、委弃物、战利品的行为而取得对物的所有权。先占原则是要看谁对那些可以私有之物的第一个占有。现就战利品、无主物和委弃物的占有分述如下:

对占利品的占有。西周法律规定,战利品,首先是战争中获得的战俘,其所有权归国家。"出征执有罪,反释奠于学,以讯馘告"①。凡战争俘虏,一律要带回交周天子处置,还要在周庙向周天子禀告俘敌和斩敌情况。《小盂鼎》记载康王时贵族盂征伐鬼方获胜归周后在周庙向周天子汇报战果的经过:第一次战役,生擒敌酋三人,杀敌三千八百多人,俘敌一万三千八十一人,俘马若干匹,俘车十辆,俘牛三百五十五头,羊二十八只。第二次战役,又擒敌酋一人,杀敌一百三十七个,俘敌若干,俘马一百零四匹,俘车百余辆。盂当场将四个敌军首领进献于康王。这说明战利品,无论俘虏或车、马、牛、羊,其所有权均归国家。类似记载,金文中比比可见。如《虢季子白盘》有"子白献馘于王"的记载;《不娶簋》有"余来归献禽"的记载;《敔簋》有"告禽"的记载,如此等等,都说明主要战利品所有权归国家。

但是,从金文资料看,小额量的战利品如贝或金(铜),往往归第一个先占有人。《雪鼎》的小贵族,受命随其上司出征东夷。他在战斗中掠获了贝,战后便用此贝作价给自己铸了宝鼎。《员卣》中的员,在战斗中掠获了金,战后也用此金为自己铸了宝器。这些军事小将领用来做器的贝或铜,铭文大都写作"俘贝,用作……宝器"或"俘金,用作……宝器"。从文体上分析,不像军功赏赐。因为有的铭文,直接写成"有得,用作宝器"②,很显然,这是占为己有。这个"有得",不

---

① 《礼记·王制》。
② 《犾駮簋》。

仅指贝、铜,其它有可能成为私有物的小战利品,均可以以先占原则,取得对该物的所有权。

无主物的占有。无主物指没有所有人或所有人不明的财产。譬如野兽就属于这种物。西周时期,对野兽所有权的取得,是以先占为准则的。但因当时的田猎,一般都是大规模的集体行动,农民要在贵族带领和驱使下集体出猎,因而,猎取之物,大的要交公,用作祭祀,或作为农夫对贵族的贡献品。只有小的猎取物,才能归个人占有。正如《周礼·夏官·大司马》所说:"大兽公之,小禽私之……致禽馌兽于郊,入,献禽以享烝"。类似记载还见于《诗经·伐檀》篇:"不狩不猎,胡瞻尔庭有悬貆兮!……不狩不猎,胡瞻尔庭有悬特兮!……不狩不猎,胡瞻尔庭有悬鹑兮!"貆、特,三岁的野猪,这些大的猎取物均交给了贵族或公家,农夫自己不得占有。《七月》篇说:"言私其豵"。豵,一岁以下的小野猪。小野猪的所有权可以先占方式归之于私。

委弃物的占有。委弃物指被所有人遗弃之物,也包括他人走失的饲养动物。拾得委弃物,原则上要交公,待无人认领时,大的归国家,小物成为先占的标的。《周礼·秋官·朝士》:"凡得获货贿、人民、家畜者,委于朝,告于士,旬而举之,大而公之,小者庶民私之"。就是说,当拾到他人委弃的货币,走失的奴隶、家畜,都要缴到外朝,报告朝士。十日以后无人认领,便加以没收,大的东西充分,小的归拾得者私人所有。又据《礼记·月令·仲冬之月》:"是月也,农有不收藏聚积者,马牛畜兽有放佚者,取之不诘"。就是说,在仲冬这个月,庄稼粮食早该收聚起来,不能弃置在外,马牛六畜也应圈起,如果将应收藏好的谷物没有收藏起来而弃置在外,或任凭马牛走失,任何人可依先占原则取得对该委弃物的所有权,法律不追究占有者的责任。反过来说,假使委弃物的拾得不在仲冬之月,则应交公或归还失主。前引《易·无妄六三》"无妄之灾,或系之牛,行人之得,邑人之灾"也是先占原则在无主物牛上的体现。

(三)收益。收益是指由生息物中生产出来的孳息,包括天然孳息和法定孳息两种。

天然孳息,指原物中自然产生的孳息物,如林木、幼畜等。周制规定,山林、川泽属国家所有,所以,这些原物上的孳息物,如山林中的林木,川泽里出产的皮角珠贝,所有权也属国家。但在特定条件下,人民也可取得对这些孳息物的所有权。如《周礼·地官·山虞》规定:"令万民时斩材,有期日";《地官·泽虞》:"以时入之于玉府,颁其余于万民"。就是说,国家的法令允许百姓们十月份开始入山砍伐木材,但有具体日期规定。换句话说,在法定日期内,百姓们能取得对砍伐的木材的所有权;限定日期之外入山砍木,则以盗罪论处。泽虞是负责川泽政令的职官,他命令国泽地的人们要守护泽中财物,按时向国家缴纳一定量的皮角珠贝,剩余部分归庶民所有。这说明川泽地的百姓能取得川泽中天然孳息物的一定所有权。

法定孳息,指合法利息。按周制,泉府是国家市场税收官员,也兼管贷款业务。凡从泉府那里借贷货物或金财时,要按规定交纳利息。对放贷者泉府来说,他取得了法定利息的收益权。

(四)买卖。是继受取得的方法之一。西周专设质人管理市场奴隶、牛马、车辇用器以及四时所产珍奇稀有食物的买卖。据金文记载,自中期以后,不仅动产,就是不动产土地,也能通过买卖取得对买来之物的所有权。前述《卫盉》、《格伯簋》等即是。

(五)继承,也是继受取得的方法之一。西周实行嫡长子继承制,嫡长子便能通过继承取得对财产的所有权。西周铜器大都在铭文结尾要刻铸"其子子孙孙永宝用"之类的话,这句话的含义,一方面在于确认该器及其铭文所记载的关于田土、马牛、官爵、荣誉的所有权人，更重要的还在于确认这些财产和荣誉的继承人。"子子孙孙永宝用"，即嫡长子或所有权人所指定的继承人永远继承、使用。

（六）赠送（赠与）。这还是继受取得所有权的一种方式。周人制作青铜器的原因很多，其中一种原因，是有的贵族当接受别人馈赠之后，为了表示馈赠物所有权已经归己，因而铸器刻铭，书写馈赠经过，以表示其所有权已具法律效力。如《史颂簋》说，周王命令颂去看望鯀，鯀便和颂一起来到成周游玩，并赠送颂一块玉璋、四匹马，还有吉金。颂接受赠品之后，便铸了这个簋，镌刻了赠送经过，以表示这些物的所有权已转移到自己手中。《大簋》、《苪鼎》等均有类似记载。陪嫁物也是一种特殊的馈赠品。陪嫁的青铜器即媵器上，都要说明此媵器送于那个出嫁的姑娘，以表示其物权归于新娘及其子孙。如《宗妇鼎》、《番匊生壶》等器便是娘家为嫁女作的媵器。

三、所有权的消灭

现代民法中，所有权的消灭，是指通过某种法律事实，而使所有权丧失或与所有人脱离的一种法律现象。西周民事法规中，引起所有权消灭的原因，大致有如下几种：

（一）所有物的丧失。所有权人因某种原因丢失或丧失自己的所有物时，他对该物的所有权亦即丧失。前引《易·无妄六三》"无妄之灾，或系之牛，行人之得，邑人之灾"，牛因火灾受惊跑失，被行人得到，对行人来说，意味着他得到了失牛的所有权，对邑人来说，是一场灾祸，意味着他丧失了对牛的所有权。这则卦辞说明，自然灾害中，随所有物的丧失，所有权人对该物的所有权亦即丧失。类似卦辞《易经》中还有不少。《震六二》：

> 震来厉,亿丧贝,跻于九陵,勿逐,七日得。

大意是,暴雷击来,迅猛异常,货币主人因惊慌失措,丢失了贝币。于是他登上九陵求卦,卦象告诉他不要去追逐丢失的钱币了,七天之后自然会得到。卦辞当然是带有迷信色彩的,但它说明,所有权人丧失了自己的物,一般是追寻不回来的,所以说"勿逐"。"勿逐"已表示所有权随物的丧失而丧失。《巽上九》:

> 巽在床下,丧其资斧。

意思是,盗贼入室行盗,所有权人吓得伏于床下,结果钱财被盗。这个所有权人对钱财的所有权,随"资斧"——财物与货币的丧失而丧失。《旅九三》:

> 旅焚其次,丧其童仆。

这是说商旅居于旅舍,旅舍被焚,其童仆丧失。这些童仆可能逃亡,也可能丧生。如果童仆丧生于火海,就意味着所有权客体的灭失,其所有权自然也就消灭了。

(二)所有权的转让。所有权人根据自己的意志,把财产转让给他人,其所有权立即消灭,而受让人却对该财产取得了所有权。西周时期所有权的转让有买卖、交换、赠送、陪嫁等多种形式。

买卖行为造成的所有权转让,前已述及。据《周礼》记载,为了确认因买卖行为造成的所有权转让的法律效力,西周专设司市、质人等职官,负责买卖契约的签订,"大市以质,小市以剂"①,"以质剂结信而止讼"②。

交换,指双方所有权人互换自己的所有权,这也是转让所有权的

---

① 《周礼·地官·质人》。
② 《周礼·地官·司市》。

一种形式。《五祀卫鼎》即是这种交换所有权的例证。

赠送,是所有权人自愿将自己的所有物赠与受让人,使受让人获得对赠物的所有权。除前述金文资料外,《易经》中也有反映。《遁九四》:"好遁,君子吉,小人否",是说馈赠给别人的小猪,如受让人是君子,这种馈赠就会大吉大利,合乎礼制;如受让人是小人,赠与人便将大丧其财。这从一个侧面说明,馈赠之后,赠与人对物的所有权随之转入于受让人一方。

(三)所有权的抛弃。西周法律规定,所有权人如抛弃所有物,其所有权也就随之丧失。前引《周礼·朝士》和《礼记·月令·仲冬之月》的规定,均可说明这点。仲冬之月,农夫不收藏积聚,或任凭马牛牲畜走失,这是原所有权人自动抛弃所有物的表现。抛弃所有物,就是对该物所有权的丧失。即使不在仲冬之月,对抛弃物的处理,"大而公之,小者庶民私之",对原所有权人来说,也是丧失了对物的所有权。

(四)所有权因强制手段被消灭。这是指国家行政机关或司法机关依法强制所有权人转移其对物的所有权。周王对贵族撤销封赐,就是用强制手段消灭其所有权。如《大簋》、《大克鼎》中贵族封地的被收回,表明这些贵族因此而丧失了对封地的占有权、使用权。《散氏盘》等铭文记录侵权一方在官府监督下用土地、奴隶进行损害赔偿,一旦订立赔偿券书,负责损害赔偿的一方,便丧失了对这些土地、奴隶的所有权。

(五)所有权主体的消灭。所有权主体的消灭,是指所有权人的死亡。换句话说,所有权人一旦死亡,其所有权便立即转移。这种所有权的转移,在西周最明显的表现,是家庭中家父死亡后实行的嫡长子继承制。父亲死亡,所有权便落入嫡长子手中;如无嫡长子,则依法律规定转移其归宿。继父与继子之间也适用这种所有权关系的转移规定。

四、所有权的保护

为了对奴隶主贵族的所有权进行充分保护,西周奴隶制法规定,当所有权人的财产受到侵害时,所有权人有权向国家机关或司法机关提起诉讼请求保护。

(一)请求确认所有权之诉。这是指当所有权或占有权的归属问题发生争执时,当事人可向有关机关提起诉讼,请求确认所有权。

在不动产物权方面,西周法律规定,诸侯贵族及自由农民对土地只有占有权、使用权,而无所有权。但是,无论哪种形式的占有,国家都要对诸侯贵族及自由农民占有的土地按照法定手续,勘查土地疆界,并绘制地界图。地界图一式两份,一份存放官府,一份在占有人手中。如果土地占有权或私田所有权需要转移,则地界图要随土地一并转移。公田的转移还须官方代表亲临现场再次查核地界。《大簋》中当封赐给贵族嫛的土地被收回转赐给大的时候,周王便派王室官吏膳夫豖首先把这一决定通知给嫛,然后,他们一起到现场去勘查了那块转封土地的地界。《格伯簋》、《散氏盘》、《卫盉》、《五祀卫鼎》、《九年卫鼎》等均有田土转移时政府官员勘查田界的记载。有的铭文还详细地描述、记录了田界经过的具体路线、起点和终点。有的铭文记录着交付地界图的隆重仪式。当土地占有权或土地疆界出现争执时,要向小司徒或司法机关提起诉讼,进行请求确认土地所有权的诉讼。有关机关裁决此种诉讼的根据,就是官府保存的那一份地界图,即《周礼·地官·小司徒》的"地讼,以图正之"。

对动产物权的确认,也是通过当事人提起请求确认所有权之诉后再由司法机关裁决的。如《㦰匜》判例,就是一起请求确认动产物权之诉的判决。原告小贵族牧牛,为五名奴隶的所有权归属和被告大贵族㦰发生了争执。为了得到那五名奴隶,牧牛把㦰告到司法官吏伯扬父那里,请求司法机关依法作出判决,以确认自己对五名奴隶的所有权。这场诉讼,是请求确认所有权之诉。

(二)请求返还原物之诉。所有人的财产被他人非法占有时,财产所有人有权提起诉讼,请求司法机关责令不法占有人返还原物。能够返还原物的,必须返还原物;不能返还原物的,可用其它物代替;假如原物已经灭失,可以请求赔偿损失。《曶鼎》第二判例就是典型的请求返还原物之诉。当匡季指使其二十名奴隶抢占了曶的"禾十秭"后,曶向司法机关东宫提起诉讼。匡季原先试图用五田四夫(五百亩田和四个奴隶)进行损害赔偿,但曶却坚持"必唯朕禾是偿",就是说非返还原禾不可。而原禾因时隔已久已经灭失,因此,东宫判决为增加赔偿数量,使其尽量接近原物损失。东宫的判决是:"偿曶禾十秭,遗十秭,为二十秭"。"偿十秭",与匡季抢劫的原禾数量相等,再"遗十秭",即再加十秭,应看作是原禾被窃后的那段时间里原禾应得的孳息数。这样判决,使赔偿数比抢劫数增加一倍,为的是求得赔偿数与原物数能得到实际的均等。判决辞还说,如果到第二年没有还清二十秭禾的赔偿数,则再加一倍,要偿还四十秭,即以二十秭为原物递增成倍孳息。

(三)请求损害赔偿之诉。所有人的财产因他人不法侵害而遭到灭失或损坏时,在无法返还原物或恢复原状的情况下,所有人可以请求赔偿损失。《散氏盘》属于这种请求损害赔偿的判例。铭文一开头便说"用矢扑散邑,乃即散用田"。就是说因为矢氏侵犯了散氏的田邑,致其田邑遭到破坏,于是矢氏愿意用自己的田邑给散氏进行损害赔偿。铭文接着详细地记述了矢氏用两块田给散氏作赔偿的经过，最后又让那两块田的田官在司法官面前宣誓，保证履行誓言，进行赔偿。如果发现爽约现象，造成多大损失，便罚多少，甚至可以进行刑罚惩处。可见，这一赔偿是受害人向司法机关提起诉讼之后，由司法机关强制侵害人进行损害赔偿的。

以上几种诉讼方式，是西周民事法规中保护所有权的方法。这种所有权保护法，一般为损害赔偿，但有时也有例外。如《朕匜》判例，其诉讼除民事外，还涉及刑事诬告罪。对这种民事与刑事混杂的诉讼，便不能单一的采用损害赔偿的方法，可以给以刑事制裁，也可以把民事赔偿和刑事制裁结合使用。《散氏盘》田官宣誓时以人身作担保，说什么如果不遵守誓言，愿受刑罚惩处，也包含这种意思。即除民事赔偿外，还将受到刑事惩罚。

第四节 债

民事法规调节的财产关系，主要是所有权关系和债的关系。债的称谓西周时已经出现，叫做"责"。《周礼·秋官·朝士》："凡有责（债）者，有判书以治，则听"。就是说，凡有债务纠纷的，必须附有契约券书，官方才能受理。这说明"责"（债）的内涵已包括债权、债务两方面的内容。类似记载还见于其它篇章。《天官·小宰》："听称责（债）以傅别"；《秋官·朝士》："凡属责（债）者，以其地傅而听其辞"。前句意为有借贷债务纠纷的，根据契约借券而听断。后句为凡受死友的委托，向债务人追讨债务，如因债务人抵赖而发生诉讼，而要传唤知其债务的邻里人来作证。

西周债的发生主要由两种原因所引起，一是因侵权行为所发生的债,一是因契约关系所发生的债。后一种情况是债产生的主要原因。

一、因侵权行为所发生的债

侵权行为指不法侵害他人人身或财产权的行为。受害人有权请求赔偿损失,而加害人必须承担因侵权造成的债务,主要是补偿受害人的损失。

前引《曶鼎》铭首"昔馑岁,匡众厥臣二十夫寇曶禾十秭,以匡季告东宫",是交待引起诉讼的原因:一个荒年里,匡季指使其众和臣抢劫了曶的禾十秭,这是一种不法侵害并非法占有他人财产的行为,故受害人曶依法提起诉讼,请求赔偿损失:"必唯朕禾是偿"。尽管,由于匡季是个在东宫任职的大贵族,司法官试图通过匡季向受害人曶叩头陪情以了结此案,匡季也主动提出愿以五田四夫作代价进行赔偿损失,但因曶坚持返还原物,所以司法官不得不依法作出判决:"偿曶禾十秭,遗十秭,为二十秭。如来岁弗偿,则付四十秭"。责令被告赔偿十秭,再加孳息一倍,如果到第二年未付清债务,则要赔偿原物的四倍。这一判例说明,只要是因侵权行为引起的诉讼,司法机关必须用强制手段使侵权人承担因侵权行为造成的债务,即补偿受害人的损失为结案的前提。不过,此类案子,西周法律也允许双方当事人私下了结。当司法官判决之后,匡季和曶并未执行判决,而是私下达成了协议:匡季愿意在原先答应赔偿五田四夫基础上,再增加二田一夫,总共赔偿七田五夫。曶也就同意了匡季的请求,愿意在赔偿七田五夫和二秭的情况下,免去交付三十秭的孳息,而解决了这场争纷。

《散氏盘》更是一则因侵权行为所发生的债的典型资料。"用矢扑散邑,乃即散用田",是侵权之诉引起的原因。因为矢氏不法侵害散氏的财产权——对邑的财产权,因而构成争讼,散氏请求加害人赔偿损失。加害人"乃即散用田",就是说用自己田邑进行赔偿损失,履行因侵权而造成的债务。接下来,铭文详尽地记述了加害人用眉田和井邑田两块田地进行赔偿的过程。在官方主持下,双方各派大批田官和其他政务官员,矢氏一方有十五人,散氏一方有十人,对眉田和井邑田的田界进行了勘查,并绘制了田界图,签订了契约券书,加害一方的代表在司法官面前宣了誓,最后办理了田土移交手续,这场因侵权行为引起的诉讼,才以加害人作了损害赔偿而结束。

二、契约的种类和内容

因契约关系构成的债,是西周最主要的债。契约在西周称作"傅别"、"书契"、"质剂"、"判书"和"约剂"等。最常见的契约有如下几种:

(一)交换契约。这是商品交换早期的契约形式。基本上是以物易物,即一方用金钱以外的财产与他方的另一种财物相互交换。这种契约是双务性、承诺性和有偿性的。其法律后果是双方当事人转移交换财产的所有权。金文中这种契约经常见到,《五祀卫鼎》、《九年卫鼎》、《鬲从盨》等为典型材料。

《五祀卫鼎》,西周中期共王时器,记载裘卫和邦君厉之间的一桩土地交换活动。铭文说:

  惟正月初吉庚戌,卫以邦君厉告于井伯、伯邑父、定伯、𣄴伯、伯俗父,曰厉曰:"余执共王恤工,于昭太室东逆,营二川。"曰:"余舍汝田五田"。

这段话的大意是:正月上旬庚戌那天,裘卫把邦君厉带到执政大臣井伯等人面前进行交易。他对邦君厉说:"我执掌共王勤政的事务,在昭王的太室东北,要经营两条河流"。又说:"我给你五田作交换"。这是要约人裘卫陈述交换土地的理由。由于交换的土地原先为公田,因此,交换活动要在执政大臣面前进行,以得到国家的认可。裘卫是个管理皮裘的官员,又是一个工商奴隶主。生产皮革制品离不开水,所以,他才看中了邦君厉所占有的位于昭太室东北的田地。那儿有两条流水,利于经营皮毛生产,因而愿意以自己的"五田"(五百亩田)交换邦君厉的一块四百亩的田地。官员们询问邦君厉:"你愿意换田吗?"当"厉乃许"之后,这桩土地交换契约便在双方协议的基础上达成了。裘卫用自己的五田去交换邦君厉的四田。从数量上看,交换是不等价的,然而,邦君厉的四田当中却有二川流动,水利收益将会弥补田数的差额,所以交换基本上是均等的。这便是裘卫不顾田土数量之差而以要约人身分首先请求交换的原因,也是邦君厉能够以允约人身分允诺契约达成的理由。契约签订之后,双方均承担义务,要按契约规定交付对方所换的田地。裘卫为了使自己对交换得来的土地享有永久占有权,因而铸造这件大鼎,详细记述在官方参与下勘查四田田界的经过和邦君厉现场交付裘卫田土的交接仪式。

《九年卫鼎》也是共王时器,器主仍为裘卫。铭文记载共王九年矩伯用自己的私田交换裘卫车马器的立契过程。铭文分以下几层意思:

第一层,交待交换行为产生的原因。共王九年正月,周王在周驹宫,又到宗庙里。这时,眉敖的使者前来朝见,周王举行盛大接待礼。矩伯被任命为接待使者的卿。为了接待礼的急需,他要向裘卫换取一辆好车。

第二层,叙述双方的交换物。矩伯向裘卫取了一辆好车,并带有车旁的钩子,车前横木中有装饰的把手,虎皮罩子,长毛狸皮的车幔,彩画的车套子,鞭子,大皮索,四套白色缰绳,铜马嚼口等。裘卫为了交换的顺利进行,给矩伯妻子贿赂了十二丈帛。矩伯用来交换的物是一块林昚里,即林地。

第三层,交待裘卫与矩伯交易活动中插入的一次小交易。矩伯给裘卫的林地中,其林木的收益权,早被矩伯分赐给小奴隶主颜氏了。矩伯裘卫之间的交易一旦成功,就意味着颜氏也将丧失对林木的收益权。因此,裘卫又给颜氏两匹大马,给颜氏之妻一件青黑色衣服,给颜家管事寿商一件貉皮袍子和罩巾,作为交换林木收益权的代价。

第四层,契约达成之后,矩伯给裘卫交付田地。当裘卫给颜氏管家交换物后,矩伯便命令寿商和裘卫一起去勘查土地,立起田界,举行换田交接仪式。

第五层,裘卫铸鼎,镌刻"卫其万年永宝用",确定自己对这块林地的所有权。

十分清楚,这是一个交换契约成立的全过程。要约人为矩伯,受约人为裘卫,契约以双方交换物权而成立。这个契约还是一个主从契约,裘卫与矩伯的交换契约为主契约,裘卫与颜氏的交易为主契约引起的从契约。从契约以主契约的存在为前提,随主契约的成立而成立。尤为注目的是,这次交易和《五祀卫鼎》的交易存在着很大的差别。《五祀卫鼎》用以交易的土地为公田,因此,整个交易活动要在官方参与下进行。而这次交易中矩伯用以交易的土田,为他的私田。私田交易,无须官方执政大臣参与,也不举行官方主持下的宣誓仪式。契约的成立完全取决于立契双方的意愿。这次交易,敢于在周王举行盛典时公开进行,说明私田交易在西周中期已较为普遍。私田交易首先从山林地开始，说明山林地最容易被奴隶主开荒利用，变成自己的私田。

《鬲从盨》是西周晚期厉王时器，器主鬲从为受约人。该器所载的契约是一种混合契约，即交换契约混杂着租借契约。不过，铭文主要反映的是交换契约。有两个要约人同一天与受约人鬲从分别签订了以耕作奴隶交换田土的契约。鬲从为了确认自己得到的奴隶的合法性和所有权，便铸造了这件宝鼎，镌刻铭文，详记契约签订的过程。

鬲从是个大奴隶主贵族，在王畿之内拥有大片土地。和他进行交易的第一个人是章氏。章氏派遣自己的部下用耕作奴隶去交换鬲从的土地。章氏出了三名奴隶换取鬲从的田地。交易过程中，章氏一方又馈赠了二名奴隶于对方，总共用了五名奴隶。交易中，要约人给受约人馈赠物品，表面上是为了促成契约的尽快完成，其实，馈赠物也是一种变相的折价办法，这点，《九年卫鼎》已有反映。契约以受约人的允诺而成立，随即进行了田、奴交接仪式。第二个和鬲从交易的人叫曶氏。他也派遣自己的部下用耕作奴隶来换田。曶氏除租借给鬲从三名耕作奴隶外，又将五名奴隶作为交换对象换取鬲从的田地。这次交换，同样以受约人鬲从的允诺而成立，双方签订了契约，办理了交接手续。这则契约中又混杂了一则租借契约，通过两则契约，鬲从一日内用土地换到十三名奴隶。从交换标的全是耕作奴隶而且其数字相当可观这点来看，说明鬲从肯定是个大土地奴隶主。奴隶虽是动产，但在当时其价格是比较昂贵的。"匹马束丝"才能买到五名奴隶，所以鬲从对这次交易颇为重视。为了使自己的契约有法律保障，他将两则要物交换契约的制定情况均报告了周王。大概由于王畿之内要物的交易，周王是要亲自过问的，因此，铭文开头便记载了在周厉王二十五年七月的一天，王在永地的师田宫听取了这两则契约签订经过的汇报,并作了认可。周王还命令一个叫成的小官吏迎来内史和大史,让他们把契约的副本登录在官府的记录中,并存档保管。之后,曶从铸了器,以表明自己对那十三名奴隶的所有权。要物契约必须是书面契约,立契之后,将契约中分为二,由官府和债权人各存一半。《曶从盨》的结尾是"厥右曶从善夫克",就是说,契约的右侧归曶从保管。由于交换契约是双务契约,就曶从一方来说,在确定自己对交换得来物的所有权时,他是债权人,因而,要保存契约右侧。这点,和《周礼》等先秦古籍记载完全符合。善夫克是立契中介人。善夫,官名,克,人名。契约铭刻中介人姓名,在于索取旁证。两次立契活动均使用了同一个象形文字&,此字郭沫若在《两周金文辞大系考释》中释为"钓"的象形文,意为"取,交易"。提到对方付给曶从奴隶时,两次使用"复贿"一词,还付的意思。就是说拿到田,就要还付奴隶[①]。

仅上述三件铭文,足以看出交换契约在西周已普遍存在。这是一种以物易物的交易活动,交换标的有土地、奴隶、车马及贵重物品。公田交换要报告官方,以保证国家对契约的干预。私田及非重要动产交换,自行其是。要物交换要写成书面契约。交换契约是双务性的,立约双方均可成为债权人,亦对对方负有债务。交换契约以标的物的交换而成立,交换之后,所有权人的所有权亦发生变革。交换契约也可以是混合契约或主从式契约。

(二)买卖契约。买卖契约是出卖人一方将财产交给买受人一方所有,而买受人接受此项财产并支付价款的协议。买卖契约的成立,必须注明买卖的标的和价格。西周时期,买卖的标的是有形物。出

[①] 详见拙著《曶从盨所反映的西周契约关系》一文,《考古与文物》,1985年第6期。

卖人的义务是将标的物及其所有权转移给买受人,而买受人的义务,是按契约规定支付价款。交付时间亦有规定,可与标的物的交付同时进行,也可按契约规定时间另行交付。无论买受人或出卖人违反契约规定不交付价款或不交付标的物,另一方有权依法向司法机关提起诉讼,请求保护权利。买卖契约与交换契约的最大区别是,前者以钱买物,或对物的价格作出明确的折算办法,后者是以物易物。西周中期以后,买卖契约已不少见,但它还处在买卖契约的初期阶段,不少买卖契约带有从交换契约转变而来的特点。《周礼·地官·质人》"凡买卖者质剂焉,大市以质,小市以剂",可以反映西周市场贸易中买卖契约的活跃。《格伯簋》、《卫盉》、《曶鼎》均有买卖契约的规定。

《格伯簋》,共王时器,铭文记载买受人格伯以良马四匹折价,购买佣生三十田的一次交易活动。达成的书面契约是:

惟正月初吉癸巳,王在成周。格白(伯)殴良马乘于佣生,厥贾(价)卅田,则析。

契约首先交待立契时间和地点。周王某年正月初吉癸巳那一天,王在成周处理政务,他俩签订了这件买卖契约。契约接着记载了交易内容:买受人格伯要买出卖人佣生的土地,便交付给佣生四匹良马,这四匹良马的价值是三十田,因此,便用四匹良马折价买田,契约签订后,写在木简上,然后中破为两半,叫做"析",官府存一半,买受人执一半。买受人是债权人,所以要保存契约的一半,以证明对买受物的所有权;另一半存入官府,以备以后一旦发生债务纠纷,即可作为凭证。契约的后一部分主要书写勘查田地的经过并记录田地四至,以及佣生的守约誓辞。

很明显,这是一则买卖契约,买卖标的是三十田,价格是作了价的四匹良马。那四匹良马不是交换物,而是折了价的实物,用来支付田价,所以这则契约已变成了买卖性质的契约。尽管如此,它还是早期的买卖契约,是从交换契约演变而来的一种买卖契约形式。交换契约是早期商品经济的产物。随商品经济的发展,简单的以物易物的交换已无法调节复杂的商品关系,于是,货币的作用便日益重要起来。货币作为商品流通市场,将会促进商品经济的进一步发展。《格伯簋》虽未直接使用货币,但却使用了"厥贾(价)"这个字眼,意为"它的价格"是用四匹良马作价的。可以看出,马匹在这儿起到了货币的作用。马克思说:"货币结晶是交换过程的必然产物"①。恩格斯说:"牲畜变成了一切商品都用它来估价并且到处乐于同它交换的商品——一句话,牲畜获得了货币的职能,在这个阶段上,就已经当货币用了"②。西周的情况也不例外,货币成为商品,流入市场,但初期货币数量不够多时,贵重牲畜马匹也起了货币的作用。

《卫盉》也是共王时器,器主仍是前述交换契约中提到的大工商奴隶主裘卫。铭文是一则买卖契约。买受人为矩伯,买卖标的是朝觐用的玉器和贵重皮衣等物。出卖人为裘卫。裘卫从买卖中得到的价款依然不是货币,而是折价了的田地。铭文大意是:

共王三年三月壬寅日那一天,周王在丰邑大朝诸侯。矩伯为了朝觐的需要,向裘卫取了朝觐礼器玉璋。玉璋价值贝八十朋,根据这一价款,他给了裘卫一千亩田来折价。矩伯又从裘卫那里取了两张赤色虎皮,也是朝觐之物,和两件鹿皮披肩,一件杂色椭圆裙。这些东西的价值为贝二十朋,矩伯用三百亩田折价付给了裘卫。因为这些作了价的田地原为公田,所以还是依规定把契约签订情况一一告

---

① 《资本论》第一卷,《马恩全集》第 23 卷,第 105 页。
② 《马恩全集》第 21 卷,第 183—184 页。

知伯邑父等大臣。大臣们命令三有司——司徒、司马、司空到现场参加了田地交付仪式。

这则契约的买卖性质比《格伯簋》更为显明，因为它直接用货币——贝作为衡量价值的尺度。尽管买受人付给出卖人裘卫的价款不是货币，而他两次给予裘卫的一千三百亩田，契约明文按一百朋作了价。这种交易，真正起作用的已经不是田地，而是货币贝，所以，它是一桩买卖契约性质的交易。《卫盉》再次表明，西周时期，早期的买卖契约，是从交换契约转化而来的。

《曶鼎》，孝王时器，是所有买卖契约中最典型的铭文。该铭第二段记述一场因买卖奴隶而酿成的诉讼案，诉讼案对买卖契约签订的全过程，描写得淋漓尽致。诉讼是因奴隶出卖人限两次违约引起的。买受人曶把限告到司法官井叔那里后，他的诉讼代理人在公堂上陈述了起诉理由。诉辞中详细介绍了两次立契经过和限悔约的原委。

铭文开头说，曶用"匹马束丝"，"买汝五夫"，即买了限的五名奴隶，中介人叫效父。这是第一次交易。铭文直呼其"买"，说明"匹马束丝"已是作了价当作货币使用的实物。契约应属买卖性质，只不过其形式是口头契约罢了。契约以出卖人限的承诺而成立，曶已交付了马和丝。但是，限在收到价款后又悔了约，他不但没有交付买受人标的物"五夫"，反而让他的部下和中介人分别退回"匹马束丝"，但又提出要在王参门地方改签用金属货币购买那五名奴隶的书面契约。经曶同意后，双方签订了书面契约，达成了用铜百锊"买兹五夫"的交易。当曶交了铜后，限又一次悔约，让他的部下前来"退金"。在出卖人限两次违约不交付买卖标的的情况下，买受人为了保证自己的合法权利，才不得不将限控告到司法机关，寻求法律对正当权益的保护。司法官对此案作了判决，责令限应遵守前约，不许再有贰言。限只好服从判决,交付了五名奴隶。

《曶鼎》判例说明,西周买卖契约有口头和书面两种形式,无论哪种形式均须具备中介人。契约成立的基础是协商。买卖标的和卖价要在契约上书写清楚。契约一旦达成,即具备法律效力,任何一方无权违反。如因一方违约发生诉讼,法律将制裁违约者,并保证契约的正常履行。"凡以财狱讼者,正之以傅别约剂"①。就是说对因货财而引起的诉讼,则按契约傅别、约剂规定裁决。《曶鼎》对文献记载作了佐证。

(三)租赁契约。租赁是商品经济发展之后出现的一种新的财产的流转关系。西周时期,已经产生租赁和租赁契约。租赁契约是出租人将出租财产交付承租人使用,承租人向出租人支付租金,并在租赁关系终止时返还所租财产的协议。它也是双务性、有偿性、诺成性的契约。租赁契约并不产生所有权的转移,而仅仅是双方当事人商定对租赁物的有偿使用。租赁关系终止时,承租人必须返还原物。西周时期租赁的标的尚处在土地范围之内。因为从中期开始,土地交换以至买卖不断出现,有时甚至是大面积的交易,这必将引起土地的相对集中。大奴隶主不断扩大自己占有的土地,小奴隶主被迫丧失土地,不得不承租他人土地,从而促进租赁关系的发展。另外,也有一些奴隶主,通过土地的承租和转租,企图从中渔利,这都是租赁关系发达的原因。世传青铜器《䍂攸从鼎》就反映了这种租赁契约。

《䍂攸从鼎》,西周晚期周厉王时器,铭文是一起因承租人攸卫牧违反契约规定,拒绝缴纳租金而引起的一场民事诉讼案,其中反映了当时的土地租赁和租赁契约情况。铭文开头说:"女觅我田牧,弗能

---

① 《周礼·秋官·士师》。

许鬲从"。意为:你攸卫牧租种我的土地,但不付我租金。这是原告鬲从提起诉讼的理由。从讼辞看,鬲从是出租人,攸卫牧为承租人,他俩曾立过租赁契约。诉讼提起后,周王命令两造到司法官虢旅那里接受审判。经虢旅审理,判决攸卫牧败诉,应承担违约责任,并在法庭上让他宣誓:"我弗具付鬲从其且(租),谢分田邑,则放"。就是说,我如果再不全部付给租金,那就收回我所承租的田地,我也愿受流放刑罚的惩处。

从攸卫牧的誓辞看,攸卫牧并非完全没有交付租金,只是没有交齐。这也许由于收成不佳,或是其它原因。不论如何,不按期付清租金,承租人便有被收回承租土地的危险,出租人有提起诉讼的权利。土地租赁一般要有几年的期限,因为土壤改造不可能短期完成。鬲从起先没有收回租地,肯定是租期未到,所以他只好诉诸司法机关,要求司法机关依法保护出租人的利益。攸卫牧愿以人身作担保起誓,说明西周法律是保护出租人权利的,也可看出租赁契约在西周所具有的法律效力。

(四)租借契约。租借契约是租赁契约的一种分支形态,根据对租赁物的使用是否取得孳息来划分。租赁和租借不同,前者需缴纳租金,取得孳息,定期使用,其标的为田地;后者亦缴纳租金,但不取孳息,定期使用,其标的物为房屋、奴隶或其它动产。西周时期,以耕作奴隶为租赁标的的契约,称作租借契约。《鬲从盨》就载有这种契约形式。

前已提及,该器所载一件混合契约,就是由交换契约和租借契约混合而成的。租借的标的为三名耕作奴隶。铭文记载是:昷氏派遣自己的经济代理人小宫,取了鬲从的田地,用三名耕作奴隶附以期限地租借给鬲从,作为交换的代价。租借一词铭文写作"限赊",郭沫若解释为"附以期限地租借"①。租借自然是有期限的,到期后,承租人将归还租借标的。这则契约的租借标的是三名奴隶。契约对三名奴隶的姓名一一清楚地写了出来,并写明是租借("限赊")。不过没有写明租借日期,可能是因为租借在此混合契约中不太重要的缘故,或许立契时对租借日期已作过口头规定。奴隶作为租借标的是很值得注意的一种社会现象。古代发达的奴隶制国家,如希腊、罗马,都以奴隶为租借标的。古代东方其它国家还未见到这一现象。西周晚期以耕作奴隶为租借标的,是土地私有化迅速发展的表现。西周中期以后,土地开始向私有化转化。《五祀卫鼎》土地交易量达五百亩,约合今156亩,数量相当可观。随土地私有量的逐步增多,奴隶主对土地上直接从事农业劳动的耕作奴隶的需求量自然要增大。奴隶从何而来?购买是一条途径,但不是唯一途径。因为"匹马束丝"才能购到五名奴隶,价格是比较昂贵的。《格伯簋》中四匹马的价值为三十田即3000亩,一匹马价值750亩,合今240亩。"匹马束丝"买五名奴隶,即使除去"束丝"的价值,一名奴隶也要付出150亩土地的价值,相当今48亩农田的价值。所以,购买,不会成为奴隶主解决奴隶来源的唯一途径。于是,另一解决奴隶来源的途径——租借便应时而出现了。奴隶作为租借标的,既可消除需求关系的矛盾,又可使奴隶主免付购买奴隶的巨额资财。定期租借耕作奴隶,还能适应农业季节性的特点,农忙多租,农闲少租或不租。总之,以奴隶作为标的物的租借契约的出现,不仅对奴隶主阶级有利可图,对调整西周民事经济关系,促进社会经济的发展,都有着重要作用。

(五)借贷契约。和前几种契约一样,它也是商品经济的产物,是

---

① 《西周金文辞大系考释》。

人类社会最早出现的契约之一。在先秦文献中,西周的借贷契约与买卖契约并列为两大重要契约。西周借贷契约的特点是,出借人把货币或实物交付借用人所有,借用人在一定期限内除返还一定数量的钱物外,并附加一定限额的利息。违反契约规定,不按时交付利息者,要受刑罚制裁。借贷在先秦文献中称作"取予"、"同货财"或"责"。"凡有责者,有判书以治,则听"①。其中的"责",专指借贷债务。是说因借贷债务发生的纠纷,必须附有契约券书,然后才能受理。"凡民同货财者,令以国法行之,犯令者,刑罚之"②。"同货财",指赊贷钱物。是说民间赊贷钱物,应该按照国家法令规定的利息支付,违背规定的,处以刑罚。"听取予以书契"③。"取予"即借贷款物。是说因贷款发生的争执,按借贷书契听断。如果债权人已经死亡,其遗嘱委托人代替死者向债务人讨取借贷债务,史书称作"属责"。"凡属责者,以其地傅而听其辞"④。就是说,受死友委托向债务人讨取借贷债务,如因抵赖而发生诉讼,要传唤居住在附近的居民来作证。

从上述有关借贷契约的规定可知:

第一,西周借贷的标的为钱财,既可为物,亦可是钱;

第二,借贷是一种协议、诺成,因此必须签订判书或书契;

第三,借贷契约有口头和书面两种形式。判书、书契多为书面契约。从"以其地傅而听其辞"分析,与书面契约同时还存在着口头承诺契约;否则,就无需传唤邻人作证而只要拿出书面契约便是了。

---

① 《周礼·秋官·朝士》。
② 同上书。
③ 《周礼·天官·小宰》。
④ 《周礼·秋官·朝士》。

第四,无论借贷标的是钱或是物,均按国家法定利率支付利息。这说明法律规定了最高利率,以之调节经济关系。

第五,借贷人必须如期返还与借贷钱物等量并加有利息的钱或物。

第六,法律保护债权人遗嘱委托他人讨取债务的权利。

第七,借贷契约受法律保护,借贷纠纷可以提起民事诉讼。

(六)委托保管契约。委托保管契约是寄托人把需要保管的物品交给保管人保管,保管人在一定期限内返还保管物的协议。依保管契约,寄托人把需要保管之物交付保管人,仅转移占有权,并不丧失所有权,故保管人应按约于一定期限内将保管物返还寄托人。保管契约是实物契约,既要双方为保管的要约和承诺,又要有寄托人交付保管的行为,契约方能成立。保管契约可以是有偿性的,也可以是无偿性的。保管契约是双务契约。这种契约是适应商品生产与交换的需要而产生的,是在私有经济日趋复杂的条件下出现的。

过去,许多国内外法学家以为保管契约仅在《汉穆拉比法典》、罗马法等法律制度中才列入契约种类。殊不如,在中国西周的法律中,它也被列入契约种类。《周礼·地官·廛人》中的"廛布"贾公彦疏为:"廛布者,货贿诸物邸舍之税者。谓在行肆,官有邸舍,人有置货物于中,使之出税,故云廛布也"。也就是说,廛布是一种因保管物品而得税收的称谓。这说明,西周有保管契约存在。这种保管契约中,寄托人是一般的商贾,保管人是官方,官方在市场上专门设立邸舍,受商贾委托,为之保管货物。保管的标的是"货贿诸物",就是各种各样的货物。西周的保管契约是有偿性的,保管人为寄托人保管货物,到期还返原保管物,要寄托人支付一定的保管费。因为西周保管事业是官方经营,所以保管费以税收形式交付保管人,称为"廛布"。

西周保管契约有如下特征。

第一，它是在西周商品交换更进一步发展的基础上产生的。当时市场上从事商业活动的已不限于附近的小商贩，常有大量远道而来的商贾。他们牵牛拉畜，运来许多货物，一时销售不完，便可保存于邸舍中。或则，当商贾们要离开此地，到外地经营时，一时不想带走的货物，也可存于邸舍，只需缴纳一定数额保管税，归来时，货物又可当即取出销售。所以说，西周委托保管契约的产生是适应当时商品经营范围的扩大，远处商队增多的具体情况，它更进一步促进了商品经济的繁荣，调整了私有经济关系。

第二，西周的保管契约是以"格式契约"的形式出现的。"格式契约"也称"标准契约"，它是一种专断式契约，由一方提出契约条款建议，另一方如选用该契约，只能按契约条款履行义务，表示诺成，再无协商之权。西周的保管契约即由国家提出保管条件，规定保管费用，寄托人只能决定选用或不选用此契约，无另行协议权。西周的邸舍设于市场，就地从事保管业，这种保管契约必然是大量出现的，而且官方又是保管人，所以国家选用"格式契约"的形式规定之。"格式契约"只能在大量流通的契约中才可使用，如同今日的收取水电费一般。这也反映西周契约法的发达。

三、契约形式和成立的要件

西周的契约分口头和书面两种形式。

（一）口头契约。用口头交谈进行意思表示而订立的契约，叫口头契约。西周时期，口头契约主要用于即时清偿的契约关系。例如，《曶鼎》所述第一次与限进行的五名奴隶的买卖，即以口头许诺而成立。曶当即交付了"匹马束丝"，如果限也能立即交付奴隶，这桩契约就会告成。只是因限违约,才发生了纠纷。口头契约有时也用于借贷和其它非即时清结的契约关系,可以独立行使,也可与书面契约混杂在一起使用。《鬲从盨》书面契约中未注明租借期限,这个具体借期就是和租借书面契约混杂在一起的口头契约。口头契约简便、迅速、易行,但发生纠纷后较难取证,不易分清责任。鉴此,西周时期的土地、奴隶等要物交易,大都采用书面契约。

(二)书面契约。用文书形式进行意思表示而订立的契约,叫书面契约。这种契约因有据可查,有利于契约纠纷中分清责任。西周时期,书面契约称作"傅别"、"质剂"、"判书"和"书契"等。严格地讲,有傅别、质剂两种。

傅,就是"傅著约束于文书",也就是说把契约写在竹(木)简上;别,即"别为两,两家各得一也",就是把契约分为两半,债权人与官府,或立契双方各执一半。傅别的书写格式,"为大手书于一札,中字别之"。就是说在一支木简或竹简上,中间写字,然后将其从中间破而为二,双方各执一半。一旦发生契约纠纷,官府便开府拿出库存契约之左侧与债权人执掌的右侧验合,断决是非。质剂,"谓两书一札,同而别之,长曰质,短曰剂"。就是说,质剂是在一支札上的左右两方书写同一内容的契约,然后,中分两半,右侧归债权掌握,左侧存入官府,发生纠纷,开府验对,以断曲直。质剂有长短之分。长券叫质,短券叫剂。凡奴隶、马牛、土地等要物交易用长券,珍奇异物等动产交易用短券。

书面契约一般写在木(竹)札上,如果发生了争讼,纠纷解决后,债权人为了进一步确定自己对转移得来物的所有权,常常要铸造宝器,镌刻契约内容或诉讼(一般情况下为胜诉一方)的经过。刻在铜器上的契约实际上也有法律效力。

(三)契约成立的要件。从金文资料看,无论口头契约或书面契约,均由双方协议达成。契约成立,一般具备以下一些要件:

第一,口头、书面契约都须注明契约标的和债权、债务关系。

第二,契约签订过程中要说固定的套语。如《五祀卫鼎》记载土地交易契约的签订时,立约之一方和主持立约的执政大臣进行了如下的套语问答:

执政大臣问:"你要交换土地吗?"

受约人邦君厉回答:"我确实要交换对方的五百亩田地"。

第三,要物尤其是土地交易达成协议时,权利转让人要在司法官面前立誓,以表示愿意承担契约义务。《五祀卫鼎》、《格伯簋》等铜器均有反映。

第四,口头、书面契约签订都要有中介人,即证人。《曶鼎》中的中介人叫效父,《鬲从盨》的中介人叫善(膳)夫克。

第五,土地交易,要绘制田界四至图,并将田土四至详细写在契约上。《格伯簋》、《散氏盘》等均有记载。

第六,有的契约,尤其是经过争讼之后的契约,如土地租赁,承租人(或败诉者)要以人身作担保,以保证契约的履行。

第五章 婚姻法规

第一节 婚姻

周人从婚姻、家庭和统治权三者之间的相因关系出发,对婚姻、家庭问题及其与此相关的立法活动十分重视。在周人眼里,婚姻是家庭组成的前提,而家庭则是整个社会的最小但又是不可缺少的细胞。一个家庭,犹如一个国家的小缩影,没有绝对的家庭主权人,没有长幼尊卑之间的等级关系,家庭不能安定,社会秩序也要遭到破坏。反之,婚姻、家庭如果合乎礼的规定,不仅社会秩序稳定,周的统治权也能巩固。正如《易序卦》所说:"有天地,然后有万物;有万物,然后有男女;有男女,然后有夫妇;有夫妇,然后有父子;有父子,然后有君臣;有君臣,然后有上下;有上下,然后礼义有所错"。周统治者为了确保婚姻、家庭在礼制基础上的相对稳定,对婚姻原则、婚姻成立的条件及其中止以及婚姻形式、夫妻地位等均作了相应的法律规定。

一、同姓不婚的婚姻原则

作为奴隶制发达时期的西周,不仅要求理论上的一夫一妻制(当然是对男性而言),而且要求每个家庭子孙蕃衍,人丁兴旺,产业后继有人。于是周人在总结千百年历史经验基础上,进一步懂得了"男女同姓,其生不蕃"[①]的道理,并将同姓不婚作为一条重要的法定婚姻原则恪守不移。《礼记·曲礼》:"取妻不取同姓,故买妾不知其姓则卜之"。《礼记·大传》:"百世而婚姻不通者,周道也"。这说明周人娶妻不能同姓,买妾也一样,首先必须卜问清楚其姓,然后才能通婚。同姓不婚也无年代界限,同姓之人,即使传过百代都不准为婚。正因为西周严格执行这一法定婚姻原则,所以,凡铜器铭文中有关婚姻的记载没有不是异姓为婚的。例如,《克盨》铭文记录着克与师尹两家达成的婚约。《番匋生壶》是媵器,记录番生家女嫁孟氏家为妻。该器是厉王时器,铭文道:

"佳廿又六年十月初吉己卯,番匋生铸媵壶,用媵厥元子孟妃乖,子子孙孙永宝用"。

这是说番生的长女出嫁给孟家,这桩婚事是番、孟两家达成婚媾。《皇父簋》也是厉王时器,是函国的皇父为其女儿出嫁所造媵器。皇父之女姓娟,嫁与周室,铭文称为周娟。周为姬姓,这件婚姻是姬、娟两姓通婚。《叔姬簋》记载姬姓女子嫁与黄邦作妻,楚国女子卭嬭作陪媵之事。宣王时的《茶伯簋》铭文中有"孝佣友,与百诸婚媾"语,也就是说茶伯与边远地区的少数民族达成婚媾,以便宴好朋友,与异族结为亲密关系。《宗妇鼎》是幽王时器,记载远在蜀地的都国娶姓女子嫁与姬姓的周室一事,是娶、姬两姓通婚。《矢王簋盖》记载矢氏为自己的爱妃郑国的姜姓女子作礼器,这是矢、姜二姓通婚。

先秦文献中这类记载也屡见不鲜。《诗经·召南·何彼秾矣》是一篇赞美周平王的孙女下嫁给齐侯之子的诗篇。齐为姜姓,周为姬姓,这是姜、姬两姓联姻。《左传·昭公九年》记载郑公子与陈侯联姻,郑

---

① 《左传·僖公二十三年》。

为周王室后代,姬姓,陈为虞舜后代,妫姓。这是姬、妫两姓结为婚约。

姓是代表有共同血缘关系,出自同一氏族的人的一种称号。顾炎武《日知录》记载,根据《春秋》,可以考出秦汉以前的二十二姓。许多古姓都从女旁,例如周天子为姬姓,其所封的同姓伯叔兄弟的封国也都是姬姓。夏人后裔越国是姒姓。虞舜的后裔陈国是妫姓。这说明古老的姓与我们祖先经历过母系氏族社会有关。同姓之人,在远古时曾是同一氏族的人,有一定血缘关系。

周人从数千年人类社会的发展中科学地总结了同姓相婚的弊害。《国语·晋语四》说:"同姓不婚,恶不殖也"。子孙的繁衍是周人确立婚姻关系的最重要的目的,立国者要考虑江山有后代可继承,立家者要考虑宗祧家业有子孙可传宗,因此,周人确立了同姓不婚这一重要的婚姻原则。周人不娶同姓而娶异姓,也还有政治上的需要,那就是通过异姓联姻起到对远邦的安抚作用,以维护周的一统天下。《礼记·郊特牲》说:"娶于异姓,附远厚别也"。《国语·晋语四》"异姓则异德,……男女相及,以生及民;同姓则同德,同德则同心,同心则同志,同志虽远,男女不相及,畏黩故也。黩则生怨,怨则毓灾,灾毓灭姓。是故娶妻避同姓,畏乱灾也"。也就是说,异姓相婚可以使边远地方的异族归附,使别姓与自己亲厚,这是有利于国计民生的,而同姓相婚,可能为了争色缘故,导致到上下、辈分、亲属间轻慢不敬,最终产生怨恨,致使内乱发生,灭姓灭族,不利于巩固奴隶主阶级的宗法制统治。

周人的同姓不婚原则不能完全和今人的优生学说相提并论,然而在距今三千年前,我们的祖先已经懂得了"同姓相婚,其生不蕃"的道理,这不能不说是人类婚姻发展史上的一大进步。这种科学的观点是其它奴隶制国家,包括罗马在内,其婚姻法中绝无仅有的,它显示了我国古代文明的发达。

二、婚姻种类

周人的婚姻种类主要有掠夺婚、买卖婚、自由婚三种形式。

(一)掠夺婚:是以强力手段"劫掠"成婚的一种婚姻形式。恩格斯在《家庭、私有制和国家的起源》中认为,人类社会之初处于杂婚、群婚时代,一个女子可以和许多男子构成结合关系,因此,那时不感到女性的不足,也就不会出现掠夺婚。从母权制过渡到父权制,婚姻关系随之从群婚走向对偶婚和一夫一妻制,氏族成员也由"随母居"转向"随夫居",此刻,才感到女子的不足。为了确立男权制家庭的夫妻关系、继承关系和父母子女关系,丈夫要求要有明确的子嗣,男子要求女子绝对服从自己,贞节自己,掠夺婚便在这种形势下应时而生了。

中国也不例外。早在原始社会,我们的祖先"聚生群处,知母不知父,无亲戚、兄弟、夫妇男女之别"[①],过着杂婚、群婚的生活。这种群婚制至殷人、周人始祖时还未改变。传说殷人的始祖叫契,当时人们不知生育的原因是男女交合,而归之于他们的女祖宗受某一动物的感应而生子女,因而便编造一个简狄吞食玄鸟卵,因孕生契的故事。周人也说他们的生母叫姜原,而他们的父亲却无法知道。据《诗·大雅·生民》和《史记·周本纪》记载,最初生出周族男始祖的人是姜原。她本来不怀孕,于是到野外去祭祀上天,乞求赐福于她。姜原在郊外祭天时,见到大神的脚印,便踩了上去,一直踩到大神脚印的拇指之处,身体有了感应,不久便生了个儿子叫弃。周人为了美化自己

---

① 《吕氏春秋》。

的男始祖,说什么是受上帝感应而生的,这和西方基督诞生的故事几乎是异曲同工。神话传说留给我们最为可信的证据,是说明中国古代经历过漫长的群婚时代,人们只知其母而不知其父。

自从男子在社会经济生活中取得主宰地位后,掠夺婚才出现了。掠夺婚大约产生于夏代。《易·睽上九》:"睽孤见豕负涂,载鬼一车,先张之弧,后说之弧,匪寇婚媾。往遇雨则吉"。这是一则描写掠夺婚的爻辞。爻辞前部分是个古代故事,说睽孤这个人傍晚行路时,见到一豕伏在地上,又见到满载一车鬼的一辆车。睽孤起先想张弓射杀他们,后又弛下了弓。因为他仔细审视之后,发现车上坐的不是鬼,而是人。那么这些人为什么傍晚时要打扮得像鬼一样呢?原来他们不是前来抢劫财物的寇贼,而是些掳掠新娘的掠婚者。爻辞后一部分涉及到卦,是说占卜者遇到这一爻辞,如果要往别的地方去,出发时遇雨则吉。因为睽孤见到此事适逢在大雨之时。爻辞从一个侧面为人们再现了掠夺婚的原貌。掠夺婚把时间放在傍晚,因为其时昏黑,对方不易察觉。睽孤最初把劫婚者误判为一车鬼,仔细审视后才发觉是人,这正是因为傍晚时分的缘故。男方参与掠婚者,往往是一个大家族的一群青年人。这些人傍晚出发,身着黑衣,蒙面或者面部涂染,女家是不易认出庐山真面目的。爻辞中的睽孤,有的同志认为是指夏少康[①],说明掠夺婚产生于夏代。西周的掠夺婚,是在夏商基础上发展而来的。

最初的掠夺婚是真正的掠夺。后来,随着社会的进步,掠夺只不过是一种形式罢了。那种掠夺,实际上是一种假掠真婚制。也就是说,在男女双方达成婚约之后,把假抢作为男方"亲迎"的一种取代仪

---

① 高亨:《周易古经今注》。

式。假掠真婚的前提是买卖婚姻,因为买卖婚要求男家要为女家纳征行聘礼。如果纳征数额稍稍缺少一些,很容易出现女方悔约现象,那就需要用抢婚形式来解决婚姻争纷。贫穷也可能成为掠夺婚的一种原因,贫穷的家庭用掠婚形式解决自己财产的乏匮。《易·贲六五》载有一桩因女方索取聘金与男方发生争执,几乎使婚约被毁的故事。这一男方就有可能采用掠婚形式解决问题。因为婚约在前,即使真掠也不违法。

西周掠夺婚比较盛行,单是见于《易经》的就有:

屯如邅如,乘马班如,匪寇婚媾[1];

乘马班如,求婚媾[2];

乘马班如,泣血涟如[3];

贲如,皤如,白马翰如,匪寇婚媾[4]。

如此等等,都是描写掠夺婚的情景:一队队人群攒聚着,乘马而来了。马队行进着,又绕过山凹回旋而去。这是干什么呢?噢,原来他们不是寇贼,而是娶女婚媾的啊!那被掠的女子,泣血涟涟,哭声不止。被掠女子泣血涟涟,说明女方确系不愿意。此爻辞原意是,掠婚之前,男方如果占卜到这种爻辞,就是凶象,即使勉强掠夺成婚,强行匹配,也没有好结果。一般情况是,卜到此类爻辞,婚姻即告废止。从这种真掠夺会导致婚姻废止来看,西周存在的掠夺婚是假掠真婚,掠夺只是形式而已。

西周假掠真婚的形式,据《仪礼·士昏礼》记载,迎亲时,"主人爵

---

[1] 《易·屯六二》。
[2] 《易·屯六四》。
[3] 《易·屯上六》。
[4] 《易·贲六四》。

弁,缊裳缁袘,从者玄端,乘墨车;从车二乘,执烛前马"。就是说,迎亲的时候,新郎要头戴赤黑色的帽子(爵弁),身穿红色衣裳(缊裳),腰系黑色带子(缁袘),陪同迎亲的人全身穿着黑衣礼服(玄端),大家乘坐黑色幔帐的车子,并带随从车两辆,在前边执烛作前驱。这一记载和爻辞所说的"载鬼一车"相吻合。有执烛者为之开导,说明时间必在晚间或傍黑。所有迎亲者大都身着黑衣,乘黑车,即使新郎身上还有点红色,这种红色在暗淡烛光下也会呈现黑色。一片黑色,俨然像是"载鬼一车"了。掠夺婚在我国历史上沿续的时间相当久远。曹树翘在《滇南杂志》中说,魏晋以后,我国彝族仍实行掠夺婚制:"婿及亲族,新衣黑面,乘马持械,鼓吹至女家,械而斗"。这种掠夺婚的形式和爻辞所载西周掠夺婚还很相似。

　　成婚为什么遇雨则吉呢？因为周人有了天的观念。他们把天、地看成人间男女一般,万事万物都是天地交合的产物。天地交合而生雨,雨润万物,故遇雨则吉[1]。"天上无云不下雨,地上无媒不成亲",是民间谚语成婚遇雨则吉的写照。虽是掠夺婚,古人也颇重视这种机象。

　　(二)买卖婚。这是西周婚姻的主要形式。买卖婚成立的要件为男方向女家缴纳聘金,周人称作"纳币"、"入币",在婚礼仪式中叫"纳征"或"纳聘"。因此,买卖婚通常称作聘娶婚。《周礼·地官·媒氏》:"凡嫁子娶妻,入币纯帛,无过五两"。《礼记·杂记下》:"纳币一束,束五两,两五寻"。这是指普通人家缴纳的聘金数。当时的帛,既是实物,也起货币作用,而向女方缴纳的聘金,必须是纯帛(黑色缁帛),数量为五两。五两是指帛的长度单位。每两有两端,两端相向卷为一

---

[1] 《论衡·自然》。

两。五两有十端,五和十之数又象征五行十日,取相辅相成之意。而每两有五寻,每寻长八尺,一两即四十尺,五两即二百尺。二百尺帛就是当时的聘金法定数额。男方不按此规定缴纳,即是违犯婚礼行为。违礼即违法,一旦酿成诉讼,违礼者败诉。周人用"五两"为聘金,取其"两"字之音,有象征夫妻匹配之义。二百尺的聘金价值有多大呢?大约比一个奴隶的买价要高一点①。买卖婚姻视女子为一种物,聘金缴纳不足,女家有权悔约。《易·贲六五》:"贲于丘园;束帛戋戋,吝,终吉"。是说纳征那一天,女家结采装饰家园,男家送来聘金一束帛,女家嫌少,双方起了争议。大概由于一束帛符合法定数额,因此经媒氏及亲友们调解,女家不再坚持,双方又重归和好。

聘金的多寡,随妇女的身分不同而有差异。一般平民,聘金为束帛,士大夫阶层娶嫁门当户对的女子,身价要高一些。《仪礼·士昏礼》:"纳征玄𫄸束帛、俪皮"。玄𫄸为黑红色;俪皮为两张。这种聘金包括一束黑红色的帛,另加两张鹿皮,自然比束帛要高贵多了。天子的聘礼比士大夫还要再加一双白玉圭,诸侯多加一个玉器大璋②。皮革、玉器在当时也起货币作用;玉器是货币中的上等。

除帛、皮革、玉器外,青铜器也可用作聘礼。如《克盨》记载,周王赏赐贵族克大批田土奴隶,并让内史登录了这件事。克为了颂扬周王恩德而制作了这件青铜器。同时,他也感谢内史,便和他联为儿女婚家,把这件盨献给趞,作为聘礼。

西周的买卖婚姻不仅要求男方要出聘金,女方也要有嫁妆。聘金有法定数额,而嫁妆则无,也不是必须要陪送,完全出于女家自愿。

---

① "匹马丝束"的五分之一可买一个奴隶,那么,一束帛即二百尺帛的价值肯定比买一个奴隶的价格要高。

② 《仪礼·士昏礼》贾疏。

对男家来说，为了维护男权的尊严，对收取嫁妆也不甚重视。嫁妆往往是贵重的青铜器，生活用具，上面镌刻铭文，写明陪嫁人，叫做媵器。出土的西周媵器极多，如《叔姬簠》、《宗妇鼎》、《王方鼎》等都是。这些贵重的媵器是贵族或侯国为自己的女子的陪嫁物，一般庶民家庭作陪嫁，或是钱财，或是货物，不那么显贵隆重。《易·蒙六三》"勿用取女，见金，夫不有躬，无攸利"。这里所说的"金"即陪嫁金。《诗·国风·氓》："以尔车来，以我贿迁"。意为一女子与相爱的男子商议结婚大事时，女子叮嘱男子要用车来娶自己，并带着自己的嫁妆一起去男家。诗中的"贿"即货，指女方的嫁妆。

买卖婚约的签订者，必须是双方的家长，而不是当事人自己。如《克盨》是克为自己的儿子联婚而制作的聘礼，婚约签订者为克和趞。《王方鼎》是诸侯王为嫁次女作的器，也是父亲为儿女订的婚约。《叔姬簠》是曾侯为嫁女作的媵器，婚约签订者也是父亲。此类铜器铭文甚多，它反映了贵族家的成婚，从诸侯王直至小贵族，均由家长——家父或宗子为儿女们缔结婚约。家长在，婚约缔结权在家长；家长不在，立约权下移宗子或世子。

《周易》和《诗经》也保留着这类记载。《易·蒙九二》"包蒙吉，纳妇吉，子克家"。是说父亲为儿子成婚作占卜。纳妇，指为儿子娶妻。《尔雅·释亲》："子之妻为妇"。子克家，即子成家，是父亲为儿子包办婚事。《诗·齐风·南山》："取妻如之何？必告父母"；《诗·郑风·将仲子》："岂敢爱之？畏我父母。仲可怀也，父母之言，亦可畏也！"都是说没有父母包办缔结婚约，儿女们是不敢成婚的。

在西周宗法制家族法下，父亲是民事权利的主体，严格地说，只有父亲才能为儿女订立婚约。至于母亲，仅仅是一种权利的象征。只有在父亲不在的情况下，母亲才有一定的缔结婚约权，而且，这种一定程度的立婚权还常常被长兄、宗子所剥夺。

（三）自由恋爱婚。这是对买卖婚的一种补充形式。《周礼·媒氏》："仲春之月,令会男女;于是时也,奔者不禁"。贾疏："仲春,令会男女之无夫家者,于是时也,奔者不禁"。周人认为,仲春之月为万物复苏季节,农耕开始,种子下地,秋季将结硕果。婚姻也一样,仲春之月应当是婚礼已经办完到了祈子的时候,如果有人至此时还没有成婚配,必将影响传宗接代和宗祧继承,这和周人的婚姻观是相悖的。于是,国家的法律不禁私奔,这就意味着法律对自由婚的认可。国家专设媒氏官吏,主管婚姻事宜。"令会男女之无夫家者",说明媒氏不仅管理已到婚龄而尚未婚嫁的男女,也负责鳏寡之再娶再嫁者。

自由婚有时间、地点和其它条件的限制。时间必须在仲春之月,地点在水旁,前提是"无夫家"者。时间定在仲春,是为了和自然界的变化相合;地点选在水旁,取最高媒神(送子娘娘简狄)当初在水边行俗吞食玄鸟卵的故事。条件限定在"无夫家者",因这些人大都无力进行买卖婚姻。所以,自由婚实际上是买卖婚的补充形式。《诗经》中处处保留着自由婚的篇章：

溱与洧,方涣涣兮;士与女,方秉蕑兮。女曰："观乎？"士曰："既且！"且往观乎？洧之外,洵吁且乐！……维士与女,伊其相谑,赠之以勺药①。

这首诗的大意是,仲春之月,溱、洧二水之滨,正值春水桃花季节,男女青年,手持芳草,杂沓其间,互邀共游,狂欢至极。其时,男女戏谑,互馈芍药,以示定情。真是一幅青年男女倾吐爱情的热烈场

---

① 《诗·郑风·溱洧》。

面。又《诗·卫风·淇奥》也说：

> 瞻彼淇奥，绿竹如箦。有匪君子，如金如锡，如圭如璧。宽兮绰兮，猗重较兮！善戏谑兮，不为虐兮！

这首诗叙述一位女子于仲春之月在荡荡水边对另一男子所表的恋情：淇水深处，绿竹掩映，有位男子，十分风采，神态贵如金锡，仪表似圭似玉，风度翩翩，举止不凡。他多么善于和姑娘们戏谑啊！这戏谑决不是什么坏事！《诗·郑风·褰裳》从另一侧面表现了热恋女子的复杂心情：

> 子惠思我，褰裳涉溱；子不我思，岂无他人！狂童之狂也且！

诗的大意是，你若爱我，咱们就一起涉溱水去参加娘娘庙的祓禊；你如不爱我，难道再没别的男子了？你这个轻狂男子也太狂妄自大了吧！

自由恋爱婚男女能够相见，自由选择，情投意合后，方能达成婚约。这种婚姻比之于买卖婚，具有诸多便利和进步性。但是，在"聘则为妻，奔则为妾"① 的西周，自由成婚，女子只能处于妾的地位，无法进入"聘则为妻"的行列。妾比奴仆地位高不出多少，婚后常常会成为丈夫的遗弃品。妾也无法阻止丈夫纳妾。这点正是女子对自由婚的疑虑，也是自由婚在西周无法取代买卖婚而只能充当买卖婚的辅助形式的根源。《诗·卫风·氓》说：

> 送子涉淇，至于顿丘。匪我愆期，子无良媒。将子无怒，秋以为期。

这是讲一对相恋在淇水边的男女，男子因女子拖延婚期而发怒，女子却忧心忡忡地说："你没有媒氏啊！"无媒氏则无以聘娶为妻。一

---

① 《礼记·内则》。

且为妾,随时都有被丈夫遗弃的危险。果然,诗中的这位女子在男家为妾三年之后还是被抛弃了。"女也不爽,士贰其行。士也罔极,二三其德!"女子并没有爽约,男子却变了心;你这个男子太可恶,衷情不一,三心二意。有的女子虽未抛弃,恋爱成婚后却常受丈夫虐待:"有洸有溃,既诒我肄;不念昔者,伊余来塈"。当初水滨,春水荡荡,你赠我嫩枝作定情信物,今天你全不念过去的情分,只是对我发怒。有的诗歌,写女子早在水边相会时就已告诫男子:"遵彼汝坟,伐其条肄。既见君子,不我遐弃"。是说双方来到汝水边,砍下嫩枝作定情物。现在我见到你多么高兴,将来可千万不要抛弃我。

在奴隶制社会的西周,没有建立在经济基础——聘金之上的自由恋爱婚,其法律地位远远低于聘娶买卖婚。因此,这种婚姻只能流行于民间,贵族家庭很少见到自由婚的痕迹。封建社会,自由婚越来越受到法律的限制,其道理也在于此。

三、婚姻成立的条件

(一)婚龄。西周法定婚龄是,男三十,女二十。《周礼·媒氏》:"令男三十而娶,女二十而嫁"。《礼记·内则》记载相同:"男子二十而冠,始学礼;三十有室,始理男事。女子,……十有五年而笄,二十而嫁;有故,二十三而嫁"。古人认为,女子早于二十而嫁,"则上无以孝于舅姑,而下无以事夫养子"。不过,这里所说的男三十,女二十,均为虚龄,实际婚龄是男二十八岁,女十八岁。

以三十岁左右为男子婚龄期,古代东西方基本一致。希腊人认为,婚姻是"生产健康和有效的公民的手段"[1]。柏拉图认为男子的

---

[1] 狄更生:《希腊的生活观》,商务印书馆,1934年3月初版,第117页。

婚龄应定在三十至三十五岁之间。他主张对三十至三十五岁的未婚男子要强迫其成婚。亚里士多德进一步提出,法律在规定婚龄时,立法者应当考虑到男女之间的生殖能力能否同时终止,双方体力不至悬殊过大,父子年龄也不可相距过远。他说:"男子之生殖时期,大抵以七十岁为限;而女子之生殖机能,约至五十岁而绝,故男女配偶之开始,应与其生殖时期能相适应为要。……总之,妇女将届十八岁之际,应行结婚,而男子则以三十七岁为宜"①。

男三十、女二十是法定婚龄,现实生活中却常常出现低于法定婚龄的现象。不少男女,以男子行冠礼,女子及笄为男女成年的标志,此后即可成婚。至于统治阶级,为了立君立嗣的需要,结婚年龄则更早一些。正如《春秋公羊传·隐公七年》何休作注时说的那样:"妇人八岁备数,十五从嫡,二十承事君子。"

贫苦百姓由于经济拮据,无力娶嫁,独居至老的,不乏其人,因此,西周法律对这种人的结婚年龄不以常法过分强求。如《易·大过九二》载:"枯杨生稊,老夫得其女妻,无不利"。又《大过九五》:"枯杨生华,老妇得其士夫,无咎无誉"。这是两种畸形婚姻的写照。前一爻辞用枯杨生叶,比喻老夫得到少妻。爻辞肯定这种婚姻不会产生不利后果。因为夫虽老,只要不在七十以上,少妻亦能生子,就为法律所允许。后一爻辞用枯杨开花比喻老妇少夫,爻辞对这种婚姻,不加肯定,也不予否定。因为枯杨开花,易于脱落,老妇已无生育能力,得到年少丈夫,虽不算耻辱,也不是光荣,所以说"无咎无誉"。

(二)父母主婚。这是买卖婚约成立的必要要件之一。家父是家庭民事权利的主体,有完全民事权利能力,对子女有无限管辖权和任

---

① 亚里士多德:《政治论》第7编第16章。

意处置权,因而必然是子女婚姻权的主婚人。西周法律规定,没有父母的同意,婚姻便不能成立。"取妻如之何? 必告父母"。即使婚后的离异,亦以父母之命是从。"子甚宜其妻,父母不悦,出。子不宜其妻,父母曰:'是善事我'。子行夫妇之礼焉,没身不衰"①。无论结婚、离婚,均取决于父母的意愿,这是家长制特权在西周婚姻关系中的充分反映。

失去父母的子女,因受兄长的监护,兄长也可充当他们的主婚人。"岂敢爱之? 畏我父母。……岂敢爱之? 畏我诸兄"②。兄长主婚,是家长制特权在婚姻关系中的扩展和延伸。

值得注意的是,西周时期父母虽是儿女婚姻的包办人,但儿女仍可在一定程度上表达自己的意愿。《易·观六二》:"阙观,利女贞"。是说女方许嫁之前,允许其窥观男子,自决可否。阙观之后,才去占卜,依次进行缔约婚约的程序。女子阙观制度,是自由婚在买卖婚中的表现。大约自西汉以后尤其是宋元时期,婚姻中关于子女的意愿。才被完全禁锢起来。

(三)媒氏认可。这是买卖婚缔约的又一要件。国家设媒氏"掌万民之判"③。判,就是耦合。媒氏管理上自天子,下至百姓的婚配,其作法是:"凡男女自成名以上,皆书年、月、日名焉。令男三十而娶,女二十而嫁。凡娶判妻入子者,皆书之"。出生三个月的婴儿,由父亲起名之后,即将其出生年月日和姓名,登记于媒氏官府。到达婚龄时,媒氏要督促双方写出书面婚约,登录在案。由此可见,婚姻关系的成立,以在政府机关登记认可为准。即使是自由婚配,也不能不到

---

① 《礼记·内则》。
② 《诗·郑风·将仲子》。
③ 《周礼·地官·媒氏》。

政府机关去登记。否则,媒氏将依法追究其责任,对"无故而不用令者,罚之"①。

西周法律非常重视媒妁的作用。媒,《说文解字注》:"谋也,谋合二姓者也。妁,酌也,斟酌二姓者也"。男女二姓只有经媒氏介绍才能相互知名。男子无媒不得其妻,女子无媒老而不嫁。不经媒氏介绍而自成婚姻的,被认为是非法而合。"娶妻如之何?匪媒不取"②。《史记·周本纪》记载,周共王出游泾上,密国诸侯康公随行。适逢"有三女奔之",康公高兴地纳了三女,而他的母亲却出面反对,说,私奔无媒,不合礼制,快把三女敬献于王。以媒妁之言定婚配的制度从西周开始,在中国历史上沿续了几千年。春秋时期鲁桓公会于嬴,成婚于齐,齐侯送女,被人们讥为"非礼也"③。战国时的齐襄王,即位之前蒙难,曾匿名在莒国太史敫家做仆人。太史敫女与之私通,待襄王即位,便立为王后。尽管如此,太史敫还说:"女不取媒因自嫁,非吾种也,污吾世",遂终身不见王后④。秦汉之后,媒约之制愈演愈烈,成为男女自由婚配的最大障碍之一。

西周的媒氏,据《周礼》记载,是官媒性质。有的学者认为,西周末年,私媒才开始出现。私媒与官媒不同,那是一种以媒为职业的人,多为老媪充任。西周的媒氏虽与后世的媒妁有所不同,但是,无论西周的官媒,或后世的私媒,使得"男不亲求,女不亲许",男女之间丧失了婚姻的自主权。

---

① 《周礼·地官·媒氏》。
② 《诗·齐风·南山》。
③ 《左传·桓公三年》。
④ 《史记·田敬仲完世家》。

四、禁止婚约成立的要件

西周法律关于禁止婚约成立要件的规定,主要有:

(一)同姓不婚。这是永久性的一种婚姻障碍。关于同姓不婚的范围,据《礼记·大传》记载,丧服到了四世,血缘关系已经疏远,只服缌麻。五世时,以袒免丧服表示血缘关系即将中断。六世以后,亲属关系已断,各家自为一族,不再共事高祖。祖宗在上有别,四从兄弟之后,各自为宗,互不尊敬,在下的血缘关系也已断绝。这时,殷代法律是允许通婚的,而周人却不同。他们认为,五世之后,虽从一个家族中分出了大宗小宗,然而世系都有联系,不能有别;何况联缀的同族之人,共同聚族,饮食礼节也无差异。因此,只要是同出一族,即使百世之后,也不准通婚。同姓不婚,是西周婚姻的永久性障碍,永远不能消除。

(二)居尊亲丧不得嫁娶。这是婚姻关系的暂时障碍。周人强调家庭内部的尊尊、亲亲关系,于是,在父母丧期之内,子女不准嫁娶,以示哀伤。《礼记·内则》:"女子二十而嫁,有故,二十三年而嫁"。郑注:"故,谓父母丧"。因此,"父必三年然后娶,达子之志也"[①]。就是说,居父母丧期为三年,在此期间,不能嫁娶。此外,继父、出母的丧期也有不同规定,但凡居尊亲丧期,均不得为婚。但是,上述规定只对未嫁女子,或被弃出走后又归回父家的女子有法律效力,若是已嫁女子,无论妻、妾,在为丈夫居丧三年期间,均不准再婚。

(三)等级身分不同,不得嫁娶。这是婚姻关系的永久性障碍。奴隶主贵族为了维护自己的等级特权地位,不仅"礼不下庶人",就是

---

① 《仪礼·丧服》。

嫁娶也只能在本阶级内进行；贵族与庶人之间绝无通婚的可能。《毛诗·韩奕》"韩侯取妻"注："诸侯娶一国,则二国往媵之"。说明诸侯与诸侯之间才允许相互通婚。这是对取妻而言的,而媵妾则为小于该诸侯国的小诸侯国。以此类推,士只能与士通婚,庶人只能与庶人通婚。至于天子,原则上是与诸侯国通婚的。这一制度,金文记载颇多。周王室与诸侯国联婚的铜器铭文,见于《宗妇鼎》、《秦公钟》、《秦公镈》等器；诸侯方国之间联婚的铜器铭文,见于《叔姬簋》、《番生壶》、《矢王簋》等器；贵族与贵族联婚的,见于《克盨》等器。

（四）五不娶。这是单方面永久性的婚姻障碍。凡女方具有以下五种情况之一种,即使女方持有异议,男方有权解除婚约。五不娶即："逆家子不取,乱家子不取,世有刑人不取,世有恶疾不取,丧妇长子不取"。① 逆,指叛逆朝廷。不娶逆家女是为了保证奴隶主贵族及其国家的安全。乱,指淫乱。不娶淫乱家庭的女子,是为维护家庭伦理纲常。刑人,即因犯罪受刑之人。刑人家之女不娶,也是出于统治阶级的人身安全及其荣誉。恶疾,指喑、聋、盲、疠(麻风病)、秃、跛、伛(驼背)等疾病。家族内有恶疾史,直接关系着后代子孙的健康,故列为不娶之对象。丧妇长女被规定为不娶对象,因为这种人自幼便得不到家庭妇德的正规教育,缺少为妇的道德。所谓五不娶,带有明显的阶级烙印和男尊女卑的不平等思想,但其中也混杂有一定的合理成分。如有恶疾不娶,从优生优育角度看,在一定程度上是有好处的。当然,西周时期把恶疾的范围规定得太宽,这完全是出于贵族们的利益。五不娶作为婚姻障碍提出,其主要目的是为了使人们忠君、重家族和重祭祀,有浓厚的东方君权、族权色彩。同时,西周法律把

---

① 《大戴礼·本命》。

这种限制只规定于女方,更显出在婚姻关系中男女不平权的男权主义思想。

五、婚姻仪式

凡正式婚约的成立,必须经过严格的婚姻仪式,即六礼:纳采、问名、纳吉、纳征、请期、亲迎。前四礼为订婚礼,是婚姻关系的主要程序。经此四礼,买卖婚约即告成立。后两礼为成婚礼。六礼称谓自周初开始,汉代袭为定制。宋以后因六礼过于烦琐而并为四礼:纳采、纳吉、纳征和亲迎。问名并在纳采之内,请期合在纳征之中。到了近代,又简化为订婚、结婚两仪。

纳采,《仪礼·士昏礼》说:"下达纳采,用雁"。是说男方通过媒氏把愿与女方结亲的意愿告知女家,女家如若允婚,男方便派人缴纳采择的礼品,因而叫做纳采。纳采礼品为一只大雁。用雁作为礼品,取的是阴阳往来之意。雁为随阳之鸟,秋风落叶之际,一齐南翔,冰融花开之春,又北向飞回。夫为阳,妇为阴,以雁为象征,是说妇要从夫。雁随季节时令南北,往返不失,暗喻着女子一旦成婚,必须贞节不二。

问名,几乎与纳采同时进行,即所谓"宾执雁,请问名"[①] 之礼。问名,不是问女子的名字,而是问女方的姓氏及女子生母的姓氏。其目的,一是为了防止同姓为婚,二是男家问名之后好在宗庙占卜婚姻的吉凶。

纳吉,《仪礼·士昏礼》说:"纳吉用雁,如纳采礼"。问名之后,如果占卜又求得吉兆,便将结果告知女家,谓之纳吉。纳吉也用大雁一

---

① 《仪礼·士昏礼》。

只,礼节同于纳采。

纳征,《仪礼·士昏礼》说:"玄束帛、俪皮,如纳吉礼"。即男家向女家缴纳聘金。征,成的意思,因而又叫做纳成。纳征是前四礼中最重要的一礼,只有纳征之后,婚约才能告成。此后,婚姻关系正式成立,女子则不得另聘于人了。

请期,《仪礼·士昏礼》说:"请期用雁,主人辞,宾许告期,如纳征礼"。纳征之后,男家再行占卜,求得婚日吉时,然后,再派使者到女家告知占卜的婚期,请求女家允诺。请期礼节,仍带一只大雁,女家在家庙设宴招待使者,听取男方告知的婚期。

亲迎,《礼记·昏义》说:"父亲醮子而命之迎,男先于女也。子承命以迎。主人筵几于庙,而拜迎于门外。婿执雁入,揖让升堂,再拜奠雁,盖亲受之于父母也。降出,御妇车,而婿授绥,御轮三周。先俟于门外,妇至,婿揖妇以入,共牢而食,合卺而酳。所以合体,同尊卑,以亲之也"。这段话的意思是,婚期那天,男方的父亲用酒醮儿子,让他去亲迎新妇。男方必须首先按父亲之命去迎接女方。新妇之家在祖庙内设筵待婿,并在祖庙门外拜迎女婿。女婿手执大雁拜奠女方祖先,以表示女子将脱离父家转入丈夫的管辖之下。之后,新妇出来立于父母之侧,接受父母训诫、遵循妇道的最后一次教育。女儿听完父母的教诲,新婿便亲自驾御新妇坐车,而自己先行至自家门外,等待新妇,共食牲牢,婚礼即告结束。这种隆重的亲迎仪式,犹如古罗马有夫权婚姻中的共食式。罗马的共食婚仪包括女家送亲、男家亲迎和新人共食三道手续。隆重而繁琐的亲迎仪式,是为了使买卖聘娶更为严肃,更有法律效力。至此,婚姻仪式终结,婚姻关系正式确立。

印证《诗经》等其它古籍。《仪礼》、《礼记》记载基本是可信的。

《诗·卫风·氓》:"尔卜尔筮,体无咎言"。这是一首反映自由恋爱婚姻仪式的诗歌。意为男子在婚前进行了占卜,卦上没有看到凶象,于是男子将占卜结果告诉给女方,女方才说出了"尔卜尔筮,体无咎言"的话,以表示婚约完成时女子的高兴心情。这首诗反映出庶民之间的自由恋爱也要婚前占卜,和《仪礼》记载完全符合。《易·咸》卦也有婚前占卜的记载:"咸。亨。利贞。取女吉"。咸是卦名,亨即享。古人享祀,如遇此卦,遇事则吉。娶妻也一样,遇到此卦,娶妻则吉。

六礼仪是婚姻关系构成的礼制,作为一个出嫁女子,还必须经过成妇之礼,才能最后进入男方家族。所谓成妇,就是拜见公婆,中国古代称作舅姑。《仪礼·士昏礼》说:"夙兴,妇沐浴,纚笄宵衣,以俟见,质明赞见妇于舅姑"。是说新妇在天不亮时起床,沐浴,扎起发髻,穿上助祭的服装,待到天亮时去拜见公婆。如果舅姑已逝,则要到三月之后入家庙时才能奠祭。此后,女子便正式称为妇。"三月而庙见,称来妇也"①。这种礼仪反映了西周的婚姻与宗族关系的密切。

六、婚姻关系的中止

婚姻关系的中止有自然中止和人为消灭之分。所谓婚姻关系的自然中止,是指配偶一方的死亡。但在西周,这种婚姻关系的中止却不被认为是婚姻关系的绝对消灭,因为原先夫与妻的名义在一定情况下还在保留。

男子前妻死后的再婚,周人不叫再娶,而叫继室。在名义上,男子无再娶的权利,必须永远保留前妻的元配正妻称号。《公羊传》说:

---

① 《仪礼·士昏礼》。

"诸侯一娶九女,诸侯不再娶"。《白虎通》也说:"天子娶十二女,……必一娶何?防淫佚也;为其弃德嗜色,故一娶而已!人君无再娶之义也"。在重国位、重继嗣的西周,主张诸侯、天子多娶,而在夫妻名分上只能保留一个妻的地位,即使妻死,名分亦不丧失。这是西周法律调节多妻关系的一种规定。

女子因夫死而再婚,叫做再嫁。再嫁女和前夫之间的夫妻关系随再嫁而告终结。但是,西周礼制是反对女子再嫁的:"一与之齐,终身不改,故夫死不再嫁"①。不过在现实生活中,夫死再嫁现象还是普遍存在的。《礼记·丧服小记》"继父不同居"疏:"继父者,谓母后嫁之夫也。……夫死妻秩子幼,无大功之亲,随母适后夫"。《易·鼎初六》:"得妾以其子,无咎"。这一爻辞是说买到一个妾时,妾还携带着前夫之子。可见夫死再嫁并未被礼制所禁绝。

所谓婚姻关系的人为消灭,指的是离婚。西周时期的离婚有两种情况,一是男女双方自动离异或协议离婚。尽管这种离异大都由男方提出,但它终究不能算作休妻。离异原因甚多,有因社会动乱、荒年饥馑的,也有因男子重色、喜新厌旧的,等等。如《诗·王风·中谷有蓷》:"中谷有蓷,闵周也。夫妇日以衰薄。凶年饥馑,室家相弃尔,……有女仳离,慨其叹矣!"这是周平王时因社会不安定,民生艰难,夫妇之道日衰,加上凶荒饥馑,而造成的离婚事件。《诗·郑风·出其东门》是描写战乱之年,郑人因生活所迫被迫弃妻离异的诗篇:"出其东门,闵乱也。公子五争,兵革不息,男女相弃,民人思保其室家焉"。这种离异完全出于社会所迫,所以,离异之后,夫妻双方"心不忍绝,

---

① 《礼记·郊特牲》。

眷恋不已"①,痛苦至极。男子喜新厌旧而离异的,见于《诗·邶风·谷风》。诗歌写一位被弃女子曾与丈夫同心同德,艰苦患难,共创家业,但到生活好转之后,无义丈夫却另有新欢,遗弃了妻子。

"七去"是另一种离婚方式。这种离婚,完全排除女方意愿,由男子单方面片面行使离婚权。"七去",又称"七出",俗称休妻。《仪礼·丧服》说:

> 七出者,无子一也,淫佚二也,不事舅姑三也,口舌四也,窃盗五也,妒忌六也,恶疾七也。天子、诸侯之妻,无子不出,唯有六出耳。

另外,《大戴礼·本命篇》也有类似记载,只是"七出"次序有所不同。一般情况下,妻子有"七出"之一者,丈夫则有权休弃之。西周法律给妇女所加的这七条罪名,均与宗法制家庭有关。所谓无子,指妻子不能给夫家生育承宗后代,这和周人的婚姻观"上以事宗庙,下以继后世"相悖,自然为宗法制所不容。淫佚,指女子不贞节。女子不贞,使子嗣身分不明,又易导致家族内部的辈分颠倒,族规混乱,自然也为宗法礼制所不许。不事舅姑,即不孝顺公婆。不孝顺公婆是违背尊尊、亲亲伦理道德的表现。只要子妇孝顺公婆,即使儿子不喜欢妻子,也不得离异,反之,得不到公婆的欢心,夫妻多么恩爱,也要休弃。西周礼制给子妇孝顺公婆做了极为繁杂的规定:鸡初鸣,立即起床,进行梳妆。之后,到公婆室外请安,问寒问暖,为之搔痒。公婆出入,敬而扶之,并伺侍洗漱,打扫寝室。公婆吃饭,必餐餐侍立,待其食毕,择其残羹而充饥。在公婆面前不可打嚏咳嗽,屈仰懒腰,乱吐口液。天寒时节也不准在公婆面前增添衣服。家庭事务,得不到公

---

① 《诗·出其东门》郑笺。

婆允许不能行动。凡此等等,不胜枚举。所谓盗窃,实际上是为了不使子妇有私产而妄加的一种罪名。按礼制规定,子妇不能有私货、私畜,甚至连母家赠送的财物都要归夫家所有。妇女对家族私有财产的占有权、处分权全被剥夺。在这种严格的家族私有观念下,女子盗窃必为法律所不容。女子多口舌,会引起家族内部的不和睦和不团结。妒忌也一样。恶疾,不但有传染他人或遗传后代之虞,患恶疾者,还不能进入家庙助祭。由此可见,"七出"离婚,无论哪一条要件,都是周统治者为了维护宗法制度而套在妇女身上的枷锁,通过这一规定,妇女做人的权利被剥夺殆尽了。

与"七出"相对应,女子有所谓"三不去"。就是说,在具有下述三种情况之一者,男方要休弃其妻,妻子有权不离开男家。"三不去"即:"尝更三年丧不去,不忘恩也;贱取贵不去,不背德也;有所受,无所归不去;不穷穷也"[①]。就是说妻子曾与丈夫一起为公婆服丧三年的,因尽过孝道,有权拒绝离婚。贱时娶,富贵时提出休妻,妻子有权拒绝。这仅仅是礼制上的规定,而在现实生活中,这一条早已被否定了。如《诗·小雅·谷风》用一个被弃妻子之口控诉了那种忘恩负义的丈夫。

> 习习谷风,维风及雨,将恐将惧,维予与女;习习谷风,维风及颓,将恐将惧,置于于怀。

在风雨如磐、生活飘摇的艰苦岁月里,妻子陪同丈夫苦度日月,丈夫也恩爱地将妻子抱在怀里。然而,生活好转富贵之后,情况却全然相反了:

> 将安将乐,女转弃予;将安将乐,弃予如遗。

丈夫背信弃义地抛弃妻子,出妻如同弃置破烂旧物一般。所谓,

---

① 《大戴礼·本命》。

"有所受,无所归",是指娶妻时女子娘家人在,如果待到娘家父兄俱无才提出离异,妻子有权不离去。因为弃归已无归处了。

以上"三不去",有的为虚设,有的实存,但,无论哪一规定,均非为了维护女权,而是借妇女之身,强化宗法家庭伦理道德。

七、一夫一妻制与一夫多妻制

周人在礼制上强调一夫一妻制。《周礼·媒氏》"掌万民之判"注:"判,半也。男女各为一半,得另一半,合为一"。这种所谓的判合制,反映了周人一夫一妻制的婚姻原则:

> 天子听男教,后听女顺;天子理阳道,后治阴德;天子听外治,后听内职;教顺成俗,外内和顺,国家治理,此谓盛德①。

这就是说,只有实行一夫一妻制,即使是天子与王后之间的夫妻关系,都能分工明确,各理其事,外内和顺,国家治理。庶民之间的一夫一妻制,叫做"匹夫匹妇"②,它是从贵族间的一夫一妻制转化而来的。

事实上,一夫一妻制,对夫而言确为一人,而妻之一人仅仅是名号上的一种称谓。天子之妻称后,诸侯称夫人,大夫称孺人,士称妇人,庶民称妻。庶民之妻称作妻,说明事实上的一夫一妻制只能在庶民中间推行,奴隶主贵族,尤其是天子则不受一夫一妻制的限制,实际上是多妻制。《礼记·昏仪》:"古者天子后立六宫,三夫人,九嫔,二十七世妇,八十一御妻,以听天下之内治,以明章妇顺"。天子之妻,竟达一百二十一人之多。诸侯有夫人、世妇、妻、妾,也是多妻制。周幽王的外甥女嫁于韩侯时,陪嫁的娣、媵,达到"祁祁如云"③ 的地

---

① 《礼记·昏仪》。
② 《尚书·咸有一德》。
③ 《诗·韩奕》。

步,这足以说明贵族之间根本无视一夫一妻制的限制。《易·归妹六三》:"归妹以须,反归以娣"。归妹,即嫁女。须是出嫁女的庶出姊,娣是庶出妹。女子出嫁,姊妹从嫁,从这一爻辞看,一般富有人家也实行从嫁为妾制。买妾,在西周是为法律允许的。

八、夫妻关系地位

西周实行夫妻地位的公开不平等,其主要表现在以下几个方面:

第一,女子对丈夫绝对贞节,从一而终。《礼记·郊特牲》:"夫昏礼,……告之以直信。信,事人也;信,妇德也。一与之齐,终身不改,故夫死不嫁"。

第二,女子无独立人格,人身要依附于男子。《礼记·郊特牲》又说:"男帅女,女从男,夫妇之义,由此始也。妇人,从人者也,幼从父兄,嫁从夫,夫死从子"。男女之间的鸿沟永远不能逾越,妇女至死为从人之人,受人监护,受人欺凌,无一自由。妻子在丈夫家的地位,实与子女不如。因此,丧礼规定,未嫁女有权为父服丧斩衰三年,而出嫁后,则取消对父服丧的资格,改为为夫服三年丧。妻子对丈夫,要敬若神明一般。"夫不在,敛枕箧簟席韣器而藏之"①。所有古代东方奴隶制国家,基本都是如此。《摩奴法典》规定,妻子"有如对天神般尊敬丈夫",和西周礼制,几乎同出一辙。

妻子依附于丈夫,其荣誉地位,均由丈夫的荣誉地位而定其高低。"共牢而食,同尊卑也。故妇人无爵,从夫之爵,坐以夫之齿"。男子位尊则妻尊,位卑则妻卑。丈夫如有官爵,妻即随之享受一定待遇,夫荣则妻贵了。反之,如果丈夫地位低下,妻子也只能嫁鸡随鸡,

---

① 《礼记·郊特牲》。

嫁狗随狗。

西周妇女地位低下,并非完全无民事行为能力。在诉讼中,妇女可以成为民事诉讼的主体,甚至庶民妇女也有权亲自出庭。至于贵族女子更能成为诉讼的主体了。"命夫命妇不躬坐狱讼",从另一侧面说明贵族妇女有诉讼权。他们不亲自出庭,那是西周法律为贵妇人规定的一项特权。

第三,妻子无完全财产权,经济上不能独立。西周妇女无完全财产权,并不是说她们就没有任何财产了。西周妇女的财产,主要来源有三:其一,嫁资。这是最主要的财源。《诗·氓》:"以尔车来,以我贿迁"。贿,即财货,陪嫁物。《易·蒙六三》称女子嫁资为"金"(铜)。西周以青铜器作媵器就是以"金"为陪嫁物的。其二,婚后丈夫的赠与。《矢王簋》即是婚后夫对妻的赠品。其三,别人的馈赠。《琱生簋》中琱生"献妇氏以壶",就是给宗妇送了一只壶作为馈品。壶也是一种财产。

西周妇女有一定的财产权,但绝无完全财产权。西周因婚姻受宗法制家庭制约,已嫁女的丈夫若为家庭中的他权人,根据妻随夫原则,庶子则没有独立财产权,一切归家族所有,包括该女子所获得的赠品在内。这种女子,不能对财产占有、收益和任意处分,她们只是在劳动需要情况下有财产使用权。

嫡长子继承制决定着妇女对不动产无继承权、所有权,即使是动产,出嫁女亦无所有权。《礼记·内则》载:

> 子妇无私货,无私畜,无私器,不敢私假,不敢私与。妇或赐之饮食、衣服、布帛、佩帨、茝兰,则受而献诸舅姑。舅姑受之则喜,如新受赐;若反赐之则辞。不得命,如更受赐,藏以待乏。妇若有私亲兄弟,将与之,则必复请其故赐,而后与之。

这说明在公婆面前,作为他权人的子妇不可能有私有财产,也不能将家中财物私借、私赠他人,甚至连娘家兄弟赠与的饮食、衣物都必须献于公婆。假若公婆再反赠给该女子,她也只能作此种财物的保管人。一旦家中需要,则拿出来归公使用。女子婚后接受的赠物,其实际享有权要大一些。

当已嫁女子的丈夫成为家庭中的自权人时,该女子有无实际财产所有权?礼制没有明确规定。但是,根据夫妻一体说,此财产的所有权应为丈夫所有。即使原属女子嫁妆的那部分财产,也为丈夫所有。而此女子的亲生后裔却有对母亲嫁妆的继承权。青铜媵器铭文结尾的"其子子孙孙永宝用",就是媵器物权归该嫁女子孙继承的凭证。从《宗妇鼎》看,该女子的丈夫是自权人,那么,此鼎的继承者就当为该女子的子孙了。妇女被休时,法律允许带回一部分自己的财产。就像《易·归妹六三》说的那样,"归妹以须,反归以娣",娣被带回了娘家,姊还留在夫家。

第四,妻子在家庭中分管内务,充当家务劳动者,或家务代理人。据《礼记·内则》记载,女子出嫁前要受专门的家庭教育。大约从十岁时起,开始接受所谓"四德"——妇言、妇容、妇德、妇功的教育。妇言,即言谈教育;妇容,指容貌;妇德,指顺从;妇功,就是学习家务操作技能,包括纺麻、养蚕、纺织、缝衣以及助祭等活动。妇功是妇女日常的主要职责,因此,礼制对此规定的尤为详尽。到十五岁左右,女子基本能够操作家务了,即算是"四德"教育告一段落。直至女儿出嫁时,父母还要反复叮嘱不可忘记"四德",以便婚后能够辅助丈夫,料理好家务。

第五,丈夫有片面休妻权。丈夫的这一权利,前面已经叙述,《诗经》中比比可见。

第六，从礼制上讲，西周家庭关系还相对地注重夫妻间的互敬互爱，和睦相处，相互扶持。"夫也者，夫（扶）也；夫也者，以知帅人者也"①。是说丈夫是要妻子来扶持的，而丈夫又要以智慧去率领大家。

当然，周礼中强调的夫妻互敬互爱，是从奴隶制家族和国家利益出发的，不能和今天的夫妻关系相等同。周人的家庭概念也与今日的家庭观不同。但是，周人已能认识到婚姻、家庭、国家三者的关系，并用礼制法律调节这三者之间的相互协调，同时，还强调夫妻间的互敬互爱，这不能不说是一种较为进步的思想。这还说明，西周时期，尚未形成后世那种绝对的男尊女卑观念。当然，在男女经济不平等、男权至上的西周，妇女在家庭中得到的敬爱也是微乎其微的。

第二节　家庭与继承

周人的家庭、继承制度均受宗法制度的制约，因而，要了解其家庭、继承制，必须首先了解宗法制。

一、宗法制度

宗法制西周以前已经萌芽，不过正式形成为一种严密的制度是在西周。《尚书·尧典》："克明俊德，以亲九族"。《尧典》是后人托古之作，或不可信，而殷虚卜辞中却常常见到族的称谓，如"王族"、"多子族"、"三族"、"五族"等等。这里的族，都涉及到家族制度，可见殷人对于亲属间的亲疏关系已有所区别。周代建国以后形成的宗法家族制度，其内容已涉及到祭祀范围、丧服的长久、土地继承、爵位继

---

① 《礼记·郊特牲》。

承、婚姻禁忌和收族等各个方面。

家族是社会的细胞。《白虎通》说:"族者,凑也,聚也,谓恩爱相依凑也。生相亲爱,死相哀痛,有会聚之道,故谓之族"。族,实际上是指有血缘关系的亲属,他们相聚在一起,同出于一个血统,因而才"生相亲爱,死相哀痛"。最初的族,即血族,由母系而成。以后,族的亲属,日益增多,不可能有偌大的血族共聚在一起,于是便在保留最基本的血族的基础上,将其余的血族分离出去,这就产生了宗。一族之中,要有先祖的直接继承人。先祖死后,他就成为此族的主要负责人,这就是大宗;先祖的其余后代,又各自分离,自立成宗,也叫做小宗。所以,宗有大宗、小宗之分。最早的始祖的直接继承人,叫宗子,其余无继承权的受宗子抚养,叫宗人,宗人共同尊敬宗子。"宗者,尊也。为先祖主者,宗人之所尊也"①。周人就是这样由族分出宗,创建起宗法制的。

西周的宗法制,《礼记·大传》有过详细记载:"上治祖祢,尊尊也;下治子孙,亲亲也;旁治昆弟,合族以食,序以昭缪,制之以礼义,人道竭矣!"可以看出,宗法制的目的,一方面,以祖宗关系相制约,使同族人尊重始祖而不犯上作乱;另一方面,通过下治子孙,旁治兄弟,确定其长幼尊卑次序。西周的分封制就是在宗法制基础上进行的。周天子分封自己的同姓兄弟、子侄中非嫡子者为诸侯,称为君。君对一族人来说是至尊,全族不得侵犯其特殊地位。天子为大宗,诸侯对天子而言是小宗。诸侯在自己的封国内又用这种办法继续分封。"别子为祖,继别为宗,继祢者为小宗。有百世不迁之宗,有五世则迁之宗。百世不迁者,别子之后也。宗其继别子所自出者,百世不迁者也;宗

---

① 《白虎通义》。

其继高祖者,五世则迁者也"①。在诸侯的宗内,诸侯的嫡长子、嫡长孙,继承爵位、封国,所以世代为大宗。这个大宗是百世都不变的。诸侯的其他儿子从大宗中分出,立一宗,小宗。这个小宗是相对诸侯的大宗而言的。别立一宗的那个儿子,他自己是这一小宗的始祖。这一小宗的继承人也是嫡长子、嫡长孙,对宗人称为大宗,百世不迁。而别子的其他儿子则又分离出去另立一小宗。大宗所继承的为此宗创立者的地位、爵位、土地、财产。小宗不能继承名分地位,只能继承父亲的产业。先父被称为祢,所以说"继别为宗,继祢者为小宗"。周人的宗族集团是由一个继别的大宗和四个继祢的小宗组成的。四个继祢小宗包括继祢小宗、继祖小宗、继曾祖小宗和继高祖小宗。西周宗法制用图表示,即(见下图):

```
        始祖    高祖    曾祖    祖    父    兄
        元世    一世    二世    三世   四世  五世
        大宗    别子▲-○-○-○-○-●
              (宗)大宗大宗大宗大宗大宗
                    ▲-○-○-○-●继高祖
                    (宗)小宗小宗小宗小宗
                        ▲-○-○-●继曾祖
                        (宗)小宗小宗小宗
    四小宗{              ▲-○-●继祖
                            (宗)小宗小宗
                                ▲-●继祢
                                (宗)小宗
                                    △
                                  某本身
```

这样的一个宗族,从直系血缘看,包括父、子、孙、曾孙、玄孙五

---

① 《礼记·大传》。

代;从旁系血缘看,包括兄弟、从父兄弟、从祖兄弟、族兄弟,另外还包括伯、叔、从伯叔、族伯叔、族曾祖。这种亲疏关系,表现在葬礼上,便形成了"五服":斩衰、齐衰、大功、小功、缌麻。到第六代,亲属关系便终止了。所以小宗"五世则迁"。迁,迁宗,指迁徙出同宗,另立一宗。

二、家庭制度

西周的家庭有广义与狭义之分,广义可包括宗族与家族,狭义仅指一个家族。

(一)宗族内的关系

一宗之内,大功以上的亲属有同财异居的关系,也就是说,堂兄弟之间,有同财关系,却各自分居。《仪礼·丧服》说:"昆弟之义无分,然而有分者,则辟子之私也。子不私其父,则不成为子。……异居而同财,有余则归之宗,不足则资之宗"。又说:"子无大功之亲,与之适人"。郑注说:"子无大功之亲,谓同财者也"。这些都说明大功以上亲属是异居同财关系。所谓异居,是各家族各自分家而过,所谓同财,是同宗大功以上亲属在经济上要有一定宗族共产,互相援助,并受宗族法规制约。

同财异居的宗族,其宗族大权归宗子掌握。从法律上说,宗子有如下权力:

第一,掌握宗族祭祀权。祭祀权是宗族与家族内最重要的权利,只有宗子宗妇才能祭祀始祖,其余宗人只能在祭祀时,分别敬侍宗子。大宗宗子祭始祖时,群宗都来敬侍,小宗宗子祭祢时,宗人敬侍,宗人无权自己祭祀。《礼记·丧服小记》说:"庶子不祭祢者,明其宗也"。孔疏:"祢嫡,故得立祢庙,故祭祢。称庶,不得立祢庙,故不得祭其祢"。又说:"谓宗至亦然。……若庶子是下士,宗子是庶人,此下士立庙于宗子之家,庶子共其牲物,宗子主其礼……若宗子为下士,是宗子自祭之,庶子不得祭也"。就是说,即使庶子政治地位高于宗子,也只能参与宗子祭祀,不能成为主祭人,若与宗子地位一样,则连祭祀之礼都不得参与。

第二,掌握全族共有财产权。《白虎通》说:"大宗能率小宗,小宗能率群弟,通其有无,所以统理族人者也"。前引《仪礼·丧服》说:"故昆弟之义无分,然而有分者,则辟子之私也。子不私其父,则不成为子。故有东宫,有西宫,有南宫,有北宫。异居而同财,有余则归之宗,不足则资之宗"。就是说,兄弟如手足在父的两旁,本不应分开,然而为什么要使兄弟分居呢?因为兄弟的儿子要尊敬自己的父亲,不分居便不能使他们尽子孙的孝道,因此,居住处所有分别。然而虽分居却财产共一,因此,各家生活有余的,应缴于宗族,不足的,应由宗族支援。另外,宗子还有收族的责任。所谓收族,是指资助同族中的贫穷无力者。这样,宗子便掌握宗族的共有财产。

第三,宗子是宗族内的法官。《贺氏丧服谱》说:"奉宗加于常礼,平居即每事咨告。凡告宗之例,宗内祭祀,嫁女,娶妻,死亡,子生,行来,改易名字皆告"。也就是说宗族内日常事务的最后裁决权和干预权都由宗子垄断,俨然是宗族内的司法官。

第四,宗子在宗族内的至高地位不得被他人僭越。《礼记·内则》规定:"适子、庶子,只事宗子宗妇。虽富贵,不敢以贵富入宗子之家;虽众车徒,舍于外,以寡约入。子弟犹归器、衣服、裘衾、车马,则必献其上,而后敢服用其次也。若非所献,则不敢以入于宗子之门,不敢以贵富加于父兄宗族。若富,则具二牲,献其贤者于宗子,夫妇皆齐而宗敬焉。终事而后敢私祭"。就是讲小宗对大宗,宗人对宗子要尊敬至极,即使自己生活富裕,优越于宗子之家,也不敢在居用上超越宗子之上。由于自己有功劳，受到政府嘉奖，被额外馈赠了衣服、器具、车马、裘衾的，都必须把其中好的献给宗子，自己服用其次，不能使自己的富贵超越父、兄家族。如果自己富贵了，一定要备好祭祀二牲，将好的献给宗子，当宗子祭祖时，这富贵夫妇斋戒后才能去参加助祭。祭宗祠的活动结束后，才能在自己家内祭自己的祢。这样，从西周开始，中国就形成宗族权。宗子掌握宗族权，这个宗子就是民间俗称的族长，在宗族法规中，他们是最高的掌权者，他们可以借助于祭祀始祖的特权来行使自己的其它权力。

(二)家族内的关系

每一个分门别居的家庭是一个家族。家族内的人都是直系。尊卑亲属，其间也有一套确定的法规制度，用来确立家庭中父母的权力，区分父母子女的关系。

第一，父母掌握家族财产权。这里说的父母指家族内地位最尊，掌握家父权的人。譬如一家有两代人，则家父为父；有三代人，则家父为祖父；有四代人，则家父为曾祖父。家父去世，则为家母掌握，父母均去世，为下一代之男性嫡长子掌握。子女辈不可有私有财产。《礼记·坊记》说："父母在，不敢有其身，不敢私其财"。身为他权人的子女，既然连人身自由都无权自主，又更何论及财产权呢？《礼记·内则》规定："子妇无私货，无私畜，无私器，不敢私假，不敢私与。妇或赐之饮食、衣服、布帛、佩帨、茝兰，则受而献诸舅姑"。他权人不能有私有财产，即使别人赠送给他们的财产，也只能缴给自权人家长。

第二，父母掌握子女的婚姻权。子女婚姻的决定大权在父母，法律认可父母的主婚人地位。如前引《礼记·内则》所说："子甚宜其妻，父母不悦，出。子不宜其妻，父母曰：'是善事我'，子行夫妇之礼焉，没身不衰"。对于女子，则要求"在家从父母"。

第三，父母有惩罚子女权。这种惩罚权最多见的，是父母对子女的鞭挞权。《礼记·内则》规定："父母怒，不说，而挞之流血，不敢疾怨，起敬起孝"。向长者问事时，一定要手执几、杖。几、杖是杖责之物，子女问事时手操几、杖，是随时准备如自己做错了事，就以杖或几自责之。可知，不仅父母可直接鞭挞子女直到流血的地步，还可由父母下令，子女自己鞭挞自己。

父母对于女的惩罚权是否包括生杀大权呢？先秦史籍记载甚少。《左传·昭公二十一年》记载，宋国的大司马华费遂的儿子华多僚陷害其兄华貙，宋元公听谗言后，让华费遂放逐华貙。华费遂气愤地叹息说："吾有谗子，而弗能杀"。这是一个父亲想行家父权杀死进谗言的儿子的叹息，然而终因君命不敢违，父亲只好放逐了无辜的儿子华貙。《史记·李斯列传》记载，始皇死，胡亥矫始皇命赐扶苏死，大将蒙恬劝扶苏："请复请，复请而后死，未暮也"。扶苏却说："父而赐子死，尚安复请！"于是便自杀了。这两件事都说明，春秋战国之际，虽礼崩乐坏，然而在家族中，家父权仍尊大无比，对子女有生杀大权。由此而论，在礼乐极盛的西周时代，家长对子女的惩罚权必然包括生杀权。这种权力一直延续到秦汉时仍如此。据《礼记·内则》记载子女出生后，家父有为子女命名之权，命名后的子女将登录于国家的公文册中，这表明父亲或家父有对婚生子女的认可权。

第四，父母有为子女辈隐忍的义务。中国是一个宣扬礼制的国家，西周的家庭关系中强调以礼治家，尊上爱幼，所以，父母虽有生杀子女之权，却极少使用。反之，对于关系到子女辈名誉地位的重大问题，父母要为子女隐忍，而不能公开宣扬。《礼记，内则》说："子放妇出，而不表礼焉"。就是说子被放逐，媳被出弃，父母要隐忍他们的过失,而不能到处宣扬。《国语·周语》说:"父子将狱,是无上下也"。也是主张父子间不能提起诉讼,要相互隐忍过失。从隐忍的角度出发,周人主张对子女辈犯有过失者,应以教育为主,惩罚为辅,能教育者,家长必尽教育之道,只有不接受教育者,才进行惩罚。《礼记·内则》说:"子妇未孝未敬,勿庸疾怨,姑教之;若不可教,而后怒之"。就是说儿子、媳妇未对家长至孝、至敬,家长也不要立即憎恶怨恨他们,而应首先教育他们,如果教育后,还不听从家长命令的,才谴责他们。这种隐忍和注重教育的观点与古巴比伦和古罗马法中规定的父母对子女的任意生杀予夺、出卖为奴的家长权相比,是进步得多了。这是中国独有的伦理道德观在法律中的体现,溯其源,仍然出于西周统治者"德主刑辅"的立法思想。

第五,家族内长幼尊卑要有次序。这是家族内的等级制度,通过它,使家族内各人不能逾越等级名分,保障家长的统治权,也保证家族内平安相处。家长之下的家属关系有夫、妻、妾、嫡子、庶子、长媳、众媳的区别,大家在家族内共处的一个法定原则是:"少事长,贱事贵,咸如之"①。也就是说,上下辈间,下辈要敬重上辈;同辈之间,地位低贱的要敬重地位高贵的,用这一原则处理长幼尊卑关系。上下辈间父母子女关系,前已备述,毋庸多言。同辈之间,夫妻关系中,妻为贱,夫为贵,妻要敬重夫。妻称夫为天,"夫者,妻之天也"②。丈夫是妻子的天,所以妻对夫"不敢悬于夫之楎椸,不敢藏于夫之箧笥,不敢共湢浴。夫不在,敛枕箧簟席,襡器而藏之"③。就是说,妻对丈夫要尊敬到不敢与丈夫在一根木钉上挂衣服,不敢在一根晾衣竿上晒

---

① 《礼记·内则》。
② 《仪礼·丧服》。
③ 《礼记·内则》。

衣服,不敢在丈夫的箱内放自己的物品,不敢与丈夫一起沐浴的地步。丈夫若不在家,一定要将丈夫所用衣物、被盖恭敬地收藏起来。夫妇到七十岁仍要同居,妻子要永远忠贞于丈夫。妻妾关系中,妾为贱,妻为贵,妾要更敬重丈夫,也要敬重妻。妾称丈夫为君,表示自己地位低于妻。对妾来说,丈夫如同国君一样,连妻也得称为女君。"妻不在,妾御莫敢当夕"①。如果是妻御丈夫之日,即使妻不在家,妾也不敢在此日与丈夫同居,以表示对妻的尊敬。妾的地位也有等级区分,《礼记》记载天子有一后,三夫人,九嫔,二十七世妇,女御八十一人,其地位是逐次下降的。卿大夫以下有一妻二妾,遍士一妻一妾,庶人只有一妻。

妻妾地位不同,其所生儿子地位也不同。妻生之子叫嫡子,妻生的长子叫嫡长子;妾生之子叫庶子。嫡庶出不同,影响到孩子在家庭中继承权不同。妻妾生子时,丈夫对待的礼节也有不同。妻生孩子时,居住在侧室,丈夫住正寝,丈夫要一日两次派人问候妻子的情况;将生之际,还要斋戒;孩子出生后,是儿子,要设弧表示尚武,是女儿要设帨,表示将以帨巾侍人。妾生子,丈夫仅一日一问,子生后三月,在妻的内寝见妾生之子,以示妻妾地位的不同。一般平民百姓没有妾,家中也无侧室,妻将生子,丈夫便搬出居室,与家人共居,而让妻在自己居室生子。嫡庶不同,长幼有别,所以名分也不同。继承家长权的嫡子叫"冢子",其余嫡生子叫"适子",他们对冢子又称为"昆弟",而庶出之子叫"庶子",其待遇地位都有差别。

应当说明的是,家族关系中,父母权力虽然常常放在一起来提,然而由于妇女没有独立人格,妻的地位依丈夫而定,因之家长权主要

---

① 《礼记·内则》。

由家父行使。只有当一个家族中男性至尊去世,家长权才由女性至尊行使。"舅没则姑老,冢妇所祭祀宾客,每事必请于姑,介妇请于冢妇"①。就是讲如果家长去世,婆母年老,家族内事务指挥权便交予长媳。但是,长媳行祭祀礼宴请宾客时,仍要事事请示婆母。其余子媳因位于长媳之下,对长媳又要如对家长,服从其指挥。

家族关系中还有一种,特殊情况,就是继父与继子关系。《礼记·丧服小记》说:"继父不同居也者。必尝同居,皆无主后。同财而祭其祖祢为同居"。就是说,母后嫁之夫与母前夫之子没有亲属关系。如果丈夫死,妻子年幼,儿子也幼小,并且没有大功以内的亲属,妻子再嫁时,儿子随母与此后夫生活,后夫也无大功以内亲属,继父后来又把自己的财产遗留给该继子,并为之修筑宗庙,使之祭祀,则此继父与继子便建立了家族长幼尊卑关系。当继父去世后,此继子要行类似对自己亲生父亲的丧礼。

三、继承制度

为了确定家长权的继承人,也就相应地产生了周的继承制。周的继承包括祭祀权继承、地位继承和家族共财管理权继承。

(一)祭祀继承,即宗祧继承。周人很重视对祖先的祭祀,祭祖人必须是家族内的家长。祭祀继承人称为嫡,确立祭祀继承人称为立嫡。周人的立嫡是嫡长子继承主义。《仪礼·丧服》规定:"有适子者无适孙"。郑注说:"周之道,适子死,则立适孙。是适孙将上为祖后者也"。立嫡只能立一人,有嫡长子在,就不能立嫡孙;嫡长子死,则立嫡孙,嫡孙就成为祖宗祭祀继承人。立嫡的办法,是立嫡妻所生的

---

① 《礼记·内则》。

长子。如果嫡妻无子,则从其余庶子中立其母地位比较高贵者所生儿子中的长子,此所谓"立适以长不以贤,立子以贵不以长"①。《春秋公羊传·隐公元年》记载,鲁惠公死,其元配嫡妻无子,继娶声子出身微贱,生隐公。以后又娶仲子,仲子地位高于声子,生子桓公。后来惠公死,未立太子,隐公年长又贤,然而未被立为国君,而奉桓公为国君。这件事是周平王时候的事,可以看出周代的立嫡原则。周天子中从成王以后三十余王,大都循此原则。

嫡长子掌握祭祀权。《礼记·曲礼》说:"支子不祭,祭必告于宗子"。是强调庶子无祭祖祭祢之权利。祖庙、祢庙都设在宗子之家,支子若祭祀,便叫淫祀,为法律不允许。庶子如因功受封,其政治地位高于宗子,可准备祭祀牺牲礼品祭祖,然而主持祭祀礼的仍是宗子。隆重的祭礼,保证了尊尊、亲亲的统治地位。宗子祭祀权是法定继承最重要的内容之一。

(二)地位继承,即封爵继承。周代的分封制,封爵是授给宗室和勋臣的光荣。这种光荣不仅表现在政治地位上的荣耀,而且在身分关系上、禄爵享受上、物质待遇上都有特殊规定。这种封爵不仅本人生前可以享受,死后嫡长子仍可继承。享受继承爵位权的人,也可以享受食封、永业田及刑事上的特权。周制,封爵有公、侯、伯、子、男。金文中也可看到这种爵位的继承。如《毛公鼎》宣王封毛公父厝继袭封爵时说:"父厝,今余唯蠿先王命,命女亟一方"即是。

(三)家族共财管理权的继承。周代在宗法家族制影响下实行家族共财制。这种家族共财由家长掌管,却非完全为家长个人所有,而是家族共有的财产。家父仅掌握对其管理权,继承人继承的也是这

---

① 《春秋公羊传·隐公元年》。

种管理权。在未分割财产前,此遗产为家族共有,所以《仪礼·丧服》规定:"父子一体也,夫妇一体也,昆弟一体也。……而同财"。但因为家长既有管理财产权,又对家属有极大的命令权,所以他可以代表家族处分此家产。家族共有财产管理权既由家长总摄,其他家属成员便不得擅自使用、收益或处分;因此,《礼记》在强调子女不得有私财后,说明其原因为"家事统于尊也"①。西周中、后期出现的私田,不归家族共财,可以自由处分。

---

① 《礼记·内则》"子妇无私货"后之郑注"家事统于尊也"。

第六章 经济法规

第一节 商业、税收和借贷法律制度

一、西周商业概述

周初,随生产力的发展和剩余产品的增多,商品交换日趋活跃起来。但是,在重农政策影响下,周统治者把主要精力放在发展农业生产之上,因而商业受到严重的遏制。周统治者限制商业发展的重要手段,就是实行商业官办政策。他们把商业部门牢牢地置于官府的控制和监督之下,卖方是奴隶主贵族,买方也是奴隶主贵族,官府成了市场上最大的卖主和买主。担任贩卖活动的商贾,大都是些隶属于官府,无人身自由,也不是商品主人的商业奴隶。他们被称作"贾人","府藏皆有贾人,以知物价"① 而已。"贾人","食官,官廪之"。就是说在官府管理之下为其从事商业活动,贵族官僚们从商业利润——"贾人"的剩余价值中拿出一点点出来供给他们的生活,以足温饱。史书上把这种制度称作"工商食官"。商业奴隶的经济、人身地位决定着其法律地位十分低下,甚至在庶人、百工之下。"庶人工

---

① 《国语·晋语》四。

商,各守其业以共(供)上"①。在官办商业影响下,商品经济只能在官方许可范围内作某种程度的有限地发展,私人商业得不到施展的机会。一般平民只能在农闲之余出售一点自制的手工产品,没有力量,法律也不允许他们妨碍农事去从事较大规模的买卖和长途贩运。

　　西周中后期,反映新兴封建生产关系萌芽的私田逐渐增多起来,私田主人在取得土地所有权的同时,获得了对部分剩余产品进行交易的支配权,出售余粮、余布、余帛等剩余产品的愿望愈来愈强烈。尤其是从西周中期开始,周王室逐步放松了对山林川泽的禁令,无论平民、贵族,只要依法向国家缴纳一定数量的税款,就可在一定限度内开发、利用山泽自然资源之利,这又大大刺激了私田主人和其他一些平民、贵族经商谋利的兴趣。所谓"贩夫贩妇"——自由商人就是在这种历史背景下出现的。"氓之蚩蚩,抱布贸丝。匪来贸丝,来即我谋"②是人民歌声中早期自由商人的形象。憨厚的小伙子,面带笑容,拿着钱来买我的丝;他不是前来买丝,而是找我商量婚事。这虽然是一首爱情诗。它却从另一侧面反映出自由商人存在的历史事实。抱,持。布,泉布,货币。《诗·氓》毛传:"布,币也";《周礼·廛人》郑注:"布,泉也"。用货币公开去买丝,毫无疑问是商业活动,而且是一种合法的商业活动。自由商人的出现,激发了市场的活力。市场的活跃,又给自由商人谋取更多利润提供了条件。"近市利三倍"③;"如贾三倍,君子是识"④。三倍的利润,驱使贩夫贩妇和小贵族把自

---

① 《国语·周语》。《左传·襄公十四年》也有"庶人工商,皂隶牧圉皆有亲昵"的记载。
② 《诗·卫风·氓》。
③ 《易·说卦传》第十一章。
④ 《诗·大雅·瞻卬》。

己掌握的大批商品投放市场,有的商人甚至"肇牵车牛远服贾"①,长途贩运,或专营商业,或农商兼顾,为利润而奔波。《易经》中反映自由商人远途经商的记载颇多,如《旅卦》载:

  旅即次,怀其资(布币),得童仆——商人们住在客栈里,怀装钱币,买到了奴隶;

  旅焚其次,丧其童仆——客栈遭到火灾,买到的奴隶逃跑了;

  旅于处,得其资斧(布币)——住在客栈的商旅赚得了一批钱币。

商业利润不仅使商人获利,贵族们眼红,连周厉王都好起利来。他任命荣夷公为卿士。颁布专山泽之利的法令,实行变本加厉的山林垄断政策。厉王的专利政策,终于引起包括工商业者、商人在内的所谓"国人暴动",结果,厉王被逐于彘(今山西霍县),周王室的统治基础动摇了,专利法令随之被废除。

二、市场管理的法律规定

商品经济的发展,自由商人的出现,促使周统治者不得不修正自己的经济政策。为了不使奴隶主贵族的经济利益受到损害,他们在法律领域内制定出旨在保护贵族利益的关于市场管理、商品价格和度量衡、税收等各项制度、法规。

首先,在市场布局和行政管理上,按贵族们的需求和不同阶级之间的差异,对市场的类别、名称、开放时间作了严格的规定。王城之内,一日三市,分别称作朝市、大市和夕市。大市,中午开市,以贵族

---

① 《书经·酒诰篇》。

之间的交易为主;朝市,早晨进行,以商贾为主;夕市,设在傍晚,贩夫贩妇为主。① 把贵族之间的贸易放在日中,称作大市,是为了满足贵族们的特殊要求。中午时分,货源充足,各种奇异物资方能齐全,这时入市贸易,他们的侈求才能满足。朝市给商贾们特别是远途商人经商在时间上给予了保证,使他们有充足时间进行物资周转。庶民之间的交易,贩夫贩妇的小宗买卖按其社会地位和经济条件只能放在傍晚进行。西周市场的分类和设置,就带有显明的等级性。

为了促进市场的稳定,周统治者对市场的行政管理体制也作了若干规定。国家设置司市总管市场的治、教、政、刑事务及市场管理法令的实施。司市之下设质人,掌理奴婢、马牛、车辇、珍奇异物等贵重物品的贸易,负责交易券书的制作、发放,并惩罚违反券书管理规定的犯禁者;设廛人掌管各种市税的征收;设胥师负责市场货物的调配,发布市场管理法令,解决市场内发生的轻微纠纷;设贾师核定物价,纠举不按法定价格任意抬高物价、扰乱市场秩序的犯禁者,设司虣、司稽负责市场治安;设肆长负责货物的分类和放置区域;设泉府负责滞销物品的处理推销;设司门负责市场启闭时间。

其次,在商品管理上,从维护贵族特权和国家利益出发,作了种种限制,严禁部分物资进入市场,充当商品。《礼记·王制》载:

> 圭璧金璋,不粥于市;命服命车,不粥于市;宗庙之器,不粥于市;牺牲,不粥于市;戎器,不粥于市;用器不中度,不粥于市;兵车不中度,不粥于市;布帛精粗不中数、幅广狭不中量,不粥于市;奸色乱正邪,不粥于市;锦文珠玉成器,不粥于市;衣服饮食,不粥于市;五谷不时、果实未熟,不粥于市;木不中伐,不粥于市;

---

① 《周礼·地官·司市》。

禽兽鱼鳖不中杀,不粥于市。

以上十四条禁令,归纳起来,主要有三类物品在禁售之列:第一,礼器神祀之物。圭璧金璋、命服命车为礼器,宗庙之器、牺牲品为神御之物,这些器物只有奴隶主贵族才有享用权,只许在奴隶主贵族内部相互赠予或转让,奴隶是无权享用的。禁止商贾将其带入市场去出售,为的是防止此类器物的流散。锦文珠玉能否入市的前提是看其是否已经成器,一旦制作加工成器,只能为贵族所占有,不准入市,以防流失而损伤贵族礼器的尊严。第二,武器。戎器(兵器)严禁入市,以防落入奴隶之手,危及奴隶主贵族和姬周国家的安全。兵车是诸侯贵族缴纳军赋的内容之一,法律允许入市交易,以保证军赋来源的充足。但是,如果兵车制作不合法定标准,质量低劣,则不准作为商品,进入市场,使国家利益受到损害。第三,其它不合规定的物品。"布帛精粗不中数"指布帛质量不合标准,"幅广狭不中量"指布帛长度、宽度短缺,"五谷不时、果实不熟"、"木不中伐"、"禽兽鱼龟不中杀"均指粮食、瓜果、木材、鱼类不成熟或不到砍伐、捕杀时间就把它们运入市场出售,如此等等,都在禁令之内,如有犯禁者,"察其诈伪饰行卖慝者而诛罚之"①。

再次,在价格管理上,西周法律禁止任意涨价,保护顾客——奴隶主贵族的经济利益。《周礼·地官·贾师》规定:

> 掌其次之货贿之治,辨其物而均平之,展其成而奠其贾,然后令市。凡天患,禁贵卖者,使有恒价。四时之珍异,亦如之。巩固之买卖,各师其属而嗣掌其月,凡师役、会同,亦如之。

又《肆长》规定:

---

① 《周礼·地官·胥师》。

掌其肆之政令,陈其货贿,名相近者相远也,实相近者相迩也。

根据这两条记载,可以看出西周对市场物价的管理采用的是行政办法。贾师为评定市场物价的专职官吏,凡未经贾师评定价格的商品,一律不准入市销售。为了便于贾师统一掌握物价,防止部分商人投机取巧,所有入市商品要区分不同品种和价格档次,分别陈设在固定的地域里。在一个市场内,名称相似而质量有异的物品不能摊摆在一起,即使品种相同,价格不同的也不准混杂在一起。放置品种相同、价格基本一致物品的区域叫做"肆",每"肆"由司市指派一名肆长具体负责货物的陈列。每逢荒年,贾师更要维持市场物价的稳定、平衡,严惩乘机抬价、牟取暴利的非法行为。四时所产珍异之物也一样,不允许以奇货而独居,抬高其价。官府出售自己的剩余物品,价格同样归贾师统一掌握。

以上有关价格方面的立法,原则上只适用于城邑市易集中地区,民间尤其是鄙野地区的贸易,往往不受官方价格立法的限制。如《礼记·王制》说:"命市纳贾,以观民之所好恶,志淫好辟"。郑注:"质则用物贵,淫则侈物贵,民之志淫邪,则其所好者不正"。这是一段颂扬周王巡行过程中以市场物价起伏推测民俗侈俭的赞美词。意思是如果奢侈品涨价,则淫风必然盛行,社会风气就会败坏,这就叫做"志淫好辟";反之,民用品涨价,虽然能反映物资的匮乏,而社会风气总还不至于不可收拾。这一记载尽管不是法律规定,但它能从一个侧面说明,西周有关物价的法律规定,并未真正贯彻执行。在现实生活中,只要商品经济有所发展,随之而来的物价涨落就不可避免。大量金文契约证明,在以物易物、以钱易物过程中,货物的价值,总是由交易双方反复协议之后而定的,买卖契约的签订更是如此。这说明西周时期的物价,并未因价格立法而被管死。那种严格控制物价的做法,实际上是周初官办商业的产物,它和西周中晚期商品经济发展的现实,已经格格不入。

为了保护价格的基本稳定,对滞销商品的处理,西周法律也有相应的措施。入市商品因时令已过难以一时售出时,政府则按物品原价一律包收,等到市场急需这些物品时,再以收购价卖出。物主可能要给国家按照货物比率承担一部分经济负担。这一规定,既保护了商贾利益,又能限制有些商人囤积居奇,从中渔利,和王安石变法时实行的市易法极为相似。

最后,关于度量衡的管理。度量衡,作为市场贸易的中介物,它直接关系着市场贸易的正常进行。为此,国家于每年二、六月要对度量衡进行两次检验核定,以求得度量衡制度的统一。《礼记·月令》:"仲春之月,同度量,钧衡石,角斗甬,正权概";"季夏之月,同度量,平权衡,正钧石,角斗甬。"

三、税法

税法是有关征收商税的法律规定。西周税收比较发达,有市税和关税两种形式。《周礼·大宰》有"关市之赋"的规定。关赋,即关税,也叫通过税;市赋,即市税。

市税是西周政府最重要的财源之一。仅《周礼·地官·廛人》记载,市税税收就达五种之多:

次布。这是市场房屋税。次,读为"次",市场房屋茅舍。布,布币。西周市税用货币形式缴纳,因而称作布。

总布。又称货物税。货物入市时,税收按物品总数一次征收,故有总税之名。

质布。即质剂税,类似后世的印花税。市场贸易的凭证为券书,券书由国家统一制作发放,上盖官方玺印,因此,要抽取买方卖方钱财作为印花税。

罚布。指市场官吏对违法商人所科的罚金。罚金也是国家财源之一,因而称其为罚金税。罚金范围主要有三个方面:一为度量衡违制罚;二为诈伪行骗罚;三是触犯刑律之罚。无论哪种罚金,均交廛人总计之后,要上交市税总管管吏——泉府。

廛布。市场货物储存税。《周礼·地官·廛人》"廛布"注:"货贿储物邸舍之税。"邸舍,实际上就是存放货物的仓库。国家设邸舍供商贾存放货物,所收货布和征收的商税性质是一致的。

从以上税种来看,西周税收的特点就是名目繁多,税收苛重。周统治者重视税收立法和加重对商贾的压榨,其目的,一方面在于搜刮钱财,增加政府收入;另一方面,还在于推行重农抑商政策。正如《文献通考》所说的那样:"孟子曰:'或赋其市地之廛而不征其货,或治之以市官之法而不赋其廛。盖逐末者多,则廛以抑之,少则不必廛也……'。按如孟子之说,可以见古人关市之征敛之本意;盖恶其逐末之专利,而有以抑之,初非利其贷也"。①

四、对边关贸易的管理

随领土的扩大,西周王畿之地与邦国之间的往来越来越频繁,边关贸易日渐活跃起来。来自西方邦国的珍奇异物,对畿内诸侯具有强烈的吸引力。因此,奴隶主贵族迫切希望开放边关市场,以满足自己在生活需求品上的欲望并扩大了自己产品的出售范围。基于种种

---

① 《文献通考》卷十四《征榷考》。

原因,西周政府便制定了不少发展、保护边关贸易、物品进出和征收通过税的管理制度。这些制度,大都以王令颁布,具有法律效力。

首先,放宽边关禁令,便利外商入关。相传,早在文王时期,为了鼓励外商入关贸易,就制定了压低关税的法令,并从交通、住宿、供给和货币使用上给外商种种优惠。《逸周书·大匡》载有一条优待外商的"告四方游旅"令,就是专为鼓励外商入关而制定的。这条法令的全文是:

旁生忻通,津济道宿,所至如归。币租轻,乃作母以行其子,易资贵贱,以均游旅。使无滞无粥熟,无室市,权内外,以立均。

西周政权建立之后,文王的法令被承袭了下来并有所发展。《礼记·月令》:"门闾无闭,关市毋索"。周王室给外商的优惠条件显然扩大了。"门闾无闭",是说对外商入关贸易的大门完全敞开了。"关市毋索",是说内地遇到荒灾,外商入关贸易,即使在边关为了逃辟关税而有意隐藏货物,边关官吏也不搜索,追加税款。周王室为什么要如此优惠外商呢?《月令》说,他们之所以"关市毋索",甚至在正常情况下还要"易关市"(减轻关税),最重要的原因,是为了吸引外商"纳货贿,以便民事"。这个"民",指的是奴隶主贵族。外商所"纳"的"货贿"只能是四方特产了。穷奢极欲的腐朽生活,趋使奴隶主贵族在酒足饭饱之余必将追求更大的享受。四方土特产和珍奇之物只有外来商人才能提供,因此,"纳货贿"是周王室放宽边关禁令的真正用意。

其次,严格边关贸易启闭时间。放宽边关贸易禁令,决不放弃周王室对边关要塞的控制权,这是西周时期一贯的边关政策。为使边关贸易活而不乱,也就是说在官方控制下有秩序地进行,周王室在放宽禁令的同时,对边关贸易的启闭时间作了严格规定:"仲夏之月,门闾毋闭,关市毋索";"仲秋之月,易关市,来商旅"。周王室把一年之中边关贸易的旺盛季节规定在仲夏和仲秋,是因为这时正是夏秋作物成熟季节,此时大搞边关贸易,既有利于输出奴隶主贵族的剩余农产品,又能以农产品换取外来的地方特产,作到一举两得。冬天一到,"至日闭关,商旅不行",边关贸易即行中止,周统治者开始"固封疆,备边竟,完要塞,谨关梁,塞徯径"①,进行来年贸易的准备工作。可见,西周开放边关贸易,重要因素是满足贵族们的私欲。

第三,保证关税征收。据《周礼·司门》、《司关》、《掌节》记载,司门除负责关门启闭外,还要负责入境物品的货税。保证货税征收的办法,就是严格门关制度。一旦发现违禁物品入境,立即没收入官。出境商品也一样。外商运货出境时,由司市发给玺节作为出境通行证。司关与司门、司市相配合,检查玺节并核验货物,然后征收货物通过税,才允许运出。凡没有玺节,或为了逃避关税从小道非法出入走私的,一经查获,货物没收,处罚其人。取之于民间而不是来自合法市场的物品出关,货物不予没收,但要补交商税,然后才能发给特殊通行证——传,令其通行。入境商品,则按其情节而书写其货物多少,作为征收关税的凭证,依次通过国门、司市,才准许在市场出售。为了保证关税征收,检查制度相当严格,即使在荒年里,关税可免,检查手续不能减少或取消。

五、借贷的法律规定

与商业发展相联系,西周时期,借贷活动也相应地发展起来。借贷主要有两种形式,一种为贵族借贷,另一种为平民借贷。《周礼·地官·泉府》:"凡赊者,祭祀无过旬日,丧纪无过三月。凡民之贷者,与

---

① 《礼记·月令》。

其有司辨而授之,以国服为之息"。贵族借贷,主要用于祭祀、丧纪。赊贷时间,用于祭祀的,不超过十天,用于丧纪的,不超过三月。能够如期偿还者,只还赊值,不计利息。平民借贷就不同了。他们向政府借贷货物或金钱,必须附加两个条件:第一,负责赊贷的机关要会同借贷人所在地方长官,对借贷人进行审查,确认他们有能力偿还时,才能赊贷钱财。第二,按照为国服事的各种税率,收取利息。给平民赊贷钱物的机关是泉府,赊贷的财物或钱币,均来自市场收购的滞销品和廛人上交的商税。泉府把这些钱财赊贷给平民,既处理了滞销物品,又通过利息增加了政府收入。税率的多少,现在已无法考证清楚,从"以国服为之息"推论,很可能是用为国服事的其它税率套用借贷税率。即根据不同情况,参照不同税收比率,收取借贷利息。

西周借贷活动,根据不同阶级作出不同规定,贵族们还本无息,而平民还本之外有息,这充分反映了借贷业务的阶级本质。尽管如此,赊贷在西周的出现并以法律保证其执行,说明西周时期在运用政府力量管理市场的同时,又运用行政力量把商业、金融、信贷结合在一起,这一制度对后世产生强烈影响。西周以后的不少王朝,通过经济立法,以官本给商人借贷,从中牟取暴利,溯其源,就是西周的泉府赊贷制度。王莽时期的"五均赊贷"、隋唐时期为解决官吏薪俸而实行的"公廨本钱"或"食利本钱"都是西周泉府制度的继承和发展。北宋王安石变法,更是公开以《周礼》国服为息为借口,推行青苗法,即农贷;又行市易法,或称保贷法。

第二节　田赋、力役和山林保护的法律规定

一、田赋及农业管理的法律规定

田赋是西周政府最重要的财政收入,它实际上就是对井田征收地税。西周井田的划分,一般为一方块一百亩,由一个农夫耕种,叫做一田。九田组成一井,纵横相连,占地一平方里。依次类推,十井一成,百井一同。这些田地,纵横交错着灌溉沟渠和道路,按正南北和正东西方向,划定疆界,整治成井字方块田,故名井田。在井田上耕作的农夫,一般称为"庶人"或"庶民",在田官监督下进行劳动。周王把井田分封赏赐给诸侯百官,作为计算俸禄的单位,同时也便于征收赋税。

田赋的剥削方式,据《孟子·滕文公上》说,"夏后氏五十而贡,殷人七十而助,周人百亩而彻,其实皆什一也"。周人实行的是彻法。彻,训为"取"。《孟子》赵岐注:"耕百亩者,彻取十亩以为赋"。彻,又可训为"通",为"天下通法"①。据此,所谓"百亩而彻",是指田赋的彻收,以一夫一百亩为一个计算单位。一夫百亩的税率是多少?《孟子》没有交待,从金文推论,《孟子》所说的五十、七十、百亩,很可能的是夏、商、周三代一夫所能承担的耕田数量。夏、商、周三代,生产力发展水平不同,一夫耕作的田土数量必有差异,夏五十亩,商七十亩,至西周猛增至百亩。夏、商、周三代一夫承受的耕田数不同,而田赋的比率是一致的:"皆什一也"。就是说一夫五十亩也罢,七十、一百

---

① 《论语·颜渊》郑玄注。

亩也罢,计算税率,均为各自实际收获量的十分之一,即夏代收取五十亩的十分之一——五亩的产量为实物税,商代为七十亩的十分之一——七亩产量为实物税,以此类推,西周则为赵岐所说的"彻取十亩以为赋"。

在"公食贡,大夫食邑,士食田,庶人食力"① 的西周,田赋不仅是各采邑受封大夫为诸侯承担的义务,也是各诸侯为周王承担的义务。

为了保证田赋的顺利征收,周王室还制定了一系列相应的农田管理的法律规定。

第一,三年一换主(土)易居。这是一项土地定期分配的制度。因为土地有好有坏,脊肥不均,不论脊肥一律按十分之一比率收取田税,必将影响农夫的生产积极性,不利于田赋的征收。只有脊肥搭配,轮流耕种,才能做到农夫负担均等,国家财源不致遭到破坏。按周制,上田一夫百亩,一年一垦;中田二百亩,耕百亩,休百亩;下田三百亩,耕百亩,休二百亩。按下田休耕方式,三年正好轮流休耕一遍,然后,换土易居,就能做到"肥饶不得独乐,硗确不得独苦"。由此可见,什一之税和三年换土易居,是两项相辅相成的财政法规。

第二,发布统一政令,修治封疆,动员农耕。《礼记·月令》:"孟春之月,王命布农事,命田舍东郊,皆修封疆,审端经术。善相丘陵、阪险、原隰,土地所宜,五谷所殖,以教道,民必躬亲之。田事既饬,先定准直,农乃不惑"②。这段话的大意是,每年之始,周王向全国发布农垦政令,要求田官亲临乡里,督促农夫修理封疆,审正田间径路及沟洫,并教导农夫懂得农耕所必须遵循的准则制度。如能这样做,农夫

---

① 《孟子·滕文公上》。
② 《礼记·月令》。以下引文未注明出处者均引自《月令》。

便能无"惑"地进行生产了。

第三,兴修水利,防止旱灾。水利是农业生产获得丰收的保证。井田制耕作方式,沟洫交错,灌溉事业更为重要。因此,每年三月,周王要向全国发布法令,责令司空"循行国邑,周视原野,修利堤防,道达沟渎,开通道路,毋有障塞"。七八月,洪水将至,周王则再次向百官发布法令:"完堤坊,谨壅塞,以备水潦",以免农作物受损。

第四,农忙季节,禁止一切有伤农事和杀害耕畜行为。"孟春三月,毋作大事,以妨农事"。"大事",指兵役活动。春耕开始,大搞兵役活动,不利于春耕生产。六月为夏收大忙时节,这一月,国家再次颁布法令:"毋举大事,以摇养气;毋发令而待,以妨神农之事也"。这个"大事",指徭役征发。"毋发令而待",是说不发布征发徭役的政令,以免妨碍农业生产。西周时期对牲畜的保护和管理也极为重视。国家设置专职官吏牧人,负责六畜的饲养和繁殖。耕畜更在法律保护之列。无故杀伤耕畜要承担刑事责任。"诸侯无故不杀牛,大夫无故不杀羊,士无故不杀犬豕,庶人无故不食珍",违者,处以刑罚。庶民必须积极牧养耕畜;否则,与"不耕者"同论,予以法律制裁①。祭祀时法律允许杀牲,但是,牝牲一旦怀胎,则在犯禁之列②。

第五,督民农桑,加强田间管理。西周法律规定:"若稽田,既勤敷菑,惟其陈修,为厥疆畎"。就是说种田,要做到勤勤恳恳播好种子,除掉杂草,修复好田间道路和灌溉渠。倘若"土不备耕",或"有失农时",则"罪在司寇","行罪无赦"。西周还实行火耕水耨以肥田的耕作制度,对此,西周法律也有严格规定:"季夏之月,土润溽暑,大雨

---

① 《周官精义》卷五《宫丁师》。
② 《礼记·月令》:"牺牲毋用牝"。

时行,烧薙行水,利以杀草,如以热汤,可以粪田畴,可以美土疆"。根据这一规定,在准备耕作的土地上,前一年先种其草,待草枯干之后用火烧之。夏季来临,经大雨浇灌,土地得到粪料而肥美,即可耕种了。农作物成熟季节,法令规定,田官须及时督促农夫"驱兽毋害五谷",保护农作物不受鸟兽侵害。

第六,搞好粮食的保管收藏。每年秋季,国家统一发布政令,要求农田主人"穿窦窖,修囷仓",做好粮食收藏准备工作。否则,国家法律将不保护农田主人对其农作物的所有权。

二、力役的法律规定

力役是田赋之外奴隶主贵族压榨剥削农夫的又一手段。西周时期的力役是相当繁重的。"任力以夫,而议其老幼"[1],除老幼丧失能力者外,所有成年人都要承担力役剥削。服役年龄,据《周官精义》卷四《乡大夫》说:"国中自七尺以及六十,野自六尺以及六十有五,皆征之。其余者,国中贵者、贤者、能者、服公事者、老者、疾者,皆舍。以岁时,入其书"。周人年龄,可以用身高计算。身高六尺、七尺,大约为十五六岁至二十岁。据此,除官僚、贵族、功臣、元老及老疾病残外,国家法定服役年龄为二十岁至六十岁,鄙野为十五六岁至六十五岁。此外,农夫们在劳动之余还要替奴隶主贵族从事各种繁重的家庭苦役,"为公子裳"、"为公子裘"、"献豣于公"、"跻彼公堂";冬天一到,又为贵族们搓绳索、割茅草、修房屋、凿冰块[2]。以上力役制度说明,西周法律公开保护奴隶主贵族的特权,并把力役剥削的对象集中

---

[1] 《礼记·月令》:"牺牲毋用牝"。
[2] 《诗·豳风·七月》。

在平民尤其是鄙野庶人身上。西周法律的不平等,显而易见。

三、山林管理的法律规定

西周时期山林管理的总原则,是"以时入而不禁"。① 只要在国家法令允许的时间内出入山林川泽取其利,是不予禁止的。但是,必须遵守下列规定:

第一,缴纳山林川泽出入税。"孟冬之月,命水虞、渔师收水泉池泽之赋,毋或敢侵削众庶兆民,以为天子取怨于下;其有若此者,行罪无赦"。这虽然是国家为川泽主管官吏水虞、渔师规定的一条收取川泽之税时不准侵夺众庶兆民的禁令,但从这一禁令可以推知,只要众庶兆民向国家缴纳一定数量的税款,经营川泽之利就成为合法。山林管理也是这样。

第二,在法定时间内出入山林。法定出入山林的时间,据《礼记·王制》和《月令》记载,为秋冬两季。秋冬两季之外的季节入山伐木,则以窃木盗罪论处。西周法律把开放山林控制在秋冬,固然与此时"草木黄落"有关,更重要的原因还在于奴隶制国家和奴隶主贵族的需要。秋季允许庶民入山砍木,为的是让他们伐薪烧炭,供贵族们入冬后取暖;冬季允许庶民入山,为的是"伐木取竹箭",为军队制作弓箭。十分清楚,周统治者在一定时间内放松对山林的禁令,完全出于他们的私欲和奴隶主阶级国家利益。尽管如此,允许秋冬入山伐木的法令,客观上有利于社会经济的发展和商品经济的活跃,具有一定积极意义。秋冬以外季节,严禁乱砍乱伐,即使是兴建土木工程,也不准违反禁令。川泽开禁时间为夏季:"季夏之月,命渔师伐蛟、取

---

① 《礼记·王制》。

鼍、登龟、取鼋；命泽人纳材苇"。不合时令而擅取川泽之利者，谓之犯禁，"犯禁者，执而诛罚之"①。周统治者把营川泽之利的时间定为夏季，也是立足于统治阶级需要的。因为每年八月为各级奴隶主贵族层层贡献鱼龟的时间，夏季捕捞，正好赶上入秋进献。

第三，不乱杀飞禽，保护山林生态平衡。周统治者颇为重视山林区内飞禽野兽的保护和繁殖。每年春天，周王向全国发布命令，"以劝桑事"，植树造林。林木是禽兽栖居之地，而飞禽的繁殖又有利于林木的生长，因此，法令规定，严禁利用伐木之便乱杀飞禽，捕捉幼虫，更不准杀胎以绝其种："孟春之月，毋覆巢，毋杀孩虫，胎夭飞鸟，毋麛毋卵"。《礼记·王制》也说："昆虫未蛰，不以火田，不麛、不卵、不杀胎、不夭夭、不覆巢。"

四、手工业和矿业管理的法律规定

和夏殷相比，西周的手工业生产有了突飞猛进的发展，手工业作坊规模较大，分工精细。在作坊中有金属工、木工、玉石工、陶工、皮革工、武器工等，总称为"百工"。从目前发现的青铜器看，种类之多，工艺之精，相当惊人。早周作坊遗址，长安沣西马王村和张家坡已发现两处。洛阳北郊发现的西周铸铜遗址，面积估计达到九万至十二万平方米，出土陶范上万块和大量的炉壁残块、大块炼渣及青铜工具，并探出三座烘范窖，熔炉最大的直径1.8米，最小0.3米，炉内温度高达1200℃。西周实行手工业生产官办政策，自天子、诸侯以至卿大夫、士，都有自己的作坊。各作坊设工官管理生产，全国的作坊归司空统一领导。不难设想，没有比较严密的经济立法，如此规模的

---

① 《周礼·地官·川衡》。

手工业生产的管理将是不堪想象的。有关经济立法的具体规定，现已无法考证清楚，而有些史籍尚留有经济立法的残迹：

> 孟冬之月，命工师效功，陈祭器，按度程，毋或作为淫巧，以荡上心。必功致为上，物勒工名，以考其诚；功有不当，必行其罪。

《礼记·月令》这一记载，实际上就是有关产品格式、百工考绩方面的立法。每年年终，工官之长工师将百工所造器物，一一登记成册，并在贵重器物上铸刻铸器者的姓名，一方面便于考察器物容量的大小和图案样式是否合乎法定标准及礼制要求，另一方面根据器物的物主姓名和铸器者姓名，核实产品质量，进行奖惩。

矿业立法的残迹，仅见于《周礼·地官·卝人》：

> 掌金玉锡石之地，而为之厉禁以守之。若以时取之，则物其地图而授之，巡其禁令。

这段话意为：卝人掌理金玉锡石产地，并设立藩界禁令以守护。绘制图形，测知产地，告知那些采矿者，而自己巡视查询，执行禁令。这一记载虽不是西周矿业立法的原文，但它说明，西周在矿业管理上，从行政体制的建置、采矿形式到矿业禁令的颁发、执行，均有较为严密的法律规定。

西周的矿业也是官营的。这一制度和"工商食官"结合在一起，对西周工商矿业的生产起了一定的遏制作用，对后世亦有深远影响。整个封建社会的法律，禁止、限制工商矿业私营，实行国家专卖政策，其根源来自西周。中国古代渊源于西周的工商矿业国家垄断政策及其法律规定，是中国古代商品经济不能飞速发展的重要原因之一。明清时期，商品经济日趋发达，资本主义生产关系已经萌芽，官营买卖政策的危害就显得更为严重了。

第七章 行政法规

第一节 行政管理体制

西周时期,奴隶制高度发展,疆土进一步扩大,国家的组织活动,包括行政机构的设置、领导隶属关系和管理权限的划分,以及官吏的考选、任命、惩奖等等,比夏商有了更大的发展,并建立起一系列行政管理制度,其中不少制度具有法律效力。"行政"一词,最早见于《史记·周本纪》:"召公、周公二相行政"。这里所说的行政,是指公元前841年厉王被逐,当时太子靖年幼,国家政务,即国家管理的全部活动由二公共同管理,和本章所讲行政的含义不同。

西周行政管理体制,主要表现在中央和地方政府的机构设置,王权和各级行政组织权限的划分及其相互间的隶属关系,也表现在对职官的管理,包括官吏考选、任命、惩奖和致仕等方面上。

一、中央政府机构的设置和权限

西周行政机构的特点是行政组织和宗法组织相结合。因而,周王既是国家政治权力的最高统治者,中央政府的首脑,也是四方诸侯的共主和全国最大的族长。各级政权机构的首领基本上由国王的家族成员或姻亲担任。中央政府首脑称王。周王名称大都在金文中发现,已见到的有玟王(文王)、斌王(武王)、成王、康王、邵王(昭王)、穆王、龏王(恭王)、歖王(懿王)。周王也称天子。周天子的职权,除主持祭祀、分封诸侯外,还有以下几个方面:

国家行政事务的最后决定权。中央行政长官太师、太保和卿士有一定的参政权,可以对国家行政事务提出建议,但最后决定权在周王。西周没有行政权力的最高议事机构,国家大事,周王一人说了算。《周书》中的"余一人",是国王至高无上权力的象征。

军队统帅权。西周军队,以师为单位,驻守镐京地区的有六师,金文称作"西六师",守卫西土;镇慑成周的有八师,驻洛邑监视殷民,金文称为"成周八师"或"殷八师"。周王是这十四师的最高统帅。作战时,军队分为左右中三军,周王亲率中军,统领三军。

官吏任命权。中央政府的官吏,均由周王任命。诸侯国执政的卿,"大国三卿,皆命于天子","次国三卿,二卿命于天子,一卿命于其君"①。西周官员的品级分为九等,称为"九命",也由周王授予册命。

官吏奖惩权。官吏和军事将领有功,由周王主持赏赐仪式,决定应赏赐的数量;官吏或军事将领犯罪,周王则有权惩罚,甚至处死。

周王在国家政治生活中享有绝对权威,并不意味着国家政务事事都需周王亲自决断。为保护国家权力的正常行使和周王权力的充分发挥,周王之下,建立了一个由奴隶主贵族组成的庞大的官僚机构,作为中央政府的政务机构。这一机构以周王为中心,下辖卿事寮和太史寮的两大部门。两大部门之间和两大部门各自的组织系统,基本上职责分明,隶属关系明确,初步建立了纵向、横向权力既有分工又相互制约的管理体制。卿事寮是中央政务机关,太史寮则行政

---

① 《礼记·王制》。

与事务兼理。

卿事寮,主管军政司法,以卿事为首脑。寮,部寮,属员。《左传·文公七年》:"同官为寮"。卿事寮就是指卿事及其下属百官。卿事,即文献上的卿士。《说文》:"士,事也。"卿士,一般由太师、太保担任。古籍中,太师、太保、太傅合称三公。金文只有太师、大保二职,称作大师、太保。成王时,"召公为保,周公为师"①,"相王室以尹天下"②。太师、太保实际上起着相的作用,总揽政务,助理天子统治天下,他们直接对王负责。成王初即位,年幼,难以应付复杂的政治局面,周公即"代成王摄行政当国",七年后才还政于王。可见师保在王室中处于左右政局的重要地位。作为太师身分的周公,就是卿事寮之长卿事(卿士)。《尚书·洪范》:"周公以为卿士"。周公长子伯禽也担任过卿士,以鲁侯入朝总理政务。《令彝》:"周公子明保尹三事四方,受(授)卿事寮……舍三事令,及卿事寮,及诸尹,及里君,及百工,及诸侯:侯、甸、男,舍四方令"。明保,即《明公簋》中的明公鲁侯,周公长子伯禽。从铭文可知,伯禽封于鲁而又来到成周,有权发布"三事令"、"四方令",总领百官及四方诸侯,定是以鲁侯兼任中央卿士。太师为卿士的记载见于《诗·大雅·常武》:"赫赫明明,王命卿士,南仲大祖,大师皇父"。诗中所说的受封者"大师皇父",就是"王命"的"卿士",可见卿士,就是太师皇父。卿士,有时设一人,有时设两人,无定制。成王时,担任卿士的太师有太公望和周公旦两人。恭王、懿王、孝王、夷王时的卿士为荣夷公一人③。厉王时又为邵(召)穆公虎和

---

① 《史记·周本纪》。
② 《左传·宣四年》。
③ 《历代史略》卷一。

荣夷公两人①。幽王时为虢石父②。平王时以郑武公之子郑庄公为卿士③。

卿士之下,设司徒、司马、司空、司寇、司士等职官。

司徒,金文作司土,掌管藉田、仓廪、山林川泽及赋役征发,并参与处理在其职权范围内发生的财产争讼案。司徒之下,有奠、易、林、吴、牧、敾等属吏④。奠,读为甸,相当于《周礼》的甸师,农官。藉田,又叫公田或祭田,由司徒总负其责⑤。甸师具体分掌藉田的耕种和管理。甸师,可能就是《诗经》中监督庶人和奴隶劳动的"田"⑥。其它文献称作"农正"、"田大夫"。金文又叫"田人"⑦ 或"司田"。易,读为场,相当于《周礼》的场人,掌管园圃作物及瓜果蔬菜的栽培收藏。林,相当于《周礼》的林衡,山林之官。吴,即虞,相当于《周礼》的泽虞和川泽。牧,相当于《周礼》的牧人,管理牲畜放牧。敾,即廪,相当于《周礼》的廪人,掌管谷物的进出和管理。

司马,总领军政、军赋,也参与处理民事案件。西周军队主要由战车组成,饲养军马和制造战车的费用由贵族负担。奴隶主贵族每年要从公田收入中拿出十分之一的军赋用于军需开支。司马除管理战车、军马、武器和军赋征收外,作战时,还要协助主帅管理军队。

司空,金文称司工,掌管工程营建。侯国的城邑,京师到各诸侯国之间的道路以及灌溉、排水沟洫和宗庙,都由司空率领役徒修建。

---

① 《史记·周本纪》:"厉王……以荣夷公为卿士,用事。"
② 《史记·周本纪》:"幽王以虢砍为卿,用事。"
③ 《史记·郑世家》。
④ 见《杨簋》、《同簋》、《免簋》等。
⑤ 《载簋》:"命汝司土,官司藉田"。
⑥ 《诗·豳风·七月》:"田畯至喜"。朱熹《诗经传》:"田畯,农大夫,劝农之官也。"
⑦ 《克盨》。

司徒、司马、司空,合称"三有司"。"三有司"之外,卿士寮属员还有负责司法的中央最高司法长官司寇长及其属官司士等。

与卿士寮平列的行政机构是太史寮。太史,金文作大史,史官之长。殷代史官负责历法、祭祀和占卜,权力很大。西周时期,其地位虽有所下降,但在政府中仍占重要地位。太史职责主要掌管册命、天时、历法、祭祀、占卜、文化、教育、图籍、记录史书、保管文书档案等。国家的重要活动如祭祀、藉田、册封、战争,以至太子即位,太史都要参加。典礼祝辞、誓词、王命,都由太史负责组织和起草。所以太史地位很高,在周王室中为举足轻重的人物。西周初年,太史尹佚,和周公、召公、大公并称"四圣"。太史僚属很多,见于金文的主要有作册、内史、御史、丧史、大祝、大卜等。

作册,掌管册命,制作命书,因此又称为作册内史。其长官叫做作册尹或尹氏。

内史,出纳王命,册封大臣,宣读命书,是周王的近臣。西周政府重要官员,都要由王任命,并举行盛大任命仪式。在仪式上,由内史宣读命书。内史的长官叫内史尹。

御史[①],金文也称中史、中御史,史籍称柱下史、守藏史。《周礼·春官》:"御史,掌邦国都鄙及万民之治,以赞冢宰"注:"掌赞书。"御史负责赞书的起草和文书档案的保管。

丧史,掌管诸侯、卿大夫等贵族的丧葬礼仪。

大祝,掌管祭祀祝祷诸事。殷代卜巫史官有"六大",大祝即其一。西周时期,大祝"党六祝之辞,以事鬼神示,祈福祥,求永贞"[②],

---

① 见《竞簋》。
② 《周礼·春官》。

大祝为祝官之长。古代称文辞官吏为史,故祝官又称祝史或祭史。大祝在周王室地位很高。周公长子伯禽封于鲁,为鲁侯,同时兼任中央大祝之职。

大卜,卜巫最高长官,掌占卜吉凶。据《曶鼎》"王若曰:曶,命汝更乃祖考司卜事","司卜事"即《周礼》的大卜,掌管"三兆、三易、三梦"之法。

二、地方行政组织

西周的地方行政机构,是指周王分封同姓子弟叔侄和异姓亲戚及元老重臣所建立的四方诸侯。侯国国君是地方行政组织的最高首领,对周王纳贡称臣,在封国内有生杀大权。

诸侯国的行政组织类似中央政府,但规模要小得多,名称也不尽相同。掌管诸侯国军政大权的官吏叫:"卿"或"正卿"。但不准叫卿士。一般为大国三卿、次国三卿、小国二卿[①]。侯国的卿,大都由天子任命,就是前面已提到的那种"大国三卿,皆命于天子","次国三卿,一卿命于其君,二卿命于天子","小国二卿,皆命于天子"[②] 的任命制度。诸侯在统辖区内有任命官吏之权,但任命官吏不得过限,如果超过国家统一规定,要受到天子的处罚以至兴兵征讨。卿之下为外服百官,有司徒、司马、司空、亚旅[③] 等。司徒、司马、司空与中央"三有司"名称相同,职权相似,只有其权力限于侯国之内,叫做"三事"。亚旅的地位较司徒、司马、司空为低,负责侯国具体行政事务。诸侯与百官及百官内部的权力隶属关系,和中央相类似。

---

① 《礼记·王制》。
② 同上书。
③ 《尚书·立政》。

地方行政的管理方法,主要是划分"国"和"野"、"都"和"鄙"。大小领主居于"国"中或都邑中,"鄙"和"野"居住着农夫和奴隶。西周地方基层行政组织邑、里、邻,铭文中均已发现。

三、西周行政管理体制的特点

西周行政管理体制,从机构的设置、权力的划分到上级与下级、同级与同级之间的相互隶属与制约,均具有自身的特色。

第一,行政事务与神职事务相分离。商代政府机构中,神职人员权力很大,地位极高,掌握着政府的实权,连商王都受其左右。神职官吏控制政权,是行政管理体系落后、简陋的表现。西周行政机构设置较商代进步,首先表现在行政事务从神职中分离出来,在中央形成卿士寮、太史寮两大部门。卿士寮总揽政务,太史寮兼理神事。太史寮中专掌神事的大祝、大卜,地位权力大大下降,成为太史之下的隶属部门。行政部门不受神职人员的控制,有利于行政组织机构的健全和行政权力的正常发挥。

第二,官司之间,职责相对分明而又彼此制约。西周行政管理机构,虽不像《周礼》说的那样严密,但西周行政组织的建制,基本上是官司分明,职责分明的,这就大大增强了行政机构在国家事务中的作用。例如地方诸侯从宗法的角度要受制于王,而在行政关系上,却受周王和卿士寮的双重领导。西周行政管理上表现出的职责分明,并不排斥官司之间的相互依赖和制约,甚至连周王和下属之间也不例外。周王的权位是终身的,世袭的,他是全国的最高君主,其他任何大小官员都是他的臣,要服从他,效忠他。但这并不是说君臣之间除了等级森严、不得僭越之外,就不存在相对地和协调经济权益、政治权利上的互相尊重与制约。为了求得统治阶级内部的团结一致和国家机器的正常运转,周王允许各级官吏有参与政务、管理国家的权利的。"天子听政,使公卿至于列士献诗,瞽献曲,史献书,师箴,瞍赋,蒙诵,百工谏,庶人传语,近臣尽规,亲戚补察瞽史教诲"①。至于卿士一级的高级官吏,对周王更有约束力。他们的话周王一般都得听,这些人甚至可以临朝摄政。周公代君行政就是这样情况。以上是纵向权力关系的相互制约,横向也一样。卿士寮和太史寮两大平行官僚机构,法律地位平等。而事实上,卿士寮的行政权却远远大于太史寮。反过来看,太史寮又掌握着包括卿士在内的官吏任命、奖惩的命书和诏令的起草权、宣读权和保管权,这对卿士寮也起着一定的制约作用。在卿士寮内部,"三有司"是权力相等的平行权力机构,而在职权行使过程中也存在着权力的彼此依附。以军赋征收为例,军赋的征收由司马总负其责,然而军赋的来源要取决于田赋。因而主管田赋的司徒和司马之间又有着无法分离的关系。为了保证军赋的顺利征收,常常会出现周王任命司徒直接在军队中任职,以至可以"司成周八师"②的现象。

第三,带有鲜明的宗法色彩。族权与政权的统一是西周行政管理最突出的特点。这一特点表现在官吏的任命上,就是实行世卿世禄,官爵世袭,父死子继制度。在西周,王权世袭,诸侯世袭,连职官也世袭。周公旦死后,长子伯禽就封于鲁,次子留相王室为卿士,继承了周公旦的官职,这是职官世袭。宣王时的召公(召伯虎)是召公奭的后代,也是世官卿士。当然,西周的世官世卿制度决非一成不变,有的官吏甚至高级官吏,就是凭世袭方法得到官职的。卫康叔以

---

① 《国语·周语上》。
② 《曶鼎》。

卫侯身分出任中央司寇就不是职官世袭。康叔本来封于卫地为卫侯,后来提拔到中央兼理司寇,主管司法,其主要原因并不是因为康叔先祖掌管司法,而在于这样做能够集行政、司法大权于一人之身,更有效地统治和镇压殷遗民。

第四,西周行政管理体制的最后一个特点,是军事与行政在职官设置和权力行使上存在着严重的界限不清现象。在西周历史上不少太师、太保,既是中央行政机关的首脑,又掌军政,并能以最高统帅身分带兵出征。成王时的周公和召公,一个为太师,一个为太保,都是卿士寮的首脑。他们就曾领兵东伐过淮夷,并"残奄,迁其君薄姑"。① 类似情况直至周末没有改变。司马的职责是负责军赋的征收,而军赋的顺利征收又离不开负责公田、赋役的司徒。司徒能够兼任军官,随军出征,反而有利于对军事将领和军政首领的制约。总之,西周行政管理,无论纵向的领属关系,或横向的分工负责,均达到基本协调,这对于稳定君臣关系,统一各级贵族的行为,强化周王权力,加强对奴隶和平民的统治都有重要作用。

第二节 职官管理制度

一、选士制度

西周政权机构的特点是宗法组织与行政组织相结合,各级组织的首领由周王任命宗族成员和姻亲担任,官职世袭,父死子继,世卿世禄。官职世袭,世卿世禄有利于王权的加强,但是,这种制度必不

---

① 《史记·周本纪》。

可免地要导致官僚机构的腐败、冗乱和失去活力。《白虎通·封公侯》说:"大夫不世位何?股肱之臣任事者也,为其专权,倾复国家","虑子孙,庸不任辅政,妨塞贤路,故不世位"。因此,周统治者在实行建立在宗法制基础上的世卿世禄制的同时,又颇为重视国家行政官吏担任国家行政职务的条件,重视官吏的选拔、考绩和任免,并形成了不少制度,由各种行政管理法规加以规定。早在周初,周公旦就提出"唯人"的见解,并告诫臣下:"其汝克敬德,明我俊民,在让后人于丕时"①。就是要敬修文德,选贤任能,而不唯亲是用。"公卿大夫士皆选贤而用之"②。"公卿大夫辅佐于王,非贤不可"③。西周官僚制度实际上采用的是世官与选士双轨制。

选士制度,就是以荐举、考试的方式,为国家选择官吏的制度。这一制度主要通过国家养士、国学选士、地方举士和诸侯贡士等途径完成。

(一)国学养士。养士,即各类学校为国家培养各阶层官吏的后备力量,它是选士、任官的前提,是西周教育行政管理的中心任务。

西周教育行政机构为国学,国学有大学、小学之分。大学,根据不同的教学活动赋予不同的名称:

> 天子之学谓辟雍,班朝布令,享帝右祖,则以为明堂;同律侯气,治历考详,则以为灵台。诸侯之学谓之泮宫,大师旅则将士会焉,大狱讼则吏民期焉,大祭祀则始祖享焉。盖其制皆于国之胜地,披水筑宫为一大有司,国有大事则以礼属百官群吏下民而

---

① 《尚书·君奭》。
② 《左传·隐公三年》何休注。
③ 《孟子正义》卷一疏。

讲行之,无事则国之耆老子弟游焉,以论鼓钟而修孝弟①

《礼记·王制》也说:大学"天子曰辟廱,诸侯曰頖宫"。辟廱即辟雍,頖宫即泮宫。在辟雍中就学的人称作"国子",都是些公卿大夫子弟,或称为"贵游子弟"②。可见,天子的大学具有鲜明的阶级性,在那里能享受教育的有两种人,一是贵族子弟,一是低级官吏。庶民子弟是难以进入的。辟雍一般设在政治、文化的中心京都。《史记·封禅书》"丰镐有明天子辟池"《索隐》"辟池,即周天子辟雍之地。故周文王都丰,武王都镐,既立灵台,则亦有辟雍耳"。《诗·大雅·文王有声》也说:"镐京辟雍"。丰京有辟雍,见于《麦尊》。该尊铭文说:"王在荓京,……在辟雍。"荓京,即丰京。

小学名称金文中也能见到。《师嫠簋》:"师嫠才(在)昔先王小学"。《盂鼎》:"余惟即朕小学。"《礼记·王制》说,小学设在"公宫南之左"。这是指京师地区的小学。周代乡、遂地区都设有学校。一般说,乡学名庠,再低一级的地区设序,这些名庠名序的学校,相当于小学,级别比京都小学低。

关于入学年龄,史籍记载很不一致,一般是十三入小学,十八入大学。进入小学以后,重于认字、写字、数数、学礼,教男女有别,"小成"之后进入大学。大学学完礼、乐、射、御,到能诵习篇章的时候,算作"大成",然后才能待选入仕。

教育的考核,直接关系到人才的培养、选拔。因此,在学校养士活动中,西周已建立起一套严格的成绩考核制度,通过考核,"上贤以崇德,简不肖以绌恶"③,择其优者而淘汰其劣者。例如乡庠中的考

---

① 《文献通考》卷十《学校一》。
② 《积微居金文说》。
③ 《礼记·王制》。

核对成绩低劣的"不肖"者,首先要变更他们的学习环境,变更后考试成绩仍然低劣,则再降等学习环境,如此反复多次仍不见起色,则要动用刑罚,对那些无可救药者,以"不帅教"的罪名,"屏之远方,终身不齿"。

(二)国学选士。选士从大学开始,和大学的成绩考核一并进行。大学由两类学生组成,一是庠、序等地方乡学的养士,经过考察其德行道艺选拔出来的优秀庶士;二是贵族子弟。大学选士的方法,据《礼记·王制》记载为:

命乡论秀士,升之司徒,曰选士。司徒论选士之秀者,而升之学,曰俊士。升于司徒者,不征于乡;升于学者,不征于司徒,曰造士。乐正崇四术,立四教,顺先王诗书礼乐以造士。……将出学,小胥、大胥、小乐正简不帅教者,以告于大乐正。大乐正以告于正。王命三公九卿,大夫、元士,皆入学,不变,王亲视学。不变,王三日不举,屏之远方,西方曰棘,东方曰寄,终身不齿。大乐正论造士之秀者,以告于王,而升诸司马,曰进士。司马辨论官材,论进士之贤者,以告于王,而定其论。论定,然后官之;任官,然后爵之;位定,然后禄之。

这说明从乡学进入大学,须按三级遴选制严格考选,依次逐级拔出选士、俊士、造士。大学结业"出学"时,举行一次大的考核,对其"不帅教者"和庠、序考核一样层层设卡再考,直至天子亲自"视学"督考。天子"视学"督考后,劣者,则"屏之远方,终身不齿";优秀者,获得进士称号。再由司马"辨论官材",举其贤者以告于王,而定其论,官之,爵之,禄之。西周大学每隔一年考试一次,第七年考试合格叫"小成",第九年终考合格,称"大成",即算完成大学学业,然后,推荐给司马择优而授官。

史籍所记西周时期的考选制度基本上是可信的,它已被考古资料所证实。有一件世传青铜器叫《静簋》,铭文说:"王令静司射,学宫小子厥服厥小臣厥尸仆学射"。这段铭文的大意是:周王命令静担任司射职务,负责学宫的教育,一批小子、小臣前来学射。铭文中的"学宫"就是史籍中的"辟雍"。铭文中的"小子"即史籍中的"国子"。当学宫小子在静教导下"学射"一个时期之后,铭文接着说,周王亲自来到学宫,并和部分学宫小子一起"射于大池"。毫无疑问,这就是周王"视学"的真实记录。大池,也叫辟池①,也就是大学辟雍②。周王这次到大池去"视射",大概由于成绩理想,静教射有方,因而"视射"之后对静作了赏赐。"小子"中间也没有因"不帅教"而受到流放处罚的。

(三)地方举士。地方举士从最基层开始,每年举行一次。据《周礼·地官·乡大夫》记载,乡大夫的职责,是掌理本乡的政教禁令,每年正月,接受司徒的教法,然后转颁给本乡各级官吏,使它们按照全国统一的教令,对其管辖地区的人民,"考其德行,察其道艺",并将考察结果,按时一一造册登记,呈报大司徒,作为选士的后备力量。每三年从这些后备力量中选择出德行道艺出众者向上一级推荐,叫做三年一"大比"。"大比"的方法是:"考其德行道艺而兴贤者能者,乡老及乡大夫,帅其吏与其众寡,以礼礼宾之。厥明,乡老及乡大夫群吏,献贤能之书于王,王再拜受之,登于天府,内吏贰之"。

地方选士的标准有两条,一是德行,一是道艺(技艺)。如果德行道艺兼具,便是理想的人才;只有德行而无道艺,或只有道艺而无德

---

① 《史记·封禅书》索隐。
② 《积微居金文说》。

行,也允许参加选举。"主皮之射"就是专为所谓有艺无德的庶民开设的考场。"凡执技以事上者,祝史、射御、医卜及百工"①。这些人大都是地位低下的庶民百姓。周统治者允许庶民百姓参加选士,完全出于"实用而不可缺"②的目的,以便选拔一批有技艺的人供他们役使。有一技之长的庶民即使入选,也只能担任地方低级官吏,和国学贵族子弟入选则"官之,爵之,禄之"有本质的不同。

(四)诸侯贡士。诸侯贡士也是地方选士的一项重要内容。所谓诸侯贡士,就是由诸侯向天子荐举人才的一种制度。《礼记·射义》:"诸侯岁献,贡士于天子"。西周贡士,类似汉代郡国所举的孝廉。诸侯贡士是西周法律为诸侯规定的一条对天子必尽的义务,也是天子考察诸侯德行政绩的一项重要内容。诸侯贡士成绩卓著的受赏赐,否则,予以行政处罚:黜爵、黜地以至爵地并黜。《初学记》引《大戴礼》:

> 古者诸侯贡士,一适谓之好德,再适谓之贤贤,三适谓之有功,乃加九赐。不贡士,一则黜爵,再则黜地,三则黜爵地毕矣。

总之,西周选士制度,尤其是地方选士,以法定形式、内容和程序为低贱庶民踏入仕途,一定程度上开了方便之门,它不仅比之于国学选士要进步得多,同时,对西周文化的发达、考选制度的活跃和增强官僚机构的活力均有一定影响。后世历代的考选制,诸如西汉的察举制,魏晋的九品中正制,隋唐的科举制,都是在西周选士制度基础上发展而来的。但是,西周是个在宗法制和分封制基础上建立起来的社会,等级森严,名分不可逾越,这就给考选制的阶级性打上了深

---

① 《礼记·王制》。
② 《文献通考·自序》。

深的烙印。例如在学校的布局上,乡有庠序,遂下则无,"野人"奴隶的受教育权就被剥夺殆尽。至于大学,不用说更是皇家私学了。在教学内容上,阶级烙印也相当鲜明:"政之教大夫,官之教士,技之教庶人"①。这就从一开始给各个阶级入仕人为地划定了条条鸿沟。

二、任官制度

在西周,举士即举官。士有所举则必有所官,而且官、爵、禄基本上是一蹴而就的。这种考选制只是中国古代考选制的雏形,不比后世的以科目而举士和以铨选而定官的士、官分理制度健全。因此,西周在行政管理上为了确认举士即举官的法律效力,则在任命各级官吏时要举行盛大而隆重的任命仪式。

西周金文中,有不少记载册命仪式的铭文。仪式由周王主持,一般在宫室宗庙中举行。在册命礼上,受命者立于周王之左,同时有一引导者,金文称作"右",《周礼》称为傧或摈,引导受命者进入中门,立于中廷,北向而接受册命。原则上,"右"者比受命"左"者地位要高。如册命"三有司"司徒、司马、司空,由公爵(卿士)一级的官吏担任"右"者;册命师氏之类的低级官吏,由"三有司"担任"右"者。有时,地位相当的官吏也可互为"右"者。如册命司空时,以司徒为"右"②,册命司徒时,又以司空为"右"。周王的命书,前已叙述,由中央第二大部门太史寮的长官太史及其有关部下起草、宣读并保藏。所有这些程序,在金文册命活动中都成定式,任何人包括国王在内,也无权任意更改。西周任命官吏,从考选到"右"者引导朝见周王,从命书的

---

① 《大戴礼·虞戴德》。
② 《扬簋》。

起草到宣读、归档,本身带有赐"命"的神秘色彩,其用意一方面在于宣扬"有命在于"的赫赫威风,加强对官吏的思想控制,另一方面在于使任命制度由此而取得合法性。"右"者是命官的见证,命书是权力的凭据和象征。

三、考绩制度

相传在尧舜时代,就有"三载考绩,三考黜陟幽明"的考核官吏制度。据《尚书·立政》记载,夏代用"三宅"之法考核官吏。商汤又在夏代"三宅"之法基础上提出"克用三宅三俊"主张,从政务、理民、司法三方面考察官吏。西周建国以后,集夏商行政立法之大成,把"三有宅心"、"三有俊心"作为考核官吏政绩的准则:

> 亦越文王武王克知三有宅心,灼见三有俊心,以敬事上帝,立民长伯。

这句话的意思是,文王和武王,他们不仅从政务、理民、司法三方面考察官吏,还要考察他们的心地,把他们的心地要考察得清清楚楚,只有让这些人做臣民的长官,才能恭恭敬敬地奉行上帝的意旨。按照这一原则考察官吏,比较侧重于内心思想品质的修养,重视官吏的修身素质,以满足统治阶级的需要。归纳起来看,"三宅"、"三俊"是才的考察,"宅心"、"俊心"为德的权衡。西周考选官吏重德重才,考核官吏也以德才为准,根据德才优劣定其陟黜。关于考核官吏的细节,《钦定周官义疏》卷二《天官·大宰》有一段颇为详尽的描述:

> 岁终,则令百官府各正其治,受其会,听其致事,而诏王废置。三岁,则大计群吏之治而诛赏之。郑康成注:"废,犹退也,退其不能者,举贤而置之。"

一年一小计,三年一大计,考核"群吏之治",很可能有后世学者的附会,但是,金文中对勤政有功的官吏进行升官受赏的例子倒是比比可见。《孟子·告子下》:"诸侯朝于天子曰述职","一不朝则贬其爵,再不朝则削其地,三不朝则六师移之"。这里所说的朝觐天子述职,就是接受天子对其一年来政绩的考核,"不朝"便是拒绝考察,轻则贬爵,重则削地,以至"六师移之"。可见西周时对地方诸侯政绩的考察是极为重视的。有确切记载的以"上计"考核官吏的制度是从战国开始的,而战国时期的"上计"制度,实质上就是西周"三有宅心"、"三有俊心"原则的具体运用和诸侯述职制度的发展。

四、官吏监督

西周还未形成完整的行政监督制度,而来自国家机关内部的御史监察制已见端倪。以御史作为监察机构,监督法令的实施,对犯法官吏进行弹劾,是中国古代政治制度、法律制度的一大特色。御史之名最早见于卜辞①。金文和《周礼》也有称御史的职官②。不过卜辞中的御史不掌监察,为史官。西周的御史,见于金文的为低级军事长官,见于《周礼》的,为制作诏令赞书、统计官职实任与空缺的史官。西周负责纠察百官的职官,金文中称作"眚史"。杨树达说:"眚者,罪也,其史司罪过之事,故曰眚史"③。"司罪过",指纠察各级官吏、军事首领和贵族们的罪过。周王亲自审理案件时,眚史往往充当周王的耳目,负责押送罪犯于司法执行机关,监督司法官吏对周王所作判决的执行。

一般情况下,官吏犯法,要分别其性质,严重者给予刑事处罚,大

---

① 《殷虚书契》前编卷四。
② 《竞簋》和《周礼·春官·宗伯》。
③ 《观堂集林·释史》。

量的还是采用行政处分的方法。如《礼记·王制》所引"山川神祇有不举者为不敬,不敬者君削以地;宗庙有不顺者为不孝,不孝者君绌以爵;变礼易乐者为不从,不从者君流;革制度衣服者为畔,畔者君讨。"在这四种制裁方法中,前两种"削以地"、"绌以爵"为行政处分,后两种"君流"、"君讨"为刑事处罚。西周的眚史当为后世御史的雏形。秦代御史大夫掌握文书档案又兼理监察,和西周的眚史极为相似。眚,监察。史,史官。眚史之名,其本身就包含着史官兼掌纠察的双重意义。

五、致仕制度

据《礼记·王制》记载,西周官吏"七十致政"。郑注:"致政,还君事",即致仕。《尚书大传》也说:"大夫七十而致仕,老于乡里。大夫为父师,士为少师,耰耡已藏,祈乐已入,岁事毕,余子皆入学"。卿大夫致仕称"国老",士致仕称"庶老",致仕之后,便养于学。"五十养于乡,六十养于国,七十养于学"。国,即地方小学,学指大学。地方还专设三老五更,由年老致仕者充任。国家为致仕官吏和尊老们享受特殊待遇作了若干规定。首先,授予王杖,作为尊老的标志:"五十杖于家,六十杖于乡,七十杖于国,八十杖于朝,九十者,天子欲有问焉,则就其室,以珍从"。其次,凡大夫士致仕者,"七十不俟朝",不为罪,"八十月告存,九十日有秩",依次供给膳食和秩禄。这些规定均有法律效力,违者要追究刑事责任。

1959年和1981年甘肃武威两次发现汉代王杖木简,从简文知道,授予王杖,皇帝要亲自制诏御史,由政府部门依法定程序,举行授杖仪式,并书写官方文书作为凭据,给受杖者种种特权。骂詈、殴打持杖老人,以"大逆不道"论处。汉代授王杖的年龄一般为七十岁。

西周金文虽未发现致仕授杖铭文,从武威王杖木简看,古代七十致仕,而授杖的年龄可以扩大到五十至九十。致仕、授杖是西周法律制度的一项重要内容,它为汉代和汉以后各朝的致仕养老制度奠定了基础。

六、文书制度

中国古代各朝都非常重视文书制度的立法和使用。殷代卜辞的不少内容,就带有官方文书的性质。西周金文和《尚书》不少篇章更是诏令命书和其它各种文书的实录。文书制度发展到西周,已达到一定的成熟程度。西周官方文书的制作权、发布权、管理权,均在太史寮,由太史及其下属分别承担。粗略统计,西周官方文书有命书、赞书、诰、誓、令、册、中等七种。其中命书、赞书、诰、誓、令为下行文书,册、中为上行或平行文书。

命书。《颂鼎》:"宰弘右颂入门,立中廷。尹氏受(授)王命书。王乎(呼)史虢生册命颂。王曰:'颂,令(命)女官司成周'"。宰弘为册命颂的"右"者,他引导颂入中门,立中廷,然后,由尹氏宣读周王任命颂"官司成周"的命书。由此可知,命书是周王册命大臣的下行文书,因为它出自王的旨意,所以,在所有文书类别中具有最高法律效力。

赞书。《周礼·春官·御史》:"掌邦国都鄙及万民之治令,……掌赞书"。郑注:"王有命,当以书致之,则赞为辞,若今尚书作诏文"。可见赞书即汉代诏书,和命书一样具有最高法律效力。赞书和命书的区别,在于赞书的适用范围比命书广泛。凡治理邦国都鄙的政令,均要以赞书形式下达之。赞书保管权在御史。

诰、誓。周王或执政大臣发布诏书命令的一种训诫、勉励的下行文书。《说文》:"诰,告也。"段注:"以言告人,古用此字,今则用诰字,以此诰为上告下之字。"这种文书有时还可以当作特殊上行文书,被执政大臣用来规劝、告诫周王。《尚书》、《周书》不少篇章就是以诰的形式发布政令的。《大诰》是东征初期,周公为了讨伐叛乱而发布的一篇动员令。《康诰》和《酒诰》是叛乱平反,康叔封在殷地,周公在康叔上任之前训诫、勉励康叔如何统治殷民而发布的训诫辞。这些都是下行文书。诰被用作上行文书的例子有《召诰》《洛诰》。周公还政成王之后作《召诰》、《洛诰》,"教汝(指成王)于棐民",即谆谆告诫成王怎样做君主,把国家治理好。原则上,用于政事的文书称作诰,而用于军令的文告谓之誓。《说文》:"誓,约束也。"段注:"《周礼》五戒,一曰誓,用之于军旅"。《牧誓》是讨伐徐淮的檄文和对人民发布的备战动员令。因为誓这种文体和军事有关,因此在行政、司法和军事存在严重不分现象的西周,它既是官府文书的重要组成部分,也是具有法律性质的军事文告,其法律约束力比一般文书表现得更为强烈。

册、中。册同"策"。凡帝王对臣下封土、授爵、任官、免官,要将命辞记于简册之上。简册成编谓之册。卜辞、金文册字均作⧲,即取此义。册作为一种官府文书,可以用于册命,由作册内史起草保存;也可以作为官府文书的总称,凡上行、下行、平行文书均称册。中,西周官府文书案卷之称谓。王国维说:"凡官府簿书谓之中,故诸官言治中受中。《小司寇》'断庶民狱讼之中',皆谓簿书,犹今之案卷也。此中字本义。故掌文书者谓之史,其字从又从中。又者,右手以手持簿书也"。王国维所说的"治中"、"受中",是指掌管和受理保存文书案卷。用"中"称呼文卷,其中还包含有中正的含义。史官书写记事,必须"从又持中;中,中正也"。就是说,不独文字要写在一简之中,起草文书时起草者的心要中正不邪。以中称呼文书,体现着周统治者的治吏思想渗入到各个领域。

此外,剂、劾、令也是西周官府文书的不同形式。这三种文体一般用于司法活动,是司法文书的称谓。剂,可以作为诉讼活动中的诉状,由诉讼当事人呈送司法机关保存,作为审理案件的凭据;也可以作为契约书券交官府收藏。官府设专职官吏负责这些文书的管理。劾,判决书,法官宣读之后交法庭书记官保存。令,公布单行法令的文体。

中国古代文书制度,以形式多样、内容详密和发布、执行、管理上表现出的法律效力著称于世。《唐六典》载,唐朝文书,单是下之通于上的就有奏抄、奏弹、露布、议、表、状六种。唐朝以后,文书种类更为繁多。封建社会的不少文书种类,都渊源于西周。文书制度的发达,从一个侧面表现了中国古代行政法规的水平。

第八章 司法机构

第一节 中央司法机构

在西周司法机构问题上,众说纷纭,莫衷一是。当前已出版的法律制度史,视《周礼》为西周作品者,便绘制一幅《周礼·秋官》职官缩小图;反之,则以不可知说一语煞笔。司法机构是一个朝代法律制度的有机组成部分,司法机构的完善与否,是衡量一个历史时期法律制度发达与否的重要标志。《周礼》虽非周人所作,《周礼·秋官》设官分职构想图,更非周人所能做到,但是,从大量金文资料考察,《周礼》的史料价值绝不可忽视。金文中已见到的司法组织和司法制度与《周礼》记载基本吻合,有的完全一致。因此,只要立足于金文资料,同时印证包括《周礼》在内的先秦古籍,西周司法机构的原貌还是能够逐步恢复的。

一、司寇的建置

殷代有无司寇,有的典籍作了肯定回答。《礼记·曲礼》"天子之五官,曰司徒,曰司马,司空、司士、司寇"郑注:"此亦殷时制也"。但是,卜辞未见司寇之名。因此,殷代司寇,目前还无法确定其有无。作为中央最高司法机关的司寇,据金文记载,始设于西周。金文中有司寇之名的共五例:《南季鼎》、《扬簋》、《司寇良父簋》、《虞司寇壶》和《大梁司寇鼎》。其中前三例为西周晚期器,第四例,春秋早期器,第五例,战国时器。可以肯定,司寇之职,上起西周晚期,下迄春秋战国,一直存在没有间断。那么,上限能否前移呢?尽管目前还未发现载有司寇之名的西周初期、中期的青铜器,但是,细考其它史籍,司寇上限,一直可以断在周初武王时期。

《尚书·立政》:"司寇苏公,式敬尔由狱,以长我王国"。又《左传·成公十一年》:"昔周克商,使诸侯抚封,苏忿生以温为司寇"杜注:"苏忿生,周武王司寇苏公也"。十分清楚,《尚书》、《左传》记载完全一致,武王克商建周后立刻建置了司寇组织。苏忿生即苏公,就是克商后商武王任命的第一任司寇。

周初第二任司寇很可能就是武王的弟弟康叔。《左传·定公四年》:"武王之母弟八人,周公为太宰,康叔为司寇,聃季为司空,五叔无官",贾公彦疏引正义说:"《尚书》苏公为司寇,此言康叔者,为苏公出卦为国,康叔替之"。这两条记载不仅说明康叔是武王时继苏公之后的第二任司寇,还说明周初司寇只能专职,不准兼职。由于苏公"出封为国"去了,才由康叔继任其职。司寇实行专职专司制度,有利于司法职能的发挥,表现出周初统治者对司寇建置的重视。

司寇专职专司制度的破坏,大约是从康叔封卫侯时开始的。成王即位,周公辅政,武庚串通管叔、蔡叔叛乱。叛乱平息之后,为了有效地镇压殷民七族特别是敢于反抗的殷顽民,周公便封康叔于卫地,统治成周地区,同时又赋予生杀大权,以便能够及时地依法惩处叛周殷民。《尚书·康诰》说,康叔出封之前,周公再三告诫康叔,作为司法官吏,在执法过程中一定要学会软硬两手,善于把教化和刑杀即德与刑巧妙地结合起来,对殷遗民进行分化瓦解,并对那些敢于反抗而不服教化者,及时地毫不手软地大加刑戮。郭沫若以此断定康叔封卫后还在以诸侯身分兼任周王室的中央司寇。① 这大概也就是伪《孔传》所说的"司寇第五,卫侯为之"了。

司寇由其它职官兼任,金文中也累累可见。如《扬簋》铭文中,贵族扬被册命的职官是司空,而同时又任命他兼理司寇等其它职官。《扬簋》是厉王时器,说明行政长官兼任司寇的制度,至周末还在沿用。

根据前述古籍记载和金文资料,可以清楚地看出,《周礼》所载司寇,无论是周初的专职,还是后世的专职兼职并存,确是整个西周时期中央设置的最高司法机构,并且自始至终有效地行使着其自身的司法职能。那么,西周司寇有无大司寇、小司寇即正副司法长官分别设置的制度呢?这点,《尚书》《左传》等信史和金文资料均未见到记载,难以肯定。西周官制,官、司是不分的,官司名称就是职官称谓。司寇,既是周王室的中央司法机关,又是王室司法机关的最高长官。从这一角度考虑,西周司寇可能还没有达到大、小分职的地步。即使有,也不可能形成定制,而是两种制度并存,有时只设一个司寇,有时同时设置两个,就像西周常常见到的同时设置两个卿士那样。《周礼》机械地分司寇为大小二职,完全出于后人为体现其所谓"辨方正位,体国经野,设官分职,以为民极"著作精神的一种假托。至于把司寇定为秋官,则更是后人以天地四时配六官,官各六十职,以符合六六三百六十日黄道周天之度的假想,是用战国星历知识解释西周官制的一种表现,或是后人借助秋后行刑、敬顺天意的传统习惯附会西周官制的精心构想。

---

① 郭沫若:《中国史稿》第 1 册,陕西人民出版社,1978 年 2 月重印,第 224 页。

司寇有大小之分并形成制度，是西周以后的事。春秋时期，司寇的设置建制，基本沿用周制。晋、郑、宋、齐、卫等国均以司寇为中央最高司法长官。仅《左传》襄公三年、昭公二年、昭公二十年、成公十五年、成公十八年有关司寇的记载，就达五处之多。但是，随社会的进步和司法制度的健全，司寇组织也日趋严密。司寇其职，开始有所分工，大司寇为首，另设小司寇为副，辅佐大司寇负责司法工作。《左传·成公十五年》就有向为人担任大司寇，鳞朱担任少司寇的记载。少司寇，就是小司寇。

战国时期，封建制度确立，代表奴隶主贵族利益，以镇压、刑杀奴隶和平民为首要任务的司寇，与新兴地主阶级"刑无等级"司法原则极不相适应，于是，各国便积极地进行官制改革，大多数国家废除了作为旧势力司法权力象征的司寇。据董说《七国考》记载，七国之中，设司寇的只有赵国一个国家。相反，反映地主阶级所谓执法持平的廷尉，在封建制度首先取得胜利的秦国，应时出现。秦统一六国后，廷尉正式定为中央三大官司机构之一，而司寇之名，被最后废除并定为一种刑罚名称——徒刑刑种，以示卑辱。

二、司寇的职责

司寇职责，据《扬篡》记载，是负责"讯讼"的。讯，《汉书·邹阳传》"卒从吏讯"师古注："谓鞫问也"。《公羊传·僖公十年》"君尝讯臣"注："上问下曰讯"。讼，《说文》："争也"。《六书故》："争曲直于官有司也"。又《周礼·大司徒》注："争罪曰狱，争财曰讼"。可见，讯讼，即诉讼，审理民事案件以辨曲直的意思。这是讯讼的一个含义。讯讼还有另一含义，即鞫罪断狱。《礼记·王制》："出征执有罪反释奠于学，以讯馘告"。讯可解释为鞫罪。《周礼·大司寇》贾疏："讼，谓以货财相告者,以对下文狱是相告以罪名也,此相对之法;若散文则通。是以卫侯与元咺讼。是罪名,亦曰讼"。在这里,讼与狱通,可引申为刑事案件。综合这两种解释,讯讼,就是审理刑事、民事案件。司寇作职官讲,是刑民事审判官;若作官司讲,则为定罪判刑的司法机构。《觥簋》讲司法官的职掌时,把"讯讼"与"罚"连称为"讯讼罚"就是这个意思。西周审判,民事案件往往要动用刑罚,《尚书·康诰》周公要求司寇康叔把刑杀锋芒最大限度地集中在"寇贼奸宄,杀越人于货"者身上,而同时在"刑人杀人"执法过程中,还须"道极厥辜",依法行事,并处理好各种民事纠纷,正是"讯讼罪"在司法实践中的具体体现。

司寇主刑,又理民事争讼,而《周礼》和金文判例表明,非司寇之职的行政长官也兼有审判权。那么,行政长官的司法职能究竟有哪些呢?

《周礼·地官·大司徒》:"凡万民之不服教而有狱讼者,与有地治者听之;其附于刑者,归于士"。郑注:"争罪曰狱,争财曰讼"。狱,指刑事。讼,指民事。地治,为诉讼当事人所在地之行政长官。士,士师,司寇属官。整句意为:凡人民有不服教化而争讼的刑民事案件,由大司徒会同地方行政长官审讯判决;但属墨、劓、刖、宫、杀五刑的,要移送司寇或其属官审理。这一记载说明了三个问题:一是行政长官司徒,有权审理民刑事争讼;二是他们的职权范围只限于未"附于刑"即尚未触及刑律的案件;三是如果案件"附于刑",司徒则无权过问要归于"士",即由司寇去审理。

同样,《周礼》在讲大司徒下属官员小司徒、媒氏、遂师等职官处理田土、男女阴私和役事、功事、职事等各种类型的争讼案时,均以是否"附于刑"为其划分司法权限的界线。纵观《周礼》,只有地官下属

"山虞"、"林衡"几处,在讲山林之官山虞、林衡职掌时,出现过"窃木者,有刑罚"云云。此说"有刑罚",并非专指处以墨、劓、刖、宫、杀重刑惩罚,而是戒辞,泛称,具体地讲,是对轻微刑事案处以刑罚。因为他们的职责,主要是掌山林之政令。

由此可见,行政长官司徒及其属员,主要审理民事案件和未构成重大犯罪的轻微刑事案;凡重大刑事案件和虽为民事,但已转化成为刑事或转化成为刑事附带民事案,且需要动之以刑者,则必须归之于司寇。正如贾公彦所说的那样:"若有小罪,则司徒决之;其附于五刑,则归于士";"争罪曰狱,争财曰讼,……若狱讼不相对,则争财亦为狱"①。"狱讼不相对"指"狱"离开"讼"或"讼"离开"狱"单独使用,这时,"讼"(争财案)与"狱"(刑事案)两字相通,狱讼成了一个意思,民事案件(讼)便转化成为刑事案件(狱)。一般情况下,讼指民事,而狱指刑事;前者归司徒受理,后者归司寇判决。

印证金文资料,前述《周礼》所载行政长官的司法权限是可信的。金文中,不独司徒和与司徒合称"三有司"的司马、司空,就是其它政务官员,均可参与审判。诚然,他们审理的案件,和《周礼》记载的一样,都是未"附于刑"的或无论案情多么复杂,最终仍以民事方式了结的案子。如《曶鼎》中审理曶和限奴隶买卖交易争纷案的井叔,就是一个身居周王左右,有权代王行赏的高级行政官吏。《曶鼎》所载另一判例,本是一起寇攘刑事案,这类案件本应由司寇判决,而事实上却交由东宫处理了。这是因为罪犯匡季为东宫官员,大贵族,于是东宫便想方设法通过改变案件性质的途径为匡季减轻罪责,终于以损害赔偿结了案。可见,多么复杂的案子,哪怕是刑事案,只要以民事

---

① 《周礼·地官·大司马》疏。

方式结案,行政长官就有权审理。

行政长官能否和司寇一样审理"附于刑"的重大刑事案和已构成刑事犯罪的民事案呢?可以,但须具备一个前提,那就是他们必须兼任司寇。在西周卿士寮属中,司徒、司马、司空"三有司"地位均高于司寇,因此,其中任何一职都可以同时兼任司寇。《扬簋》就是司空兼司寇主讯讼的例子。铭文说,周王让内史先册命扬担任司空之职,而同时又兼任司寇,主持"讯讼",即负责刑、民事案件的审理。《南季鼎》中被任命为司寇的俗父,据《师晨鼎》记载,他的属官有小臣、膳夫、官犬等,这些属员有的归司马,有的归大宰,可知俗父仍是个以司马或大宰身分兼任司寇的行政(或军政)长官。

金文中行政长官兼理司寇而行使司寇职权最典型的例子是《𫖯匜》。此案为刑事附带民事,也用刑事方式作了判决。对于这种"附于刑"的案件,只能归司寇审理,而铭文中的审判官却是伯扬父。伯扬父是什么人呢?铭文未作交待,考其它典籍,伯扬父,即《国语·周语》和《史记·周本纪》中的伯阳父,又称伯阳甫。此人于幽王二年能在朝廷大论三川地震、国家安危大事,必为周之重臣。《史记·周本纪》韦昭注:"伯阳父,周大夫"。又唐固注:"伯阳父,周柱下史老子也"。按韦昭注,伯阳父为小司徒、小司寇之类的官员,卿士寮属;按唐固注,柱下史即藏室史①,周藏书室之史官,太史寮属。韦昭、唐固二人的注释虽有分歧,而伯阳父即伯扬父,周王室的重臣又兼任司寇,这点是没有疑义的。正因为如此,在审理案件中,井叔、东宫只能审理民事案或以民事方式裁决的非民事案,而伯扬父却能受理刑事案或刑事附带民事案,并对犯罪者有权直接定罪处刑。

---

① 《史记·老子韩非列传》。

综上所述,我们可以得出如下结论:司徒、司马、司空和其它行政长官,有权参与审判,其职掌仅限于民事或轻微刑事案。司寇或兼职司寇,中央最高司法长官,职权是处理一切民刑案件,尤其是重大刑事案。这说明西周司法机构既表现有独立行使司法权的特点,同时又存在着司法、行政没有完全分离的一面。正因为如此,不仅"三有司"有权参与司法活动,周王及其东宫太子,更能凌驾于任何人之上。周王是全国最大的审判官,《曶攸从鼎》诉讼案,就是由周王亲自审判的。东宫太子是王位继承人,在继位之前,有权审理涉及东宫诉讼案。匡季是东宫要员,故由东宫直接审理,司法机关无权过问。

司寇除审理刑民事案件外,其另一职责是"刑邦国,诘四方"①,即动之以"大刑",进行军事征讨,镇压各诸侯国、方国的反抗。《㝬生簋》判例系一桩涉及奴隶主贵族之间争讼"仆庸土田"的诉讼案,受理此案者叫召伯虎。召伯虎有权受理此案,说明他是个司法官吏。召伯虎很可能就是《诗・大雅・江汉》"王命召虎,式辟四方,彻我疆土"中之召虎,又叫召穆公②,宣王时领兵征伐过淮夷的军事将领。由此可见,召伯虎如果不是专职司寇,则为军事长官兼任司寇。他领兵征伐南淮夷,就是履行其职责"刑邦国,诘四方"。也正因为他身负司寇重任,因而在伐淮夷取胜返周后立即审理因军事活动被搁置了近一年的那桩"仆庸土田"案。

三、司寇的官司组织

西周司寇的官司组织及其职官结构,据金文记载或依据金文判

---

① 《周礼・秋官・大司寇》。
② 《竹书纪年》:"召穆公帅师伐淮夷"。

例推断,已具一定规模,现分述于后:

(一)司士。司士,见于《牧簋》,共王时器。从铭文共王册命牧担任司士之职的命辞内容看,和《周礼·秋官·士师》所载士师职掌极为相似。由此可以断定,金文中的司士就是《周礼》中司寇的部属士师。《周礼》称士师而不称司士,是后人编定《周礼》时的讹误所致。由于这一错误,又导致《周礼》编撰者把司士置于《夏官·司马》之下的另一错误。为什么会出现这一张冠李戴的错误呢?其实,原因极为简单。据《牧簋》铭文,司士的属吏如讯、庶右等,和司马的属吏名称极为相似,有的完全相同。因此,后人编撰《周礼》时,很容易以讹传讹,张冠李戴。

根据命辞内容,参照《周礼·士师》,司士的职责主要有三条:

第一,纠察百官。《牧簋》命辞开宗明义就说:牧,过去先王已任命你担任司士,我不能改变先王遗训。现在我继续任命你为司士,你一定要履行职守,以"辟百寮"为己任。辟同"刑",动词,治理的意思,也可引申为纠察。"辟百寮",即纠察百官。怎样纠察百官呢?铭文未作交待,而《周礼·士师》却有详尽描述。《士师》篇也在篇首说,士师(即司士)的职责,第一条就是"掌国之五禁之法,以左右刑罚,一曰宫禁,二曰官禁,三曰国禁,四曰野禁,五曰军禁"。这一记载和铭文命辞基本精神是相符的。可见,司士的首要任务就是纠察百官,掌握宫室、官府的禁令。为此,命辞要求司士在执法过程中必须做到:一,不徇私受贿,官官相卫。铭文的"有叵事包"就是这个意思,意为不以贪赃受贿为事。包,通"苞",馈赠;贿赂[①]。命辞说,如果执法者贪赃枉法,必将招来"多乱"。二,不可丢掉先王制定的法律而暴虐百姓,

---

① 《两周金文辞大系考释》。

胡作非为。铭文"不用先王作井(刑),亦多虐百姓",即此意。从司士这一职掌看,西周司士,好似后世监察御史的前身。

第二,辅助司寇,主持诉讼。《周礼·士师》说:"士师(司士)掌官中之政令,察狱讼之辞,以诏司寇断狱弊讼"。意为:司士掌理司寇官府中的政令,审察诉讼的言辞,诏告司寇断决狱讼。显而易见,司士是司寇之贰,是司寇决狱最得力的助手。因为司士"察狱讼之辞",直接关系着司寇决狱的成败,所以《牧簋》铭文才不止一次地出现"不刑不中"、"不明不中不刑"和"不中不刑"等命辞。这些命辞,是要求司士牧在"察狱讼之辞"时,必须注意刑"中"、刑"明",做到"不中"、"不明"则"不刑"。金文记载,从一个侧面说明司士是司寇主持诉讼时的辅佐者。

第三,兼理军法。从司士属吏有讯、庶右等低级军事长官看,司士职责似与军法有关。《周礼·士师》所载士师(司士)最后一项职责,正好补了金文之阙。《周礼》说:"大师,帅其属而禁逆军旅者与犯师禁者而戮之"。"逆军旅",即违抗军令。犯师禁,即扰乱军列,破坏军纪。整句意为:遇有大规模军事行动,司士便率领自己的部属,执行军中的禁令,诛杀那些违抗军令、破坏军纪的人。中国古代,兵刑同制,司士兼理军法,此可窥其一斑。

(二)司誓。司寇属官,金文中较常见。《牧簋》中的司誓,也是周王册命牧做司空时的另一兼职。此外,《洹子孟姜壶》也有司誓。《周礼·秋官》把司誓写为司盟。司誓的职责,按《周礼》记载,为"掌盟载之法。凡邦国有疑会同,则掌其盟约之载,及其礼仪,北面诏明神,既盟,则贰之。盟万民之犯命者。盟其不信者,亦如之。凡民之有约剂者,其贰在司盟。有狱讼者,则使之盟诅"。据此,司誓职责有二:

一是掌理邦国之间盟约的签订和运用盟誓惩罚违誓者;

二是保藏民间契约副本,如因契约引起诉讼,同样用盟誓手段惩罚违约者。

司誓前一职责金文未见例证,后一职责,则累见于金文判例和金文契约。《格伯簋》中的"则析",是说将书写在木简上的契约券书中分为二。契约中分为二之后,右侧归承约人保存,左侧存于官府①。这个官府,就是《周礼》所说的"其贰在司盟"的司盟,即金文中的司誓。司誓所收藏的一半即契约券书副本。用盟誓手段惩罚违誓者的判例更为多见。《曶攸从鼎》甚至破天荒地在金文中见到了司誓的真实姓名——虢旅,他声色俱厉地警告违约者攸卫牧,如果再次违约,就要处以流放刑罚。类似记载,《散氏盘》等铭文均有反映。

(三)司约。金文虽无司约职官名称,但从司约职责推论,西周在司寇机构内,肯定设有如《周礼·秋官·司约》所载"掌邦国及万民之约剂,……凡大约剂书于宗彝,小约剂书于丹图,若有讼者,则珥而辟藏,其不信者服墨刑"的司约职官。《周礼》这一记载同样被大量金文资料所证实。不少青铜器铭文记录着民事契约签订的全过程,有的简直就是西周契约原本的再现。这些契约和邦国之约一样,是大贵族之间所定的大约剂,刻在钟鼎盘盂之上。违背契约处墨刑,金文记载和《周礼·司约》完全符合。金文契约、金文判例等是西周设有掌管契约并以法律手段保证其执行的司约的有力佐证。

(四)司刺。《琱生簋》判例把征询群臣意见作为司法官吏定罪判刑前的一项重要诉讼程序。铭文记载,审判官召伯虎为使判决准确无误,经几次征询群臣们的意见后,对被告说:"今余既讯,有司曰:厎命"。意为现在我已经征询过有司们的意见了,他们一致回答说听从

---

① 《散氏盘》。

命令,即同意判决。"余既讯"和《周礼》司寇之职"以三刺断庶民狱讼之中,一曰讯群臣,二曰讯群吏,三曰讯万民"① 完全相合。又从《周礼·司刺》所载司刺职责是掌三刺之法,"以赞司寇听狱讼"推论,司刺是司寇征询群臣意见的具体执行机关。据此断定,司寇之下设司刺专职官吏,代表司寇在诉讼过程中负责征求大臣们对判决的意见。

(五)掌囚。《周礼·秋官》有掌囚,司寇属官,其职责是:"掌守盗贼。凡囚者,上罪梏拲而桎,中罪桎梏,下罪梏"。就是说掌囚是管理囚犯的狱吏。西周监狱,在押犯人大都要戴上脚镣手铐,这一制度,金文中也能见到。如《丘关釜》铭文有给中罪犯人戴上手铐,处以徒刑,罚服苦役的记载。这一记载和《周礼·掌囚》极为相似。《丘关釜》是春秋时器,说明这一监狱管理和刑罚制度至春秋时期还在沿用。

(六)掌戮。负责刑杀即死刑的执行机关。此外,它还负责墨、劓、刖、宫等肉刑的行刑。这点,出土文物均可证明。如岐山出土刖刑奴隶骨架,小腿骨上有明显的刀砍痕迹,是斧钺刀剑致断的。这一骨架是掌戮施行刖刑的地下遗存。

(七)史官。史官本来是掌管文书、典籍、历法、祭祀的太史寮属,考金文资料,它不独设于太史寮,在司法机构中,也存在着一个庞大的史官集团,其职责是掌理司法文书,参与诉讼和审判活动。参与诉讼活动的有眚史、中史;参与契约管理的有书史、内史、大史、史正。

眚史,从《曶攸从鼎》可知,其职责主要有两项,一是纠举官吏犯罪,二是记录并保存诉讼参与人的誓辞。

中史,从《师旅鼎》判例可以看出,他是主掌司法文书的法庭书记官。在这个判例中,司法官白懋父审判刚一结束,便命令中史将判决

---

① 《周礼·秋官·小司寇》。

结果记录下来,铭文称作"以告中史书"。书,动词,在这里指书写判决书。法庭书记官也负责记录誓辞。如《倗匜》所载诉讼程序最后一项是"辞誓成",即把败诉一方的誓辞写成书面文书存档保管起来。铭文虽未交待书写辞誓者的史官姓名,但是,既有"辞",则必有其辞的书写者——中史之类的史官。

书史、内史、大史、史正等参与契约活动的史官,金文中比比皆是。《格伯簋》铭文中有一个书史代表官方亲临现场参加签订契约的宣誓仪式,并记录其辞。《鬲从盨》是讲立契双方让其下属小臣迎请内史和大史前来主持契约的签订。《五祀卫鼎》是说内史友率领众人践踏勘定交易的标的物——田地,以求契约内容的准确性。《散氏盘》"厥左执要(缨)史正仲农"铭文,是说契约左侧归官方代表、契约书写者史正仲农保存。印证《周礼·大史》记载,就会发现金文和《周礼》完全符合。《周礼》载大史的职责是:"凡邦国都鄙及万民之有约剂者藏焉;若约剂乱,则辟法,不信者刑之"。就是说大史不仅是契约副本,即《散氏盘》所说的"左执要"的收藏者,而且,当遇到违约事件时,便"辟法"——打开府库,取出官府所藏契约副本进行按验,处罚违约者。由此可见,书史、内史、大史、史正等史官,除负责契约的签订、书写和保存外,还要参与有关违约事件的诉讼活动。所以,这些史官,不是太史寮的部属,而是司寇的部下,只不过官名相同罢了。司徒之下也设有各类史官,那些史官属于太史寮,为政务官员。当司徒审理民事争讼时,他的史官又充当法庭书记官。

第二节 地方司法机构

一、侯国司寇

西周地方组织中的司法机构,史籍未见记载,而金文恰好补了这个空白。

周初,为了统治中央直接控制地区以外的广大地区——"外服",对周王的同姓和功臣进行分封,以建藩卫,这就是《尚书·酒诰》所说的"越在外服,侯、甸、男、卫、邦伯",金文称作"四方——者厌(诸侯):厌(侯)、田(甸)、男"①。诸侯在自己的封国内,基本上按周王室的职官机构,设官分职,建立起自己的地方政权组织。地方政权组织中的司法机构,也叫司寇。西周晚期的《司寇良父簋》就是西周侯国设置司寇的典型资料。该器有"司寇良父作为卫姬簋"九个字,意为有个叫良父的司寇,为其妻卫姬做了这个宝簋。司寇良父为侯国的司法首领。侯国设置司寇,一直沿袭到春秋战国时期。《虞司寇壶》是春秋时期诸侯国——虞国设置司寇的记载。铭文是:"虞司寇伯吹作宝壶"。伯吹,虞国司寇长官之名。《大梁司寇鼎》是战国时期侯国设置司寇的记载。铭文是:"梁二十七年大梁司寇□作□釜为量,甸(容)四分"。铭文大意为梁二十七年,大梁司寇制作了容积为四分的标准量器釜。看来,地方司寇和中央司寇一样也负责民事诉讼。司法机关制作标准量器,主要用于查处谷物进出或交易中的违法行为。

侯国司寇的职责,据《礼记·王制》说,为"犰急悍除浮除邪,戮之

---

① 《令彝》。

以五刑,使暴悍以变,奸邪不作,司寇之事也"。看来,除"刑邦国,诘四方"外,中央、地方司寇的职掌大体相同。

二、西周司法组织的特点

依据金文,印证古籍,西周司法机构的原貌基本上可以复原出来。如果用图表示,其组织系统的大致轮廓是:

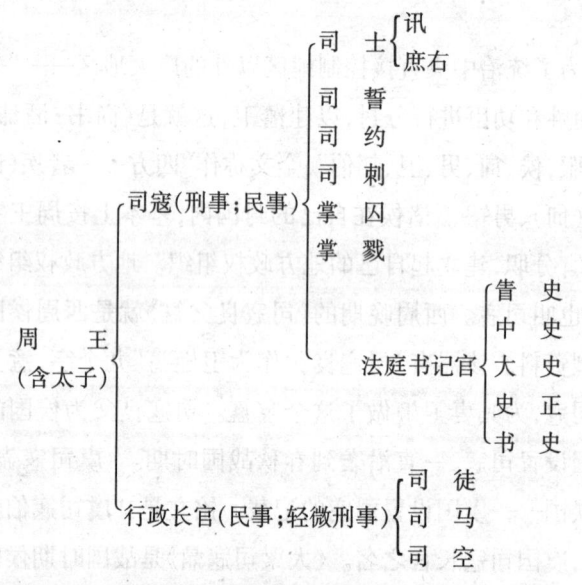

```
                    ┌ 司 士 ┌ 讯
                    │       └ 庶右
                    │ 司   誓
         ┌ 司寇(刑事;民事) ┤ 司   约
         │          │ 司   刺
         │          │ 掌   囚
         │          └ 掌   戮
         │                    ┌ 啬 史
 周  王 ┤                    │ 中 史
(含太子) │          法庭书记官 ┤ 大 史
         │                    │ 史 正
         │                    └ 书 史
         │                    ┌ 司 徒
         └ 行政长官(民事;轻微刑事) ┤ 司 马
                                └ 司 空
```

这一图示清楚地说明,西周司法机构在建制上具有以下三个主要特点:

第一,民刑有分。尽管各个官司组织的涉讼对象还未达到完全专职的程度,但是,"三有司"——司徒、司马、司空主民事,司寇主刑事的总趋势已相当显明。民事、刑事职事机关有分,对于提高司法机构的司法效能,无疑有着积极意义。

第二,设官分职,较为严密。在司寇及其司属的建制上,司寇为首,辅之以各司,各司各有其职,分工细密,这充分说明中国古代奴隶制鼎盛时期的西周,已建立了一套较为完善、初具规模的确保奴隶主贵族生命财产安全和国家制度的司法组织系统,这一套司法组织系统,极有利于西周奴隶制法律制度的施行、社会秩序的安定和国家机器的正常运转。

第三,行政干预司法。从图示可以看出,不仅周王掌握着国家最高司法权,连周王室的执政大臣"三有司"也有权审理民事案件和轻微刑事案。这种行政干预司法的现象,在西周,是司法权畅通的阻力,对后世,恶性循环,连锁反映,严重影响了我国古代司法组织建制的正常发展。

第九章 诉讼法规

第一节 刑事诉讼

诉讼制度是法律制度的重要组成部分,是统治阶级通过具体的审判活动和适用法律行使其统治权的一种统治手段。诉讼随国家和阶级的产生而产生,具有鲜明的阶级性、强制性。原始社会没有阶级,没有国家,也就无诉讼可言。那时候,人们之间发生的"一切争端和纠纷都由当事人的全体,即氏族和部落来解决,或者由各个氏族相互解决"[1]。夏朝是我国第一个奴隶制国家,因无文字可考,其诉讼制度已不得而知。商朝,审判上多借助于占卜,实行神明裁判,法官不受法律约束。我国历史上有史可查的运用法律手段、通过司法机关、依据诉讼程序进行诉讼活动的朝代是西周。诉讼是现代法律用语,西周称"讼"、"狱"或"狱讼"。狱是"以罪名相告"的刑事诉讼;讼是"以财货相告"[2] 的民事诉讼。狱讼连用即民刑诉讼。西周初步建立了民、刑诉讼分立的概念。西周刑事诉讼,从起诉、审判到执行都有一套较为严密的制度。

---

[1] 《马恩全集》,第四卷,第92页。
[2] 《周礼》郑注。观《吕览孟秋决狱讼》高诱注。

一、司法审级

司法审级是规定从中央到地方司法机关设置的级数以及诉讼可以经过几级司法机关审理和最终结案的制度。西周司法审级按案件性质分为二级审级和三级审级。一般案件实行地方、中央二审制,特别重大案件地方、中央审理后,还要报周王最后裁决,是三级审制。《礼记·王制》:

> 成狱辞,史以狱成告于正,正听之;正以狱成告于大司寇,大司寇听之棘木之下;大司寇以狱之成告于王,王命三公参听之;三公以狱之成告于王,王三又(宥),然后制刑。

据此,一审机关是史和正,二审为司寇,三审即终审为周王。史、正审讯完结,形成判决文书之后,便向大司寇报告审理结果。大司寇在朝廷棘木之下核定没有疑义时,便上报周王。周王又命令三公共同核定,并三次考虑能否宽宥减刑,之后,终审定案。显而易见,重大案件实行三级审级制,是"明德慎罚"思想在诉讼制度上的反映。正如《礼记·王制》说的那样,"刑者,侀也;侀者,成也,一成而不可变,故君子尽心焉。"当然,周统治者实行三审定案制不是也不可能是出于对被压迫阶级的怜悯和爱护。在他们眼里,"法虽轻不赦之,为人易犯。"① 就是说,不设法宽宥减刑甚至免刑,而一味地试图用重刑去遏制人民的反抗活动,目的不但达不到,犯罪现象反会经常发生。所以,西周的三级三审,谨慎用刑,其真正用意,在于防范人民,维护奴隶主阶级的统治。

《周礼》所载司法审级和《王制》记载基本一致。卿士、遂士、县士

---

① 《礼记·王制》注。

所辖区域内的狱讼,初审后,上报于朝廷,由司寇听断之;凡需宽宥赦免的案件,再呈周王,或经过周王由三公共同审断,也是三审制。

与司法审级相联系的是关于案件的管辖。在西周,最高审判权属于周王,重大案件和诸侯之间的诉讼最后由周王裁决;各诸侯国内,卿大夫之间的诉讼,由诸侯裁决。但在族内,基于宗法制度的制约,族长权力很大,他有权决定宗族内部的争纷,甚至有刑杀大权。奴隶不得告主,而奴隶间的争讼则由奴隶主进行裁决。所有这些制度,都是刑书所规定的制度,司法实践往往与立法精神不相符合。例如,二审制或三审制,只能对奴隶和平民起作用,并不适用所有的人。金文判例中,贵族间的争讼,尤其是大贵族之间的争讼,不一定按司法审级办案,他们有权上告司寇、王室以至周王。

二、起诉制度

西周的起诉方式,没有严格的自诉与公诉之分。一般情况是,无论刑事、民事案件,只要当事人告发,诉讼即告开始;起诉是司法机关受理案件的理由。这点,金文判例已载得清清楚楚。《曶鼎》第三段:"昔馑岁,匡众厥臣二十夫寇曶禾十秭,以匡季告东宫。"意思是,在一个荒年里,匡季指使其众和臣二十人劫掠了曶的禾十秭。被曶告到东宫。这是一起劫掠寇攘刑事案,诉讼由受害人曶"以匡季告东宫"而引起,东宫受理此案,其理由在于原告曶前来告状。

受理告诉案件的前提是当事人要有书面状子,并缴纳一定数量的诉讼费;轻微案件,口头陈述即可。《周礼·秋官·大司寇》:"以两剂禁民狱,入钧金三日,然后致于朝,然后听之。"剂,本意为券书,在这里指提起诉讼的状子。郑注:"剂,今券书也。使狱者各赍券书。"贾疏:"剂为券书者,谓狱讼之要辞。"钧金,三十斤铜;"入钧金",就是缴纳三十斤铜的诉讼费。交了诉状，又"入钧金"，三天之后，即告于王，才能审理。金文中也有缴纳铜作为诉讼费进行刑事诉讼的记载：《𪓰簋》："王曰：𪓰，命汝司成周里人及诸侯、大亚，讯讼罚，取遗五锊"；《扬簋》："王若曰：扬，作司空，……及司寇，……讯讼，取遗五锊"。这两例铭文基本相同，意为周王册命𪓰和扬后，让他们主持诉讼工作。在审理刑事案件时要收取诉讼费铜五锊。遗、遺同，货币；锊，货币铜的计量单位。诉讼双方或任何一方，没有诉状，或不入钧金，便是自服不直，不判自败，钧金没收入官。西周刑律的这一规定，其目的在于限制滥诬滥告，减少冤狱。在等级森严、财产不均的西周，这一规定对贵族们不会有任何约束力，而受限制的只能是奴隶和少有财产的平民。

西周刑律对告诉也有严格限制：第一，子不得告发父亲；第二，下级不得告发上级。《国语·周语》："父子将狱，是无上下也。"《𫠜匜》判例本是一起民事案，为什么又以刑事惩罚而结案？唯一原因，在于下级奴隶主贵族牧牛告发了其上司𫠜。仅此一条，牧牛违犯了宗法等级制，受到了刑事惩罚。

凡告诉案件，都是属于涉及个人利害的案件，至于侵害国家利益的犯罪，诉讼的提起，往往要由国家机关或官吏进行纠举。《师旅鼎》所载违反军令案，就是由官方举发审理判决的。

三、审判制度

审判，是诉讼程序的中心阶段，不仅要讯问诉讼当事人、证人、收集、查清证据，弄清案情事实真相，还要在此基础上对案件作出处理决定。西周的审判，比夏商有很大进步。殷代的神明裁判，无严格的诉讼程序，更无必要查清供辞、证辞，搜集证据，一切唯法官——神明

意志代理人的意愿是从。西周则不然,从当事人出庭,索取、鉴别供辞证据,到读鞫判决均有严格制度:

第一,两造具备,坐地对质。所谓"两造具备"①,是指审讯开始以后,诉讼当事人出庭受审。"两造",本意为两曹,这儿指诉讼双方,即原告和被告。金文判例证实,史籍记载是可信的。金文中的刑事案,无论原告或被告,不管其地位多高,官爵多大,都须"躬坐狱讼",不准由他人代理。《曶鼎》寇攘争讼案中的两造,曶,世官司卜事兼司徒,匡季,东宫要员,从起诉、审理到结案,他俩从未缺席。由此可见,刑事诉讼,"两造具备"是不受特权的限制和约束的。

坐地对质,是争论活动的开始。《周礼·秋官·小司寇》疏:"古者取囚要辞,皆对坐"。按古制,"狱讼不席"②。就是说诉讼时当事人不能就席而坐,而只能坐在地上接受审问。审讯中,司法官是允许原告、被告尤其是原告陈述事由的。从金文判例看,首先由原告陈辞,如果被告因理屈而无力辩解,案子即告结束。

审讯中,司法官不能只听单辞,即当事人的一面之辞,而要兼"听狱之两辞","察辞于差"③,分析双方供辞的矛盾,作出公正判决。

第二,重口供,五听断案。口供是西周断案的主要依据。因此,当事人任意更改供辞是不能允许的。《易·革九三》:"革言三就有孚"。革,改。革言,罪犯更改供辞。孚,罚。如果罪犯三次改变供辞,就要受到惩罚。供辞一旦出口,则不许改动。为了获得真实口供,法官采用"五听"方法审理判断案情。所谓五听(也称五声),一是辞听(郑玄注:"观其出言,不直则烦");二是色听("观其颜色,不直

---

① 《尚书·吕刑》。
② 《晏子春秋·内篇》。
③ 《尚书·吕刑》。

则赧然");三是气听("观其气息,不直则喘");四是耳听("观其听聆,不直则惑");五是目听("观其眸子,不直则眊然")①。用现代语讲,辞听,是要分析被审讯者的供辞,直则理直气壮,不直则烦乱无章;色听,是要观察被审讯者的神色,直则表情坦然,不直则转言转色;气听,是要观察其说话时的气息,直则平和气顺,不直则喘乱结哽;耳听,是要注意被审人的听觉,直则应对敏捷,不直则问非所答;目听,是要观察说话的目光,直则炯炯有神,不直则黯淡无光。周统治者认为,对诉讼当事人来说,倘若供辞有诈,往往要从他们的言语、表情、呼吸、听力、视觉等外部形态中表示出来,审判人员则可以根据他们的外部反映判断其心理活动以及供辞的真实程度。这种靠察颜观色和通过当事人心理活动确定供辞真伪的断案方法,尽管其自身存在着忽视证据作用,导致法官主观断案甚至营私舞弊等弊病,但是,它能够把心理学运用于司法实践,这种大胆的尝试,在法律发展史上具有重要意义,它比之于夏商的神明裁判要进步得多,对后世法律学的发展也产生了深远的影响。晋代律学家张斐给晋律作注时,对五听断案及以此认定犯罪作了进一步的阐述。据《晋书·刑法志》载:

夫刑者,司理之官;理者,求情之机;情者,心神之使。心感则情动于中,而形于言,畅于四支,发于事业。是故奸人心愧而面赤,内怖而色夺。论罪者务本其心,审其情,精其事,近取诸身,远取诸物,然后乃可以正刑。仰手似乞,俯手似夺,捧手似谢,拟手似诉,拱臂似自首,攘臂似格斗,矜庄似威,怡悦似福,喜怒忧欢,貌在声色。奸真猛弱,候在视息。

五听断案经张斐发挥解释,被历代封建法律所认可并奉为审案

---

① 《周礼·秋官·小司寇》。

的重要准则。如《唐律疏议·断狱》说："察狱之官,先备五听,又验诸证信"。

第三,检验采证。检验,就是对被害人的身体以及与犯罪有关的现场和物品进行勘察的一种制度,其目的是给法官作出正确的判断提供证据。检验制度在我国已有悠久的历史。《礼记·月令》："孟秋之月,……命理瞻伤、察创、视折、审断,决狱讼。"理,是治狱之官。所谓伤、创、折、断,是指皮肉及骨骼的受伤程度,瞻、察、视、审是指观察、勘验和判断。从《秦简》封诊式所载《贼死》、《经死》、《穴盗》、《毒言》等现场勘察和身体检验的案例来看,秦朝已建立一套相当完整且较为科学的法律检验制度。由此推论《月令》记录能够反映西周检验制度的现实情况。

第四,刑讯逼供,法外用刑。刑讯是古代审案中索取被告口供的主要手段。当被告人不承认自己有罪时,法官有权以刑讯来逼供。西周刑律把口供作为断案的重要根据,因此,凡刑事案件,大都刑讯逼供,允许法外用刑。《曶鼎》寇攘案中,被告匡季一上法庭,便连连叩头求饶:"长官,我没有寇得多少东西,请不要鞭笞我!"作为东宫要员的匡季竟如此害怕鞭笞,说明西周刑讯已经成风。《礼记·月令》："仲春之日……命有司,省囹圄,去桎梏,毋肆掠,止狱讼。"郑注:"掠,谓捶治人。"从《月令》看,一年之中,除仲春之月外,其它季节审理案件,均可刑讯捶治诉讼当事人。西周刑讯器械是鞭。当时鞭尚无大小之分,也无讯囚鞭与常刑鞭之别,它既是行刑的器械,也是刑讯工具。

第五,审判有期,三刺定案。为了防止滥判滥刑,西周刑律规定,审讯之后,不能立即判决,还须经过一段时期,仔细审查犯人供辞,并征求群臣意见,之后,再行判决。《尚书·康诰》："要囚,服念五六日,至于旬时,丕蔽要囚"。这句话的意思是:在考察犯罪人供辞时,要考虑五到六天,甚至要考虑十天,一定要非常慎重地审查犯罪人的供辞。孔颖达给《康诰》作注时说,考察犯人供辞,不仅五六天至十天,如果属于疑案,甚至允许延长三月:

> 要察囚情,得其要辞,以断其狱,当须服膺思念之五日、六日,次至于十日,远至于三月,乃断之囚之要辞,言必反覆重之如此,乃得无滥耳。

《公羊传·宣公元年》"三年待放"注:"古者疑狱,三年而后断",和孔疏相吻合。

重大刑事案件判决之前,司法官必须征求有关官吏的意见,称作"三刺断狱":"一曰讯群臣,二曰讯群吏,三曰讯万民"①。"三刺"之后,按照大家的意见,再决定对罪犯加重或减轻刑罚。

"三刺"定罪制度,可以弥补"五听"断狱的缺陷。"五听"断案注意的不是证据,而仅仅是被审讯人的外部表情和供辞,很容易错判错杀。"三刺"定罪虽不是以侦察确凿证据为出发点,但其已包含着调查研究的内容,有利于防止冤狱。规定审理判决期限是"明德慎罚"思想在审判制度上的反映,其目的在于防止错判错杀。这一制度在中国古代沿用时间很长,直至唐朝才被正式废止,改为限期断狱。据《通典》卷一四四记载,大理检断,不得过二十日;刑部覆下,不得过十日,如刑部覆有异同,寺司重加不得过十五日,省司呈覆不得过七日。

第六,读鞫判决。审讯和三刺公议之后,由法官宣读判决书,叫做读鞫。《周礼·秋官·小司寇》"读书则用法"注:"如今时(汉代)读鞫已乃论之。"贾疏:"读书则用法者,谓行刑之时,当读刑书罪状,则用

---

① 《周礼·秋官·小司寇》。

法刑之"。《周礼》记载基本上符合西周实际。判决书金文称作"劾"。形成并宣读判决书,金文称作"成劾"。"劾"由审判官当众宣读。据《㫃匜》记载,西周判决书从内容、要求、结构形式到书写规格均达到相当水平:它不仅要宣布罪犯的罪行和应得的刑罚,还要讲明为什么又要对牧牛两次减刑的原因。用图表示,《㫃匜》判决书包括以下五个内容:

牧牛罪行	1.诬告罪	2.违约罪
悔罪表现	1.再次起誓,保证不再违约	2.给㫃赔礼道歉并主动归还五名奴隶
原　　判	1.处黥劓刑罚(主刑)	2.鞭打一千下(从刑)
第一次减刑	1.处黜劓刑罚	2.鞭打一千下
第二次减刑	1.罚铜三百锊(铜赎)	2.鞭打五百下

第七,合议与执行。中国古代,一般案件,采用一个法官坐堂问案的独任制,但对少数重大案件,则采用像三司推事、朝审秋审那样的由若干法官会审的合议制。金文判例中大都是一人坐堂,察言观色,独任问案。一人坐堂问案,必然要带来武断专横,置法官于法律之上的恶果。《㫃匜》判例中,给牧牛的判决书就是在审判官伯扬父的授意下由史官写成的。判决书有关对牧牛的处刑部分,其用语不是以刑律为准绳,而是伯扬父说什么"我本应"如何处罚你,现在根据你的表现我又决定如何如何赦免你。法官权力之大,在这份判决书中反映得淋漓尽致。战国时人叔向所说的奴隶制法"不豫设法","刑不可知,则威不可测",可能就是指这种独任制的断案方法。

严格地说,西周还谈不上有什么真正的合议制,但是合议制的雏形肯定是有了。金文中的"讯有司",《周礼》中的"三刺"之法,都带有显明的合议色彩。《㫃匜》中,当伯扬父读鞫之后,并未立即宣布执行判决,而是"乃以告吏邦吏曶。"就是说,把判决结果告诉给参加审判的另外两个官吏邦和曶。在征得这两个官吏的同意之后,才当众"罚金",责令牧牛交出三百锊铜。这一判例形象而具体地告诉人们,判决执行之前,主审官必须履行与其它审判官众议而后定案的制度。《礼记·王制》"王命三公参验之"和《周礼》的"王会其期",即由周王会同三公共断大案要案的制度,都是合议审判的原始形式。

四、上诉与直诉

上诉是当事人的一项重要的诉讼权利。读鞫之后,当事人对判决不服时,在法定期限内有权乞鞫,要求重审重判。据《周礼·秋官·朝士》记载,西周上诉期限,依地区远近而有所不同:国中十天,郊地二十天,野地三十天,都三个月,各邦一年;期内受理,期外不受理。上诉审,由司寇亲自审理。在征得群士、司刑等司法吏意见后,司寇直接断决:冤狱立即赦免,反之,则"士师受中,协日刑杀,肆之三日"[①]。

直诉是我国古代一项特殊上诉形式。一般诉讼,必须遵循司法审级,逐级审理,不准越诉,而特殊案件尤其是冤枉无告者,则允许以"路鼓"、"肺石"等方式直接申诉中央直至周王。

所谓路鼓制度,就是"建路鼓于大寝之门外,而掌其政,以待达穷者与遽令。闻鼓声,则速逆御仆与御庶子"[②]。意思是寝宫门外设立路鼓,由太仆总负其责。凡上告无门或有紧急事要上呈于王,就来击鼓。太仆听到鼓声,立刻召见具体掌管路鼓的御仆和御庶子,根据他们的陈述,报告于王。所谓肺石制度,即"大司寇以肺石达穷民。凡

---

① 《周礼·秋官·乡士》。
② 《周礼·夏官·太仆》。

远近惸独老幼之欲有复于上而其长弗达者,立于肺石三日,士听其辞,以告于上,而罪其长"①,意思是大司寇设置肺石(红色石头,形状似肺以示赤诚,故得名),用以转达无法申冤的人的怨诉。凡畿内畿外没有兄弟、子孙及老弱幼小者,有冤情需上诉于王及六卿之长,而他们的地方长官不予向上报告的,可以在肺石上站三天,然后朝士听取他们的告辞,以转呈于周王或六卿之长,对不转达他们申诉的地方长官要给以处罚。历代统治者,为了防止审判中的冤滥,沿用并发展了这一制度。《周礼》郑注,西周路鼓,"若今时(东汉)上变事击鼓矣"。可见汉朝沿用了路鼓制度。西晋南北朝时,路鼓称作挝登闻鼓。此外,邀车驾、上表陈情以及《唐六典》所载立肺石,都是西周路鼓、肺石制度的演变和发展。

直诉,作为一种诉讼形式,只不过是历代统治者用以标榜所谓"德政",欺骗、愚弄人民的手段,但它的长期实行,对我国古代司法制度的健全起了一定的积极作用。

五、执行制度

为了充分发挥司法镇压的职能,增强刑罚的恫吓作用和欺骗性,西周已初步建起死刑、肉刑和徒刑等的执行制度。

(一)死刑执行。在死刑执行上,采用两条行刑原则:一是公开处决,二是不能违背时令。

《周礼·秋官·掌戮》:"凡杀人者,踣诸市,肆之三日。刑盗于市。""踣诸市"、"刑盗于市"和金文中的"弃市"刑都是公开处死于闹市的意思。西周审判,原则上是不公开的,而刑杀却要"刑人于市,与众共

---

① 《周礼·秋官·大司寇》。

弃之"。他们这么做，无非是为了增强刑罚的威慑力，杀一儆百，使人民畏惧刑罚，俯首帖耳，不再犯罪。

公开行刑，还要在罪犯的手铐（梏）上写明其姓名和罪行，以示其威。《周礼·秋官·掌囚》："及刑杀，告刑于王。奉而适朝，士加明梏，以适市，而刑杀之"。所谓明梏，就是"书其姓名及其罪于梏而著之也"。囚犯在押时如果戴刑具——梏，执行时，一律加械，然后杀戮。

除刑杀加梏外，死罪执行，大司寇还要亲临杀场监斩，叫做"莅戮"。《周礼·秋官·大司寇》曰："大军旅，莅戮于社"，是说对违犯军法判处死刑的将士，在军社前杀戮时，大司寇要亲临监刑。"莅戮"监斩制度，春秋时称作"莅杀"①，直至隋唐明清还在沿用。

死罪公开行刑，主要适用于平民百姓，凡"王之同族"和"有爵者"，即皇亲国戚、贵族显吏犯死罪，则秘密执行，以维护宗法等级制的不可侵犯性。此外，妇女犯罪，也不采用公开处决的办法。"妇人无刑，虽有刑，不在朝市"②。春秋时期，把妇女处决于朝市当作"非礼"行为，推知西周也有此项制度。

古代统治者为了麻痹人民，宣扬秋冬行刑理论，说什么秋冬两季气候肃穆，这时行刑，"顺天道肃杀元威"。秋冬行刑，始于西周，在中国历史上持续了几千年。这一制度，最早见于《礼记·月令》：

"仲春之月，……命有司，省囹圄，去桎梏，毋肆掠，止狱讼；

孟夏之月，……靡草死，麦秋至，断薄刑，决小罪，出轻系；

仲夏之月，……百官静，事毋刑；

孟秋之月，……命有司，修法制，缮囹圄，具桎梏，禁止奸，慎

---

① 《左传·隐公四年》。
② 《左传·襄公十九年》。

罪邪,务搏执……戮有罪,严断刑;

仲秋之月,……命有司,申严百刑,斩杀必当,毋或枉桡;

季秋之月,……乃趣狱刑,毋留有罪;

孟冬之月,……是察阿党,则罪无有掩蔽;

仲冬之日,……筑囹圄。

按《月令》记载,春天不断狱,也不行刑,为停刑季节。冬天除处理一些阿党之狱的行政犯罪外,主要是"筑囹圄",即进行一年中间处决犯人完毕之后的善后工作。从夏季开始进入审断执行的季节。不过夏季只在其第一月审断和处决一些轻微小罪,不能算作行刑季节。三秋——孟秋、仲秋、季秋才全面开始狱讼并执行死刑:孟秋"戮有罪",仲秋"斩杀必当",季秋"勿留有罪"。死刑执行,除选择适当季节外,还要放在适宜的月份和日期里,叫做"协日刑杀"[①]。所谓"协日刑杀",郑玄的解释是:"协,合也,和也,和合支干善日",就是说把刑杀日期要放在适合时令的时候,这样才能顺乎天意。秋天,天杀万物,草木皆枯,比照人类,自是刑绝人命的大好时辰。那么,孟夏何以"靡草死,麦秋至",却要"断薄刑,决小罪"呢?郑玄等人的解释是:靡草,草艾之类;"草艾则墨。"就是说,秋冬乃是大刑季节,像墨刑之类的轻刑,即在入夏之初先予判决。

印证金文资料,《月令》和《周礼》记载以及郑玄注释基本上是可信的。今天能够见到的完整的金文判例中,有具体的审判时间的共三例:

《曶鼎》——惟王四月;

《融攸从鼎》——惟王三十二年三月;

---

① 见《周礼·秋官》、《乡士》、《遂士》、《县士》等。

《傒匜》——惟三月。

这三个案子均为应处以墨刑的违约案,其审判时间集中在一年的三四两月。周人使用的历法类似于犹太的阴阳历,一年分为十二个月,相隔几年加一闰月为十三月。最初,年终置闰,所以,三月为年终置闰后的孟夏之月,四月,则是不逢闰月的孟夏之月。如此可知,金文中断决墨罪的季节与《周礼》和郑玄注释正好吻合。既然孟夏是决断与执行墨刑的季节,三秋执行大罪死刑就很有可能了。把一年分为春夏秋冬四季,是春秋以后的事,西周时期,一年只分禾季和麦季两大季节。郑玄等人所说的秋冬适时行刑,那是儒家用汉代四季法硬套西周历法。汉周季节划分不同,月份则无异,据此,三秋行刑符合西周制度。西周是我国古代秋冬行刑的起始朝代。

(二)肉刑的执行。

西周肉刑的执行时间,除墨刑推知为孟夏之月外,其它劓、刖、宫刑,已不可考。从陕西岐山出土西周刖刑骨架看,那种残酷刑罚决非墨刑所能比拟。由此可以推定《月令》所载"申严百刑"句之"百刑"一定包括着除墨刑之外的其它肉刑。这些残酷肉刑和死刑的执行时间基本相同。《月令》还说:"季秋之月,乃趣狱刑,毋留有罪"。这个"罪"不可能专指死罪,"毋留有罪",是说把所有重大犯罪全部尽快地审断、执行完毕。

肉刑的执行,除对罪犯切割肢体、残害器官使人身肉体遭受损害和痛苦外,还附加于种种其它刑罚。

和死刑执行一样,在肉刑执行上,奴隶主贵族也享有特殊待遇,如公族犯宫刑,允许以去发髡刑代替之。

(三)徒刑的执行,西周叫做"置之圜土","坐诸嘉石",就是把罪犯看管起来,罚服劳役。这点前章已经叙述。

第二节 民事诉讼

实体法早于程序法而产生,但是,随着实体法的产生、发展和不断完善,程序法必不可免地将日趋完备和严密。西周自中叶起,调整财产关系、人身关系的民事、经济、婚姻法规发达起来,随之,民事诉讼开始从诉讼法中分离出来,初步形成独立的诉讼体系。至目前为止,已发现的五个金文判例中,其中三个就是纯民事争讼案,另两个判例,一为刑事,一为民事附带刑事。仅从这一数字,已足以看出西周民事诉讼的发达程度。《周礼》是战国时期的作品,而其中记载的大量民事诉讼资料,多与金文记载相符合或基本符合。如果把金文资料和《周礼》记载相互印证、补充,西周民事诉讼的轮廓,就可以初步搞清。为了叙述方便,首先集中介绍一下铜器铭文中的民事诉讼判例。

一、《曶鼎》、《琱生簋》和《禹攸从鼎》

曶鼎,清乾隆年间长安出土,孝王时器,铭文第二段记载着一起奴隶买卖违约争讼案。铭文大意是:

> 周孝王二年四月① 丁酉日的早晨,井叔在异这个地方处理政务,曶派遣他的一个名叫靆的部属前来告状。被告名叫限。原被告到庭后,靆开始陈述其起诉辞:"我通过中介人效父用一匹马一束丝买了限的五个奴隶,限本来同意了,而后来又单方面撕毁契约,让他的部下骷把马退回我,又叫中介人效父把束丝也

---

① 铭文无年,郭沫若推知为周孝王二年,见《两周金文辞大系考释》。

还给我。鬻和效父同意在王参门地方改订券书契约,用货币来买这五名奴隶。我们总共花了一百锊铜。他们说如果限再不给那五名奴隶便来相告。鬻后来又来了。说要悔约,并退还了原金。"听完起诉辞,井叔作了裁决:"限是王室的工作人员,买卖既成就不应违约。五个奴隶交付曶。以后不要让部下鬻再有贰言了。"审判结束后,曶向井叔叩首称谢,接受了限给他的五个有名有姓的奴隶。曶派遣属员告知鬻,并送去了酒、羊和丝三锊作为礼物,以示谢意。曶还教诲鬻说:"应当给甗五百支箭,并让甗仍住在他的田邑里,耕种他的田地。"鬻回答说:"行!"

《琱生簋》为世传青铜器,铭文分别刻在两个簋上。把两器铭文连接起来,正好是一个较为完整的田土奴隶争讼案。铭文大意是:

周王五年正月己丑那天,琱生因田土纠纷提起诉讼,召伯虎参与审理此案。琱生给宗妇幽姜送了一个壶作为礼物,请求幽姜以宗君幽伯名义在召伯虎面前说情,就说:"我老啦,止公的仆庸土田多次受到司法机关的侦查,要靠召伯虎从宽处理了。如果止公的仆庸土田超额三份,请召伯虎设法让他超额二份;如果超额二份,就说成一份吧!"召伯虎答应了琱生的请求。为了报答,琱生送了宗君一个大璋,又送宗妇一束帛,一枚璜。召伯虎对琱生说:"我已经征讯过大臣对处理此案的意见了。但是,我要听从我父母(宗君幽伯和宗妇幽姜)的命令。我不敢按大臣们的意见去判决,我向大臣们传达了我父母的命令。"琱生对召伯虎又行了贿,送了朝觐用的礼器圭。

周王六年四月甲子的一天,王正在莽宫。召伯虎对琱生说:"我给你报告好消息来了。止公缴纳那些诉讼费,都是为琱生你打官司的。这场官司能够有着落而平息,都是因为我父母出面讲了话。我准备就止公的仆庸田地再次征讯大臣们的意见。我虽然有了登录那些土地的文书,因为还没有得到大臣们的同意,还不敢封存于官府。现在我已经征讯过了,大臣们一致说服从幽伯幽姜的命令!因此我已经把那些多占的仆庸土田都一一登记了,现在把副本送给你"。琱生再次送给召伯虎一块玉。作为报答。

《鬲攸从鼎》,世传青铜器,陕西凤翔出土,厉王时器。铭文是迄今见到的唯一的一个记述两个大贵族在土地租赁过程中因一方失约而发生的一场诉讼案。铭文大意是:

> 周厉王三十二年三月壬辰那一天,厉王在周康宫的夷王太室,鬲从来控告攸卫牧。告辞是:"攸卫牧租了我的土地,而没有履行契约义务给我以租金。"周王命令要对此案详察审理,并让史官南立即将他们带到虢旅那里去处理。虢旅裁决攸卫牧败诉,并让他起誓:"我如果不再付给鬲从全部田租,感谢他租给我土地,就处我流放刑罚"。攸卫牧按虢旅的要求起了誓。

二、代理制度

以上三个判例,反映出西周的民事诉讼已经建立起一系列制度。首先,从维护特权者利益出发,实行诉讼代理制度。所谓代理制度,就是法律允许当事人不直接出庭受审,由其部属或其他人员代理之。古代的诉讼代理是一项特权规定,和现代诉讼中为了给诉讼当事人提供法律上的帮助,允许当事人委托诉讼代理人代为诉讼的意义不同。《周礼·秋官·小司寇》记载:"凡命夫命妇不躬坐狱讼"。命夫,指"其男子之为大夫者";命妇,指"其妇人之为大夫之妻者"。命夫命妇,就是大夫以上的各级贵族及其妻子。这些人参与诉讼,可以不亲自出庭。前已叙述，刑事诉讼，贵族无权指派代理人。《周礼》说刑事、民事都允许诉讼代理，说法不确。民事案件允许代为诉讼，已被金文判例所证实。《曶鼎》中的曶和限是两个大奴隶主贵族，曶，朝中要员，世代豪门，限，王室工作人员。他俩本是诉讼当事人，但在全部审理过程中从未出现，而是各自指派其部下黻和䣍代理出庭。直到判决执行，领取那五名奴隶时曶才出场。

刑事诉讼允许代理是从春秋时期开始的。《春秋左传·僖公二十八年》："卫侯与元咺讼，宁武子为辅，缄庄子为坐，士荣为大士。卫侯不胜，杀士荣，刖缄庄子，谓宁俞忠而免之"。这是一起元咺以杀叔武而引起的刑事案。诉讼当事人是卫侯和其臣下元咺。开庭后，卫侯以国君身分没有出庭，而派缄庄子代为坐讼，派士荣负责争辩。结果卫侯败诉，一怒之下，杀了士荣，刖了缄庄子。《左传·襄公十年》还载有一起王叔陈生与伯舆"争政"的狱讼案。他俩也未出庭，由"王叔之宰与伯舆之大夫瑕禽坐狱于王庭"。诉讼代理正式规定于法典始于元代的《大元通制》："老废笃疾"，非重大案件，允许家人亲属代诉，但是，"诬告者，罪坐代告之人。"

三、调解制度

调解，是通过劝导协商处理民事案件或轻微刑事案件的一种方法。西周虽无明文规定，而司法实践中类似调解性质的案例已经有了。前引《曶鼎》就是一个典型的民事调整息讼的金文资料。限两次违约，司法官井叔听了曶的讼辞后，对限说："你是王室之人，不应该契约既定，买卖已成，而又悔约"。经井叔这么一说，限的代理人立刻答应遵守前约，交出五名奴隶，争讼停息了。息讼后曶为此还请了客，送了礼，大大庆贺一番，并和限言归于好了。十分清楚，这是司法官用调解方法去息讼,法庭没有对此作出任何判决,也没有对违约者限按刑律规定处以墨刑。不过,从金文判例看,西周的民事调整是有宗法等级界限的:第一,只有大贵族之间的争讼案,才能调解息讼。像牧牛那样的小贵族,他们一旦违约,则不属于调解范畴,要按刑律惩处。第二,民事调解由司法机关主持进行。在国家机关主持下调解的民事纠纷,具有法律效力,调解后,任何一方违反调解决定,再次悔约,则要以人身作担保,承担刑事责任。限第一次悔约,没有承担任何责任,因为那是私人和解,没有通过官方。而攸卫牧在虢旅那里的誓辞:"我弗具付其且(租),则放",就是另一码事了,它将预示着不履行调解的危险性——处流放刑罚。

四、诉讼程序

在诉讼程序上,民事刑事基本上大同小异,但也有区别。

第一,告诉。民事诉讼的发生同样起始于当事人的告发。前引《曶鼎》"曶……以限讼于井叔",是说曶把限告到井叔那里。曶告发限,是井叔受理此案的理由。《鬲攸从鼎》"鬲从以攸卫牧告于王",是说鬲从把攸卫牧告到周王那里,也是周王受理此案的原因。

第二,两造到庭,坐地对质。前引《曶鼎》诉讼案,虽属代理诉讼,而原被告双方都是出庭的。出庭之后,便是陈述诉辞,进行争论,坐地对质。这说明民事诉讼和刑事诉讼一样也须"两造俱备"。

第三,诉讼费的缴纳。《周礼·秋官·大司寇》规定:"以两造禁民讼,入束矢于朝,然后听之"。束矢,即一百支箭[1]。民事诉讼,双方

---

[1] 也有五十矢为一束(见《诗·鲁颂·泮水》毛传)和二十矢为一束(见《国语·齐语》韦昭注)等说法。

当事人到庭后,再缴纳一百支箭,作为保证,才能受理。任何一方不入"束矢",便是"自服不直",要判为败诉,"束矢"没官。《国语·齐语》韦昭注:"讼者坐成,以束矢入于朝,乃听其讼。两人讼,一人入矢,一人不入则曲,曲则服,入两矢乃治之。矢取往而不反也"。西周时期民事诉讼要求诉讼当事人向法庭缴纳一束矢,作为诉讼保证金,其含义是:"取其直也,诗曰其直如矢"①。就是说以"入束矢"来表示自己一方理直、正确,定能胜诉。反之,不入"束矢",则意味着理屈不直,不仅判为败诉,事后还要责令其补交一束矢作为罚物。

前引《琱生簋》判例把"公厥禀贝"作为打官司的一项重要程序。禀,训为纳。贝,货币的一种,称为贝币,在这儿当作诉讼费。召伯虎准备徇私舞弊,推翻原判,当一切准备工作就绪之后,立刻通知琱生,说:止公已经缴纳了诉讼费,这场官司看来有着落了。这说明诉讼费的缴纳,是召伯虎受理重审此案的前提和必经程序。把《周礼》和金文资料结合起来看,西周诉讼,刑事、民事都得缴纳诉讼费。刑事用铜,民事是纳贝。至于交束矢,目前还找不到其它佐证。西周货币的主要形式是贝,而铜价值昂贵,使用不太普遍。因此,用铜打刑事官司而以一般货币贝充当较为频繁的民事诉讼费,可能是顺乎情理的。弓矢在金文中,除用作武器外,常和田土、马牛、奴隶一起作为上级奴隶主对下属的赏赐物。弓箭还未见到被当作货币使用的实例。赏赐与箭,是授予权力的象征。弓矢能否以货币形式用作诉讼费,看来可能性不大。

第四,讯有司。民事诉讼和刑事诉讼一样,在判决之前要征询大臣们的意见,《琱生簋》叫做"讯有司"。讯,讯问。有司,泛指官吏。

---

① 《周礼·大司寇》郑注。

讯有司,即征求群臣对判决的意见。印证《琱生簋》,《周礼》所载刑事诉讼的"三刺之法"可能有讹。"三刺"包括"讯群臣,讯群吏,讯万民"三种人,在这三种人之中,臣和吏即《琱生簋》的"有司",那么,"万民"究竟指哪些人呢？这个"民"不可能指庶民百姓是能够肯定的,因为法官断案决不会征求他们的意见。因此,刑事诉讼中的"讯万民"如果不是来自后人的附会,"讯万民"的"民"当指贵族遗老们。"讯群臣,讯群吏,讯万民"便是征讯官僚贵族的意见。

《琱生簋》一案法官召伯虎征讯过两次群臣意见。第一次征讯时,群臣一致表示对侵吞公田的止公应当依法从严判决；第二次征讯时,群臣们却来了个一百八十度的大转弯,说什么服从宗君、宗妇的命令,对止公从宽处理。果然,召伯虎竟按群臣意见作了判决,不但没有追究止公侵权行为的法律责任,反而承认了止公侵占公田——"仆庸土田"的合法性。

群臣为什么要置法律而不顾竟屈就于宗君、宗妇呢？这就有必要交待一下宗君和宗妇与案情的关系了。宗君、宗妇是司法官召伯虎的父亲、母亲,和诉讼当事人之一琱生也有血缘关系。琱生在铭文中称宗君先祖为"朕烈祖",说明宗君在宗族中为大宗,那么琱生一家当系小宗子。在宗法制社会里,大宗率小宗,小宗率群季,宗君在族内享有绝对的统治权。正因为如此,琱生涉讼被推上被告席时,他便利用这种宗法关系不惜重金代价,行贿于宗君、宗妇,好让他们出面讲话,并给儿子司法官召伯虎施加压力。琱生的这一着果然有效。召伯虎不得不在父母压力下对琱生表态："我听从父母之命,我不敢自作主张"。这就是召伯虎要把已经征讯过群臣意见也已作出判决的案子又拿出来再次征讯群臣意见的原因。群臣们哪个不知道宗君在宗族中的特殊地位？哪个不晓得宗君与审判官召伯虎之间的父子关系？所以，当召伯虎第二次征讯他们意见时，他们异口同声地说："服从宗君、宗妇的命令！"《琱生簋》判例说明，"讯有司"作为一项诉讼程序，是有进步意义的，但是，在宗法制社会里，当法律制度与宗族势力发生矛盾时，再进步的法律制度等于零，国法须唯宗法是从。

第五，一名典。民事诉讼，"讯有司"之后，便是判决，诉讼即告结束。如果案例属于田土所有权方面的争讼，判决之后，还须履行"一名典"的程序。"一名典"，就是将田土数量、四至一一登录于典册，以确认胜诉一方对这些田土的所有权。这本来是签订民事契约（书面）的一项必经程序，但在涉及田土的民事争讼中，它同样要作为一项诉讼程序，用以实施对判决的执行。按惯例："一名典"之后，将典册一分为二，一半封存官府，立案存档；另一半，如《琱生簋》铭文说的"献伯氏"——交胜诉一方琱生保存。

五、上诉制度

西周诉讼，刑事允许上诉，从《琱生簋》看，民事也允许上诉。周王五年正月已丑日"讯有司"之后已判决被告有罪，但在周王六年四月甲子那一天，召伯虎又开庭审判了。这次审判，是因为被告"用狱刺为伯"，提出了上诉，所以实际上是一次复审。尽管这次审判完全出于召伯虎在其父母授意下的精心安排，"讯有司"（第二次）亦具虚名而已，可是，民事诉讼中的上诉复审制，由此推论是存在的。

六、巡行审判

周初，有些诸侯国在其封国内还实行过巡行审判制度。所谓巡行审判，就是地方官吏巡行乡邑，就地断决庶民百姓间发生的争讼案。据说召公奭就封召（今陕西省岐山县西南）地之后，为了便于民间诉讼,经常巡行乡邑,在一株甘棠——棠梨树下筑起茅舍,就地断案,昭雪了不少民间冤案。《史记·燕召公世家》对此作过详细叙述:

> 召公之治西方,甚得兆民和。召公巡行乡邑,有棠树,决狱政事其下,自侯伯至庶人各得其所,无失职者。召公卒,而民人思公之政,怀棠树不敢伐,歌咏之,作《甘棠》诗。

诗《甘棠》是这样歌颂召公的:

> 蔽芾甘棠,
> 勿翦勿伐,
> 召伯① 所茇。
> 蔽芾甘棠,
> 勿翦勿败,
> 召公所憩。
> 蔽芾甘棠,
> 勿翦勿拜,
> 召伯所说。

茇、憩、说,同义词,茅草小屋,召公奭断案的地方。郑氏笺:"茇,草舍也,召伯(公)听男女之讼(婚姻诉讼案),不重烦劳百姓,止舍小棠之下而听断焉"。由于召公奭因陋就简,听断于甘棠树下草屋之中,大大方便了鄙野庶民,因而平民百姓"被其德,说其化,思其人,敬其树",召公奭死后,就地修筑一座召公庙,并以歌谣形式,让人们对小小甘棠"勿翦"、"勿伐"、"勿败"、"勿拜(拔)",以表示对召公奭的崇敬之情。

---

① 此召伯即《史记·燕召公世家》中之召公奭。召公也称召伯。《甘棠》郑氏笺:"召伯,姬姓名奭,食采于召,作上公为二伯,后封于燕,此美其为伯之功,故言伯云"。有人认为召伯即西周晚期厉、宣时期的召伯虎,非。

巡行审判的范围,主要是"男女之讼"的婚姻案,但是,其它民事案、轻微刑事案及一般行政诉讼案也在审理之列。否则,司马迁是不会对巡行审判作出"自侯伯至庶人,各得其所,无失职者"的评价的。

《甘棠》属于十五《国风》中的"召南"。"召南"共有诗十四首,其中差不多和《甘棠》同时或稍晚的《行露》一诗真实地反映了召公奭巡行审判的一个感人肺腑的判例:

厌邑行露。

岂不夙夜,谓行多露?

谁谓雀无角?何以穿我屋?

谁谓女无家?何以速我狱?

虽速我狱,家室不足!

谁谓鼠无牙?何以穿我墉?

谁谓女无家?何以速我讼?

虽速我讼,亦不女从!

这首诗是一个鄙野之地的被欺凌、被诬告的女子在法庭上的抗辩辞。全诗共分三段。第一段,这位妇女陈述自己没有按时出庭的理由:露水多,道路难行,并非我没有日夜兼程!第二段,这位被告在法官面前,却以原告身分,愤怒陈辞,戳穿那个恶棍"速我狱"的居心所在:你已经有了家室,有了家室为什么和乌雀一样要闯进我家?你分明是想霸占我,霸占不成,反和恶狗一样先来告状,告也无用。我永远不会嫁给你。第三段,这位女子进一步强调"虽速我狱,亦不女从"的坚定决心。

这首诗使我们对周初的巡行审判制度以及妇女在诉讼活动中的法律地位有了较清晰的了解:

第一,巡行审判有利于民间诉讼。不难设想,如果没有召公奭的巡行乡邑和决讼于甘棠之下，类似身处穷乡僻野的劳动妇女的冤情是决无伸张可能的。尽管巡行审判还找不到其它记载，西周中后期是否实行也不得而知，但是，仅此一例，已足以说明这一制度是西周诉讼史上的精华，中华法系的优良传统。因为他一定程度上表达了劳动人民的愿望，召南地区的人民才写下了这首怀念召公，同情那位受害女子的诗篇。诉讼中，被欺凌的女子的官司很可能打赢了，否则，《行露》诗开头就不会有"召伯听讼也，衰乱之俗微，贞信之教兴，疆暴之男不能侵凌贞女也"的赞美之辞。

第二，在婚姻案的争讼中，妇女和男子一样，是诉讼主体，享有诉讼权利。在西周，随民间自由婚的盛行，一些恶人必不可免地要借自由婚之名，想方设法企图霸占他人之妻并进而吞侵他人财产。从《行露》看出，西周法律，在这种诉讼活动中，给予妇女与男子同等权利，允许妇女出庭，允许妇女争讼，这对于抑强扶弱，稳定奴隶阶级社会秩序无疑是有好处的。

第三节　誓审

一、西周誓审的范围、种类、程序和程式

誓审，是在神权统治时代，借助于神威，依据当事人对神（天）的宣誓进行定罪和惩罚的一种审判方式。西周誓审，一般情况下只适用于民事违约争讼案。刑事案件是否实行誓审？从金文资料看，有两种不同情况：凡纯刑事案都不用宣誓方式，如果被告不认罪，便使用刑讯来获取证据；另一种情况是，如果是民事而同时又附带刑事性质的案件，也实行誓审。如《㒲匜》判例中的牧牛，既犯有违约罪，同

时兼犯诬告罪,因此,这个案子以"牧牛则誓"告结。

宣誓是誓审的主要形式。西周誓审的宣誓,主要有三种类型:

强迫宣誓。这种宣誓由败诉一方在官方强迫下进行。如《曶攸从鼎》判例中的攸卫牧,被判为败诉后,司寇属员眚史南便奉命将其押送到专管宣誓的司法机关——司誓那里去宣誓。攸卫牧的宣誓并非出于本人自愿,而是依法由司誓长官虢旅监督执行,铭文所说"王令(命)眚史南以即虢旅,虢旅乃吏(使)攸卫牧誓"就是这个意思。吏,借为"使",在这里做责令、强迫讲。《倗匜》铭文也有"白(伯)扬父乃或(又)吏(使)牧牛誓"的句子,句式与"虢旅乃吏(使)攸卫牧誓"完全相同,意为司法官伯扬父责令牧牛再次起誓。其不同点,只是这个句子多一个"或"即"又"字,这是因为伯扬父在诉讼开始时已责令牧牛起过一次誓。

自愿宣誓。这种宣誓完全出于宣誓人的自愿,司法机关不施加任何压力。宣誓也在司誓长官面前进行,那只不过是为了履行法律手续,使宣誓具有法律效力。《散氏盘》是一个明显的例证。该盘反映的是一则侵权偿赔契约。铭文说,矢氏侵犯了散氏用邑并造成损失,经协商,矢氏一方愿意进行损害赔偿,代价是一块眉田和另一块井邑田。经散氏同意后,双方举行授田仪式。授田仪式的一项重要内容,就是矢氏派遣其主管眉田和井邑田的四名田官,主动在司誓官员虢旅那里去宣誓。宣誓说:我已经付给了散氏田土器具,如果有违约行为,对散氏有二心的话,隐瞒多少,就罚多少,给我处以弃市刑罚。显而易见,这种宣誓,和攸卫牧、牧牛的宣誓性质完全不同。攸卫牧、牧牛的宣誓,是不以宣誓者的意志为转移的,他们是在法官的命令声中进行的,而矢氏田官的宣誓,则完全出于加害人进行损害赔偿的自愿。因此,铭文没有使用带有强烈性的司法官"吏(使)某某誓"的言词。

合意宣誓。合意宣誓适用于合意契约。金文中的合意契约，到处可见。这种契约大致有两种类型。一种是不通过官方的，只要双方合意即可；一种是通过官方的，不仅要得到官方认可，还须在官方指令下进行合意性质的一问一答的程式化的宣誓。前者有《格伯簋》、《鬲从盨》和《九年卫鼎》；后者如《卫盉》、《五祀卫鼎》诸器。《五祀卫鼎》讲的是裘卫和邦君厉订立田土交易契约的前后经过。当双方达成协议后，举行合意契约的签订仪式。这时，他们便将自己的意愿告知官方，官方和立约者进行程式化的套语问答，以了解立约双方是否出于合意。对答之后，官方则"吏(使)厉誓"，就是让允约人邦君厉作承担义务性质的宣誓。凡是在官方主持下经过宣誓签订的契约，如果发现任何一方悔约违誓，官方都要对其追究法律责任，进行刑事惩罚。

西周誓审程序的繁简是由案件的性质和难易决定的。一般民事案，像《鬲攸从鼎》、《散氏盘》那样，宣誓只进行一次，时间在裁决之后，内容仅限于对裁决的誓守。重大案件，如《𠦪匜》，既是民事案，又夹杂着刑事问题，此类案子，誓审程序较为复杂。一般情况下，宣誓分三次进行：第一次，在诉讼开始。第二次，在判决之后。第三次，与判决之执行同时进行。《𠦪匜》所载牧牛案，是围绕小贵族牧牛和其上司𠦪为了争夺五名奴隶所有权而进行的。诉讼一开始，牧牛在司法官的斥责声中，起誓悔罪，承认他"上卲(代)先誓"，即违背先前誓言的罪过，并表示愿意给𠦪归还那五名奴隶。这说明第一次即诉讼开始时的宣誓，是一种责令罪犯对其所犯罪行作肯定或否定答复性质的宣誓。由于牧牛承认了他的罪行，因此，审判官伯扬父便作出并宣读了判决书。判决书宣读之后，伯扬父责令牧牛进行第二次宣誓，表示对判决的服从。这就是铭文所说的"牧牛则誓"。第三次宣誓在诉讼的终结，是最后一次宣誓，故将其誓辞写成书面形式——"辞誓"存档，用以防止牧牛再次违誓。接着，对牧牛罚了铜，诉讼便结束了。

西周誓审不仅程序繁琐，其程式也有浓厚的形式主义色彩——进行套语答对。金文中，宣誓套语分做两步：

第一步，司法官领誓——宣读誓辞；

第二步，败诉者从誓——重复誓辞。

如《鬲攸从鼎》，"虢旅乃吏(使)攸卫牧誓曰：我弗具付鬲从其且(租)、射(谢)分田邑，则放"，是司法官虢旅的领誓；"攸卫牧则誓"，是败诉者攸卫牧的从誓。又如《𧽊匜》，"自今女(汝)敢扰乃小大史(事)，乃师或以女(汝)告，则到，乃俊(鞭)千，黥䵱"，是司法官伯扬父的领誓；"牧牛则誓"，是败诉者牧牛的从誓。

从上述誓审的适用范围、种类和程序、程式可以看出，西周誓审，已经建立起颇为严密的制度，并广泛地运用于司法实践之中，它和神判一样，也是利用人们的迷信心理，给法律涂上一层厚厚的神权色彩，以强化司法镇压效能，维护奴隶主阶级专政，这就是西周统治者所以重视誓审的原因所在。尽管如此，西周誓审和殷代神判相比，已有显明的进步。

二、西周誓审的特点

神判，是一种鬼神定罪的审判法，它产生于原始社会末期，盛行于殷代。和殷代神判法相比，西周誓审，无论在形式和内容上都有很大不同，主要表现是：

第一，神权色彩已经大大减弱。周人也信神信鬼。1977年陕西岐山凤雏村出土一万六千七百余片周代卜甲的事实说明，周人和殷人一样也搞占卜。但是,周人占卜,至目前为止,我们还未从凤雏卜辞中发现任何一则通过卜问刑杀人民的神判记载。不仅如此,从《曶鼎》、《曶壶》记载考察,连专掌占卜的官吏对涉及自身利益的财产争讼,都不敢擅自使用占卜权,盗用神权,徇私舞弊,他们也得遵循司法程序,上诉司法机关。这两件铜器铭文中的曶,从铭文"令(命)汝更乃祖考司卜事"和"更乃祖考作冢司徒"看,其官职是司卜事兼司徒。司卜事,专司占卜的官吏。当他和另一贵族限因用"匹马丝束"交易五名奴隶发生争执后,曶并未假手中占卜之权,擅自神判,而是起诉于司法官井叔,听从司法机关依法判决。司徒,据金文记载,也有审理民事争讼的权利,但他也不敢滥用权力,假公济私,置法律而不顾。

第二,誓审的目的在于预防犯罪。殷代神判和西周誓审崇敬的对象都是神,然而事实上,神判崇敬的神和誓审崇敬的神,其特定含义已有很大不同。据卜辞记载,殷人所说的神,指帝和上帝。殷王为了强化自己的统治,又把上帝神和祖先神结合一起,宣扬上帝就是自己的祖先,而殷王则是上帝的嫡系子孙。所以,殷代的神判法,实质上就是殷王垄断司法的王判法。周人则不同。他们法律思想的重大突破,就是赋予上帝神和祖先神以两个不同的概念,实现了帝祖之间的分离。不仅如此,他们还给上帝起了别名——天,以示自己崇拜的上帝和殷人的上帝有所不同。即使是天,周人对它也不像殷那样毕恭毕敬,唯命是从。所以,西周的誓审只不过是利用人们对天还残存的畏惧心理,把天作为一种工具加以利用罢了。誓审的含义就是要求诉讼当事人要对天发誓,要严守诺言,誓守判决,否则,天将惩罚发假誓者。由此可见,西周誓审的立足点,仅仅是借天之威,以达到对未来犯罪的告诫和预防,而决非像殷代神判那样,利用人们的迷信心理,盗用神力,滥用刑罚,迫害无辜。从这个意义上考虑问题,西周誓审,实际上是周统治者"明德慎罚"、以教为先立法思想在司法实践上的具体运用,这种审判制度比之于殷代神判要进步得多。

第三,通过誓审,获得证据。殷代神判,决无证据可言,而西周誓审,完全是为了给司法官定罪量刑索取誓辞证据。从金文资料看,西周审判获得证辞的方式主要有两种。第一种是刑讯逼供。这种求证法见于《曶鼎》所载匡季寇攘诉讼案,其方式是用鞭笞刑讯拷打。刑讯逼供只运用于刑事案。第二种是对天宣誓即誓审法。宣誓,在民事诉讼中,不仅当事人要进行,甚至连中介人也要履行宣誓手续,求其旁证①。大量的宣誓仪式见于民事诉讼之中。民诉中的宣誓都是为了给审判过程中确定罪与非罪和进而定罪科刑寻找证辞。例如《𤼩匜》判例中牧牛在第一次宣誓时承认他"上卬(代)先誓",这就给司法官确定牧牛有罪即犯有违背前誓罪找到了证辞。同时,从另一角度还可以看出,牧牛"上卬(代)先誓",也给诉讼之另一方𤼩控告牧牛有罪提供了证据。牧牛的第二次宣誓是悔罪性质的宣誓,由于他宣誓认罪,并主动给𤼩道了歉,归还了五名奴隶,以实际行动履行了誓辞诺言,所以司法官在判刑时,又根据他的悔罪表现,两次对他宽减刑罚。在这里,宣誓又成了能够正确科刑的依据。判决结束时,牧牛做了最后一次宣誓,法庭并将其誓辞写成书面形式存档,这又是给牧牛可能再次悔誓,不服判决而确立新的证辞。

三、如何看待《周礼·司盟》有关誓审的记载

我国古籍有誓审记载的只有《周礼》一书。正因为如此,有的外国法律史学家著书立说虽没有断然否定中国存在过誓审制度,但是

---

① 见《曶鼎》第二段铭文。

他们所依据的唯一史料就是《周礼·秋官·司盟》[①]。鉴此,澄清《周礼·司盟》在记载上的一些是是非非,对于搞清西周誓审也是很有必要的。《周礼·司盟》载:

> (司盟)掌盟载之法。凡邦国有疑会同,则掌其盟约之载,及其礼仪,北面诏明神,既盟,则贰之。盟万民之犯命者,诅其不信者,亦如之。凡民之有约剂者,其贰在司盟,有狱讼者,则使之盟诅。

首先,必须肯定这是研究西周誓审的一条宝贵资料。其宝贵之处在于:"盟万民之犯命者,诅其不信者,亦如之。凡民之有约剂者,其贰在司盟,有狱讼者,则使之盟诅"的记载,其基本精神和金文资料彼此符合。但是,这一记载在誓审概念上又有两个错误:

其一,把邦国间的盟誓和民事审判中的宣誓——誓审,混同成为一个概念——"盟诅"。盟和誓之间是既有联系而又有区别的。盟,是诸侯之间在神(天)面前立誓缔约以解决他们之间利害冲突的一种称谓。《礼记·曲礼》"莅牲曰盟"孔颖达疏:"盟者,杀牲歃血,誓于神也"。金文也有盟的记载。《鲁侯爵》:"鲁侯作爵,用尊茜鬯临盟"。又《陈肪簋》:"恭盟禩神,虔恭悢忌"。但是,这种盟只适用于《周礼》所说的"邦国有疑会同"。而民事争讼中的宣誓,金文只称誓,不称盟、盟誓或盟诅。《周礼·司盟》所谓"(民之)有狱讼者,则使之盟诅"的说法,定是后人作《周礼》时对西周誓审无所了解所致。

其二,把西周誓审和殷代神判混同起来了。《周礼》讲司盟职责时说,司盟"掌盟载之法"的方法是"北面诏明神",在处理狱讼时,"则使之盟诅"。一个"明神",一个"盟诅",由于用辞不当,便完全混淆了

[①] 见穗积陈重《法律进化论》第一编第三节。

誓审和神判的界线。"明神",即神明。明在这儿当动词讲,按郑玄注,是"神之明察"的意思,也就是说由神判定其曲直。"盟诅"和"明神"一样,也是求神嫁祸于人。《书·无逸》:"否则厥口诅祝"。孔颖达疏:"以言告神谓之祝,请神加殃谓之诅"。由此可见,《周礼》所说的盟誓实质上就是神判。神判的主体是神。方式是占卜,而誓审虽则也借助神力,说什么神(天)将会惩罚发假誓者,但是,在誓审中,执行判决的主体已经不再是神,而是人——司法官。这种审判方式,证据的作用已经显明地表示出来了。神判无须证据。如果要考察它们之间的关系,我们只能说神判是人们处于原始阶段或刚刚进入阶级社会时法制还处于初期阶段的产物。随着法制的健全,誓审代替了神判。当证据成为判决的主要依据时,誓审也就随之消失了。

综上所述,我们可以得出如下结论:

首先,中国奴隶制法和世界各国一样具有神权色彩。殷代神判法是我国神权法制的初期表现形式,具有落后性、野蛮性、残酷性;西周誓审以证据形式在一定程度上否定了殷代神判的神权性质,并对后世证据裁判有直接影响。据《秦简》记载,秦代很重视现场勘验等证据制度,这是我国古代神意审判基本终止的重要标志。

其次,誓审既和天罚保持着千丝万缕的联系,又有质的差别。誓审,实际上是"明德慎罚"和天罚两种法律思想的混合物。

再次,以中国和外国相比较,中国法律受神权影响的程序,远远不如外国。在时间上,中国基本上限于夏商周奴隶制时代,而外国,不少国家,直至中世纪以至近代,法律才摆脱了神权的桎梏。在表现形式上,无论殷代神判或西周誓审,都比较单一,至于神权立法,截至目前,在我国还未见到可靠记载。其它国家则不然。如印度,仅神判种类,就有水审、毒审、圣水审、米审、热油审、签审等等,形式繁多,残酷至极，非殷代神判所能及。神权立法的国家就更多了。最典型者，如《汉穆拉比法典》、《摩奴法典》、《摩西十诫》、《可兰圣典》等，相传都是神授的。法律规范受宗教规范约束的大小，直接关系着一个国家一个民族的文明程度和法制的健全与否。中国法律自古宗教观念的淡薄，是中华民族优秀文化的见证，也说明我国自古就注重以法解决现实问题。

第四节　军事审判

金文中的军法判例，目前能见到的仅周初成王时器《师旅鼎》和康王时器《小盂鼎》二件。《小盂鼎》审讯的是敌酋敌兵，对研究战俘审判和刑罚种类价值颇高。《师旅鼎》则是对西周军队内部违犯军令行为的审判。铭文虽只有七十九字，但对审判方式、诉讼程序及其相应的刑罚原则等重要司法制度，都有较详细的记载，是一篇难得的历史文献。该鼎全铭如下：

唯三月丁卯，师旅众仆不从王征于方，雷吏(使)厥友弘以告于白懋父，才(在)莽。白懋父乃罚得䪴，古三百锊，今非克厥罚。懋父令曰："义(宜)(播)！戠！厥不从。厥右(有)征，今母(毋)敕，斯又(有)内于师旅"。弘以告中史书，旅对厥贤于尊彝。

这篇铭文若以审判程序划分，有三个大段：

第一段(自铭首至"才(在)莽")：交待审判时间、地点、司法官姓名和诉讼的提起及事由。段意是：三月丁卯那一天，由于师旅的众仆没有跟从王征伐于方，雷派遣他的部属弘，把师旅和众仆控告到在莽执行政务的白懋父那里。

第二段(自"白懋父乃罚"至"斯又(有)内于师旅")：记述审判经

过。首先是白懋父对师旅的判决。白懋父判处师旅以罚金。最初的罚金是三百锊,结案时又改判为免(或缓)缴罚金。其次是白懋父对众仆的判决:白懋父宣布命令说,嗨!你们不随王出征,本应处以流放刑,现在因又有征伐之事,可以不流放了,由师旅亲自督察你们去出征。

第三段(自"弘以告中史书"至铭末):史官记录判决结果;师旅铸鼎铭刻受罚经过,以示要永远铭记这一教训,而感谢恤刑之恩。

从《师旅鼎》的判例,我们可以看到,西周军事审判制度已经相当完备,有以下几个显著特点:

第一,以公诉形式纠举侵害国家利益的军事犯罪。西周诉讼形式,从金文资料看,主要有两种,一种是自诉。自诉,就是由受害人或其代理人直接向官府直至周王呈诉的一种诉讼形式。它由侵犯个人权益而引起,有民事,也有刑事;可以上告司法机关,也可以直接控告于周王,而不算越诉。另一种形式是公诉。公诉,就是对侵犯国家利益的犯罪提起诉讼。在这种诉讼中,行使起诉权的是代表国家机关的公诉人。《师旅鼎》判例正是以公诉形式提起的诉讼。判例中的犯罪主体是众仆,其罪行是"不从王征于方",因而犯有违抗军令、逃避军役罪,直接触犯了国家利益,所以这种犯罪属于国事罪的范畴,任何个人无权予以起诉,只有能够代表国家利益的国家机关才能行使这种权力。《师旅鼎》中的弘及其上司雷正是这种权力的代表,是向司法机关纠举罪犯师旅和众仆的公诉人。西周官、司不分,国家官吏往往就是国家机关。所以,弘和雷,既是公诉人,又是提起诉讼的机关的代表。为什么把弘、雷称作公诉人呢?理由是:铭文说,"雷吏(使)厥友弘以告于白懋父"。据此,这个雷及其僚属弘,是原告,诉讼提起人,当无疑义。铭文结尾也就是在判决之后又有"弘以告中史书"的记载,即弘让中史记录了这一案件的审判结果,这说明弘在这场诉讼中是以一个国家机关的代表身分出现的。否则,他将不可能也无必要去命令一个史官以法定手续记录判决结果。公诉制度的创建,对于保障国家利益、严惩国事犯罪和维护奴隶主阶级的政治制度,都有重要作用,是诉讼制度日臻完备的表现,也是国家权力在司法实践中加强的表现。过去人们把公诉制度的开创期定在秦汉,而《师旅鼎》判例说明,这一制度应滥觞于西周。

第二,实行读鞫判决。读鞫,就是宣读判决书。《周礼·秋官·小司寇》早有"读书则用法"的记载。郑玄注为:"读鞫已,乃论之"。贾公彦也说:"谓行刑之时,当读刑书罪状;则用法刑之"。但是长期以后,人们因受《吕刑正义》"汉世问罪谓之鞫"注:"谓上其鞫刻之辞也"的影响,总认为读鞫是始于汉朝的。其实,从《师旅鼎》等不少金文判例看,在西周,读鞫和公诉一样已广泛运用于包括军事审判在内的一切诉讼活动之中,并形成了一系列较为定型的读鞫制度:

首先,读鞫之前必先成劾。劾,《佚匜》、《师旅鼎》均作䚢,即判辞。成劾,就是形成书面形式的判辞。金文中的判辞,大都有固定的格式。如《师旅鼎》对众仆宣读的判辞,全文是:"懋父令曰:义(宜)敫!敊!厥不从。厥右(有)征,今毋敫,斯又(有)内于师旅"。如果把这一判辞分解开来,便可归纳成为列举罪状、判决、改判原因和改判四个彼此相关、缺一不可的内容:

罪状:厥不从(王征于方);

原判:义(宜)敫(播);

改判原因:厥右(有)征、斯又(有)内于师旅;

改判:今母(毋)敫。

这种判辞形式,在同期的东西方各国中都是无以伦比的,也找不到任何一个先例,它充分反映了我国奴隶制法的发达。

其次,由司法官宣读判辞。《㦰匜》铭文写作"白(伯)扬父乃成劾曰",意为司法官伯扬父写成了判辞并宣读道。《师旅鼎》因是军事判决,故在宣判时没有用"成劾曰"的语言而改作"懋父令曰"。令,命令。把判辞称作命令,为的是显示军法的威严。

最后,将判辞形成判例文书记录在案。"弘以告中史书"即是。弘是公诉人,看来这种判例档案要归公诉机关保存。若属非军事案件,判辞的形成和保管,大概是司法审判机关的职责。如《㦰匜》"牧牛辞誓成"就是这类情况。把牧牛的誓辞写成司法文书是在审判官责令下进行的,那么,这一文书必将存放于审判机关,当做日后再次诉讼时的法律凭证。

读鞫制度的建立和判辞形式的规范化,对审判过程中依律定罪、按罪处刑有着重要作用。《师旅鼎》等金文判例不仅使我们对西周诉讼制度有了更深一步的了解,更重要的是,它还能启示我们对所谓奴隶制时期"不豫设法"的理论产生了质疑。《师旅鼎》判例审判的对象是师旅和众仆,面对师旅罗列罪状,定罪量刑,可以解释成奴隶主贵族内部有不经公布的成文法典;而面对一大批奴隶身分的众仆,读鞫判决,又可作何解呢?西周有无已经公诸于众的刑法典,应该引起法学界的注意。

第三,把德教作为一项重要的刑罚原则。《师旅鼎》判例最引人注目的是,判决之后又进行改判,并把改判理由和改判结论纳入判辞一并读鞫,以体现其审判的灵活性、可变性。"今弗克厥罚",是对师旅的改判;"今毋敚",是对众仆的改判。这儿所说的"弗"、"毋",是免刑还是缓刑,铭文没有交待清楚,我们也无须深究它。可以肯定的是,刑罚将暂不执行。为什么判了刑又不执行呢?铭文说,因为"厥右(有)征"，故"斯又(有)内于师旅"。让师旅亲自率众仆再次去出征，一方面，能增加军队兵力，另一方面，对师旅和众仆来说，还获得了一个戴罪立功、以功赎罪的机会。这就是西周刑法重视德教的表现。

对逃避兵役、违抗军令犯罪的惩罚，无论哪个国家都用重典。例如巴比伦《汉谟拉比法典》第26条规定："里都或巴衣鲁，奉王命出征而不行，或雇人以自代，此里都或巴衣鲁应处死"。中国夏殷对违抗军令行为的处罚更为残酷。据《尚书·甘誓》和《汤誓》记载，对在战场上不努力作战或违令不行的兵士，要"戮于社"、"孥戮汝"，即在社神面前把他杀死并当做祭祀用的牺牲品，甚至还要罪及子孙后代，使其断子绝孙。那么，为什么周初军法对师旅和众仆却用了轻典最后又赦免其罪呢？这不能不使人想到周统治者的立法思想——"明德慎罚"。迄今出土的青铜器铭，几乎都是作器人颂功颂德的赞美词，唯独《师旅鼎》例外地铭刻受罚经过。由于该鼎打破了铸鼎歌功颂德的常规，有的同志在释文时总是想方设法把师旅说成不是受罚者，甚至是罚人者。这点，只要从周初"明德慎罚"思想上多想想，金文中出现个别例外，就不足为奇了。师旅的作法，正好说明"明德慎罚"思想在他身上产生了效应。

第四，同罪不同罚，维护奴隶主贵族特权。奴隶制社会是等级特权社会，因而其法律必然表现为等级特权法。《师旅鼎》中的众仆，是师旅手下的兵士。西周军队分甲士和徒兵两种。前者是车兵，来源于平民；后者是步兵，大都由征调来的奴隶组成，其任务除参战外，主要承担军事差役。众和仆都是奴隶的称谓。《师旅鼎》中的众仆，就是奴隶主师旅所辖的奴隶身分的徒兵。奴隶，在奴隶社会被认为是物，是奴隶主的财产，他们没有独立的人格，在法律上绝无诉讼权。如果奴隶被人殴打或遭到重大伤害时，应由其主人以财产被侵害而起诉;奴隶犯罪或侵害他人权益时,亦应由其主人应诉,承担赔偿之责,或把奴隶交出受审。如《曶鼎》记载匡季的奴隶"众"和"臣"劫掠了另一奴隶主曶的庄稼,受害人曶起诉的对象是匡季而不是"众"、"臣",应诉的也是匡季,最后承担损害赔偿的还是匡季,这正说明奴隶犯法应由其主人承担责任。

《师旅鼎》中师旅的众仆犯了违抗军令罪,公诉人弘对师旅和众仆提起诉讼,师旅和众仆起码应当承担同一罪名,严格地说,罪名应由奴隶主师旅一人承担。然而,司法官最后量刑时,对待师旅和众仆却大不相同。前者仅以罚金了事,后者则处以残酷流刑。由此可见,同罪不同罚是西周刑法也是西周军法的一条重要刑罚原则,奴隶主贵族正是利用这一原则来维护其自身权益的。

第五,《师旅鼎》表明,西周军事审判和其它一切刑、民事审判一样,存在着行政干预司法的弊病。前已叙述,白懋父是周初一个高级军事将领,他身为军事长官,又兼理司法,一身而二任,这对于司法独立无疑是个障碍。这种现象不独严重影响西周司法审判制度的进一步完善,也开创了中国封建社会两千年间司法、行政不分的先河。

第五节 监狱

作为国家机器的组成部分和阶级压迫重要工具的监狱,是用以囚禁犯人,执行刑罚的主要场所,它和诉讼活动同时产生。中国自夏朝开始就有了监狱。夏朝监狱,叫做圜土[1],也有称作均台[2]、

---

[1] 《竹书纪年》:"夏帝芬三十六年作圜土。"
[2] 《独断》:"四代狱之别名……夏曰均台;《左传·昭公四年》:"夏启有均台"。均台又称夏台。《史记·夏本纪》:"吾悔不遂杀汤于夏台。"

念室①的。殷代监狱除圜士外,还有羑里②称谓。甲骨文囚字,作写囚,意为一人曲背囚禁于土牢之中。又有圉字,写作圉,似一人带着刑具梏囚于斗室中。

一、周人关于狱的概念

金文有狱字,写作𤝕,象形、会意字,左右两犬相向蹲地,中间从言。《说文》:"狱,确也,二犬所以守也"。确,同"埆",坚固的意思。"二犬所守",意味着监狱要地,必须禁守戒备,以防犯人越狱。这说明,周人已把监狱视为囚禁罪犯的场所。但是,周人关于狱的概念,还处于早期不成熟的阶段。在西周,狱,大多数场合下,是指狱讼即刑事诉讼。狱字从言,其中包含着两犬相争,必将酿成争讼之意。《易·噬嗑》:"亨,利用狱。"这个狱不是监狱之狱,而指诉讼断狱。《象传》:"君子以明庶政,无敢折狱;君子以明慎用刑,而不留狱"。就以监狱而言,周人所说的狱,也不是单一的关押已决犯的场所,而是临时囚禁罪而未决或决而尚未执行人犯的地方。至于监狱名称,周人不叫监,也不称监狱,而是以监狱造型命名(如圜土),或环境命名(如幽谷),或含义命名(如图圉)。从汉朝开始才普遍称狱,《大明律·刑律》开始称监,到了清代,监狱二字最后合称为一个名词了。

二、监狱名称及其职能

西周监狱是在夏商监狱基础上发展起来的,因此,作为阶级压迫的工具,西周监狱和夏商一样,其首要任务是镇压奴隶和平民的反

---

① 《博物志》:"夏曰念室"。
② 应劭《风俗通》:"夏曰夏台,殷曰羑里。"《史记·殷本纪》:"纣囚西伯羑里"。《竹书纪年》:"二十三年,囚西伯于羑里。"

抗,维护奴隶主阶级利益,强化奴隶主阶级专政。但是,随着时代的变迁,西周统治者推行慎刑安民政策。因而,在"明德慎罚"思想指导下,他们除加强监狱的镇压效能外,还把教育、感化犯人作为监狱的一项重要职能。西周监狱名称、类别,比夏商有所增多。目前能确定的主要有:

圜土。这是夏代监狱的沿袭。圜,与圆字相通。① 用土墙锥筑而成,因而又叫"狱城";其状圆形以象斗运②。囚徒进入狱城,暗无天日,如同进到深谷一般,所以圜土也称作"幽谷"③。

囹圄。蔡邕《独断》:"四代之狱名,……周曰囹圄。"《广韵》:"囹圄,周狱名。"囹,牢;圄,止。囹圄,取置罪人于地牢之中不能自由出入之意。

稽留。《初学记》狱第十一引《博物志》:"夏曰念室,殷曰动止,周曰稽留,三代之异名也"。稽留,顾名思义,是羁押嫌疑人犯的场所,类似后世的"拘留"之地。

灵台。周人以灵台为狱,见于《竹书纪年》:"周作灵台"。灵台,最初为周文王享乐之地,后来变成了监狱。春秋时期,秦晋两国交兵,晋败,秦穆公俘获晋惠公乃"舍诸灵台"④。

犴狱。传说唐虞时期已有犴狱,西周沿用下来当作地方监狱。《诗·小雅·小宛》:"宜岸(犴)宜狱"。《释文》:"乡亭之系曰犴,朝廷曰狱"。犴,即豻字,是一种野犬。野犬性恶好讼,置于狱门,用以遏阻恶徒。周人以犴为狱名反映出西周监狱的恐怖主义色彩。

---

① 《集韵》。
② 《初学记》说,圜土形状,象斗运合。
③ 《易·屯初六》。
④ 《左传·僖公二十五年》。

嘉石。是周人对"有罪过而未丽于法而害于州里者"设置的一种特殊监狱。嘉石，一种有文理的美石，放置在外朝门左边，轻罪犯人可让其在嘉石上坐一定时间，然后送交司空罚服苦役。嘉石之制，也见于其它史籍。《易·困六三》："困于石，据于蒺藜"。是说强制罪犯在放置蒺藜的嘉石上示众。

此外，丛棘也似一种临时设置的原始监狱。纠捕到罪犯后，便将其捆绑起来，放置于丛棘之中，经受皮肉之苦。

西周监狱主要有三种职能：

第一，拘捕、羁押犯罪人或刑事嫌疑犯。中国古代，监狱与看守所不分，监狱之中，收容与囚禁两种职能兼而有之。西周监狱，不是单一的执行机构，大多数情况下用于临时拘禁犯罪人。《易·履九二》："履道坦坦，幽人贞吉。"又《归妹九二》："眇能视，利幽人之贞。"履道坦坦，即道路平坦。幽人，指在押囚犯；幽、囚古义同。眇能视，眼睛返晦复明了。这两则爻辞的意思是，如果囚犯占到走在平坦大道上或见到了光明，便是吉兆，有释放出狱的可能。这些"幽人"，无在押期限，是些临时拘禁未决的犯罪人。

第二，关押已决罪犯。古代监狱虽不能被看作是单一的执行机构，种种史籍记载表明，西周监狱，把执行自由刑已作为自己的一项重要职能。"坐诸嘉石，役诸司空"，就是对有罪过而未触及刑律但不剥夺其自由的轻犯者所建立的一种强制劳改的刑罚制度。《易经》中有关监禁已决犯服徒刑或拘役的记载颇多，如：

《困六三》："困于石，据于蒺藜，入于其宫，不见其妻"——把罪犯困放在周围置有刺人蒺藜的嘉石上，不准和家人见面。

《困初六》："臀困于株木，入于幽谷，三岁不觌（见）"——罪犯被处以杖刑之后，送入监狱，三年不准与外人见面（三年徒刑）。

《小畜九五》:"有孚挛(系,拘系)如,富以其邻"——用盗窃他人财物的办法发财致富,结果被拘捕入狱。

《坎上六》:"系用徽纆,置于丛棘,三岁不得"——把罪犯捆绑起来,投置于四周长满丛棘的监狱之中,三年不放出来。

《困上六》:"困于葛藟(藤蔓)于臲卼(木橛),曰动,悔有悔"——困坐在缠有藤蔓的木桩围绕的嘉石上,欲动逃跑,要罪上加罪。

《蒙初六》:"发蒙,利用刑人,用说(脱)桎梏,以往吝。"——这是强制罪犯罚服劳役的一则筮辞。意为:罪犯执行肉刑后,要取掉他们的手铐脚镣,不再进入圜土,而强迫他们去服苦役。刑人,指受过黥、劓、刖、宫等肉刑的罪人。

以上记载,有的属于徒刑执行,有的是拘役刑罚。在中国历史上,这大概就是古代监狱最早出现执行自由刑的记载。西周当为我国使用早期徒刑、拘役的第一个朝代。

第三,教化罪犯。仅从前引《易经》史料可以看出,在夏殷基础上发展起来的西周监狱,其镇压职能更充分地发挥出来了。当时不仅中央有狱,地方也有狱;不仅用监狱纠捕、羁押罪犯,还在自由刑中建立拘役措施,强制罪犯劳改。奴隶、平民稍有反抗,不是收容、拘押,便是锒铛入狱,罚服徒刑、苦役。尽管如此,周统治者以"明德慎罚"为指导思想,在监狱中也没有放弃对罪犯的教育、感化。圜圄其名取的就是"令人幽闭思愆,改恶从善"① 之意。圜土,据郑玄注,其职能之一,就是"聚罢民其中,困苦以教之为善也"。嘉石,让罪犯坐在文理剔透的美石上,为的是"睹石而自悔也"②。稽留,也含有"审慎求

---

① 《风俗通义》。
② 《周礼·秋官·大司寇》郑注。

祥"① 之意。重视刑罚和教化的结合,是我国古代监狱制度发展到新阶段的重要标志。此后,历代狱制,都把感化罪人作为一项狱政措施,有的朝代甚至规定于法典之中。

三、狱具

狱具是束缚监押者身体不使其逃亡、行凶或进行其它反抗活动的器械。它和刑讯工具不同。讯囚工具是专门拷掠诉讼者用以逼供的。奴隶制时代,狱具、讯囚工具和肉刑行刑器械,统称为刑具。西周狱具,主要有五种形式:

桎、梏、拲。用木制成的束缚罪犯手足的器械。束缚手的叫梏,即手铐;束缚足的叫桎,即脚镣。两手分别加械,叫梏。如果两手合用一具,便称作拲②。《易·蒙初六》:"桎梏"《释文》:"在足曰桎,在手曰梏"。《汉书音义》韦昭注:"两手共一木曰拲,两手各一木曰梏"。桎、梏、拲,合称"三木"。在狱犯人,可按其罪行大小,分别加桎(或梏)、梏桎或三木俱上。"三木之囚,轻重著之:极重者三木俱著,次者二,下者一"③。《周礼·秋官·掌囚》也说"凡囚者,上罪梏拲而桎,中罪桎梏,下罪梏。"但是,"王之同族",只戴最轻刑具拲;有爵贵族,只戴桎。西周狱具的使用,也有明显的阶级界限,给奴隶主贵族以种种特权待遇。其实,桎、梏、拲是夏、商、周三代狱具的总称。前引甲骨文圉字中间的幸字,似囚徒手戴梏形状。金文只见梏字④,写作𠬝,像有械在手,这应是仅次于卜辞的最早的梏字。安阳小屯村曾出土

---

① 《战国策》高注。
② 王安石在《周官新义》中提出异议:"梏在脰(颈项),桎在足,拲在手。"
③ 《汉文音义》韦注。
④ 《子禾子釜》。

一批陶俑,双手被束缚在一起,形状像亞,女的双手在身前,男的在身后,可能就是殷代的挚。金文执字作㔾①,右"丸"字,似两手共一木之挚。挚的名称,至晋时还在沿用。直到《阵律》还有"挚手"规定,说明至南北朝时期,刑具挚仍未废除。隋以后就少见了。桎、梏,秦汉时已不多见。

校。木制的一种束缚颈、足的刑具。《易·噬嗑初九》:"屦校灭趾"。屦,鞋,引申为足。灭趾,砍掉足趾。是说施行刖刑时要在足部先加上刑具——校。又《噬嗑上九》:"何(荷)校灭耳"。是说在处以割耳馘刑时,则在颈部戴上刑具——校。可见西周时期的校,是一种连接颈、足施行肉刑时使用的刑具。解放后,陕西阳陵出土的钳,用铁链和钛连接在一起,就是由校发展而来的。校和钳钛的不同之处是,钳钛以铁链相连,人身可以活动,因而它是给在押囚犯从事劳役时所加的一种刑具。戴这种刑具,既能用手劳作,又可防止逃跑。"校,以木绞校者"②,很可能是用一木通过颈足贯通固定人的全身,以利于使用馘刑和刖刑。

徽缧。捆绑纠捕犯人的黑色绳索。在木制刑具还未广泛使用的时候,便以徽缧为狱具束缚囚徒,防止其逃亡。《易·坎上六》:"系用徽缧,置于丛棘"。《释文》:"三股曰徽,二股曰缧,皆索名"。徽,是一种粗大的绳索③,由三股绳索纠合而成;缧,普通绳索,二股纠合而成。

---

① 《兮甲盘》。
② 《易经》王注。
③ 《玉篇》:"徽,大索也。"

后 记
——西周法制史补记

一

西周是我国奴隶制比较发达的时期,加强西周法律制度史的研究,对总结我国奴隶制法律制度和封建制法律制度的利弊得失,进而借鉴历史经验教训有重要意义。由于史料的贫乏和先秦古籍鉴别工作的艰巨,西周法制史的研究,在中外法制学界还是个薄弱环节,至今无一本专著问世。我们结合教学,经过长期努力,写了这本书,其主观愿望是:

(一)深入西周法制史的研究。为使西周法制史的研究向广度和深度发展,我们编撰《西周法制史》时,主要采取了两条措施:一是在篇章结构上采用按部门法编目法,二是加强这一朝代中后期法律制度的研究。

部门法是现代法律用语,西周不可能形成今天的各种不同的法律部门和准确概念,更不会制定各种不同的部门法典,但这并不意味着周统治者没有运用不同的法律手段去调整各种复杂的社会关系。事实上,西周在刑法、民法、婚姻法、行政法、经济法和诉讼法等各个部门法中制定的不同法律规范,已初步形成体系,各具风格,彼此有别,并在其各种不同的社会生活中发挥着各自的特殊作用。为此,采用按部门法编目的篇章结构,有利于我们深层次、全方位地而不是表面、单一地了解西周的法律制度。

在我国古代,改朝换代极其频繁。大凡一个朝代,在其创建初期,一般都社会秩序比较安宁,政权相对稳定,法制建设也较有起色。因此,我们的法制史著作总把着眼点放在一个朝代的初期,而对各个朝代中后期的法律制度有所忽视。而历史事实往往是,当每一个朝代发展到中后期,政治统治虽然日趋腐败,开国君主制定的各项政治制度和比较开明的法律制度,虽然屡屡遭到破坏,但是,历史总是要向前发展的,与社会经济的不断更新、变化相适应,不少朝代的中、后期,反而还会出现一些前所未有的新的法律制度。西周的法律正是沿着这一轨迹不断向前推进的。例如西周前期制定的法律,大都是刑事法规,而从中期开始,随商品经济的发展,反映商品交易的以契约法为主要内容的民事法规,却逐步繁荣起来。如果不去研究西周中后期的法律制度,西周法制的这一重大变化就要被人们所忽略,西周法制史的研究工作也难以深入下去。

(二)对西周民法进行切合实际的估量。英国19世纪著名法学家梅因认为,一个国家民法的发达与否是这个国家文化进步或落后的标志,民法发达的国家则文化必然先进;反之,其文化必将落后,那个民族也就是不开化、愚昧和野蛮的民族。在梅因观点影响下,有的法学家断言,古代东方民族,正是这种无民法的落后、愚昧和野蛮的民族,中国自不能例外。梅因等人无视各国历史发展的特点,全盘否定古代东方诸国的民法和文化,很显然,这是一种不切实际的论断,更有悖于中华民族的光辉历史。

大量金文资料表明,西周法律,不独民事法规发达,就是与民事法规相联系的民事诉讼以及婚姻、经济等法规,均达到一定规模。金文中,除数目庞大的所有权规定外,还记录着一件件反映西周民法水平的契约实例。不唯契约种类、形式和签订程式能堪与同期其它发达奴隶制国家的契约法相比,就以契约自身的周密性、规范性而言,也远远超过一些发达奴隶制国家。西周的诉讼制度,甚至出现了调解、巡行审判等先进的制度。基于此,我们撰写《西周法制史》一书,其主要出发点之一,就是通过系统论述西周民事法规的各项制度,以冀纠正梅因论点的偏见,并希望法制史学界的同行们能对西周民法的发展水平进行切合中国实际的估量。

(三)通过比较研究,确立我国奴隶制法在世界法制史领域中的应有地位,并启发人们对我国古代法进行一次有意义的反思。比较法学派的正式兴起是在19世纪,第二次世界大战后,它受到许多国家的重视。今天,这种方法已成为更多国家的法学家进行法学研究的重要途径。本书专立一章,对立法和民、刑、诉讼等重要法规进行中外比较,其目的是想通过比较,既探求东西方奴隶制法发展的共同规律,又寻找不同国家法律制度的不同特点。

研究法制史的任务,就在于为当前的法制改革服务。当然,历史和现实不能等同,但二者之间的联系是不能割断的;历史对现实常常有可以启发之处。只有通过比较,我们才能清楚地看到各个不同国家法律制度的优劣和差异,知道哪些可以引为借鉴,哪些值得吸取。更有意义的是,当我们找到自己民族古代传统法制的差距时,比较研究还能促使我们自觉地对本民族传统文化进行一次必要而有益的反思。例如,在民法比较中,我们能够显而易见地发现,中国和罗马是奴隶制时期两个民法最发达的国家。但是,以私法为主要内容的罗马法却具有强大的生命力,对中世纪以至今天不少国家的民法产生了深远的影响；而中国，本已相当可观的奴隶制民法，自进入封建社会后反而陷入困境，止步不前。比较研究就可以帮助我们解开这个谜。诚然，中国奴隶制民法得不到充分的发展，与我国的地理环境、海外贸易不同于罗马有直接关系，而更重要的原因，还在于中国封建政治体制对它的禁锢。在封建专制政治体制桎梏下，以镇压为己任的刑法之发达自无待言；加之封建统治者长期推行重农抑商政策，这就必将使得与商品经济共命运的民事法规，不得不中断它的发展史。

二

我们撰写《西周法制史》时，对史料的处理所遵循的原则是：立足金文，印证古籍，大胆使用信史。

陕西是金文的故乡，已出土的西周青铜器，有铭文者大都荟萃于此。得天独厚的条件，为我们研究西周法制史创造了优越的环境。金文中刑法、民法、婚姻法、行政法和诉讼法等各种法律规范都有不同程度的反映，还保存着不少完整的司法判例，这是能够补史之阙的十分难得的第一手可贵资料。解放后，陕西岐山《卫盉》、《五祀卫鼎》、《九年卫鼎》和《㝬匜》四大法律宝器的出土，震动世界，为西周法制史的研究提供了突破性资料。四大宝器把西周的契约关系、诉讼程序、审判制度、科刑原则及司法机构的设置等重大法律问题，反映得淋漓尽致、栩栩如生。只要广泛、准确地运用金文资料和其它地下遗存，西周法制的轮廓，就可以基本上显示出来。因此，我们撰写《西周法制史》时，总是把金文作为史料的重要源泉，系统整理，精心考辨，大力使用。

立足金文，并不意味着要削弱对信史的正确运用。《周书》各篇、

《易经》和《诗经》中的《周颂》、《商颂》、《大雅》、《小雅》及《国风》中的一些诗篇,是可以信赖的著作,我们在写作过程中,对其均一一使用。对一些争议较大的古籍,我们力争使其和金文相互印证,凡彼此符合或内容精神一致的,亦以信史对待。令人十分兴奋的是,印证金文记载,我们发现两部争议最大的古籍《周礼》和《吕刑》,其中有关法律方面的规定,很多地方和地下资料基本相符或完全吻合。《周礼》的成书年代肯定在西周之后,不少内容含有后人的附会,然而《周礼》中有关契约方面的规定,和金文记载没有二致。在行政管理方面,《周礼》六官,除宗伯外,其它五官,如冢宰、司徒、司马、司寇、司空,金文中已全部发现。六官下辖官吏,如山虞、林衡、士师、司誓及各类史官,金文中均亦见到。最引人注意的是,对照金文判例,今本《吕刑》的主体部分即该书第二部分所载诉讼制度,和金文判例的精神一模一样,这就使得我们对《吕刑》不能不作新的评价:把《吕刑》的成书年代定在春秋也罢,或则定在战国至汉代也罢,今本《吕刑》就是穆王命令吕侯制定的那部刑书,其内容(主要指第二部分)很可能是后人对穆王《吕刑》的照录。对《周礼》和《吕刑》的再认识,使我们编写《西周法制史》时有了充分的史料保证。

  本书第四、五、十章由冯卓慧撰写,其它各章由胡留元撰写。本书所引金文资料,大都用现代汉语叙述,原始资料请参阅拙著《长安文物与古代法制》。在编写过程中,参考、吸收了不少有关论著、文章的研究成果,并得到不少同志的帮助、支持,在此一并致谢。

冯卓慧

2005年7月于西安